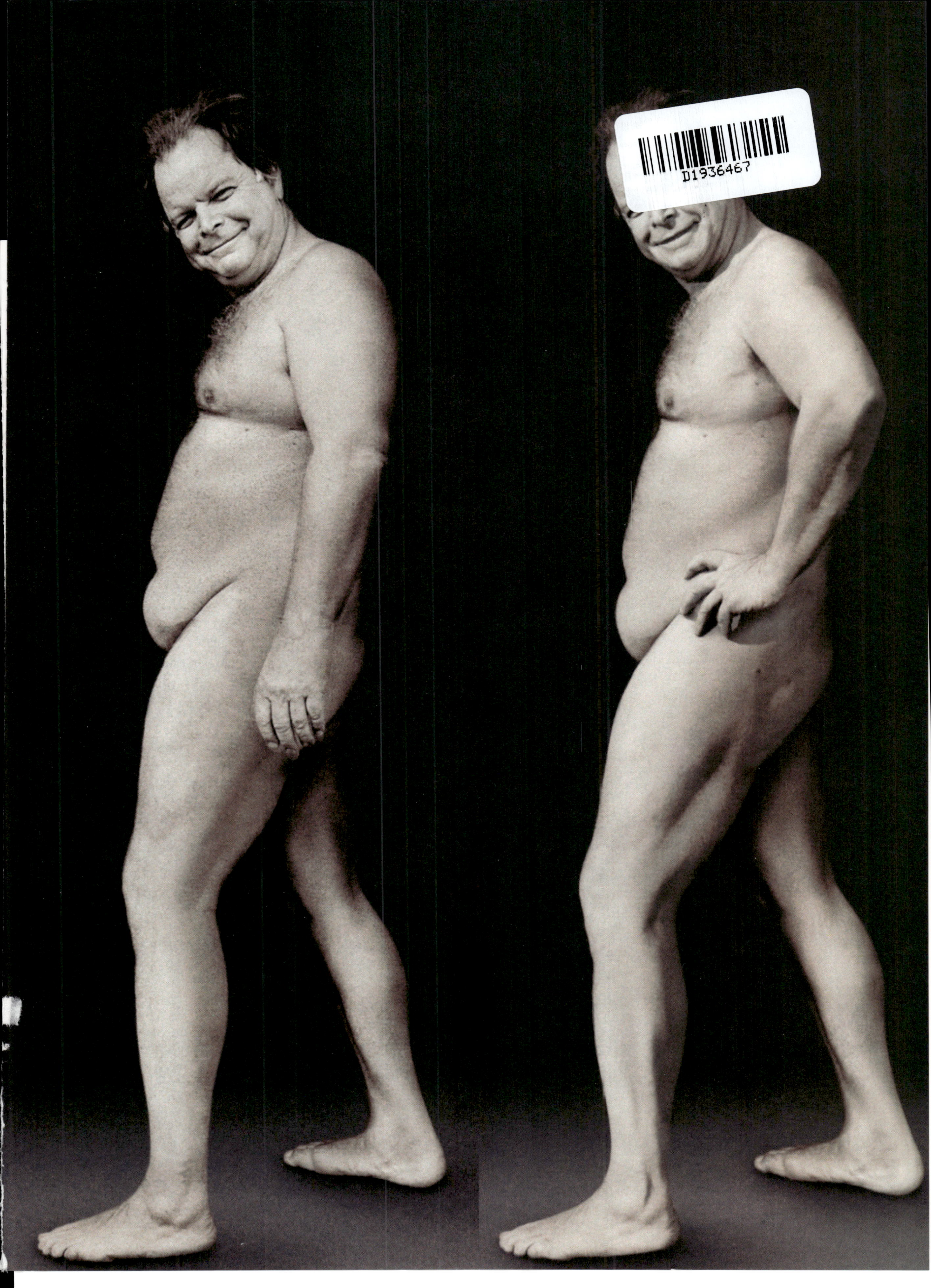

Leicht wie eine Feder sein

„Endlich frei", „Du und Schokolade?", „Du darfst", „Nie wieder dick", „Willst Du schweben?" - Tagtäglich prasseln solch „light"e Werbebotschaften auf uns nieder und suggerieren, daß nur ein leichtes Leben ein gutes Leben ist. Das ist natürlich völliger Dünnsinn! Klar, das Gefühl der Unbeschwertheit kommt aus dem Bauch - aber aus einem runden ebenso wie aus einem flachen. Und Leistungsfähigkeit hat etwas mit Köpfchen, nicht mit Kilos zu tun. Manchmal kann Leichtigkeit unerträglich sein.

Das Fett in die Zange nehmen

Wenn das so leicht wäre! Die Wahrheit ist, daß nur mit Willenskraft und einer ordentlichen Portion Disziplin ungeliebte Pölsterchen für immer zu schönen Kurven werden. Das bedeutet nicht zuletzt, daß wir endlich lernen müssen, ausgewogen und gesund zu essen - beispielsweise Meeresfrüchte und knackfrisches Gemüse anstelle von Paniertem und Fritiertem; dazu eine Prise frischen Knoblauch. So schlemmen wir nährstoff- anstelle von kalorienreich. Und der Körper wird es uns garantiert danken!

Gewichtige Argumente zum Wohlfühlen

Wer seinen Körper lieben lernen will, muß eigentlich nur einen einzigen Grundsatz beherzigen: Der Spiegel und nicht die Waage entscheidet darüber, ob wir uns in unserer Haut wohlfühlen oder nicht. Denn wer sich rundherum leiden mag, bleibt souverän und nimmt den Alltag, auch jenseits der Idealgewichtsnormen, nicht schwer. Und überhaupt, warum muß es immer „Größe 36" sein? Wie erkannte schon Christian Morgenstern: „Schön ist eigentlich alles, was man mit Liebe betrachtet."

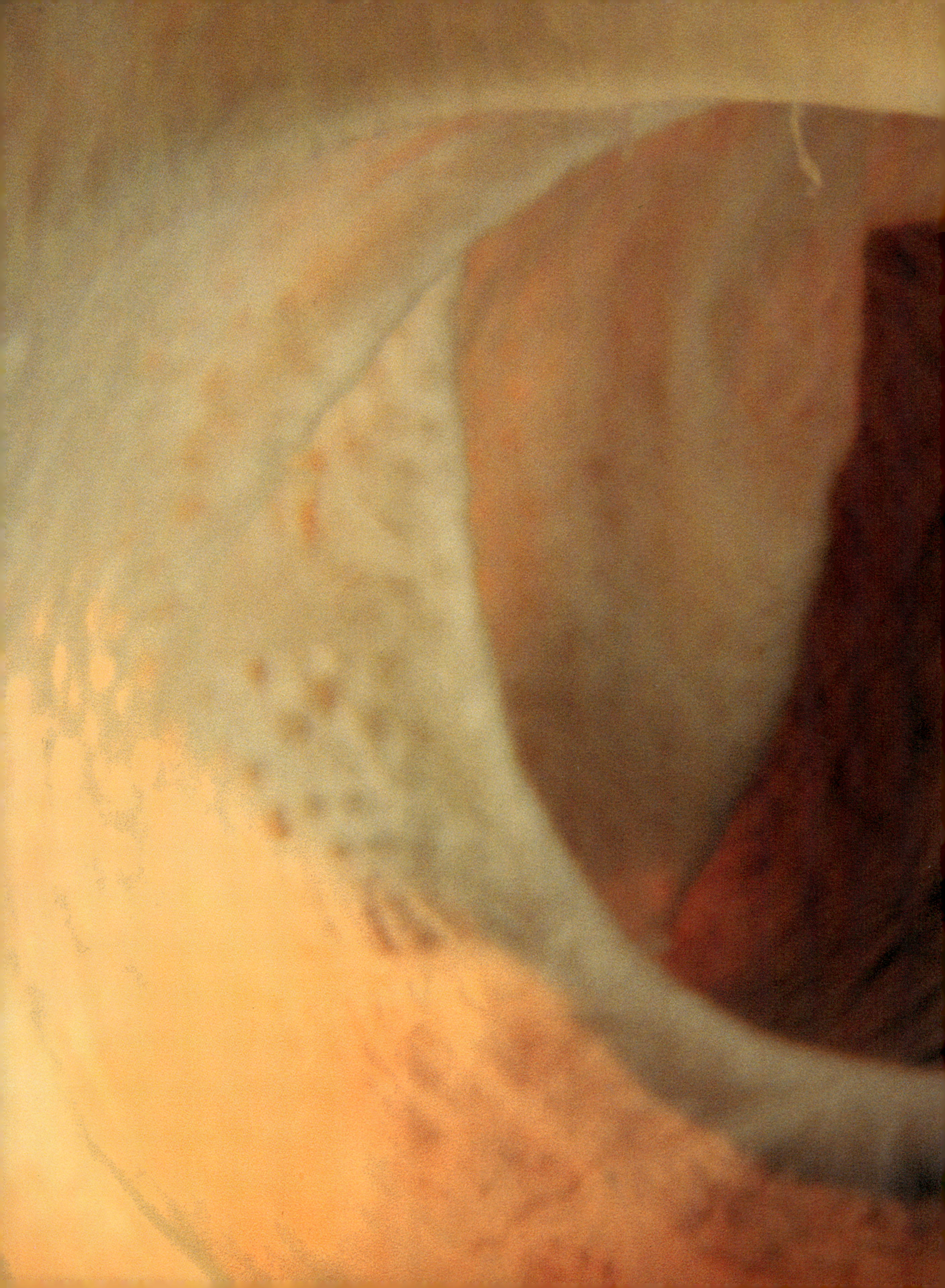

Alles geht uns durch und durch

Leicht, aber nicht leichtsinnig ernähren heißt die Devise für verantwortungsvolle Kalorienzähler. Wer Diät-Pläne in den falschen Hals kriegt und nicht nur fett-, sondern auch nährstoffarm ißt, tut seinem Körper wahrlich keinen Gefallen, sondern legt im Gegenteil seinen gesamten Stoffwechsel lahm. Wehe denen, die ihr Verdauungssystem gar mit Abführmitteln und Hungerbremsen malträtieren. Das dicke Ende für die Pfunde naht so garantiert nicht, das für Magen und Darm aber ganz bestimmt.

Maß halten statt Maß nehmen

„Oh, schmölze doch dies allzu feste Fleisch!" jammerte nicht nur Shakespeares unglücklicher Hamlet. Weitaus nicht alle Deutschen finden, daß sie allzeit eine gute Figur machen. Tatsächlich hat laut Statistik jeder dritte Erwachsene Übergewicht. Die häufigsten Gründe: Fette, falsche Ernährung und zu wenig Bewegung. Sich auf die Waage zu stellen und Frust zu schieben hilft da wenig, Selbstkritik dagegen um so mehr - und kohlenhydratreiche, fettarme Nahrung. Dann klappt's auch mit den Traummaßen.

Dick zu sein bedarf es wenig

Und daran sind meistens nicht die Gene schuld, sondern unsere Bequemlichkeit. Wir stopfen uns mit Fast Food voll, weil's im Alltagsstreß so schön praktisch ist, haben den Schokoriegel als akuten Frustschutz stets in der Schreibtischschublade, zelebrieren den Feierabend mit Chips und Alkohol und plündern nachts oft auch noch planlos den Kühlschrank. Reagiert der Körper mit Pölsterchen und Rettungsringen, ist eben FdH und Crash-Diät angesagt, damit das „Spiel" von vorne losgehen kann. Und da sage noch einer, das seien die Gene.

Fit sein ist echt abgefahren!

Die Errungenschaften der Zivilisation haben es fertiggebracht, daß die körperliche Beweglichkeit im Alltag von vielen auf ein Minimum reduziert wird. Unsere körperliche Beschaffenheit jedoch kennt von Natur aus weder Autos, Aufzüge noch Rolltreppen, sondern bedarf (zumindest) einer Minimalbelastung. Wer nicht mal dafür sorgt, darf sich nicht über unschöne Pölsterchen wundern und schon gar nicht darüber, daß ihm keine Diät der Welt hilft. Wer jedoch in seinen Alltag genügend Bewegung einbaut, hat beste Chancen, überall eine gute Figur zu machen.

Das Beispiel von Bobs Bauch

Der New Yorker Fotograf Bob Adelman ist ein lebensfroher Mensch. Als er sich eines Tages nach einer Sportproduktion mit Filmstars selbst portraitierte, fand er sich viel zu dick. Er änderte sein Eßverhalten und begann mit einem Sportprogramm. Dabei dokumentierte er mit der Kamera, wie sein Gewicht innerhalb von acht Monaten um gut einen Zentner schrumpfte. Heute ist er wieder etwas dicker, aber er mag seinen Körper sehr. Und er weiß: „Wenn ich wieder dünner werden will, kein Problem."

Ein Ideal für Millionen?

Ob das britische Model Kate Moss die „neue Sinnlichkeit" oder die „neue Sparksamkeit" verkörpert - wir wissen es nicht. Fest steht jedenfalls, daß die ätherische Schöne selbst nicht so recht versteht, warum ein solcher Rummel um fast nichts gemacht wird: „Ich hab' so gelitten wegen meiner kleinen Titten und wünschte mir immer Implantate." Heute „pflegt" sie ihre knapp 50 Kilo mit wenig Essen und reichlich Champagner. Mediziner und Psychologen versichern unisono, daß Kates Körper über kurz oder lang in Problemzonen ganz anderer Art kommen wird. Sie fürchten ernsthafte Mangelerscheinungen.

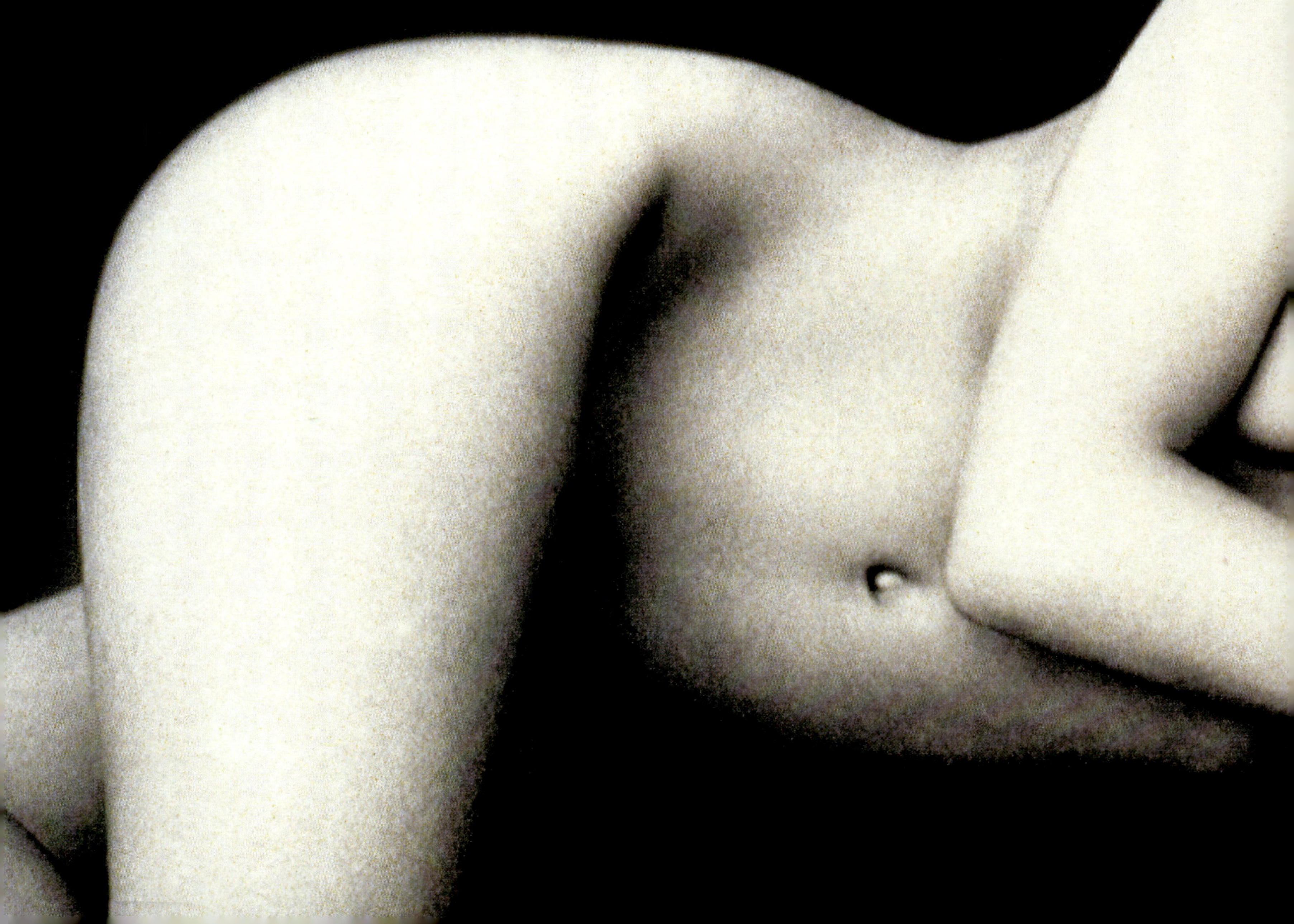

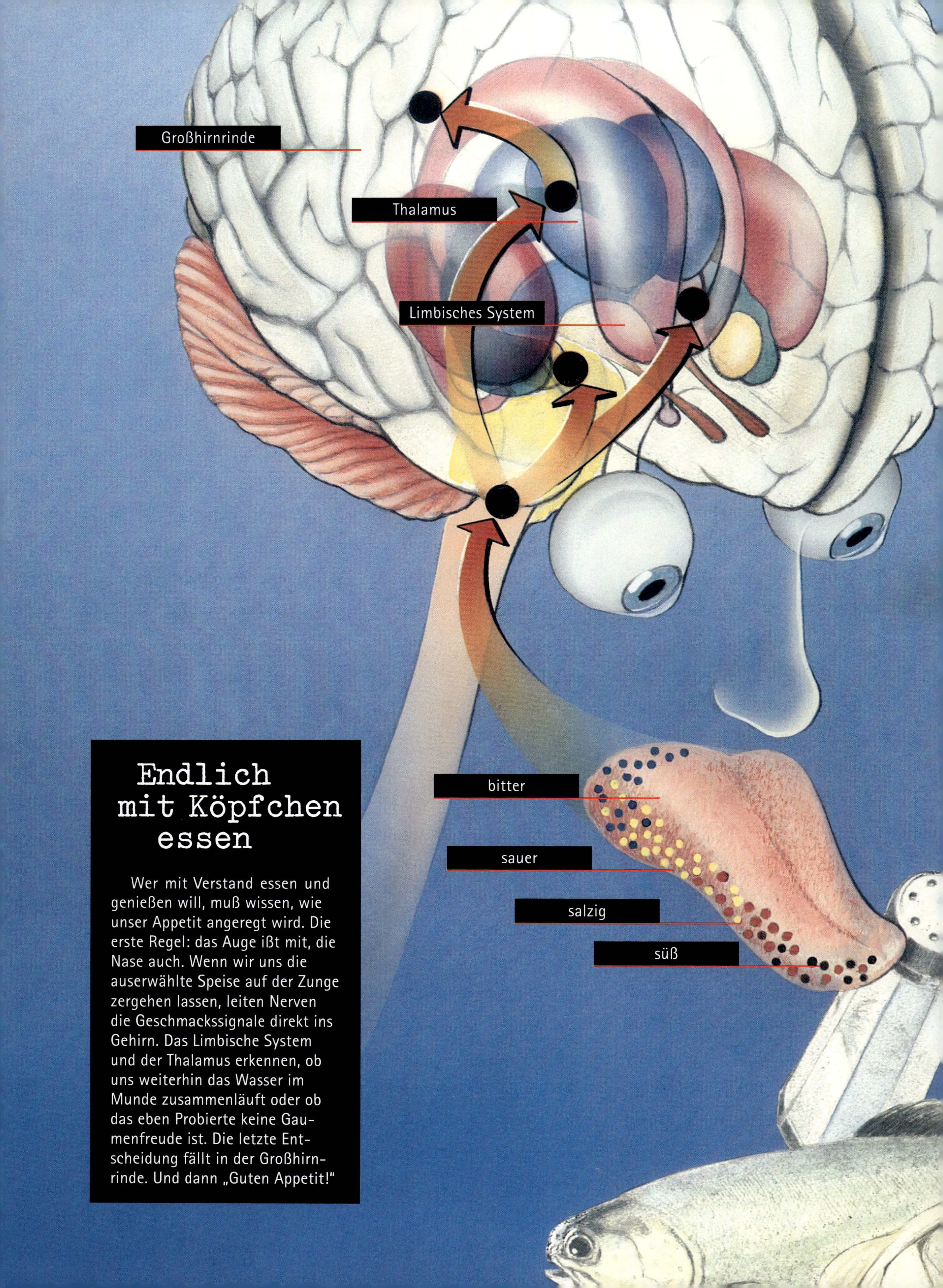

Endlich mit Köpfchen essen

Wer mit Verstand essen und genießen will, muß wissen, wie unser Appetit angeregt wird. Die erste Regel: das Auge ißt mit, die Nase auch. Wenn wir uns die auserwählte Speise auf der Zunge zergehen lassen, leiten Nerven die Geschmackssignale direkt ins Gehirn. Das Limbische System und der Thalamus erkennen, ob uns weiterhin das Wasser im Munde zusammenläuft oder ob das eben Probierte keine Gaumenfreude ist. Die letzte Entscheidung fällt in der Großhirnrinde. Und dann „Guten Appetit!"

Der Wilde mit dem Wabbelbauch

Die zwei Gesichter des Marlon Brando: Das rauhbeinige Sexidol der 50er und der voluminöse Diätverweigerer und Frustesser, der mit Schwabbelbauch und Doppelkinn die Filmbosse verschrecken wollte. Half aber alles nichts: Hollywood will auch einen beleibten Brando. Denn trotz körperlicher Fülle spielt niemand Charakterköpfe mit einer solchen Leichtigkeit wie der 71jährige. Für alle übrigen, die zwar Brandos Proportionen, nicht aber den heißen Draht nach Hollywood haben, empfehlen wir statt der persönlichen Apocalypse vor dem Spiegel die sanfte Ernährungsumstellung mit der Fit For Fun-Diät.

So schön wie Aphrodite

Finden Sie diese dralle Venus erotisch? - Für den venezianischen Renaissancemaler Tizian († 1576) verkörperte sie Aphrodite, die Göttin der sinnlichen Liebe. Schönheitsideale sind im Laufe der Jahrhunderte durch dick und dünn gegangen. Da galten mal ausladende Weiblichkeit und praller Männerwanst als besonders reizvoll, mal hagere Knabenhaftigkeit für Sie und Ihn als ausgesprochen betörend. Und heute? Da finden die einen Models im Hungerhaken-Look sexy, die anderen runde Kurven scharf. Schön ist eben, was gefällt.

Körpergewicht ist wahrlich etwas Relatives. Gewiß: Ein Pfund ist ein Pfund ist ein Pfund. Ob jemand jedoch zu viele davon am Leib hat, ist erstens Gesundheits- und zweitens Ansichtssache. Die Sache mit der Gesundheit läßt sich noch ziemlich leicht objektivieren: Grob gesagt, sollte ein Großer mehr wiegen als ein Kleiner, und darüber, wieviel es bei beiden denn sein darf, gibt es gesicherte medizinische Erkenntnisse. Doch welches Gewicht das Gewicht

Umstrittenes Super-Model: 1967 machte die Engländerin Twiggi mit ihrem „Bohnenstangen"-Look Furore.

im Urteil der Menschen hat, sprich, ob Korpulenz oder Schlankheit höher zu schätzen sein soll, ist nur mit einem kräftigen „Jenachdem" zu beantworten.

Kulturgeschichtlich jedenfalls ist das Schönheitsideal Schlankheit etwas ganz Neues und auf diesem Globus zudem nicht allzusehr verbreitet. Vorwiegend wird es in den westlichen Industriestaaten verehrt. Orientalische Kulturen bevorzugen eher die Leibesfülle, die sie mit Wohlstand gleichsetzen. Die Maler des Abendlandes empfanden ebenfalls bis weit ins 19. Jahrhundert hinein vor allem wohlbeleibte Objekte als darstellenswert. Besonders Peter Paul Rubens dachte in üppigen Formen und malte bekanntlich prallste Weiblichkeit.

Der Sieg der dürren Bohnenstangen

Noch in den ersten Jahrzehnten dieses Jahrhunderts sangen mächtige Heroinnen in Wagners „Walküre" ehrfurchtgebietend ihr Jojohotteho. Selbst in den fünfziger und sechziger Jahren war ein stattlicher Mann wie Ludwig Erhard ein Wählerstimmenfänger sondergleichen. Doch allmählich übernahmen Magazine, Modemacher und die Traumfabrik Hollywood die Rolle der Maler und Bildhauer, die früher das aktuelle Körperideal vorgegeben hatten - und Stars und Sternchen wurden immer dünner.

Mitte der sechziger Jahre schlug das Pendel vollends zur anderen Seite aus: Die englische Kindfrau Twiggy verkörperte die neue Idealvorstellung von erstrebenswerter Körperlichkeit: dünn wie eine Bohnenstange. In der ganzen westlichen Welt eiferte das Jungvolk ihr nach, und das Mittel zum Zweck war die rigorose Diät. Fotomodelle hungerten sich schlank und krank. Paradoxerweise aber driftete, während die Models in den amerikanischen Herrenmagazinen immer magerer wurden, das Durchschnittsgewicht der amerikanischen Frauen nach oben. Schließlich fand der dürre Exzeß ein Ende. Das dünne Ideal wurde mittlerweile von einem abgelöst, das ungefähr in der Mitte liegt.

Hoch lebe das gesunde Mittelmaß!

1992 kommt eine Studie im Ernährungsbericht der Deutschen Gesellschaft für Ernährung (DGE) zu dem Ergebnis: „Die Aufmerksamkeit vieler Menschen konzentriert sich auf ihre Figur, die heute mehr denn je Träger von sozialen Symbolen ist und vielfach als Mittel zur Selbstdarstellung eingesetzt wird. Besonders die Medien propagieren die Gleichsetzung von Schlankheit und Schönheit, Jugendlichkeit und Attraktivität, Dynamik und Leistungsfähigkeit."

Deutliche Favoritin bei der attraktivsten Frauenfigur ist gemäß dieser Studie aber nicht mehr der Twiggy-Typ, sondern die schlanke, jugendlich-sportliche Silhouette. Diese sogenannte sportlich-androgyne Figur hat ein schmales Becken und relativ breite Schultern.

Das hat Konsequenzen: So stellte der Verband der Damenoberbekleidungshersteller fest, daß Deutschlands Frauen größer, muskulöser und knabenhafter geworden sind. Die Kleidergrößen wurden daraufhin neu definiert. Allerdings sind laut DGE-Studie trotzdem nur 23 Prozent der Frauen mit ihrer Figur richtig glücklich. Jede zweite ist ernsthaft unzufrieden. Fast die Hälfte aller Frauen hat mindestens eine Diät ausprobiert. Beinahe jeder zweite weibliche Teenager möchte sein Gewicht reduzieren - oft der Herrenwelt zuliebe. Allerdings verschätzten sich die Teens ein bißchen, als sie das Attraktivitätsideal definierten. Sie vermuteten bei den Männern eine größere Vorliebe für Schlankheit, als es wirklich der Fall ist, so wie sie auch die Beliebtheit kurvenreicher Figuren überschätzten.

Bei jüngeren Männern konkurriert als Körperideal die muskulöse Body-Builder-Figur mit der bei allen maskulinen Altersklassen gleichermaßen beliebten mäßig muskulösen, sportlichen Figur. Diese aber, und nicht der Muskelprotz, gefällt nach Umfrage-Ergebnissen eindeutig auch Frauen am besten.

Innerhalb weniger Jahrzehnte veränderte sich somit das öffentliche Ansehen korpulenter Männer radikal: einst die fröhliche, ausgeglichene Genießernatur, heute der willensschwache und träge Verlierertyp. Je härter

IDEALGEWICHT

Traumfiguren und der deutsche Zeitgeist

Dicke Freundschaft nur mit Dünnen? Was Mutti noch als gestandenes Mannsbild bezeichnete, ist für Kids ein bemitleidenswerter Fettsack ohne Chancen in der Clique.

Die dürre Traumfigur: Eine ganz gravierende Veränderung in der Bewertung der „Idealfigur" beobachteten Statistiker in den 80ern. Noch 1971 mochten die Deutschen molligere Typen (3/4) leiden. Etwa zehn Jahre später jedoch entzogen sie den Moppeln - Nachwirkungen der Twiggyzeit - all ihre Sympathien.

Die große Normalisierung: 1989 wiederum pendelte sich die Traumfigur in der goldenen Mitte ein. Eine Resonanz auf den Diätfrust? Oder wird die Idealfigur wiederentdeckt?

Kompromiß im Mittelfeld: Die Ergebnisse dreier Umfragen, untenstehend in einer Statistik zusammengefaßt, zumindest unterstreichen den kontinuierlichen Trend zur Mitte. Die fünf Figurtypen (siehe unten) waren den Befragten 1971, 1979 und 1989 vorgelegt worden.

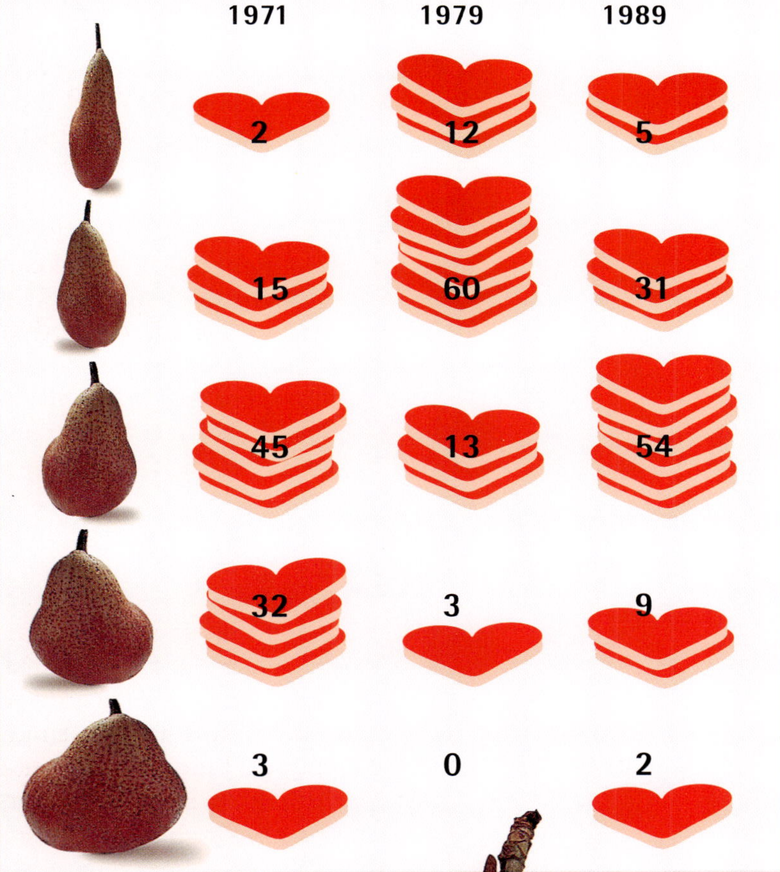

Quelle: Köster, U.; Pudel, V.: Der PudelPlan zum Wunschgewicht. Falken Verlag, 1991, S. 21

der Konkurrenzkampf, ob privat oder beruflich, desto mehr zählt das äußere Bild. Erfolg hat, wer schlank ist. Schlanksein gilt als Ausweis von Disziplin und Durchsetzungsvermögen. Ein Manager hat heute pölsterchenfrei zu sein, wenn er dynamisch und erfolgreich wirken will.

Der amerikanische Wissenschaftler A. J. Stunkard hat sogar hochgerechnet, daß mit jedem Pfund Übergewicht das Jahreseinkommen einer Führungskraft um 1000 Dollar sinkt.

„Ich bin froh, daß ich kein Dicker bin!"

Leitbilder sind die ranken jungen Menschen aus der Werbung geworden, aus Film und Show-Geschäft. Marius Müller-Westernhagen, selbst ziemlich dürr, allerdings nicht angekränkelt vom Diätstreß, sang schon 1978 frech daher:

„Mit Dicken macht man gerne Späße.
Dicke haben Atemnot.
Für Dicke gibt's nichts anzuziehen.
Dicke sind zu dick zum fliehn.
Dicke haben schrecklich dicke Beine.
Dicke ham ein Doppelkinn.
Dicke schwitzen wie die Schweine.
Stopfen, fressen in sich rin:
Ich bin froh, daß ich kein Dicker bin.
Denn dick sein ist 'ne Quälerei.
Ich bin froh, daß ich so'n dünner
Hering bin. Denn dünn bedeutet frei
zu sein."

Und die dünne Welt singt mit. Solch allgemeine Herabsetzung in der öffentlichen Akzeptanz erzeugt bei denen, die dem Ideal nicht ganz genügen, Leistungsdruck in einer neuen Dimension - einen regelrechten Diätwahn. Übrigens nicht ausschließlich bei Frauen: Mittlerweile tauchen immer mehr Männer in den Kliniken für Eßgestörte auf, wo Magersucht und Bulimie bislang als etwas exklusiv Feminines galten. Kollektives Diäthalten und Diätmißbrauch sind die Folgen eines gesellschaftlich verordneten, modisch-ästhetischen Schlankheitsideals - das nun auch den Herren der Schöpfung zu schaffen macht.

Echt krankhaft: Die Diktatur des Idealgewichts

Abnehmen bis auf ihr „Idealgewicht“ wollen auch viele, die es gesundheitlich überhaupt nicht nötig haben. Dabei entsprach das sogenannte medizinische Idealgewicht nur für sehr kurze Zeit der Mode. Als das Gürtelengerschnallen zum modischen Prinzip wurde und Mediziner und Ernährungswissenschaftler immer öfter Diätstreß und Krankhungern registieren mußten, schlugen die Experten Alarm und versuchten, dem Schlankheitswahn Einhalt zu gebieten. Denn das „soziale“ Idealgewicht von Fotomodels & Co. liegt nicht selten gefährlich nahe an der Grenze zur Magersucht. In der Wissenschaft wurde das Idealgewicht inzwischen als gesundheitliches Nonplusultra stillschweigend begraben. Lebensversicherungsdaten, mit denen die gesundheitlichen Vorteile des Idealgewichts begründet worden sind, waren gar nicht repräsentativ. Erwachsene im mittleren Lebensalter tun im Hinblick auf ihre Blutdruck-, Blutfett- und Blutzuckerwerte oft sogar besser daran, auf ein spartanisch erkämpftes Idealgewicht zu verzichten. Auf dem Weg dahin können einseitige und strenge Diäten bekanntlich mehr schaden als nützen.

Nicht unproblematisch ist auch, daß in vielen Sportarten - etwa Gymnastik, Turnen, Eiskunstlauf, Boxen und Ringen - die Athleten besonderen Anforderungen und Erwartungen nicht nur hinsichtlich ihres (Kampf-)Gewichts, sondern auch ihres Körperbildes genügen müssen. So gilt heute in der Gymnastik nicht mehr die kräftige, sondern die mädchenhafte Gestalt als ideal: Gertenschlankheit sichert mehr Punkte von der Jury. Während der Körper junger Frauen im Durchschnitt einen Fettanteil von 20 bis 22 Prozent aufweist, wird von Sportlerinnen ungefähr zehn Prozent angestrebt. Dabei ist erwiesen, daß die Fortpflanzungsfähigkeit der Frau durch ihr Fettgewebe beeinflußt wird. Unterschreitet ihr größenbezogenes Mindestgewicht infolge einer Diät oder harten Leistungssport-Trainings einen bestimmten Schwellenwert, kann sie unfruchtbar werden. Der Hypothalamus, der Bereich des Zwischenhirns, der die weibliche Fortpflanzungsfunktion steuert, reagiert nämlich sensibel auf starkes Untergewicht. Immerhin ist eine solche Unfruchtbarkeit reversibel, wenn an Gewicht wieder zulegt wird.

Von solchen Zusammenhängen wußten vermutlich schon die Menschen der Steinzeit: Bei ihnen galt

---

FETTMESSUNG

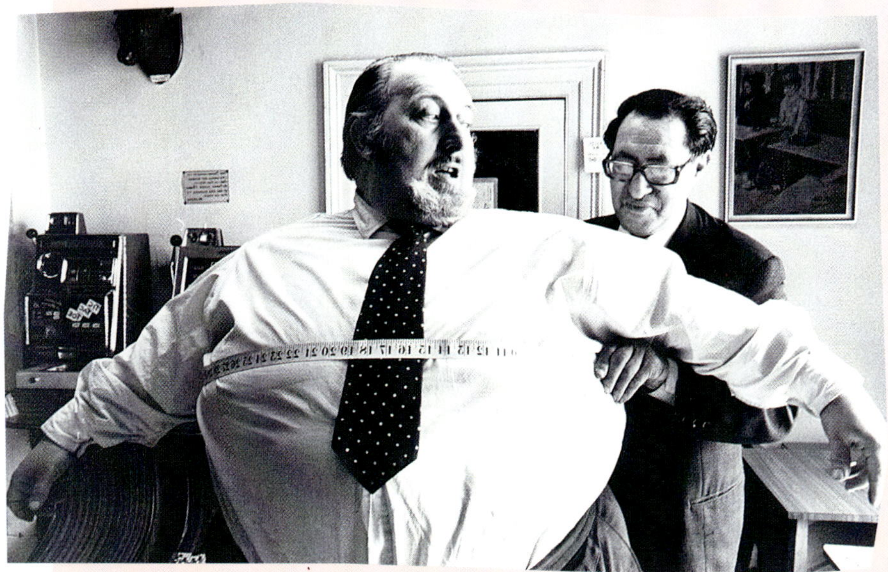

Voll erwischt: Das Maßband enttarnt gnadenlos die Rundungen. Baucheinziehen und Luftanhalten gilt nicht!

So kriegen Sie Ihr Fett wirklich in den Griff

Wieviel Speck jemand wirklich auf den Rippen hat, läßt sich ganz genau feststellen. Z. B. mit dem sogenannten „Skinfold-caliper“, einem Griff mit Kniff, sozusagen.

Machen Sie den Kneiftest: Den „Fettgehalt“ eines Menschen ermitteln Wissenschaftler exakt mit dem „Skinfold-caliper“ oder mit anderen modernen Analysegeräten zur Bestimmung der Körperzusammensetzung. Für den Hausgebrauch reicht ein einfacher Kneiftest: Wenn Sie die Haut am Bauch oder am Oberarm zwischen Achselhöhle und Ellenbogen derart zwischen Daumen und Zeigefinger nehmen, daß sie sich leicht von der darunterliegenden Muskelschicht abhebt, so haben Sie erfaßt, was man die „Hautfalte“ nennt. Sie ist um so dicker, je mehr Fett unter der Haut gespeichert ist. Das Unterhautfettgewebe zeigt tatsächlich an, ob das Übergewicht aus der Zunahme des Fettgewebes resultiert.

Und so geht's: Ziehen Sie die Haut leicht an und messen Sie die Dicke. Wenn am Bauch mehr als 20 bis 30 Millimeter und am Arm etwa die Hälfte davon herauskommt, dann ist es höchste Zeit für Sie, mit fettkontrollierter Ernährung und gezielter Bewegung gegen Ihre Korpulenz anzugehen.

weibliches Körperfett offenbar als Ausweis der Fruchtbarkeit. Die „Venus von Willendorf" aus Niederösterreich, eine rund 10 Zentimeter hohe, etwa 30000 Jahre alte Figur wird gemeinhin als Beleg für spätsteinzeitliche Fruchtbarkeitskulte angesehen.

Die Venus von heute ist gertenschlank - der Adonis auch: Bei jungen Männern liegt die Körperfett-Norm bei 14 bis 16 Prozent. Hingegen wollen Athleten der genannten Sportarten fünf bis sieben Prozent erreichen. Auch ihnen drohen erhebliche Probleme, wie Psychiater und Psychologen der Universität Göttingen an einer Gruppe von aktiven Leistungssportlern, (84 Ruderer und Ringern der unteren Gewichtsklassen) ermittelten:

Die Athleten waren durch ihre Sportart gezwungen, ein bestimmtes Maximalgewicht nicht zu überschreiten. In einem Fragebogen gaben sie Auskunft über ihr Trainingsprogramm, ihr Körperempfinden sowie ihr Eßverhalten. Im allgemeinen waren sie zufrieden mit ihrem Körper und stolz auf ihre Figur, schätzten sich im Vergleich zu „normalen" Männern überwiegend zudem als attraktiver ein.

Die genaue Ergebnisanalyse zeigte jedoch, daß rund 30 Prozent der Befragten mit einer Reihe psychischer Probleme kämpfte, wie sie ähnlich bei ernährungsgestörten Frauen auftreten. Sie sorgten sich außerdem viel stärker um ihre Gesundheit als „Normale" und litten öfter an körperlichen Beschwerden. Ein gestörtes Körperempfinden kann also durchaus auch Männer treffen, die sich ständig mit ihrem Body, ihrer Leistung und ihrem Gewicht beschäftigen. Noch unklar ist allerdings, welche Ursachen dieser gestörten Beziehung zwischen Sport, Gewichtskontrolle und psychischer Gesundheit zugrundeliegen. Entsprechende Untersuchungen könnten u. U. auch Hinweise darauf geben, weshalb nicht jeder, der sein Gewicht regelmäßig kontrolliert und einschränkt, ein gestörtes Körperempfinden entwickelt.

Wann ist unser Körpergewicht denn nun normal?

Was aber ist ein rundum akzeptables Gewicht, eines, das sowohl Sie selbst als auch Ihren Arzt völlig zufriedenstellt? - Nun, der Herr Doktor wird Sie kaum tadeln, wenn es dem einst von seinem französischen Kollegen Broca (1824-1880) für Erwachsene definierten „Normalgewicht" entspricht: Körpergröße in Zentimetern minus 100 gleich Soll in Kilogramm. Mittlerweile haben Physiologen das Broca-Gewicht ein wenig differenziert und daran ein paar ernsthafte Empfehlungen geknüpft:

- Untergewichtig ist, wer 15 Prozent weniger als das Broca-Normalgewicht auf die Waage bringt. Da darf ein bißchen mehr auf die Rippen.

- Erwachsene im Normalgewichtsbereich bis hin zum sogenannten Idealgewicht (nach bisheriger Definition: Broca-Gewicht minus 10 bis 15 Prozent) sollten dieses Körpergewicht halten. Als verbindlich wird das „Idealgewicht" heute nicht mehr propagiert, da dieses Ziel, wie gesagt, zu üblem Diätstreß führen kann.

- Im Normalgewichtsbereich liegt aber auch das „Wohlfühlgewicht", und zwar ein paar Pfunde darunter oder darüber (um etwa zehn Prozent). Bei dieser ganz persönlichen Körperschwere fühlt man sich der Definition entsprechend und mag sich auch im Spiegel leiden.

- Geringfügige Überschreitungen des Broca-Gewichts sind normalerweise gesundheitlich unbedenklich, sollten aber dazu verpflichten, die Risikofaktoren für Herz-Kreislauf-Erkrankungen in regelmäßigen Abständen zu kontrollieren (z. B. durch vorsorgliches Blutdruckmessen), um gegebenenfalls eine Gewichtsreduktion einzuleiten. Allerdings empfiehlt sich

Persönliches Traumgewicht: Der BMI verrät's uns ganz genau

Welches Gewicht ist denn nun „ideal"? Am genauesten ermitteln läßt sich das persönliche Traumgewicht durch den in den USA entwickelten Body Mass Index (BMI). Ein Rechenexempel, das sich lohnt.

Ganz individuell: Mit dem amerikanischen Body Mass Index (BMI) ist das Körpergewichts-Soll unabhängig von Größe, Alter und Geschlecht eines Erwachsenen zu bestimmen. Zwar läßt sich mit dieser Formel leider nicht ganz so leicht rechnen wie mit Broca. Dafür sind die Ergenisse objektiv und wirklich für alle Erwachsenen zutreffend. Die nebenstehende Tabelle hilft Ihnen.

Und so wird gerechnet:

$$\text{BMI} = \frac{\text{Körpergewicht in kg}}{\text{Körpergröße in m}^2}$$

Beispiel: Eine Frau ist 1,72 Meter groß und wiegt 63 Kilogramm. Dann errechnet sich ihr BMI wie folgt:

$$\text{BMI} = \frac{63\text{ kg}}{1{,}72\text{m} \times 1{,}72\text{m}} = 21{,}29$$

Aller Anfang ist schwer: Wer fit statt fett sein will, braucht vor allem jede Menge Willenskraft.

Präzise Berechnungen: Mit der nebenstehenden Tabelle kann jeder seine persönliche Situation ganz leicht bestimmen und überprüfen. Gleichzeitig zeigt sie an, ob Ihr Gewicht den Empfehlungen der Gesundheitsfachleute entspricht oder ob es gravierende Abweichungen gibt. Das gilt sowohl für Über- als auch Untergewicht.

Ergebnis einfach ablesen: Es sieht zwar kompliziert aus. Tatsächlich ist die Handhabung der BMI-Tabelle wirklich einfach. Sie benötigen nur so etwas wie ein Lineal. Legen Sie das in der Tabelle an Ihre Größe und gleichzeitig an Ihr Gewicht an. In der Mitte ist so Ihr BMI-Wert abzulesen. Markieren Sie ihn mit dem Datum, so können Sie eventuelle Veränderungen bei jedem Check sofort registrieren.

Gefährliche Abweichungen: Wer einen Body Mass Index zwischen 20 bis 25 hat, kann sich gratulieren. Er liegt im gesundheitlich sicheren und auch optisch zufriedenstellenden Bereich.

Vorsicht ist bei einem BMI zwischen 12 und 20 geboten. Er kann bereits auf eine Tendenz zu Untergewicht oder gar Magersucht hindeuten. Wer sicher sein will, konsultiert am besten einen Facharzt!

Wer auf einen BMI zwischen 26 und 30 kommt, ist leicht übergewichtig. Das ist kein Grund zur Panik. Allerdings sollten diejenigen über eine Gewichtsreduktion nachdenken, wenn sie unter Ernährungsstörungen wie Diabetes, Bluthochdruck, Gicht, Fettstoffwechselstörungen oder ähnlichen Krankheiten leiden.

Bei einem Body Mass Index von über 30 helfen keine Ausreden mehr. Wer seine Gesundheit nicht auf's Spiel setzen will, muß ganz dringend sein Gewicht reduzieren!

Größe in Metern

Gewicht in Kilogramm	1,56	1,60	1,64	1,68	1,72	1,7
110	45	43	41	39	37	36
109	45	43	41	39	37	35
108	44	42	40	38	37	35
107	44	42	40	38	36	35
106	43	41	39	38	36	34
105	43	41	39	37	35	34
104	43	41	39	37	35	34
103	42	40	38	36	35	33
102	42	40	38	36	34	33
101	42	39	38	36	34	33
100	41	39	37	35	34	32
99	41	39	37	35	33	32
98	40	38	36	35	33	32
97	40	38	36	34	33	31
96	39	37	36	34	32	31
95	39	37	35	34	32	31
94	39	37	35	33	32	30
93	38	36	35	33	31	30
92	38	36	34	33	31	30
91	37	36	34	32	31	29
90	37	35	33	32	30	29
89	37	35	33	32	30	29
88	36	34	33	31	30	28
87	36	34	32	31	30	28
86	35	34	32	30	29	28
85	35	33	32	30	29	27
84	35	33	31	30	28	27
83	34	32	31	29	28	27
82	33	31	30	28	27	26
81	33	32	30	29	27	26
80	33	31	30	28	27	26
79	32	31	29	28	27	26
78	32	30	29	28	26	25
77	32	30	29	27	26	25
76	31	30	28	27	26	25
75	31	29	28	27	25	24
74	30	29	28	26	25	24
73	30	29	27	26	25	24
72	30	28	27	26	24	23
71	29	28	26	25	24	23
70	29	27	26	25	24	23
69	28	27	26	24	23	22
68	28	27	25	24	23	22
67	28	26	25	24	23	22
66	27	26	25	23	22	21
65	27	25	24	23	22	21
64	26	25	24	23	22	21
63	26	25	23	22	21	20
62	25	24	23	22	21	20
61	25	24	23	22	21	20
60	25	23	22	21	20	19
59	24	23	22	21	20	19
58	24	23	22	21	20	19
57	23	22	21	20	19	18
56	23	22	21	20	19	18
55	23	21	20	19	19	18
54	22	21	20	19	18	17
53	22	21	20	19	18	17
52	21	20	19	18	18	17
51	21	20	19	18	17	16
50	21	20	19	18	17	16

So werden die BMI-Werte gelesen:

Über 30: Viel zu viel! Abnehmen ist ganz dringend angeraten!

26–30: Leichtes Übergewicht. Eine Gewichtsreduktion ist bei Ernährungsstörungen wie Diabetes, Bluthochdruck, Gicht, Fettstoffwechselproblemen nötig.

,80	1,84	1,88	1,92	1,96	2,00
4	33	31	30	29	28
4	32	31	30	28	27
2	32	31	29	28	27
3	32	30	29	28	27
3	31	30	29	28	27
2	31	30	28	27	26
2	31	29	28	27	26
2	30	29	28	27	26
1	30	29	28	27	26
1	30	29	27	26	25
1	30	28	27	26	25
1	29	28	27	26	25
0	29	28	27	26	25
0	29	27	26	25	24
0	28	27	26	25	24
9	28	27	26	25	24
9	28	27	25	24	24
9	27	26	25	24	23
8	27	26	25	24	23
8	27	26	25	24	23
28	27	25	24	23	23
27	26	25	24	23	22
27	26	25	24	23	22
27	26	25	24	23	22
27	25	24	23	22	22
26	25	24	23	22	21
26	25	24	23	22	21
26	25	24	23	22	21
25	24	23	22	21	20
25	24	23	22	21	20
5	24	23	22	21	20
24	23	22	21	21	20
24	23	22	21	20	20
24	23	22	21	20	19
23	22	22	21	20	19
23	22	21	20	20	19
23	22	21	20	19	19
23	22	21	20	19	18
22	21	20	20	19	18
22	21	20	19	18	18
22	21	20	19	18	18
21	20	20	19	18	17
21	20	19	18	18	17
21	20	19	18	17	17
20	19	19	18	17	17
20	19	18	18	17	16
20	19	18	17	17	16
19	19	18	17	16	16
19	18	18	17	16	16
19	18	17	17	16	15
19	18	17	16	16	15
18	17	17	16	15	15
18	17	16	16	15	15
18	17	16	15	15	14
17	17	16	15	15	14
17	16	16	15	15	14
17	16	15	15	14	14
16	16	15	14	14	13
16	15	15	14	14	13
16	15	14	14	13	13
15	15	14	14	13	13

20- 25: Glückwunsch! Der BMI liegt im gesundheitlich sicheren Bereich.

18–20: Zu wenig. Achtung! Tendenz zu Untergewicht und Magersucht.

Alles unter 18: Extrem wenig! Alarmstufe rot! Am besten zum Facharzt!

in diesem Bereich keine Gewichtsabnahme „um jeden Preis", da das mitunter psychische Probleme schaffen kann.

- Wer 15 bis 20 Prozent schwerer ist als das Normalgewicht, muß wesentlich stärker mit Herz-Kreislauf- und Stoffwechselerkrankungen rechnen als ein Normalgewichtiger. Eine Gewichtsreduktion ist also angezeigt.

- Ein Übergewicht von mehr als 20 Prozent über dem, was Broca empfiehlt, ist nicht mehr zu übersehen und eine absolute Indikation für eine Abnahme: Denn eine solche übermäßige Anhäufung von Fett ist in hohem Maße gesundheitsgefährdend (Adipositas) und längst kein bloßer „Schönheitsfehler" mehr.

Indessen ist die Bemühung des Herrn Broca nicht in jedem Fall der Wiege-Weisheit letzter Schluß. Seine Formel ist einfach zu „normal", um für alle zu gelten. So bemängeln Wissenschaftler, daß mit ihr das eigentliche Ausmaß des Körperfetts gar nicht zu ermitteln ist.

Leistungssportler beispielsweise können wegen ihrer durch Krafttraining vermehrten Muskelmassen nach Broca übergewichtig sein, ohne daß sie ein einziges Gramm zuviel Depotfett gespeichert haben.

Der Broca-Index hat ferner Schwächen bei relativ kleinen und sehr großen Menschen. Erwachsene, die kleiner als 150 Zentimeter sind, sollten sich eher am Broca-„Idealgewicht" orientieren. Bei größerer Körperlänge wird ein Übergewicht oft gar nicht erkannt, da sehr große Menschen (etwa ab über 1,90 Meter) entsprechend Broca schwerer sein dürfen, als sie sollten. Bei den Großen empfiehlt sich deshalb ein Abzug um fünf bis zehn Prozent vom Broca-Normalgewicht. Auch viele relativ große jüngere Frauen fühlen sich mit dem Broca-Normalgewicht nicht richtig wohl. Ein objektiveres Maß stellt für alle diese Fälle der in den Vereinigten Staaten entwickelte sogenannte Body Mass Index (BMI) dar.

Für Kinder und Jugendliche, die sich noch im Wachstum befinden, hat das Broca-Maß erst recht wenig Aussagekraft. Deren Gewicht ist weit besser zu beurteilen, wenn man es mit dem sogenannten Referenzgewicht vergleicht: dem statistisch er-

Schlankheit ist ein neuzeitliches Schönheitsideal. Zu Omas Zeiten gefiel ein kleiner Speckbauch auch.

mittelten Körpergewicht der meisten Kinder (rund 80 Prozent) jeweils eines Jahrgangs, eines Geschlechts und gleicher Körpergröße. Jeder Arzt, jede Ernährungsberatung verfügt über die entsprechenden Tabellen.

Zwar ist auch hier eine gewisse Toleranz akzeptabel; Unter- wie Überschreitungen dieses Bereichs sollten allerdings Grund sein, nach der Ursache zu forschen. Schließlich werden aus übergewichtigen Kindern meist auch übergewichtige Erwachsene. Doch statt zur Diät genötigt zu werden, sollten Kinder und Jugendliche besser lernen, gesunde Ernährungs- und Bewegungsgewohnheiten zu entwickeln. Das schützt dann wiederum auch vor Eßstörungen.

Der Kanzler und die Kilos: Details über die alljährlichen Abspeckversuche Helmut Kohls bescheren der Yellow Press dicke Umsatzzahlen.

Das falsche Gewicht verursacht ganz zweifellos gravierende gesundheitliche Probleme - bei Männern ebenso wie bei Frauen, bei Kindern genauso wie bei Athleten. Bei Übergewicht drohen erhöhte Blutfettwerte (und damit Arteriosklerose und Infarktgefahr), Bluthochdruck (mit Risiken für Herz und Kreislauf), ein hoher Harnsäurespiegel im Blut (was zu Gicht führen kann) oder Diabetes mellitus (Zuckerkrankheit).

Außerdem muß, wer erheblich übergewichtig ist, mit Gelenkbelastungen rechnen. Kein Wunder eigentlich, denn das Knochengerüst muß viel zu viel mit sich herumschleppen. Betroffene müssen zudem mit Gallensteinen und Komplikationen bei Operationen rechnen. Für Frauen kommt eine weitere Gefahr dazu: Stark Übergewichtige haben nicht selten erhebliche Probleme bei Schwangerschaften. Daß Dicke heutzutage auch im gesellschaftlichen Ansehen ganz weit herunterfallen, wurde schon aufgespießt.

Längst hat sich Übergewicht auch hierzulande zu einer richtigen Volkskrankheit ausgewachsen. Und deshalb ist energisch vor ihm zu warnen. Nicht minder jedoch auch vor Panikmache: „Deutsche Frauen sind doppelt so häufig dick wie deutsche Männer", lautete jüngst eine Sensationsmeldung. Und weiter: Fast die Hälfte der Bundesbürger sei erheblich zu dick - und brauchte deshalb dringend eine Diät.

Dabei war die Quelle dieser „Katastrophennachricht" durchaus seriösen Ursprungs. Es handelte sich um Aussagen der aktuellen „Nationalen Verzehrstudie", die im Auftrag des Bundesministeriums für Forschung und Technologie erstellt worden war. Trotzdem hatte die Erhebung bei näherem Hinsehen einen erheblichen Schönheitsfehler. Die Deutsche Gesellschaft für Ernährung erkannte beim erneuten Nachrechnen: Mit einer falschen Formel - man hatte ein zu niedriges Gewicht als Norm angesetzt - waren insbesondere die Frauen schlichtweg zu dick gerechnet worden.

Prof. Dr. Volker Pudel, Diätspezialist und Leiter der Ernährungspsychologischen Forschungsstelle der Universität Göttingen, hält vielmehr diejenigen für behandlungsbedürftig übergewichtig, deren Gewicht mehr als 20 Prozent über der Broca-Norm liegt. Darunter fallen jedoch nach erneuten Berechnungen nur etwa fünf Prozent der deutschen Bevölkerung. Und ein gravierender Unterschied zwischen Männern und Frauen ist in der neuen Statistik auch nicht zu erkennen.

Die Frage, wer normalgewichtig, über- oder untergewichtig ist, dick oder dünn, magersüchtig oder fettleibig, läßt sich durchaus anhand der aufgezeigten Maßstäbe und Berechnungsmöglichkeiten objektiv beantworten. Trotzdem ist eine individuelle Bewertung des Gewichts im konkreten Fall kaum zu ersetzen. Körpermessung und Augenmaß können sich sinnvoll ergänzen. Denn das eigene Auge ist überaus kritisch, oft genug sogar überkritisch. Der wohl von jedem des Öfteren angewendete Spiegeltest - die subjektive Beurteilung des eigenen Körperbildes von vorn, von der Seite und womöglich von hinten - ist meist ziemlich realistisch. Denn schon mäßiges Übergewicht an ungünstig wirkenden Körperstellen stört den Betrachter oder die Betrachterin dabei meist ganz erheblich.Und angesichts solcher persönlichen figürlichen Schwächen ist kaum jemand damit zufrieden, daß sein Gewicht nach objektivem Tabellenmaß doch ganz in Ordnung sei.

Zu unerbittlich stechen die ersten Anzeichen möglicher Körperfülle ins Auge: Vor dem Spiegel fällt Männern ihr „Bierbauch", diese apfelförmige Ansammlung um die Leibesmitte, schon auf, bevor die Waage sie alarmiert. Und Frauen reagieren meist schon, bevor die zwar typisch weibli-

PROPORTIONEN

Waist-To-Hip-Ratio: Maß der schlanken Taille

Stimmen die Proportionen? Wer sich nicht auf den Spiegel verlassen will, muß rechnen. Und zwar mit dem „Waist-to-hip-ratio". Der verrät uns, wo das Fett steckt.

Der **„Waist-To-Hip-Ratio"**, der Quotient aus Taillen- und Hüftumfang, gibt wieder, ob Ihre Proportionen sowohl gesund wie ansehnlich sind. Nehmen Sie ein Bandmaß und messen Sie die Umfänge Ihrer Taille und Ihrer Hüfte. Setzen Sie die Ergebnisse in folgende einfache Formel ein:

$$\text{Waist-To-Hip-Ratio} = \frac{\text{Taillenumfang}}{\text{Hüftumfang}}$$

Den Speck entdeckt: Das ergibt meist keine glatte Zahl, sondern etwa 0,89 oder 1,24. Für Frauen ist ein Wert bis 0,85 und bei Männern unter 1,0 in Ordnung. Liegt das Ergebnis aber deutlich über 1,0, ist das ein Grund zur Sorge: Sie haben mehr Speck am Leibe, als sie sollten, was womöglich Herz-Kreislauferkrankungen fördert. Sie sollten also abnehmen.

chen, aber extrem ungeliebten Fettpölsterchen an Hüfte, Po und an den Schenkeln sich birnenförmig ausbilden können.

Dabei muß gesagt werden, daß der männliche „Apfel" das weitaus ärgere der beiden Früchtchen ist: Er ist in Zeiten des Nahrungsüberflusses für den Körper praktisch funktionslosgeworden und erhöht das Riskio von Herz-Kreislauf- und Stoffwechsel-Erkrankungen weit mehr als sein weibliches Pendant, die Birne. Das hat einen Grund: Den Frauen dienen ihre Fettdepots - wissenschaftlich gesehen - bekanntlich als biologische Energiereserven, auf die ihr Körper vor allem während einer Schwangerschaft zurückgreifen kann.

Wichtiger aber noch als die äußere Harmonie des Körpers ist für das Wohlbefinden die innere Balance, das ausgeglichene Verhältnis zum eigenen Leib. Und die ist angesichts der gegenwärtigen Komplexität, ja geradezu Verdrehtheit des Themas „Schlankheit und gute Figur" wahrlich nicht einfach zu finden. Der Spiegel kann dabei viel helfen.

Der gefährliche Altersbereich für Gewichtszunahmen ist hierzulande der Lebensabschnitt zwischen 30 und 40. Die Kerngruppe der Übergewichtigen findet sich zwischen den 40- bis 60jährigen. Die in diesem Lebensalter steigende Zahl der zu dicken Menschen zieht wiederum eine überproportionale Anhäufung von Erkrankungen, die durch zu hohes Gewicht begünstigt werden, nach sich.

Es gilt aber nicht nur, das Übergewicht als Volkskrankheit zu bekämpfen, sondern es zu verhüten. Und die Prävention muß konsequenterweise bei denen beginnen, die mehrheitlich noch schlank sind, also der Gruppe der 20jährigen. Besonders diesen muß daher das Thema Fitneßernährung vermittelt werden - als positiver Einstieg in ein Eßverhalten, das ein Leben lang gültig ist. Nach der Devise: Ernähre deine Gehirn-, Nerven- und Muskelzellen und nicht deine Fettzellen.

Fitneß statt Fasten für einen Traumbody

Da erfüllt es denn Mediziner und Ernährungswissenschaftler mit Genugtuung, daß gerade von schlanken jungen Menschen bemerkenswert häufig Sport oder sportliches Fitneßtraining betrieben wird - nicht zuletzt, um ihr Körpergewicht positiv zu beeinflussen. Mindestens diese Leute pfeifen auf Diäten als Mittel der Figur- und Gewichtskontrolle.

Auch die meisten Top-Models von heute pflegen ihr Berufskapital mit Fitneßtraining im Studio. Sie wissen: Wer nur die Kalorien auf dem Teller und die Pfunde auf der Badezimmerwaage zählt, hat zuwenig für Figur, Fitneß und das Wohlbefinden getan. Deshalb setzt auch das Fit For Fun-Ernährungs-, Verschlankungs- und Figurprogramm einerseits auf mehr Qualität beim Essen, andererseits aber auch auf mehr Quantität bei der Bewegung.

Wobei die ausgewogene Ernährung mehr für Gesundheit und das körperliche Training mehr für die Figur tut - allerdings nicht im Sinne von „entweder - oder": Wir können uns gute Proportionen genausowenig „erhungern", wie es ein Bodybuilder allein durch Verzehr von Steaks oder Proteinkonzentraten schafft, seinen Muskel aufzubauen oder ein Büromensch nur durch Müsli und viel Gemüse fit werden und bleiben kann. Nicht zuletzt stärkt Sport auch das Selbstbewußtsein: Denn Sie sind so schön, wie Sie fit und gesund sind!

Allerdings sollten sich die Meinungsmultiplikatoren in Sachen „richtiges" Körpergewicht nicht länger bevormundend einmischen, indem sie praktisch ein kollektives Diäthalten propagieren. Und wir alle sollten weniger darauf hereinfallen. Vielmehr gilt es, individuelle Lösungsansätze und Strategien bei Figurproblemen zu entwickeln. Das erspart auch Enttäuschungen wie das bekannte Phänomen, daß immer nur dort abgenommen wird, wo's gar nicht passieren sollte. Experten wundert so etwas allerdings gar nicht: Wer sich die falsche - meist einseitige und zu strenge - Diät verordnet und ein gleichzeitiges Muskelaufbautraining unterläßt, muß einfach scheitern. Leider aber bauen manche Diäten Eiweiß (also Muskelsubstanz) sogar noch ab. Dabei formt nur die unsere Glieder - und verbrennt zudem das Körperfett.

Es wäre folglich buchstäblich im Sinne der Volksgesundheit, wenn das physiologisch optimale Verhältnis von aktiver zu passiver Körpersubstanz, von Muskeln zu Fettgewebe zum optischen Leitbild, zur neuen Mode würde. Also ran an den Speck und hoch die Beine!

Natürlich - weder Twiggys noch Sumo-Ringer haben das richtige gesunde Gewicht - und nach allgemeiner Auffassung schon gar nicht eine „gute Figur". Wie oft aber wird in der Ernährungsberatung gerade von Frauen geäußert: „Ich möchte so gerne 50 Kilo wiegen." - „50" - die magische Traumzahl, so scheint es. Dabei orientiert sich ein solcher Wunsch - wie bereits erläutert - am längst obsoleten „Idealgewicht" und läßt nur den Ausschlag der Waage als Erfolgsanzeiger gelten.

Abgesehen davon, daß so ein Gewichtsziel oft unter unrealistischen und gesundheitsbedenklichen Zeitvorgaben angepeilt wird, berücksichtigt es weder die individuelle Konstitution, noch werden auf dem Wege dahin körperliche Problemzonen zufriedenstellend korrigiert. Darüberhinaus stellt sich in diesem Zusammenhang eine ganz andere wesentliche Frage, über die sich die ewig Unzufriedenen ernsthaft Gedanken machen sollten: Warum nur in aller Welt wollen wir, daß alle Menschen ein von außen oktroyiertes gleiches Gewicht haben und berücksichtigen nicht die Variationen der Natur? Wo bleibt die sonst so vielgepriesene Individualität? Schließlich gibt es kleine, mittlere und große Menschen ebenso wie solche mit blonden, braunen, roten oder schwarzen Haaren!

Kohlda unter.. Kont

Das Prinzip des Dickwerdens ist eigentlich gar nicht kompliziert: Man stelle sich seinen Stoffwechsel als innere Verbrennungsmaschine vor, die mit Nahrungsenergie betrieben wird. Legen wir mehr als nötig nach, speichert der Körper das überschüssige Brennmaterial, in den Fettzellen nämlich. Und da bleibt es, bis wir uns selber gehörig Feuer machen.

mpf

rolle

Unsere Gene sind unschuldig

Lange Zeit schob man ungezügelten Appetit und die daran anknüpfende Fettleibigkeit auf geheimnisvolle Drüsen oder ganz einfach auf die Vererbungslehre: Wie der Herr, so's Gescherr... Doch da machte es sich der Volksmund zu leicht. Zwar haben Forscher mittlerweile herausgefunden, daß Menschen tatsächlich „gute" oder „schlechte" Futterverwerter sein können. Doch mit ausgewogener Kost kann sich jeder auf seine Veranlagung einstellen. Eine Entschuldigung für zu viel fettes Essen gibt es also immer noch nicht.

Komm' doch, dicker, fetter Mops!

Wenn einem das arg aus den Fugen geratene Spiegelbild vorwurfsvoll entgegenblickt, ist es höchste Zeit, seinen Lebenswandel gründlich zu überdenken. Stimmt mein Eßrhythmus? Greife ich lieber bei fetten Fritten als bei frischem Fisch zu? Kenne ich Sport nur aus dem Puschenkino? Wer seinen Speckröllchen das Fürchten lehren will, muß zu allererst seinen Stoffwechsel richtig auf Trab bringen. Und zwar mit Sport und gesunder Ernährung.

Von Natur aus kann jeder Mensch schlank, fit und gesund sein. Im Prinzip jedenfalls. Denn unser Stoffwechselprogramm, in dem Vitamine, Mineralstoffe, Eiweißbausteine, Ballaststoffe, Enzyme und Hormone miteinander wirken, steuert ein hocheffizientes fettverbrennendes System. Leider wird es angesichts des verbreiteten Bewegungsmangels kaum noch gefordert und läuft deshalb auf Sparflamme. Der Zündfunke springt jedoch nicht rüber, indem wir einfach eine Pille mit jenen Stoffwechselaktivatoren einwerfen. Wir müssen den Motor schon selber durch gehörige körperliche Aktivität starten und den richtigen Treibstoff tanken - das Superbenzin Kohlenhydrate.

Ohne „Treibstoff“ macht der Körper schlapp

Wir essen, um dem Körper das Material für die fortwährende Erneuerung seiner Zellstubstanz sowie die Regel- und Stabilisierungsstoffe für seine verschiedenen Funktionen zuzuführen und um die Energie für seine Arbeitsleistungen zu liefern. Energie benötigt er selbst in völliger Ruhe, für die Atmung etwa, die Generierung der Körpertemperatur oder die Herz-Kreislauf-Tätigkeit - für die Erhaltung der Lebensvorgänge also.

Der „Grundumsatz” stellt bei üblicher körperlicher Belastung den größten Teil des Energieverbrauchs dar - bei Männern rund 1600 und bei Frauen etwa 1300 Kilokalorien. Bei Männern ist der Grundumsatz deshalb höher, weil er eng mit der Muskelmasse zusammenhängt und Männer eine größere fettfreie Körpermasse haben. Im Alter hingegen wird der Grundumsatz geringer, weil die Muskelmasse schwindet. Einfluß auf den Grundumsatz haben auch die Schilddrüsenhormone. Familienstudien legen nahe, daß dessen Höhe genetisch bedingt ist.

Der zweite große Energieverbraucher im Stoffwechsel ist der sogenannte Arbeits- bzw. Leistungsumsatz. Hierzu zählt alles, was ein

FABELN UND FAKTEN

Was ist wirklich dran an den Fett-Mythen?

Pickel soll es verursachen und Männer sogar impotent machen. Doch manchmal kriegt das Fett ganz zu Unrecht sein Fett weg. Experten verraten, was wirklich stimmt.

Fett ist Schuld an Pickel. Gar nicht wahr! Ein gestörter Abfluß aus den Talgdrüsen ist Veranlagung. Auch Infektionen oder Hormonumstellungen (z.B. in der Pubertät) verursachen bei Menschen unreine Haut.

Fett liegt schwer im Magen. Das ist wahr! Denn Fette bleiben am längsten im Magen. Ihr Weitertransport wird durch Hormone im Zwölffingerdarm behindert. Das Hormon Gastrin, wichtig für die Magensaftproduktion, wird außerdem bei Fettzufuhr in geringeren Mengen produziert.

Fett erhöht den Cholesterinspiegel. Stimmt! Wenn man zu viel tierisches Fett ißt, erhöht sich das Cholesterin im Blut. Wie groß der Einfluß der Cholesterinzufuhr von außen ist, hängt jedoch von der Cholesterin-Eigenproduktion des Körpers ab. Diese ist von Mensch zu Mensch verschieden.

Fett macht impotent. Stimmt vielleicht! Studien liefern Hinweise dafür, daß bei übergewichtigen Männern die Produktion des Sexualhormons Testosteron verringert ist. Fest steht bis jetzt aber nur, daß der Zustand des Fettgewebes eng mit der Hormonbiosynthese zusammenhängt.

Fett ist gut als Basis für Alkohol. Das ist richtig! Alkohol gelangt dann nicht so schnell ins Blut. Grund: Er löst sich gut im Fett und bleibt so länger im Magen.

Fett ist ein guter Kälteschutz. Das gilt nur für Tiere! Sie fressen sich einen Winterspeck an, der das Überleben bei Nahrungsmangel sichert und Wärmeverlust reduziert. Menschen brauchen diesen Schutz nicht. Im Gegenteil: Beim Wintersport ist es wichtig, überschüssige Wärme loszuwerden. Sonst nimmt die Leistungsfähigkeit ab.

Mythos Fett: Manches von dem, was man dem Biostoff nachsagt, sollte man besser tunlichst überdenken.

aktiver Körper über den Grundumsatz hinaus verbraucht. Dieser Bereich ist sehr variabel und reicht von wenigen hundert Kalorien bei körperlicher Leichtarbeit bis zu 8000 Kilokalorien pro Tag bei einem Tour-de-France-Pedaleur.

Die bei derartigen Hochleistungen verbrauchte Energie ist innerhalb eines Tages nicht einmal vollständig durch Nahrungszufuhr zu ersetzen, so daß der Sport in solchen Fällen im wahrsten Sinne des Wortes an die Substanz geht: Körpereigene Energiespeicher in Form von Kohlenhydraten, Fett und Protein bauen sich ab. So weit werden die meisten Übergewichtigen es allerdings kaum treiben können. Für sie besteht das Schlankheitsgeheimnis vielmehr in der richtigen Kombination von Verpflegung und Bewegung: „Essen und Trimmen, beides muß stimmen".

Essen bis man platzt: Für die Spaßvögel von Monty Python ist das definitiv „Der Sinn des Lebens", zumindest im Kino.

Letztlich „verbraucht" auch das Essen selbst Kalorien. Diesen Energieaufwand, der für die Nahrungsaufnahme und -verwertung erforderlich ist, nennen Wissenschaftler „nahrungsinduzierte Thermogenese". Dieser Anteil ist übrigens keineswegs gering, sondern beträgt rund zehn Prozent des Gesamtenergieverbrauchs. Erfüllt sich also der Traum der Wohlstandsgesellschaft, durch oder beim Essen abnehmen zu können? Leider ist die zuweilen propagierte Behauptung, daß bestimmte Lebensmittel mehr Kalorien verbrennen, als in ihnen stecken, schlicht falsch und unseriös. Tatsache ist allerdings, daß Störungen des Energiestoffwechsels bei Übergewichtigen vor allem den Grundumsatz und die nahrungsinduzierte Thermogenese betreffen.

Warum kriegen wir Hunger, warum werden wir satt?

Dafür aber, daß dem biochemischen Stoffwechselhaushalt ausreichend und nachhaltig „Betriebsstoffe" zugeführt werden, sorgt ein komplexes Regelsystem, das auf verschiedene Kenngrößen anspricht. Die älteste Erklärung dieser Hunger-Sättigungs-Regulation ist die sogenannte Thermostatische Theorie. Sie geht davon aus, daß alle Tiere fressen, um warm zu bleiben und aufhören, um Überhitzung zu vermeiden. Auch wir essen ja an heißen Sommer- weniger als an kalten Wintertagen. Eine große Rolle spielen diese Temperatureinflüsse bei der Nahrungsaufnahme des Menschen allerdings nicht.

Gleichwohl hat diese Theorie manche Schlankheitsstrategen, die auf alles abfahren, was eine zusätzliche Verbrennung von Kalorien bewirken könnte, ungeheuer fasziniert. So kamen sie beispielsweise auf die „Brr-Diät": nur Eiskaltes essen und trinken, dünn anziehen, kalt duschen etc. Der vermehrte Wärmebedarf sollte für eine gesteigerte Verbrennung sorgen. Empfohlen wurde etwa auch, die Thermostaten an den Heizungen um ein Grad Celsius herunterzudrehen, weil man dann täglich 50 Kilokalorien mehr verbrauche.

Mehr können sich Abnahmebedürftige jedoch von zur Zeit laufenden Forschungen versprechen, die sich mit den unterschiedlichen Thermogenese-Raten von Schlanken und Übergewichtigen befassen. Diese resultieren offenbar aus unterschiedlichen Stoffwechselvoraussetzungen, deren genaue Kenntnis viel zur Steuerung des Verschlankungsprozesses beitragen könnte.

Kennzeichen der Regulation von Hunger und Sättigung sind für eine andere, nämlich die glukostatische Theorie, besonders die Schwankungen im Blutzuckerspiegel. Dessen Abfall macht hungrig. Gemäß dieser Theorie sind deshalb häufig kleine Mahlzeiten geboten, die reich an sogenannten komplexen Kohlenhydraten sind. Sie erhöhen den Blutzuckergehalt nur ganz langsam und erhalten so den Zuckerspiegel relativ konstant. Als ebenfalls günstig gelten kleine Eiweißhappen zum kohlenhydratbetonten Snack, etwa eine Quarkspeise mit Banane und kernigen Haferflocken oder Vollkornbrot mit Hüttenkäse und Apfelscheiben. Solche Zwischenmahlzeiten fördern die

Bella Donna: Die kurvenreiche Sophia Loren, Sexsymbol der Sixties, wurde als Kind „Stechetto" (Stock) gerufen.

Ausschüttung des Hormons Glukagon, eines Gegenspielers des blutzuckersenkenden Insulins.

Die sogenannte Set-point-Theorie schließlich postuliert, daß jeder Körper einen individuellen Adipose-set-point besitzt: eine bestimmte Anzahl von Fettzellen, die stets konstant bleibt. Selbst Unter- oder drastische Überernährung verändern lediglich die Größe, nicht aber die Zahl der Fettzellen. Weil der Set-point stark von der Anzahl und dem Volumen, dem Füllzustand, der vorhandenen Fettzellen abhängig zu sein scheint, wird er gelegentlich auch als „Fettpunkt" bezeichnet. Bestimmt wird er wesentlich von Erbanlage, Alter, Geschlecht, Körpergröße, Eß- und Bewegungsgewohnheiten.

Nach dieser Theorie steuert der Set-point Appetit, Nahrungsaufnahme und Stoffwechsel. Liegen Nahrungsaufnahme und individueller Set-point im Gleichgewicht, so kann man anscheinend nach Lust und Laune essen und trinken, ohne weiter zuzunehmen. Andererseits strebt der Organismus unermüdlich ein von Mensch zu Mensch unterschiedliches körpereigenes Gewichtsziel an, sosehr der oder die Betroffene auch dagegen ankämpfen mag.

Der individuelle Set-point kann bei unterschiedlichen Personen also im Ideal-, Normal-, Übergewichts- oder Adipositasbereich liegen. Daraus ergibt sich aber auch, daß dieses „Wunschgewicht" des Körpers mitnichten ein in jedem Falle „vernünftiges" Ziel ist. Es ist vielmehr oft nicht nur sinnvoll, sondern geradezu geboten, den Set-point herabzusetzen.

Keineswegs aber gelingt das durch drastische Diätmaßnahmen: Durch den Gewichtsverlust entleeren sich auch die Fettzellen. Und in diesem Mangelzustand bestehen die geschrumpften Fettzellen geradezu darauf, ihr Fett zurückzubekommen. Der Organismus setzt alles daran, sein „Wunschgewicht" wieder zu erreichen. Es gibt nur eine Chance, den Set-point zu senken: in kleinen Schritten quasi unmerklich, durch ganz allmähliche Gewichtsabnahme, und zwar eher im Bereich von einem bis anderthalb Kilo pro Monat als pro Woche! Gewöhnen Sie sich an, regelmäßig über den Tag verteilte kleine Mahlzeiten. Sparen Sie Energie vor allem in Form leerer Zucker, konzentrierter und versteckter Fette sowie alkoholischer Getränke. Versuchen Sie, täglich zusätzlich mindestens eine halbe Stunde Ausdaueraktivitäten (beispielsweise zügiges Gehen, Joggen, Radfahren, Schwimmen, Tennis etc.) einzuplanen. Zwar sind die Kenntnisse über den physiologischen Mechanismus dieser recht plausibel erscheinenden Instanz für die vom Organismus so eisern verteidigte Gewichtskonstanz noch nicht sehr detailliert. Trotzdem muß die Set-point-Theorie ebenso wie die Kenntnis anderer Hunger-Sättigungs-Mechanismen in der praktischen Ernährungsberatung berücksichtigt werden.

Vermutlich zählt der Set-point zur langfristig wirksamen Hunger-Sättigungs-Steuerung, die für die eigentlichen Energiereserven des Organismus zuständig ist. Besser gesagt für dessen energetische Substanz, die Fettdepots. Wird dieses

FIT FOR FUN TIP

Das Ernährungstagebuch: Abnehmen ohne Diät

Das einfachste und billigste „Diätprogramm" ist ein Ernährungstagebuch: Notieren Sie einfach ein, zwei Wochen lang penibel – und ehrlich – ihre Eßgewohnheiten.

Die Eintragungen mögen anfangs etwas lästig sein, haben aber einen guten Grund: So machen Sie sich Ihre Ernährungsgewohnheiten bewußt – und allein das führt oft zu einer **Verhaltensänderung** und so zur Gewichtsabnahme.

Ein solches Protokoll ist übrigens Bestandteil mancher erfolgreicher **Ernährungstrainingsprogramme** für Übergewichtige. Vielleicht ist es ja die Methode, mit der Sie sich am leichtesten anfreunden können. Denn weil jeder Mensch anders ist in seiner Eßproblematik, seinem Stoffwechsel, seiner psychischen und physischen Struktur, muß jeder auch seinen eigenen Weg zu einem Ernährungs- und Bewegungsverhalten finden, das persönlich zufriedenstellt sowie mit den Alltags- und Berufserfordernissen in Einklang steht.

Schnellere, **einfache Lösungen** des Problems gibt's leider immer noch nicht.

Wer seine Body Mass Index-Werte im Auge behalten will, trägt sie am besten regelmäßig in sein Ernährungstagebuch ein.

vom Organismus für lebenswichtig erachtete Energiereservoir empfindlich geschmälert, aktiviert der Körper seine Eßauslöser: den Hunger und den Appetit.

Echte Pechvögel: die guten Futterverwerter

Nun sind manche Menschen ganz zweifellos dick, weil sie schlicht zuviel essen. Aber es gibt auch solche, die sich durchaus „richtig" ernähren und trotzdem zunehmen. Das sind diejenigen, die verzweifelt auf ihr Spiegelbild starren und sich fragen: „Was ist bloß los mit mir?" Wissenschaftler können diese unglücklichen Übergewichtigen zwar nicht leicht beruhigen, aber immerhin ihre Frage ziemlich gut beantworten: Ob ein Mensch dick wird, ist nicht zuletzt seiner Veranlagung zuzuschreiben.

So gibt es individuelle Unterschiede bei der Thermogenese. Manche Übergewichtige neigen dazu, Energie weniger (verschwenderisch) in Wärme umzuwandeln, sondern sie (effizient) zu speichern. Während bei „schlechten" Futterverwertern täglich 300 bis 400 Kilokalorien als Wärme „verpuffen", wandern sie bei „guten" Futterverwertern sofort in die Reserve, bilden also Fettpolster.

Neuerdings wird sogar die Existenz sogenannter „Sparsamkeitsgene" diskutiert, die eine maximale Ausnutzung der zugeführten Kalorien bewirken und somit in Notzeiten die Überlebenschancen verbessern. Bei gesicherten Versorgungsverhältnissen allerdings fördert ein solcher Mechanismus die Entstehung einer Adipositas. Also sind heute besonders jene benachteiligt, die dank ihrer genetischen Ausstattung über einen effizienten ökonomischen Stoffwechsel verfügen und damit auf eine eigentlich für die Menschheit normale karge Lebensweise programmiert sind.

Denn in unserem Teil der Welt ist der alte Hungerleider-Traum vom Schlaraffenland längst in Erfüllung gegangen, ja mittlerweile zum Kalorienalptraum des bewegungsarmen Wohlstandsbürgers geworden.

Das Opfer, das wir für diesen „Fortschritt" zu entrichten haben, heißt metabolisches Syndrom. Hinter dem medizinischen Fachbegriff verbirgt sich das verhängnisvolle Zusammenwirken von Übergewicht, Diabetes, Bluthochdruck und überhöhtem Blutfettspiegel, auch als „tödliches Quartett" bezeichnet, weil alle vier die Hauptursachen der Arteriosklerose sind. Acht bis zwölf Millionen Menschen sind nach Schätzungen von Medizinern hierzulande von dieser neuen Volkskrankheit betroffen.

Das Übergewicht spielt als Wegbereiter dabei eine entscheidende Rolle. Abspecken rettet demzufolge den gesamten Stoffwechsel. Ob nun tatsächlich ein „Fettsucht-Gen" identifiziert wird, ändert nichts an der nüchternen Erkenntnis, daß jeder und jede mit dem anlagebedingten Stoffwechsel nicht nur leben, sondern auch fertig werden muß.

Das ändert auch nichts daran, daß jegliches Schlankgeheimnis sich letztlich auf die persönlich richtige Balance von Energieaufnahme und Energieverbrauch gründet. Da das metabolische Syndrom im Wohlstand mit dessen Nahrungsüberangebot, insbesondere an Fett- und Alkoholkalorien, und bei Bewegungsmangel „gedeiht", darf niemand seine überflüssigen Pfunde einfach mit seinen Erbanlagen entschuldigen, sondern muß seine Lebensweise ändern. Und ausgleichen können die „guten" Futterverwerter ihren heute paradoxerweise fatalen angeborenen Vorteil gegenüber den „schlechten" am besten durch mehr Bewegung.

Hunger macht die Fetten selten dünner

Denn reparierbar ist, wie nicht zuletzt die Set-point-Theorie lehrt, eine in jungen Jahren eingeleitete Fehlentwicklung nur mühsam. Rigide Diäten helfen da schwerlich, zumal wenn sie über einen längeren Zeitraum durchgezogen werden. Diese führen nämlich häufig zu einer Drosselung des Energieverbrauchs, also zum Gegenteil dessen, was durch das Abnahmevorhaben angestrebt werden soll. Infolgedessen wird die Gewichtsabnahmekurve immer flacher, schließlich geht gar nichts mehr.

Die biologische Ursache dieses diätätischen Rohrkrepierers ist vor allem eine Verringerung des Grundumsatzes, durch hormonelle Veränderungen, durch eine Verminderung der ernährungsabhängigen Thermogenese-Rate und durch einen Verlust an Muskelmasse, der bei rascher größerer Gewichtsabnahme nicht selten ist.

Der Körper richtet sich als Folge der freiwilligen Hungersnot auf eine sparsamere Haushaltsführung ein. Deren Ausmaß ist individuell unterschiedlich und abhängig davon, wie stark und wie lange die Kalorienzufuhr eingeschränkt wird, ob Sport den Abnahmeplan begleitet, wie häufig man sich überhaupt schon Diäten zugemutet hat und wie das Verhältnis von aktiver (Muskeln) zu passiver Körpersubstanz (Fettgewebe) zu Beginn der Diät aussah.

Bei einer solchen Diät ist der Energieverbrauch der ehemals Adipösen nach Erreichen des Normalgewichts niedriger, als der der von vornherein Normalgewichtigen. Die fatale Folge: Ißt ein auf diese Weise dünner gewordener Zeitgenosse wieder „normal", läuft er Gefahr, die mühsam abgespeckten Pfunde mit dicken Zinsen sehr schnell zurückzubekommen. Ein Entrinnen aus diesem Teufelskreis ist schwer. Eine „Dauerdiät" wäre die einzige Konsequenz.

Dieses Kapitel hat somit ein für einige vielleicht überraschendes Fazit: Es gibt nur einen einzigen wirklich erfolgreichen Weg zur dauernden Schlankheit. Nicht Diäten führen dahin, sondern eine grundsätzlich andere, richtige Ernährung auf Dauer, begleitet von gehöriger körperlicher Aktivität!

Fit statt fett: Bal -Ak

Wer beim täglichen Essenfassen auf Masse statt Klasse setzt, hat ganz schnell jede Menge Ärger mit seinem Gewicht. Wenn sich Fett- und Muskelmasse die Waage halten sollen, spielt Ausgewogenheit auf dem Teller eben eine genausogroße Rolle wie regelmäßiges Trimmen. Extraportionen sind übrigens ausdrücklich erlaubt – sportive nämlich. Denn da gilt zur Abwechslung wirklich einmal: Viel hilft viel.

Der
ance
t

Abnehmen ist ganz einfach

Man kann es drehen und wenden, wie man will - für jede Gewichtsreduktion gibt es ein paar ganz simple Grundregeln: Fett und Alkohol unterliegen strengster Kontrolle, Natur- und Rohkost können nie schaden und Bewegung tut not. Über allem jedoch steht der Wunsch nach einem positiven Körpergefühl und der Wille, wirklich etwas an seiner Lebensweise ändern zu wollen. Mehr braucht es nicht. Denn alles andere ist entweder die hohe Kunst der Diätetik oder ganz unseriöser Schabernack.

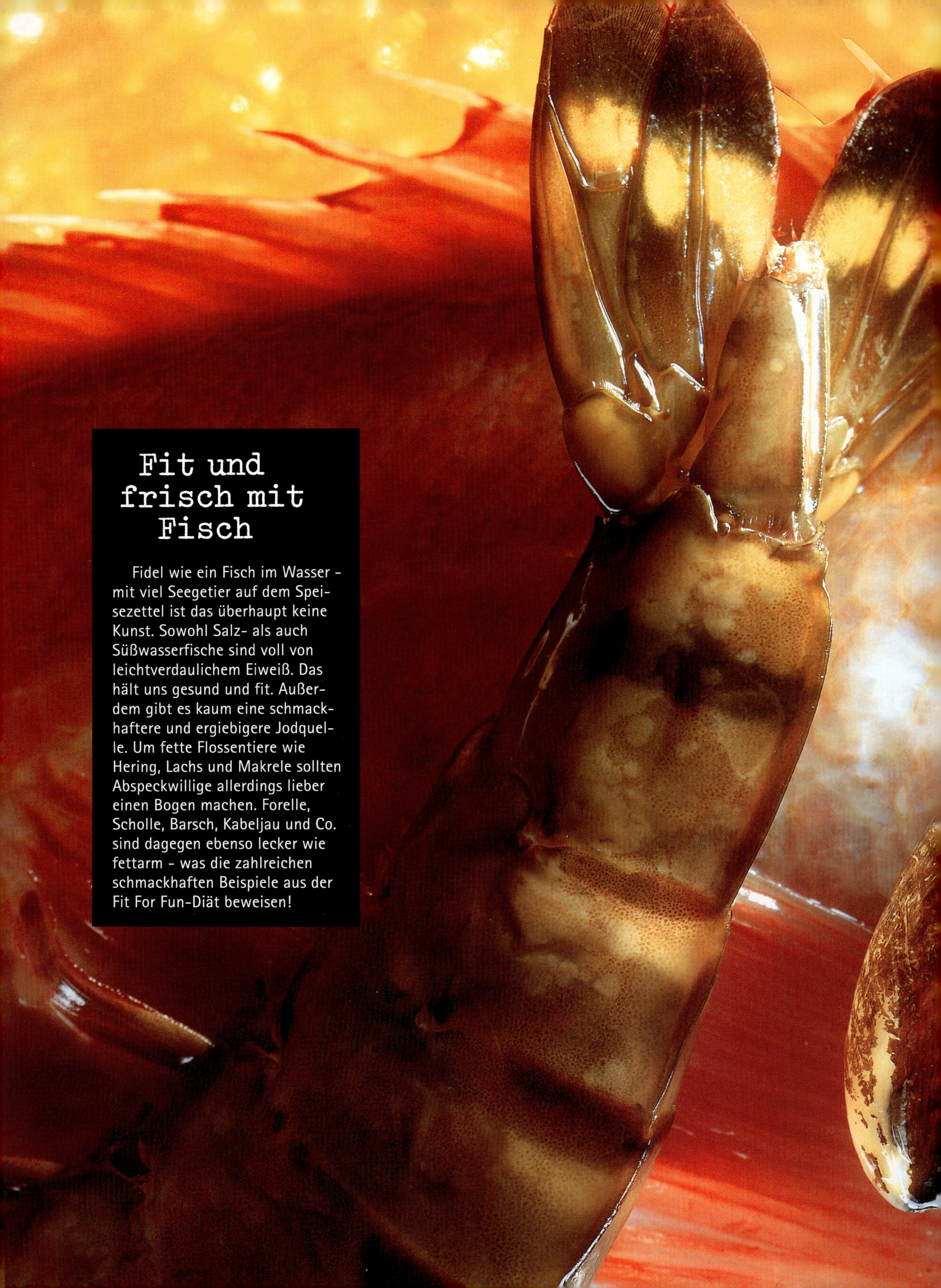

Fit und frisch mit Fisch

Fidel wie ein Fisch im Wasser – mit viel Seegetier auf dem Speisezettel ist das überhaupt keine Kunst. Sowohl Salz- als auch Süßwasserfische sind voll von leichtverdaulichem Eiweiß. Das hält uns gesund und fit. Außerdem gibt es kaum eine schmackhaftere und ergiebigere Jodquelle. Um fette Flossentiere wie Hering, Lachs und Makrele sollten Abspeckwillige allerdings lieber einen Bogen machen. Forelle, Scholle, Barsch, Kabeljau und Co. sind dagegen ebenso lecker wie fettarm – was die zahlreichen schmackhaften Beispiele aus der Fit For Fun-Diät beweisen!

Solange wir atmen, benötigen wir Energie. Frauen brauchen 1400 und Männer 1800 Kilokalorien täglich, allein um die Lebensfunktionen in Gang zu halten. Dann wird's komplizierter: Denn um fit und gesund zu bleiben, muß jeder seine individuell richtige Energiemenge herausfinden und sie sich in einer ganz spezifischen Zusammensetzung einverleiben.

Es gibt viele Versuche, persönlich richtige Ernährung zu definieren. Alle ernsthaften kommen zu einem kurzen und bündigen Schluß: Sie soll bedarfsangepaßt und vollwertig sein. Selbstverständlich braucht, wer körperlich arbeiten muß oder Sport treibt, eine andere Nahrungszusammensetzung als jemand, der am Schreibtisch sein Brot verdient und sein Dasein als „couch potato" genießt. Es gibt ein einfaches Maß dafür, ob die Energieaufnahme dem Bedarf entspricht: das Körpergewicht. Stimmt die Energiebilanz nicht, nimmt man entweder ab oder zu. Auch in dem Begriff „vollwertig" steckt nichts Geheimnisvolles. Er bezieht sich auf die lückenlose Versorgung mit lebensnotwendigen Nahrungssubstanzen, Vitaminen, essentiellen Fettsäuren und Mineralstoffen. Stimmt die Zusammensetzung der Ernährung nicht, kommt es zu Mangelerscheinungen, und wir werden krank. Die simpelste, schmackhafteste, genußreichste und trotzdem effizienteste Art, einem Nährstoffmangel vorzubeugen, ist Abwechslung bei der Lebensmittelauswahl.

Mit der Nahrung nehmen wir ein großes Spektrum von Substanzen auf, die

- dem Aufbau und der Erhaltung der Körpersubstanz dienen;
- wichtige Abläufe im Energie- und Baustoffwechsel regeln sowie unsere Gesundheit schützen;
- dem Körper Energie liefern.

Spieglein, Spieglein... : Wenn Schneewittchen das Fitmacher-Geheimnis kennt, findet sie jeder Prinz zum Anbeißen.

Die Kalorie ist das Maß der Dinge

Seit wir unseren Gewichtsproblemen mit Diäten begegnen, ist die „Kalorie" zum bekanntesten Bewertungsmerkmal der Nahrung geworden. Was zu beklagen ist, denn oft kollidiert das bloße Kalorienzählen mit den Erfordernissen des Körpers im Alltag, und Nähr- und Genußwert der Speisen werden vernachlässigt. Dabei ist der bewußte Genuß vitamin- und ballaststoffreicher Lebensmittel weit sinnvoller, als stupide Herumrechnerei. Gleichwohl folgt nun ein wenig „Kalorienmathematik" für den Hausgebrauch: Offiziell heißt die internationale Maßeinheit für Energie, Wärme und Arbeit längst nicht mehr Kalorie oder Kilokalorie, sondern „Joule" bzw. exakt Kilojoule (kJ). Die Umrechnungsformel für immer noch „Kalorien"-Bewußte lautet: 1 kcal = 4,184 kJ. In der Praxis rechnen wir vereinfacht:

1 kcal entspricht etwa 4,2 kJ.
1 g Fett enthält 38 kJ bzw. 9 kcal
1 g Alkohol 30 kJ bzw. 7 kcal
1 g Kohlenhydrate 17 kJ bzw. 4 kcal
1 g Eiweiß17 kJ bzw. 4 kcal

Fett und Alkohol sind die bei weitem energiereichsten Lebensmittel. Leider ist der persönliche Energiebedarf nicht ohne weiteres aus einer Tabelle abzulesen. Immerhin gilt als Orientierungswert bei leichter, vorwiegend sitzender Tätigkeiten folgender tägliche Gesamtenergiebedarf - den Grundumsatz (Aufwand für die bloße Erhaltung der Lebensvorgänge) inbegriffen:

FRAUEN:
8400 bis 9200 Kilojoule bzw. 2000 bis 2200 Kilokalorien.

MÄNNER:
10000 bis 11000 Kilojoule bzw. 2400 bis 2600 Kilokalorien.

Mittelschwere körperliche Arbeit erfordert eine Mehrzufuhr von etwa 2500 kJ bzw. 600 kcal pro Tag. Eine halbe Stunde Joggen, Radfahren oder Schwimmen verbrennt 840 bis 1260 kJ bzw. 200 bis 300 kcal. (Mehr dazu im Kapitel „Der Sport").

Kohlenhydrate: die größten Energiespender

Die Nährstoffgruppe der Kohlenhydrate liefert gegenwärtig weit über die Hälfte der benötigten Nahrungsenergie für die Menschheit. Dahinter verbirgt sich eine Anzahl meist besser bekannter Stoffe wie Trauben- (Glukose), Frucht- (Fructose), Haushalts- (Saccharose), Malz- (Maltose), Milch- (Laktose) und Invertzucker (im Honig) sowie Stärke (das mengenmäßig wichtigste Kohlenhydrat in unserer Nahrung) und der vom Menschen energetisch nicht verwertbare Ballaststoff Zellulose.

Je nachdem, wie viele Bausteine ein Kohlenhydratmolekül enthält, haben wir es zu tun mit:

- Einfachzucker (z. B. Traubenzucker)
- Zweifachzucker (z. B. Haushaltszucker)
- Vielfachzucker, auch als komplexe Kohlenhydrate bezeichnet (z. B. Stärke aus Kartoffeln und Brot).

Das überschüssige Insulin aber fördert die Einlagerung von Fett. Ebenso rasch, wie er sich erhöht hat, fällt dann der Blutzuckergehalt auch wieder ab, was erneuten Heißhunger auf Zuckriges und Süßes hervorruft. Aus der Sicht des Ernährungswissenschaftlers sind süße Sachen durchaus nicht verboten, weil ein allzu strenger Verzicht eher die Gefahr von heftigen Heißhungerattacken, den sogenannten „Süßhunger", provoziert.

Wer hat Angst vor'm bösen Dickmacher?

Nahrungskohlenhydrate kann der Körper in Form von Leber- und Muskelglykogen, als „tierische Stärke", speichern. Diese Energiedepots aber machen im Gegensatz zu den Fettlagern keineswegs dick. Tatsächlich hat die Wissenschaft die lange gehegte und durch zahllose „Schlankheitsdiäten" propagierte Annahme, daß Nahrungskohlenhydrate die Hauptverursacher von Übergewicht seien, längst als falsch ad acta gelegt. Dennoch schränken immer noch zu viele ihren Verzehr etwa an Brot oder Kartoffeln ein, wenn sie abnehmen wollen. Dabei resultiert Übergewicht entscheidend und fast immer aus zu reichlichem Fett- und Alkoholkonsum.

Zwar kann der Organismus Fett auch aus Kohlenhydraten bilden. Aber er tut sich damit schwer. Neuere Untersuchungen - so die des Schweizer Forschers Jèquier - lassen erkennen, daß unser Körper damit

Die Verdauung baut sämtliche Kohlenhydrate, mit Ausnahme der Zellulose, zu Einfachzuckern ab. 55 bis 60 Prozent der täglichen Energiezufuhr sollten in Form von Nahrungskohlenhydraten bereitgestellt werden, was rund fünf bis sechs Gramm Kohlenhydrate pro Kilogramm Körpergewicht entspricht. Tatsächlich aber deckt ein durchschnittlicher Bundesbürger gegenwärtig mit Kohlenhydraten nur rund 40 Prozent ab - die Differenz bezieht er aus Fett. Allein die Änderung der Mengenverhältnisse auf dem Teller, der Austausch der Fett- durch Kohlenhydratkalorien, wäre ein wahrlich gewichtiger Schritt in Richtung schlanker Eßstil.

Neben der Quantität muß jedoch auch die Qualität stimmen. Vollkornprodukte, Kartoffeln, Gemüse und Früchte sollten wegen ihrer hohen Dichte an Vitaminen und Mineralstoffen sowie ihres Ballaststoffgehaltes im Vordergrund stehen. Der Verzehr von Zucker, Süßigkeiten und zuckerreichen Getränken ist dagegen einzuschränken. Nicht nur wegen ihres geringen Gehalts an Vitaminen und Mineralstoffen, sondern weil Zucker den Blutzuckerspiegel plötzlich in die Höhe jagt und die Insulinausschüttung deshalb geradezu explodiert.

NÄHRSTOFFE

Auf einen Blick: Was der Mensch braucht

Wenn wir Hunger oder auch nur Appetit kriegen, machen wir uns leider meist nur wenige Gedanken über das, was wir in uns hineinessen. Unser Körper ist da viel kritischer.

Er benötigt nämlich Nährstoffe, die ganz unterschiedliche Aufgaben im Stoffwechsel haben:

Kohlenhydrate (Stärke und Zucker) sowie Fette - Substanzen, aus denen er hauptsächlich Energie für die Aufrechterhaltung aller Stoffwechselfunktionen und seine Arbeitsleistungen bezieht;

Eiweiß bzw. Protein, das er ebenfalls zur Energiegewinnung heranziehen kann, das aber normalerweise wichtigere Aufgaben zu erfüllen hat - als Bausubstanz für Zellen, Enzyme und bestimmte Hormone. Protein formt unseren Körper, indem es Muskeln aufbaut;

die **Mineralstoffe Kalzium** und **Phosphor,** die gleichfalls Aufbauelemente sind, während die Vitamine und Spurenelemente den Stoffwechsel steuern und die Gesundheit schützen;

Ballaststoffe, die im Bereich von Hunger und Sättigung, der Darmtätigkeit sowie im Zucker- und Fettstoffwechsel wichtige regulierende Funktionen haben;

Wasser, Hauptbestandteil und somit unverzichtbares Bauelement unseres Körpers, aber in der Blutflüssigkeit auch Medium für den Stofftransport sowie wesentliches Mittel für die Wärmeregulation - zumal beim Schwitzen. Genügend Flüssigkeit ist also für eine gesunde Funktion unseres Körpers unabdingbar.

Im Streßjob auch noch eine gute Figur machen: Cindy Crawford schafft es mit Disziplin und viel Sport.

erst beginnt, wenn ihm Kohlenhydratmengen von 500 Gramm (=2000 kcal!) auf einmal zugeführt werden. Folglich ist eine kohlenhydratreiche, fettarme Ernährung der beste Schutz vor Übergewicht.

Kein Freibrief für künstliche Süßstoffe

Im Zeitalter der Verteufelung von Kohlenhydraten als Dickmacher boomten die natürlichen und künstlichen Zuckeraustauschstoffe. Tatsächlich treiben sie, anders als Zucker, den Blutzuckerspiegel nicht gleich rapide nach oben. Fructose, Sorbit und Xylit etwa machen Diabetikern das sonst süßlose Leben leichter - jedoch nur in begrenztem Maße: Auch Zuckeraustauschstoffe müssen auf die vom Arzt verordnete BE- (= Broteinheit) bzw. Kohlenhydratmenge angerechnet werden. Ebenso wie dem Zucker mangelt es den Austauschstoffen an Vitaminen und Mineralstoffen. Energie liefert Frucht- allerdings nicht weniger als Haushaltszucker: 1 Gramm jeweils 4 kcal bzw. 17 kJ. Praktisch energiefrei sind nur die synthetischen Süßstoffe Saccharin, Cyclamat und Aspartam. Die ziemlich neuartige Substanz Aspartam enthält süßschmeckende Eiweißbausteine, so das Phenylalanin. Wer an der - gottlob seltenen - Stoffwechselkrankheit Phenylketonurie leidet, darf Aspartam deshalb nicht nutzen.

Häufig wird die Frage gestellt, ob Süßstoffe gesundheitsschädlich sind. Schließlich meldet die Presse immer wieder, daß sie Krebs erzeugen können. Tatsächlich wurde in den USA bei Ratten nach außergewöhnlich hohen Süßstoffgaben Blasenkrebs festgestellt. Nach amerikanischem Recht muß in solchen Fällen ein Stoff verboten werden. In Deutschland hingegen konnten in langjährigen Untersuchungen und Kontrollen verschiedener Krebsforschungsinstitute keine negativen Auswirkungen von Süßstoffen nachgewiesen werden. Bei uns sind sie deshalb erlaubt.

Um jegliches Risiko auszuschalten, hat die Weltgesundheitsorganisation (WHO) allerdings eine obere Sicherheitsgrenze für den täglichen Verbrauch dieser Produkte festgesetzt. Dieser liegt bei Erwachsenen für

- Saccharin bei fünf Milligramm pro Kilogramm Körpergewicht. Bezogen auf einen 70 Kilo schweren Menschen entspricht das der Menge von etwa 22 Tabletten mit je 16,5 Milligramm Saccharin.

BALLASTSTOFFE I

Eigentlich unkompliziert: Leichter mit Ballast

Ballaststoffe sind für die schlanke Linie äußerst hilfreich. Warum? - Sie fördern längeres Kauen und füllen den Magen, machen also satt. Das A und O für Gewichtsreduktion!

Kerngesunde Körner: Intensives Kauen und ausreichende Sättigung sind ganz wichtig, wenn es darum geht, Übergewicht vorzubeugen oder angefutterte Kilos abzunehmen. Überdies bringt eine Kost mit hohem Ballaststoffanteil zwar viel auf den Teller, aber eben auch mit einer verhältnismäßig geringen Energiedichte. Sie trägt also schon deshalb zur Fetteinsparung bei, weil sie schlicht weniger Platz für Fettreiches läßt. Vergleichen Sie bitte, was im Stoffwechsel passiert, wenn Sie eine Scheibe Weißbrot oder Vollkornbrot essen. Das Fazit können Sie dann leicht selber ziehen.

Kernige Ballaststoffe für die Figur: Knusprige Vollkornbrötchen machen lange satt, aber noch lange nicht dick.

Weißbrot	Vollkornbrot
konzentrierte Energie	„verpackte" Energie mit Vitaminen und Mineralstoffen
geringer Kauaufwand, schnell eßbar	Kauarbeit notwendig, langsames Essen wird gefördert
kaum Quellung im Magen, schneller Weitertransport	Quellen im Magen
geringes Volumen im Darm	Volumenzunahme, Sättigung wird spürbar
schnelle Nährstoffaufnahme in das Blut, geringe Sättigung	verzögerte Nährstoffresorption im Darm, günstige Beeinflussung der Blutzuckerregulation, gute Sättigung, Quellung, Füllung, Anregung der Darm-Peristaltik
geringes Stuhlvolumen	gutes Volumen und lockere Beschaffenheit des Stuhls

BALLASTSTOFFE II

Plädoyer für Vollkornstulle und Frühstücksmüsli

Keine Ausreden mehr! Eine ballaststoffreichere Ernährung ist relativ einfach zu verwirklichen. Angefangen beim Frühstücksmüsli bis zur Vollkornschnitte zum Abendbrot.

- Schneiden Sie das Brot dicker und belegen Sie es dünner, also fettärmer.
- Genießen Sie einmal in der Woche ein Eintopfgericht mit Hülsenfrüchten.
- Machen Sie Gemüse und Kartoffeln zum Hauptbestandteil einer Mahlzeit.
- Essen Sie frisches Obst bei jeder Gelegenheit.
- Trinken Sie immer reichlich Flüssigkeit, besonders wenn Sie Kleie und Leinsamen verzehren. Am besten sind Tee, Säfte oder Mineralwasser.
- Übergangsphase berücksichtigen! Längeres, intensives Kauen und eine schrittweise Gewöhnung an mehr Ballaststoffe verbessert die Verträglichkeit bei Umstellung von einer ballaststoffarmen auf eine ballaststoffreiche Kost.

- Cyclamat bei elf Milligramm pro Kilogramm Körpergewicht. Diese Menge entspricht bei 70 Kilogramm Körpergewicht etwa 21 handelsüblichen Mischsüßtabletten mit je 40 Milligramm Cyclamat und vier Milligramm Saccharin.
- Aspartam 40 Milligramm und für Acesulfam-k 15 Milligramm je Kilogramm Körpergewicht. Diese beiden neuen Süßstoffe werden von der Lebensmittelindustrie viel verwendet.

Zum Süßen wird außerdem folgende Dosierung von Süßstoffmischungen (Saccharin und Cyclamat) empfohlen:

- eine bis zwei Tabletten oder Würfel für eine Tasse Tee oder Kaffee
- zehn Tropfen für einen Viertelliter Milch oder 150 Gramm Joghurt oder 125 Gramm Quark oder Obstsalat
- 15 Tropfen für 150 Gramm Kompott.

Immerhin kann bei Kindern, die große Mengen süßstoffhaltiger Getränke verzehren, die kritische Süßstoffmenge relativ rasch erreicht werden. Man sollte ihnen deshalb besser natürliche Fruchtsäfte mit Mineralwasser mischen. Dadurch wird der Zuckergehalt des Getränks reduziert. Auch Sportler trinken den Durstlöscher Saft am liebsten in dieser Form. Übergewichtige tun sich mit Süßstoffen nicht einmal unbedingt etwas Gutes, weil es Hinweise darauf gibt, daß sich der Appetit nach Verzehr süßstoffhaltiger Produkte bei den darauffolgenden Mahlzeiten erhöht. Vielmehr dürfen auch Schlankheitsbewußte - abgesehen von Diabetikern - ihre Speisen und Getränke durchaus mit etwas Zucker oder Honig süßen. Trotzdem sollten sie ihren Süßgeschmack trainieren und dadurch ihr persönliches Süßbedürfnis allmählich reduzieren.

Das große Leid mit den Light-Produkten

Längst hat das englische Wort „light" die Supermärkte erobert. Der niemals klar definierte Begriff ist inzwischen in zahllose Wortschöpfungen und Wortspiele eingegangen. Mit Light-Fruchtjoghurt, Light-Käse, Light-Ketchup, Light-Margarine, Light-Wurst und Light-Fertigprodukten werden reduzierte Kalorien heute zu höchsten Preisen vermarktet. Besonders kräftig legten die „Lights" bei Molkereiprodukten und alkoholfreien Getränken zu, bei denen Zucker durch Süßstoffe ersetzt wird. Aber auch Zigaretten-Hersteller verpaßten ihren Marken das Etikett. Brauereien und Kaffeefirmen folgten.

Dem Verbraucher wird oft nicht einmal klar, worin der besondere Light-Aspekt eines Produktes begründet sein soll. So sind „leichte" Milchprodukte zwar meistens fettarm und dadurch kalorienreduziert; ein kritischer Vergleich läßt jedoch oft erkennen, daß es durchaus „Light"-Käsesorten gibt, die mehr Kalorien als „normale" fettarme Käsesorten liefern. Deshalb lohnt sich gerade bei den Milch- und Käseerzeugnissen ein Blick auf die Kennzeichnung: Ein Käse mit 20 Prozent Fett i. Tr. enthält nur zehn Prozent Fett absolut. Aber erst die Anpreisung des niedrigen absoluten Fettgehalts in Verbindung mit dem Modewort „light" macht ihn offenbar zur heißbegehrten Ware.

Quark- und Joghurtspeisen werden neben einem geringeren Fettanteil durch Süßstoff statt Zucker „leichter" gemacht, andere Milchprodukte lediglich durch Aufschäumen mit Luft oder Stickstoff, was selbstverständlich den Kaloriengehalt, auf 100 Gramm bezogen, nicht verringert. Bei Getränken, insbesondere bei Bier, wird der Alkoholgehalt herabgesetzt. Vorsicht jedoch bei sogenannten Diätbieren. Deren Alkoholgehalt ist völlig „normal" - rund vier Prozent. Sie weisen lediglich einen höheren Vergärungsgrad auf und sind fast kohlenhydratfrei.

Dabei müssen Produkte, die weniger Kalorien als üblich enthalten, überhaupt nicht „light" heißen. Denn die Bezeichnungen „kalorienarm" und „kalorienreduziert" sind längst gesetzlich definiert. Als kalorienarm gelten Lebensmittel, die verzehrfertig nicht mehr als 50 Kalorien pro 100 Gramm enthalten. Für Getränke, Suppen und Brühen ist der Höchstwert von 20 Kilokalorien je 100 Milliliter (200 Kilokalorien pro Liter) vorgeschrieben. Bei kalorienreduzierten Lebensmitteln muß der Kalorienanteil um 40 Prozent gegenüber vergleichbaren herkömmlichen reduziert sein.

Mit dem Wörtchen „light" wird heute ebensoviel Schindluder getrieben wie mit dem Begriff „Bio". Zwar enthalten Lightprodukte in der Regel weniger von einem Inhaltsstoff, also weniger Fett, Zucker, Alkohol, Kohlensäure, Nikotin oder Koffein. Doch feste Grenzwerte gibt es nicht. Der Hersteller kann sie setzen, wie er will. Es wäre viel gewonnen, wenn die Industrie - oder aber der Gesetzgeber - endlich einheitliche Maßstäbe anlegte. So könnte ein „ehrliches" Leicht-Produkt stets 40 Prozent weniger Kalorien oder 40 Prozent weniger Fett enthalten.

Immerhin sind aus ernährungswissenschaftlicher Sicht um Fettkalorien „erleichterte" Produkte zumindest in Teilbereichen der üblichen Alltagsnahrung eine sinnvolle Problemlösung: Kalorienreduzierte Produkte können helfen, den Einstieg in eine vernünftige Diät zu erleichtern. Der Ersatz zuckerhaltiger Getränke oder Süßspeisen durch süßstoffhaltige macht sich im Kalorienverbrauch positiv bemerkbar und ist überdies eine Wohltat für die kariesgefährdeten Beißerchen. Die Gewöhnung an zu viel Süßes wird dadurch jedoch nicht vermieden. Dies wäre eher durch eine Bevorzugung von Obst, Gemüse und ungesüßten Getränken wie Mineralwasser oder verdünnte Fruchtsäfte zu erreichen. Light-Produkte, in denen Fett durch Wasser ausgetauscht wird, liefern weniger Energie, was völlig in Ordnung ist. Allerdings werden deswegen vielfach vermehrt durchaus problematische Zusatzstoffe wie Konservierungsmittel, Emulgatoren, Stabilisatoren und Aromastoffe eingesetzt, denn das Light-Produkt soll ja so schmecken wie das natürliche.

Grundsätzlich sind die wahren Ursachen einer Fehlernährung mit Leicht-Produkten nicht zu beheben. Nur durch eine Umstellung der Ernährungsgewohnheiten ist der Abbau von Übergewicht auf Dauer zu erreichen, und nur ein bewußter Einkauf richtiger Lebensmittel kann auf sinnvolle Art helfen, eine Gewichtszunahme zu verhindern. Überhaupt ist die ganze Light-Philosophie zu einseitig am Kalorienzählen orientiert. Praktiker der Ernährungsberatung wünschen sich vielmehr ein verstärktes Bewußtsein der Verbraucher für Lebensmittel mit hoher Nährstoffdichte wie Gemüse und Obst, also für natürliche „leichte" Lebensmittel. Wer sie bevorzugt, ißt „light", ohne auf ein Etikett schauen zu müssen und ist überdies immer gut mit Vitaminen und Mineralstoffen versorgt.

Die völlig verkannten Ballaststoffe

Lange Zeit wurden Ballaststoffe tatsächlich als „Ballast", als überflüssige Bestandteile der Kost, angesehen. Nach heutigen Erkenntnissen aber haben sie wichtige Ernährungsaufgaben und Schutzfunktionen für unsere Gesundheit. Sie sind somit der einzige Ballast, den der Körper unbedingt braucht. Die tägliche Nahrung sollte mindestens 30 Gramm solcher Stoffe enthalten. Leider weist sie hierzulande heute im Durchschnitt eine Ballaststofflücke von mindestens zehn Gramm auf.

Ballaststoffe kommen praktisch ausschließlich in pflanzlichen Lebensmitteln vor. Sie sind auch unter dem Namen Rohfaser, Pflanzenfasern, Füll- und Quellstoffe, unverdauliche bzw. nicht verwertbare Kohlenhydrate oder auch als Schlackenstoffe bekannt. Ernährungswissenschaftler bezeichnen sie als Nicht-Stärke-Polysaccharide (Vielfachzucker). Solche Benennungen heben auf den stofflichen Charakter, die Herkunft und die Wirkung der Ballaststoffe ab. Gemeint sind Lebensmittelbestandteile, die von unseren Verdauungsenzymen nur unzureichend oder gar nicht gespalten werden können. Dazu zählen Zellulose, Hemizellulose, Pektin und Lignin. Außerdem werden sie in sogenannte lösliche (Pektin, beta-Glucan aus der Haferkleie) und unlösliche (Zellulose und Lignin) Komponenten unterteilt.

Da Ballaststoffe unterschiedlich im Stoffwechsel wirken, empfiehlt sich ein abwechslungsreicher Verzehr von

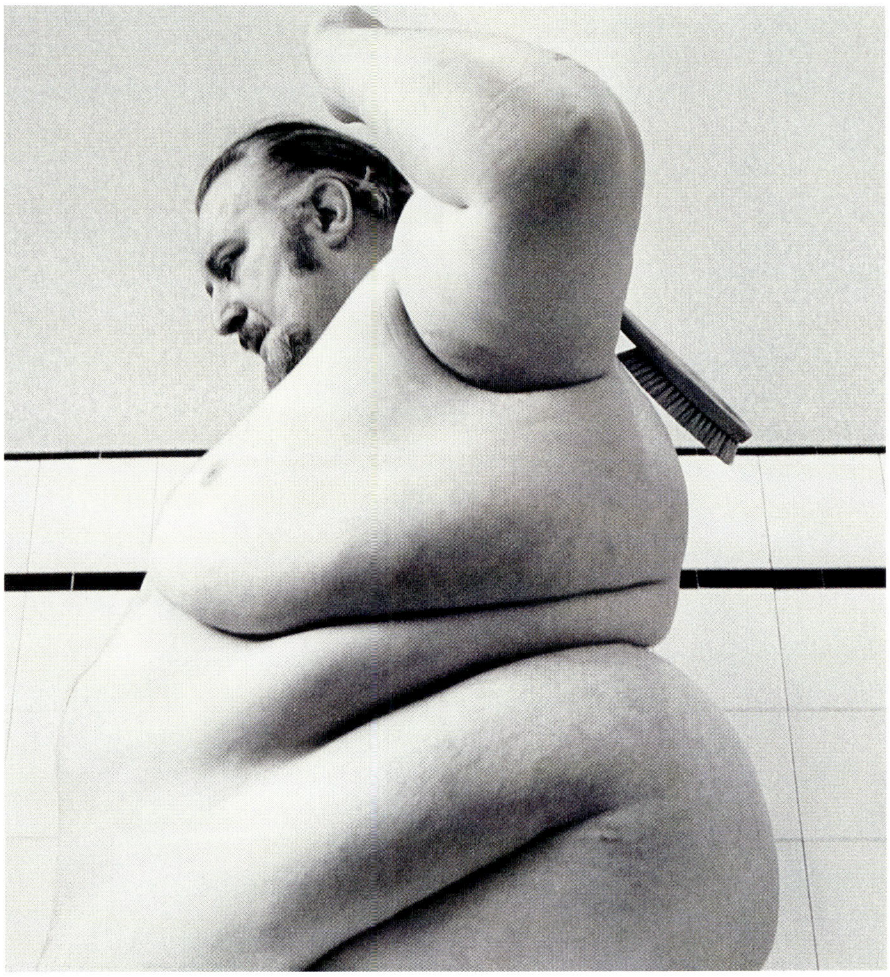

Völlig aus den Fugen geraten: Solche „Rettungsringe" lassen sich einzig durch eine Langzeitdiät reduzieren.

Lassen Sie sich ruhig einen (Obst)-Korb geben

Obst, Gemüse, Nüsse und Getreide – wie gut, daß Ballaststoffe in so vielen Lebensmitteln enthalten sind. Das macht gesunde Ernährung einfach – und nie langweilig!

100 g Gemüse enthalten	Ballaststoffe in g
Brokkoli	3,0
Erbsen, grün	4,3
Grünkohl	4,2
Paprika	2,0
Rotkohl	2,5
Sauerkraut	2,1
Tomate	1,8
Zuckermais	3,7
Bohnen, weiß (Trockengewicht)	17,0
Linsen (Trockengewicht)	10,6
Sojasprossen	2,6
Kartoffeln, geschält und gekocht	1,1

100 g Getreide enthalten	Ballaststoffe in g
Vollkornmehl	3,2
Haferflocken	5,4
Naturreis (Trockengewicht)	2,9
Vollkornbrötchen	5,7
Roggenknäckebrot	14,0
Roggenvollkornbrot	7,7
Vollkorntoast	7,1
Toastbrot (Weißbrot)	3,6
Weizenvollkornbrot	5,3
Vollkornkeks	8,1
Vollkornmüsli mit Trockenobst	8,0
Vollkornnudeln ohne Ei (Trockengewicht)	9,1

100 g Obst enthalten	Ballaststoffe in g
Äpfel mit Schale	2,3
Banane	3,1
Brombeeren	3,2
Datteln, getrocknet	9,2
Erdbeeren	2,0
Feige, getrocknet	9,6
Kiwi	3,9
Mandarine	1,5
Orange	2,2
Pfirsich	1,7
Pflaume	1,7
Pflaume, getrocknet	9,0
Rosinen	5,4
Weintrauben	1,6

100 g Nüsse enthalten	Ballaststoffe in g
Erdnüsse, geröstet und gesalzen	6,9
Haselnüsse, ohne Schale	7,4
Pistazienkerne	6,5
Sesamkerne	7,9
Sonnenblumenkerne	6,3
Walnuß, ohne Schale	4,6

Lebensmitteln mit unterschiedlichen Ballaststoffen wie Vollkornprodukte, Hülsenfrüchte, Gemüse und Obst. Im Bedarfsfall sind sie durch konzentrierte Ballaststoffe wie Weizen- oder Haferkleie und Leinsamen zu ergänzen, die jeweils unterschiedlich mit den wichtigen Füll- und Quellstoffen ausgestattet sind.

Seit Jahrzehnten werden weniger pflanzliche Faserstoffe und dafür mehr energiereiche Nahrungssubstanzen verzehrt. Auf solch „verfeinerte Kost" führen Mediziner und Ernährungswissenschaftler manche Zivilisationskrankheit zurück, vor allem Obstipation (Darmträgheit und Stuhlverstopfung), Divertikulose (Ausstülpungen der Darmschleimhaut), aber auch Adipositas (gesundheitsgefährdendes Übergewicht) und Herz-Kreislauf-Erkrankungen.

Aufgrund ihres Vermögens, Wasser zu binden, regen Ballaststoffe die Darmtätigkeit an. Wird reichlich getrunken, quellen die pflanzlichen Faserstoffe auf. Das somit vergrößerte Volumen des Darminhalts führt zu einer schonenden Aktivierung der Darmtätigkeit: Die Peristaltik, seine Muskelbewegung, verstärkt sich, so daß sich die Passage durch das Verdauungsorgan beschleunigt. Im Dickdarm zersetzen Bakterien eine gewisse Menge Ballaststoff. Die Abbauprodukte stimulieren die Darmmotorik zusätzlich. Ballaststoffe sind also eine physiologisch richtige, gesunde Alternative zu Abführmitteln.

Der gesunde Dämpfer für den Blutzucker

Ballaststoffe helfen mit, daß der Blutzuckerspiegel im Anschluß an Mahlzeiten nicht plötzlich, sondern langsam und gleichmäßig ansteigt. Von diesem dämpfenden Einfluß profitieren nicht nur Diabetiker, sondern auch Gesunde. Die Konstanz des Blutzuckerspiegels ist eine der wichtigsten Voraussetzungen für körperliche und geistige Fitneß in der Schule, am Arbeitsplatz, während Autofahrten sowie bei Sport und Spiel. Und für die Schlankheit: Solange der Blutzuckerspiegel nicht sinkt, verschont er uns mit Hungersignalen.

Ballaststoffe zwingen aber auch zu besserem Kauen. Das wiederum führt zu mehr Speichelabsonderung und dadurch wird die Kariesgefahr verringert. Außerdem stimmen sie, insbesondere in Form von Leinsamen, saure Mägen versöhnlich, indem sie die Säure „abpuffern".

Sehr starke Waffen sind Ballaststoffe im Kampf gegen Herz-Kreislauf- Erkrankungen und Darmkrebs. Zu den Ursachen bösartiger Tumore im Dickdarm zählt, daß im Stuhl krebsauslösende oder krebsfördernde Substanzen transportiert werden. Vergrößert sich durch Ballaststoffe das Stuhlvolumen, verringert das die Konzentration von Schadstoffen. Außerdem haben, wenn der Speisebrei leicht und schnell durch den Darm gleiten kann, die schädigenden Substanzen weniger Zeit, auf die Darmschleimhaut einzuwirken. Krebsfördernde Substanzen können im Darm auch direkt entstehen, zum Beispiel, wenn die Dickdarmbakterien Gallensäuren abbauen müssen, die bei besonders fettreicher Ernährung im Übermaß anfallen. Sind ausreichend Ballaststoffe im Darm vorhanden, binden sie einen Teil der Gallensäuren, noch bevor die Bakterien aktiviert werden. Gleichzeitig wird das chemische Milieu im Darm durch den Abbau bestimmter Ballaststoffe wiederum „sauer", was die Umwandlung von Gallensäuren in möglicherweise schädliche Stoffe hemmt.

Ballaststoffe gegen den Herzinfarkt

Hilfreich gegen Infarkte sind Ballaststoffe, weil sie - zumal Pektin und Haferkleiebestandteile - freie Gallensäuren binden und deren Ausscheidung mit dem Stuhl erhöhen können. Denn das wirkt sich günstig auf den Cholesterinspiegel aus. Normalerweise werden diese Säuren im Darm resorbiert und zur Leber zurücktransportiert. Wird dieser Kreislauf durch Ballaststoffe unterbunden, muß die Leber neue Gallensäuren aus Cholesterin bilden, das somit dem Blut entzogen wird.

Womöglich wird dadurch der Cholesterinspiegel gesenkt, weil der Organismus Cholesterin nicht mit derselben Geschwindigkeit nachproduziert, wie es die Leber zu Gallensäuren umbaut. Und erfreulicherweise senkt sich während dieses Prozesses weniger das „gute" HDL-Cholesterin im Blut ab als das für die Entstehung der Arteriosklerose gefährliche LDL-Cholesterin. Dadurch ver-schiebt sich das Verhältnis dieser Blutfettstoffe günstig. Ballaststoffe schützen also sowohl den Magen-Darmtrakt wie Herz und Kreislauf auf natürliche Weise.

Ein wenig Fett ist doch ganz nett

Ganz zweifellos ist das Fett der Hauptbösewicht im Übergewichts-Trauerspiel und die Senkung der Fettaufnahme das Hauptziel einer bewußten Ernährung. Doch müssen, ja dürfen Nahrungsfette nicht völlig vom Teller verbannt werden. Auch wenn Sie „Ihr" Fett wegbekommen wollen, dürfen Sie nicht fettlos leben; allerdings brauchen Sie das richtige in der richtigen Menge.

Denn Nahrungsfette sind wichtig für die Versorgung mit den fettlöslichen Vitaminen A, D, E und K sowie mit den sogenannten essentiellen Fettsäuren wie der in Keimölen enthaltenen zweifach ungesättigten Linolsäure. Schon anderthalb Eßlöffel hochwertiges Pflanzenöl (Sonnenblumen-, Maiskeim- oder Distelöl) stellen die täglich benötigte Menge Linolsäure bereit. Für die Gesunderhaltung unserer Blutgefäße wichtige mehrfach ungesättigte Fettsäuren kommen auch in sogenannten Kaltwasserfischen wie Lachs, Hering und Makrele vor. Ein starkes Argument dafür, ein- bis zweimal in der Woche Seefisch auf den Tisch zu bringen. Eigentlich logisch, daß deswegen auch die Rezepte der Fit For Fun-Diät zwar fettarm, aber keineswegs fettfrei sind - nicht zuletzt, weil Fett ein ganz ausgezeichneter Aromaträger ist. Nahrungsfette bestehen aus drei Arten von Säuren - aus gesättigten (saturierten), aus einfach und aus mehrfach ungesättigten. Die unterschiedliche Sättigung hat Einfluß auf die Eigenschaften eines Speisefettes. Ein hoher Gehalt an mehrfach ungesättigten Fettsäuren bewirkt eine ölige Konsistenz, gesättigte machen ein Fett fester und erhöhen bei entsprechendem Verzehr den Gehalt an gefäßschädigendem Cholesterin im Blut. Einfach und mehrfach ungesättigte Fettsäuren können den Cholesterinwert absenken.

Vom Nackedei zur Gesundheitsgöttin: Jane Fonda löste in den 80ern einen Aerobic- und Gesundheitsboom aus.

Stoffwechselaktive Fettsäuren: Action im Körper

Folgendes Verhältnis der drei Fettsäurearten hat sich als für unseren Körper günstig erwiesen: Gesättigte Fettsäuren braucht eigentlich niemand mit der Nahrung zuzuführen. Der Körper bildet sie nämlich selber, und auch das Depotfett besteht überwiegend aus dieser Fettkategorie. Chemisch sind sie „träge" Verbindungen. Wesentlich reaktionsfreudiger und stoffwechselaktiver sind die einfach und mehrfach ungesättigten Fettsäuren. Es wird sogar spekuliert, daß sie weniger dick machen als ihre saturierten Verwandten. In der Praxis besteht allerdings kein Unterschied in ihrem Energiegehalt.

KOHLENHYDRATE

Power-Stoffe, die unsere Energie-Depots füllen

Sie machen satt und geben Kraft: 50 bis 55 Prozent des täglichen Energiebedarfs sollten wir durch Kohlenhydrate aus gesunder Mischkost decken. Gar nicht schwer, oder?

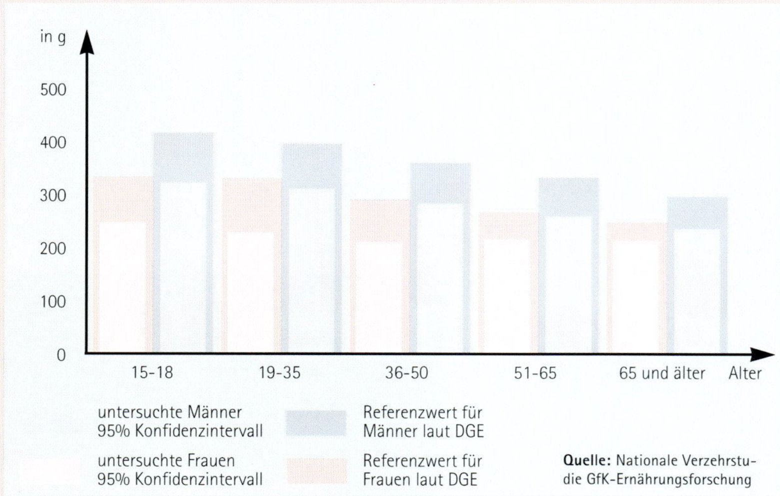

Wegen der gesundheitlichen Vorteile der einfach und mehrfach ungesättigten Säuren ist allerdings der Fettverzehr besser bei jenen Lebensmitteln einzusparen, die reich an gesättigten sind. Die sogenannte Mediterrane Küche - viel Gemüse und Salat, Olivenöl und frischer Fisch - gilt im Sinne einer Fitneßernährung für Herz und Kreislauf als vorbildlich. Und tauschen Sie, wo immer es geht, möglichst viel Fett durch Kohlenhydrate aus. Schneiden Sie also das Brot dicker und Wurst dünner.

Food-Designer auf der Suche nach Fettersatz

60 Prozent des täglich konsumierten Fettes ist nicht auf den ersten Blick zu erkennen: das in Lebensmitteln verarbeitete, also versteckte (Ein Blick in unsere Fett-Tabelle hilft).

Deshalb wird in den Labors der Lebensmittelhersteller intensiv nach Ersatzstoffen geforscht. In den USA sind Produkte mit dem magischen Aufdruck „fatfree" zur Zeit Renner - vor allem im Sortiment der Snackartikel. Einige solcher Fettersatzstoffe bestehen aus Eiweiß, das nicht einmal halb soviel Kalorien liefert wie Fett. Daß solche Produkte - etwa Simplesse - wie Fett schmecken, wird durch Mikropartikulation bewirkt. Dieser technische Trick wandelt die Eiweißteilchen unter Druck in winzige Kügelchen um, die auf der Zunge „wie Fett zergehen" und sich im Mund auch so anfühlen. Der Fettersatz Olestra ist unverdaulich und hat null Kalorien. Dieses Kunstfett kommt in Geschmackstests sehr gut weg, hat aber noch einen entscheidenden Nachteil, dem man mit einem chemischen Zusatz begegnen zu können hofft: Die unverdaulichen Öle wirken wie ein Abführmittel. Mit einem Lebensmittel hat dieses Fettimitat im Vergleich zum „Protein-statt-Fett-Austausch" nicht mehr viel zu tun.

Ohne Protein funktioniert rein gar nichts

Der ausschließliche Einsatz all dieser Ersatzstoffe birgt das Risiko, daß er zu einem Mangel an lebensnotwendigen Fettsäuren und fettlöslichen Vitaminen führt. Diese Produkte sind also keine Patentlösung für eine bewußte Ernährung, sondern allenfalls hilfreich. Ein üppiges Essen läßt sich bekanntlich schon dadurch „erleichtern", indem man ganz einfach den Anteil der Kohlenhydrate wie Brot, Kartoffeln, Nudeln, Reis und Gemüse erhöht.

Lange Zeit war das eiweißreiche Steak, dekorativ durch eine Salatbeilage ergänzt, die bevorzugte Leibspeise von Sportlern und Schlankheitsbewußten. Inzwischen wissen wir, daß bei dieser Vorliebe die für Leistung, Psyche und Gesundheit wichtigen Kohlenhydrate zu kurz kommen. Das aber setzt die Bedeutung des Proteins, so die fachliche Bezeichnung für Eiweiß, keinesfalls herab.

Protein - griechisch soviel wie „das Erste", „das Wichtigste" - ist tatsächlich der wichtigste Baustoff des Körpers. Alle Zellen, von der Haut bis zum Muskel, sind aus Eiweißstoffen aufgebaut, ebenso die körpereigenen Wirkstoffe in unserem Stoffwechsel, die Enzyme und zahlreiche Hormone. Ohne Eiweiß kein Leben. Der Bedarf daran ist in Wachstumsphasen am größten.

Durchschnittlich zwölf Prozent der täglichen Kalorien sollten aus Nahrungseiweiß stammen. Das entspricht etwa 0,8 Gramm Eiweiß pro Kilogramm Körpergewicht. Während eines Verschlankungsprozesses sind mindestens 50 Gramm pro Tag erforderlich, damit dieser nicht an die figurformende Muskelsubstanz geht.

Gestandenes Mannsbild: Bierbauchträger Gerd Fröbe († 1988) machte die Wirtschaftswundergeneration schwach.

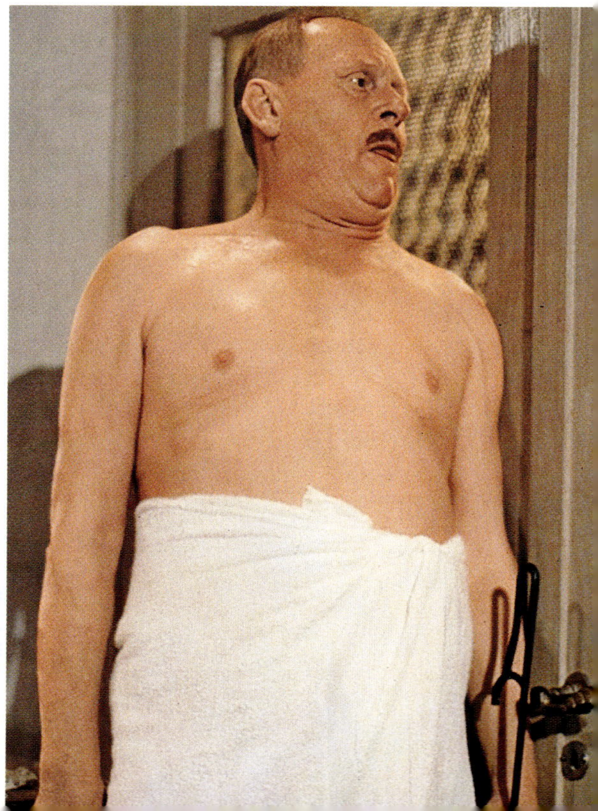

Allerdings kann der Körper aus Nahrungsproteinen so, wie wir sie aufnehmen, gar nichts konstruieren. Vielmehr isoliert er im Laufe der Verdauungsvorgänge daraus die Aminosäuren und baut diese biochemischen Zwischenstufen des Stoffwechsels im Organismus gemäß seines spezifischen Bauplans zu körpereigenem Eiweiß auf. Nur so wird etwa aus Milcheiweiß Muskeleiweiß.

Einige Aminosäuren müssen immer in der Nahrung enthalten sein. Sie werden deshalb als essentiell, als lebensnotwendig bezeichnet. Manche sind nur für bestimmte Bedarfssituationen wichtig (zum Beispiel Histidin und Arginin für das Wachstum), fachlich semiessentiell, und müssen stets mit der Nahrung zugeführt werden. Andere Aminosäuren hingegen schafft sich der Körper aus Nahrungsbestandteilen selber. Sie sind folglich nicht essentiell.

Je ähnlicher - erkennbar in der Aminosäurenzusammensetzung - ein Nahrungseiweiß oder deren Kombination dem Körperprotein ist, desto besser ist die Mischung als „Aufbaunahrung" geeignet. Definiert wird diese Ähnlichkeit durch den Begriff biologische Wertigkeit (BW). Gemeint ist damit die Menge Körper-Eiweiß in Gramm, die durch 100 Gramm eines Nahrungsproteins zu ersetzen ist. Als Bezugswert - BW = 100 - dient Vollei-Protein. Andere tierische Lebensmittel wie Fleisch, Fisch und Milch liegen im Bereich von 80 bis 90. Es gibt aber auch tierische Proteine mit niedrigeren Werten. Pflanzliche Eiweiße werden mit BW 60 bis 80 gelistet. Als relativ hochwertige Proteinquellen sind Soja, Reis, Hafer, Sesam, Roggen und Kartoffeln zu nennen.

Holder Jüngling: US-Rapper und Calvin-Klein-Model Marky Mark bringt Frauen von heute um den Verstand.

Eine hohe biologische Wertigkeit einzelner Proteinträger, also bestimmter Lebensmittelgruppen, darf aber nicht zu deren Bevorzugung führen. Damit würde die Ernährung zu einseitig. Allein mit einer gemischten Kost ist der Bedarf an den essentiellen Aminosäuren am besten zu decken. Nur sie liefert Eiweißbausteine sowohl aus pflanzlichen und tierischen Lebensmitteln in einer Mischung, wie sie für den Aufbau der Körpereiweiße benötigt wird.

Schmackhafte und gute Proteinkombinationen, bei denen sich die pflanzlichen und tierischen Energielieferanten in der Aminosäurenzusammensetzung so ergänzen, daß es zu keinen Versorgungslücken kommt, sind:

- Getreide mit Milchprodukten oder Ei, z. B. Brot mit Käse, Haferflocken mit Milch oder Eierteigwaren;
- Kartoffeln mit Ei, Fleisch, Fisch oder Milch;
- Hülsenfrüchte und Getreide, z. B. Bohnen und Mais, also eine rein pflanzliche Proteinmischung.

Wichtig für die Praxis der Ernährungsberatung ist es, jedem Fitneßbewußten den „Wert" pflanzlicher Eiweißquellen schmackhaft zu machen. Brot, Haferflocken, Müslimischungen, Nudeln, Reis und Kartoffeln liefern pflanzliches Eiweiß und gleichzeitig Kohlenhydrate, begleitet von wenig Fett, aber von viel Vitaminen, Mineral- und Ballaststoffen.

Und mit geringen Zulagen tierischer Proteine, etwa aus Milch, ergibt sich eine Kost, die einer biologisch überaus hochwertigen Eiweißmischung mit allen benötigten essentiellen Aminosäuren entspricht.

Die wichtigste Frage: Macht Eiweiß schlank?

Während Eiweißmangel - etwa wegen einer falschen Diät - uns schnell schlapp aussehen läßt, kann die richtige Proteindosis insbesondere zusammen mit sportlichem Training zur Wunschfigur verhelfen.

Protein ist ein ziemlich schlechter Betriebsenergielieferant und führt praktisch niemals zu Übergewicht. Es müßten ca. 36 Prozent mehr Eiweiß- als Kohlenhydrat- oder Fettkalorien verzehrt werden, um verbrauchte Energie wieder nachzutanken.

Eiweißkalorien führen eher zu einer gesteigerten Thermogenese, zu höherer Wärmeproduktion, als daß sie gespeichert werden. Die nach Mahlzeiten auftretende „Extrawärme" ist nach eiweißreicher Kost am höchsten. Nach dem Verputzen einer üppigen Fleischportion kann man deshalb ganz schön ins Schwitzen geraten.

Die Aminosäuren aus dem Nahrungseiweiß sind aber auch Ausgangsmaterial für die Bildung fettspaltender Enzyme und weiterer körpereigener „Schlankmacher" wie Carnitin, Wachstums- und Streßhormone. Das Carnitin etwa, das Fettsäuren in die muskulären Verbrennungsöfen, die Mitochondrien, einschleust, entsteht nicht ohne die essentiellen Aminosäuren Lysin und Methionin, die im Fleisch enthalten sind.

Durch den Einsatz einzelner freier Aminosäuren in Form von Präparaten versucht man, gezielt in den Stoffwechsel einzugreifen. Arginin und Ornithin etwa sollen die Hirnanhangsdrüse stimulieren, das sogenannte Wachstumshormon auszuschütten.

Diesem Hormon wird eine muskelaufbauende und gleichzeitig fettabbauende Stoffwechselwirkung zugeschrieben, wobei die Beweisführung in Bezug auf die für einen solchen Effekt notwendige Aminosäurenmenge aussteht.

Barocke Pracht: Peter Paul Rubens' (1577–1640) Schönheitsköniginnen waren stets üppig und leichtbekleidet.

Was soll der ganze Streß, wenn's nichts bringt?

Allerdings machen Carnitinpillen, Aminosäurepräparate oder Eiweißhappen allein weder schlank noch sportlich. Auch eine Ernährung, die Streßhormonbausteine liefert, ist keine Schlankheitskost per se. Zwar mobilisieren Streßhormone die körpereigenen Energiereserven, die Fett- und Kohlenhydratdepots. Doch bleibt die körperliche Reaktion auf den Streß aus, führt er nicht zu Angriff oder Flucht wie bei unseren Vorfahren oder zu sonstiger, viel Energie fordernder Muskelarbeit, kommt es auch nicht zur Fettverbrennung, sondern die freigesetzte Energie bleibt ungenutzt im Blut und erhöht das Risiko für Gefäßerkrankungen. Die Stoffwechselaktivierung durch Streßhormone hat also nur dann einen schlankmachenden Effekt, wenn ihr eine gehörige fettverbrennende körperliche Aktivität folgt.

Im Schlaf wird niemand schlank, da kann er zuvor noch so viele angebliche Stoffwechselsensationen in Präparatform schlucken. Richtig ist allerdings: Damit der Stoffwechsel nicht in die „Einbahnstraße" Fettspeicherung einlenkt, müssen dem Körper mit der Nahrung all jene Substanzen zugeführt werden, die ihm helfen, Fett zu mobilisieren, abzubauen und zu verbrennen, wenn es durch geeignete körperliche Aktivität tatsächlich als Energiequelle abgerufen wird. Das ist die Voraussetzung dafür, daß der gesamte schlankmachende Stoffwechsel überhaupt in Gang kommt. Ist der Startschuß aber einmal gegeben, sollte kein Aminosäuremangel den aktivierten Prozeß bremsen.

13 Vitamine und 6 Mineralstoffe

Um gesund und leistungsfähig zu werden und zu bleiben, benötigen wir aber auch sämtliche 13 Vitamine, die Mineralstoffe Calcium, Magnesium, Kalium, Phosphat, Natrium und Chlorid sowie eine Reihe von Spurenelementen - so Jod, Eisen, Zink, Selen und Chrom, um die wichtigsten zu nennen. Jede „Schlankheitsdiät", die einen Vitamin- und Mineralstoffmangel riskiert, wirkt sich negativ auf den Stoffwechselbetrieb aus. Weitere Folgen solcher Mangelnahrung sind vermehrte Streß- und Infektionsanfälligkeit sowie ein Defizit an Nährstoffen, die Haut und Haare gesund erhalten. Ohne Jod können sich Schilddrüsenhormone nicht bilden, die die Höhe des Grundumsatzes steuern. Jodmangel führt zur Schilddrüsenunterfunktion. Der Grundumsatz nimmt ab, die Verbrennungsvorgänge in allen Zellen verlangsamen sich. Es kommt, selbst bei sonst schlankheitsgemäßer Ernährung, zu Gewichtszunahme und Übergewicht. Patienten mit Überfunktion der Schilddrüse sind dagegen meist mager, weil zuviel Schilddrüsenhormon die Verbrennung im Körper auch zu sehr anheizt. Achtung: Wer Schilddrüsenhormon-Präparate zur Gewichtsreduktion einnimmt, provoziert womöglich eine gefährliche Überfunktion.

Jodhaltige Lebensmittel sind hingegen natürliche Förderer einer ausgeglichenen Schilddrüsenaktivität: Seefisch, sonstige Meeresfrüchte, Brot und Lebensmittel, bei deren Herstellung Jodsalz verwendet worden ist, gehören deshalb regelmäßig auf den Teller des fitneß- und schlankheitsbewußten Essers. Jodiertes Speisesalz ist ebenfalls ein guter Beitrag zu einer sicheren Versorgung mit diesem lebensnotwendigen Spurenelement.

Unter den Mineralstoffen ist das Kalium besonders herauszustellen, weil es als Gegenspieler des Kochsalzbestandteils Natrium unerwünschte Wassereinlagerungen bremst. Viel Obst und ungesalzene Gemüse- und Reisgerichte helfen bei der natürlichen Entwässerung.

Beim Energiestoffwechsel - namentlich bei der Energiegewinnung aus Fettsäuren - wirken vor allem die B-Vitamine Niacin, Pantothensäure und Riboflavin (Vitamin B 2) als Koenzyme. Enzyme sind eiweißartige Biokatalysatoren, deren spezifischer Effekt sich oft ohne ein B-Vitamin als Koenzym-Baustein nicht einstellt. Pantothensäure etwa wird als Bestandteil des Coenzym A zur Aktivierung von Fettsäuren benötigt. Das Vitamin B 6 ist als

AMINOSÄUREN

Das Zusammenspiel der Proteine macht's

Drei Aminosäurearten (Eiweißbausteine) braucht der Mensch: eine immer (essentiell), eine öfter (semi-essentiell) und eine, um die er sich nicht sorgen muß (nicht essentiell).

essentiell	nicht essentiell	semi-essentiell
Valin	Glycin	Arginin
Leucin	Alanin	Histidin
Isoleucin	Serin	
Threonin	Cystin	
Methionin	Tyrosin	
Phenylalanin	Prolin	
Tryptophan	Hydroxyprolin	
Lysin	Asparaginsäure	
	Glutaminsäure	

Coenzym bzw. Schlüsselfaktor vor allem am Eiweißstoffwechsel beteiligt. Und der ordnungsgemäße Aufbau von Muskel- und Enzymeiweiß, eiweißhaltigen Hormonen und weiteren stoffwechselaktiven Verbindungen ist für einen schlanken Stoffwechsel das A und O.

In diesem Zusammenhang sind ein paar Worte über den gegenwärtig stark diskutierten sogenannten Fleischfaktor L-Carnitin nötig. Von keinem Fachmann bestritten wird die physiologische Bedeutung dieses „Biocarriers", der in der Geschichte der Vitaminforschung auch schon Vitamin B7, B11 und BT oder Vitamin T genannt worden ist. Er schleust langkettige Fettsäuren, Bestandteile des Körperfetts, durch die Membran der Mitochondrien in diese Kraftwerke der Zellen, wo aus ihnen Energie gewonnen wird. Ohne Carnitin also kein Fettabbau.

Das Märchen vom Wunderstoff Carnitin

Nun empfehlen manche, gegen lästige Fettpolster einfach L-Carnitin-Präparate zu schlucken und einige Diät-Müde wähnen sich am Ziel ihrer Träume: keine öden Hungerkuren, keine schweißtreibenden Trimm-Übungen mehr - Carnitin rein, und die Pfunde schmelzen wie durch Zauberhand ab. Leider aber ist unser biochemischer Apparat kein magischer Zirkus. Fett wird vor allem im Muskel verbrannt. Wo wenig Muskeln sind und diese nicht bewegt werden, kann noch soviel Carnitin nichts bewirken. Überdies ist er selbst gar keine essentielle Nährsubstanz. Vielmehr synthetisiert der Körper diesen eiweißähnlichen Muskelstoff unter Beteiligung von Vitamin B6, Folsäure, Vitamin C und Eisen vor allem in Leber und Niere selber. Die wichtigsten Ausgangsstoffe des Carnitin sind Lysin und Methionin, beides Aminosäuren, die ihrerseits tatsächlich essentiell sind.

Wir gewinnen diese Eiweißbausteine durch den Genuß von Muskelfleisch, das sogar auch Quelle für fertiges Carnitin ist. Je dunkler das Fleisch (Rind, Schaf), desto höher der Carnitingehalt. Eigensynthese, Carnitin aus fleischlicher Nahrung und ein wirksames Recyclingsystem sorgen dafür, daß der Körper praktisch nie (allenfalls bei strengen Vegetariern) unter einem Mangel leidet.

Nur mit Muskeln kann man Fett abbauen

Bevor alle jene Stoffwechselaktivatoren - Vitamine und Hormone, Enzyme und Mineralstoffe oder auch das Carnitin - zünden und überschüssige gespeicherte Kalorien in nennenswertem Umfang abbauen helfen, gilt es zunächst, mehr Muskeln zu bilden. Was nichts anderes heißt als: Nur wer sich ausdauernd trimmt, kriegt mehr Muckis und kann vermehrt Fett zwecks Energiegewinnung abbauen. Der Bedarf muß also erst durch eigenes Zutun geschaffen werden. Kräftigendes Aufbautraining erhöht die stoffwechselaktive Muskelmasse, und Ausdauerübungen fördern die wirksame Beta-Oxidation, die Energiegewinnung aus Fettsäuren in den Kraftwerken der Muskelzellen. Beides zusammen macht schlank und fit. Die Ernährung unterstützt das Programm, indem sie die Bausteine für die Fitneß (Proteine) und jene Hochleistungsnährstoffe für einen aktiven Stoffwechsel liefert. Also wiederum: Essen und trimmen - beides muß stimmen!

Das Wasser ist die Quelle unseres Lebens

Unser allerwichtigster Nährstoff aber ist - nicht nur mengenmäßig - das Wasser. Es ist zuständig für die gesunde Funktion von Herz und Kreislauf sowie der Nieren. Wasser sorgt als Kühlmittel für eine stoffwechselbetriebsfreundliche Körpertemperatur, wenn wir bei warmem Wetter und sportlichen Aktivitäten schwitzen. Während eines Abnahmeprozesses fallen im Körper vermehrt saure Stoffwechselprodukte des Fettabbaus an, die über die Nieren ausgeschieden werden müssen. Deshalb muß dann mehr als normal getrunken werden - mindestens zwei Liter kalorienarme Flüssigkeit täglich - am besten Wasser, Mineralwasser, stark verdünnte Obstsäfte, Gemüsesäfte, Kräuter-, Früchte- und schwarzer Tee oder Trinkmolke. Wasserverluste machen sich in den ersten Diättagen und zumal bei Crash-Diäten schnell auf der Waage bemerkbar und werden dann von manchen als großer Erfolg bejubelt. Dabei sind nicht sie, sondern das Abspecken von Fettgewebe Ziel der Gewichtsreduktion.

Wer wenig trinkt und auch noch mit Sauna-Gängen sowie harntreibenden Arzneimitteln (Entwässerungspillen) buchstäblich den letzten Tropfen aus seinem Körper herausholt, lebt gefährlich. Mangel zeigt sich besonders schnell an der Haut: Sie trocknet aus, bekommt Knitterfältchen und verliert an Spannung. Einige amerikanische Ernährungsratgeber warnen vor Mineralwasser und empfehlen, statt dessen destilliertes Wasser zu trinken. Aus der Sicht der Ernährungswissenschaft ist dieser Rat allerdings in hohem Maße gesundheitsgefährdend! Denn die Mineralstoffe, die in Mineralwässern enthalten sind, sorgen dafür, daß die zugeführte Flüssigkeit im Organismus gebunden werden kann. Mineralienfreies Wasser scheidet der Körper hingegen sofort wieder aus.

Wird unserem Organismus destilliertes Wasser eingetrichtert - das, nebenbei bemerkt, miserabel schmeckt -, muß er es erst mit Mineralstoffen anreichern und dafür auf seine Reserven zurückgreifen. Mögliche Folgen sind Herz-Kreislauf-Störungen, Müdigkeit, Schwäche, Kopfschmerzen und Muskelkrämpfe. Trinken Sie also besser täglich eine Flasche Mineralwasser leer. Dann haben Sie schon die Hälfte Ihres Wasserbedarfs-Minimums zum Null-Kalorien-Tarif gedeckt. Außerdem ist ein großes Glas Mineralwasser, schön langsam vor dem Essen getrunken, eine kleine schlankheitsfördernde Sättigungshilfe: Sie füllt den Magen nämlich bereits ein bißchen - und das völlig schadlos.

Verfluc Fett Fabel und Fak

htes

:

n

ten

Ein kühles Blondes zum Feierabend, knusprige Kartoffelchips vor dem Puschenkino, das Sahneschnittchen „mal eben zwischendurch" – viel zu oft essen wir Kalorienbomben gedankenlos in uns hinein. Darum Vorsicht: Nimmt der Körper andauernd mehr Nahrungsenergie auf, als er wirklich braucht, wird die Lust am Essen für uns auf einmal zur Last. Denn prompt setzen wir ungewolltes Fett an.

Pasta: Das Ende der dicken Lüge

„Vorsicht, dicke Nudeln!" wurde jahrelang vor köstlichen Teigwaren italienischer, schwäbischer und asiatischer Provenienz gewarnt. Auch jenen, die daran arbeiteten, die ästhetischen Wunden des Wirtschaftswunders zu heilen, war bald klar, daß die gemeine Spiralnudel zu Unrecht angeklagt war. Schuld am Desaster ist zumeist die Soße, basierend auf Butter, Öl oder Sahne. Überhaupt: Dickmacher zeigen selten ihr wahres Gesicht, und schon deshalb gilt es, versteckte Fette auch zu finden.

Wirklich ein ganz dicker Hund!

Eigentlich weiß jeder, wie man sich ausgewogen und gesund ernährt. Nur halten wir uns so selten daran, essen stattdessen zu fett, zu viel, zu süß. Warum eigentlich? - Selbst für unverbesserliche Junk-Food-User ist es nämlich gar nicht so schwer, ihre Lieblingsgerichte auf „gesund" zu trimmen. So wird beispielsweise dank Fit For Fun-Diät-Rezept aus einem ordinären Hot Dog eine nahrhafte und vor allem fettarme Vollkornversion. Mal ehrlich, hat die nicht viel mehr Biß als das Original aus der Frittenbude?

Wer hat sie nicht, die gute Freundin, die fast empört die Zuckerdose zur Seite schiebt, ein Döschen hervorkramt und dann bedeutungsvoll eine Süßstoffpille in den Kaffee plumpsen läßt? Wer hat das amüsierte Mitleid nie gefühlt, wenn in der Kantine der Vordermann sich Kartoffeln, Reis und Nudeln satt auf seinen Teller häufen ließ? Wer hätte sich nicht voll Stolz im Stande der Ernährungsweisheit gesehen und geglaubt, das beste für die schlanke Linie und die Gesundheit überhaupt zu tun, wenn er nur ein dickes Steak und ein Tellerchen Salat verzehrte und die Kartoffeln einfach liegenließ? Tatsächlich: Es ist noch gar nicht lange her, da verteufelten selbst Experten - oder zumindest die sogenannten - neben Zucker und damit gefertigen Süßigkeiten die Nahrungskohlenhydrate pauschal als Dickmacher. Und also aß, wer auf sich hielt - und sich das leisten konnte -, möglichst viel „schlankmachendes" Eiweiß, das schöne dicke Steak zum Beispiel, verschmähte Brot und Pasta und ganz besonders die armen, unschuldigen Erdäpfel.

Dickmacher zu Unrecht: Kohlenhydrate

Höhepunkt der Kohlenhydratphobie war die „Diät-Revolution" des amerikanischen Doktors Atkins. Sie verkündete die frohe Botschaft, daß jedermann und jedefrau nach Herzenslust schlemmen dürften, wenn sie nur konsequent auf Kohlenhydrate verzichteten. Fett und Eiweiß - geradezu ein Muß. Schweineschwartenchips, fast pures Fett, waren kein Problem, Kartoffelchips jedoch des Teufels. Rührei mit gebratenem Schinkenspeck - bitte sehr, doch um Gotteswillen dazu kein Brötchen. Herr Dr. Atkins ging sogar so weit, daß er zwar jede Menge Sahne erlaubte, aber keine Trinkmilch, denn die enthält ja Milchzucker - pfui, ein Kohlenhydrat.

Indessen verzweifelte so mancher Dicke, der sich getreu an Dr. Atkins hielt, an sich selbst und der Welt: Sein Speck ging nicht weg oder setzte neu an, und ihm selbst ging es auch nicht besonders. Kein Wunder: Die strikte Befolgung dieser Diät erhöht das Risiko, an Fettstoffwechselstörungen und Gicht zu erkranken und schlägt dazu noch auf's Gemüt. Denn Kohlenhydratmangel verursacht biochemisch ein Serotonintief im Gehirn: Jener Neurotransmitter (Nervenbotenstoff) hat eine stimmungsaufhellende, sogar schmerzlindernde Wirkung. Gibt's von ihm zuwenig, werden Menschen depressiv - und entwickeln einen natürlichen Süßhunger, einen Heißhunger auf alles Kohlenhydratreiche.

Auch Bodybuilder kennen diese Gier nach Kohlenhydraten in der sogenannten kohlenhydratarmen Definitionsphase ebenso wie Bulimiekranke, die sich auf kohlenhydratfreie bzw. -arme Kost gesetzt haben. Kohlenhydratmangel gefährdet Körper, Geist und Seele. Trotzdem hält sich das Dickmach-Image der Kohlenhydrate hartnäckig - nicht zuletzt wohl deshalb, weil die Umwandlung der Biostoffe in Speck beispielsweise bei Schweinen vorzüglich klappt. Bei genudelten (stark gemästeten) Gänsen erzeugen Kohlenhydrate u.a. die begehrte Fettleber.

Indessen gibt es hinsichtlich der Ausbildung von Fettdepots eklatante Unterschiede im Stoffwechsel von Tieren und Menschen. Unser Körper bevorzugt Kohlenhydrate und z.T. Eiweißbausteine (Aminosäuren) für den laufenden Energiestoffwechsel und verwendet Fett in erster Linie, um Energiedepots für Mangelzeiten anzulegen. Er hat nur begrenzte Kapazitäten für die Energiespeicherung aus Kohlenhydraten (als Glykogen in Leber und Muskulatur bzw. Protein in den Muskeln). Prinzipiell kann unser Organismus zwar Kohlenhydrate in Fett umwandeln und es in der Leber und im Fettgewebe deponieren. Das ist für ihn jedoch wenig ökonomisch, da schon für diese Fettsäurebildung eine Menge Energie direkt „verbraucht" wird und somit weniger davon für die Einlagerung übrigbleibt. Die Gießener Ernährungswissenschaftlerin Hannelore Daniel hat diese Umwandlungsverluste quantifiziert: Sie belaufen sich auf rund 30 Prozent der zugeführten Kohlenhydratenergie. Bei Nahrungsfett sind die Umwandlungsverluste für die Deponierung weit geringer. Fett macht uns also mit gleichem Energiegehalt fetter - während Kohlenhydrate sich im Feuer eines aktiven Stoffwechsels praktisch verbrauchen.

Die modernen Propagandisten der Kohlenhydrate als Fitmacher (etwa die Diät-Erfinder Haas und Pritikin) verweisen besonders auf die exzellenten Erfahrungen, die Sportler aller Disziplinen mit dieser für Muskel-, Gehirn- und Nervenzellen gleichermaßen idealen Energiequelle

Bis zum ganz dicken Ende

Im Innern geht es rund. Fast einen Tag braucht die Nahrung für den Weg durch den Körper.

Gut gekaut ist halb verdaut: Abbeißen, kräftig kauen, schlucken - das kennen wir, das machen wir täglich. Aber dann? Für unser Verdauungssystem geht die Arbeit nach dem letzten Bissen erst richtig los.
Der Weg der Nahrung: Mit gleichmäßigen Muskelbewegungen knetet unser Magen den Speisebrei durch, zersetzt ihn dann mit Salzsäure, damit die Nährstoffe aufgenommen werden können. Das besorgt dann der in vier Abschnitte unterteilte Darm, mit sieben bis acht Metern unser längstes Organ. Damit die Darmschleimhaut möglichst schnell große Mengen Nährstoffmoleküle aufnehmen kann, ist sie vielfach gefaltet, hat Millionen feiner Zotten.
Endstufe: Im Zwölffingerdarm werden mit Bauchspeichel- und Gallensekreten Mineralien und Spurenelemente entzogen. Der Dickdarm dickt den unverdaulichen Rest wieder ein. Dann wird alles durch den Mastdarm aus dem Körper geschoben.

machen. Mit dem Superbenzin der Tennisspieler gelingen auch Gehirnjoggern die Hausaufgaben besser. Deshalb heißt die neue Mengenlehre auf dem Teller: Kartoffeln, Nudeln oder Reis sind zusammen mit Gemüse die Hauptsache bei einer warmen Mahlzeit und das Stück Fleisch nur noch die Beilage.

Dabei soll Fleisch als vermeintlich fettreiches Lebensmittel keineswegs gänzlich vom Menü verbannt werden - es liefert uns ja neben bestimmten essentiellen Nährstoffen lebenswichtige Eiweißbausteine -, nur müssen Kohlenhydratkomponenten immerzu die Vorfahrt haben. Denn kohlenhydrat- reiche Lebensmittel bieten bei relativ geringem Kaloriengehalt viel Volumen auf dem Teller - und sättigen entsprechend gut. Fett ist dagegen konzentrierte Energie: Mit 13 Gramm Butter beispielsweise verleiben Sie sich 100 Kilokalorien ein, während Sie für die gleiche Menge Energie schon etwa 70 Gramm gekochte Nudeln schlucken müssen.

Anhand der Rezepte aus dem Fit For Fun-Programm können Sie sich selber überzeugen, wie erstaunlich viel man essen darf, wenn man sich bewußt fettarm und kohlenhydratreich ernährt. Vor allem muß der Rahm aus der Soße: Statt in Butter angerührten Mehlschwitzen und cremigen Sahnesoßen sind leichte Varianten auf der Basis von püriertem Gemüse mit einem Klecks saurer Sahne angesagt. Und so simpel wie effizient: Schneiden Sie die Brotscheiben dicker und belegen Sie sie dünner!

Macht „light“ uns denn nun wirklich leicht?

Natürlich, das haben Sie sicher schon begriffen, sind es letzten Endes die berühmten Kalorien, die Hüften und das Bäuchlein schwellen lassen. Hinter diesem Sammelbegriff, der eigentlich schon längst von der physikalisch korrekten Größe „Joule“

SO FUNKTIONIERT UNSERE VERDAUUNG

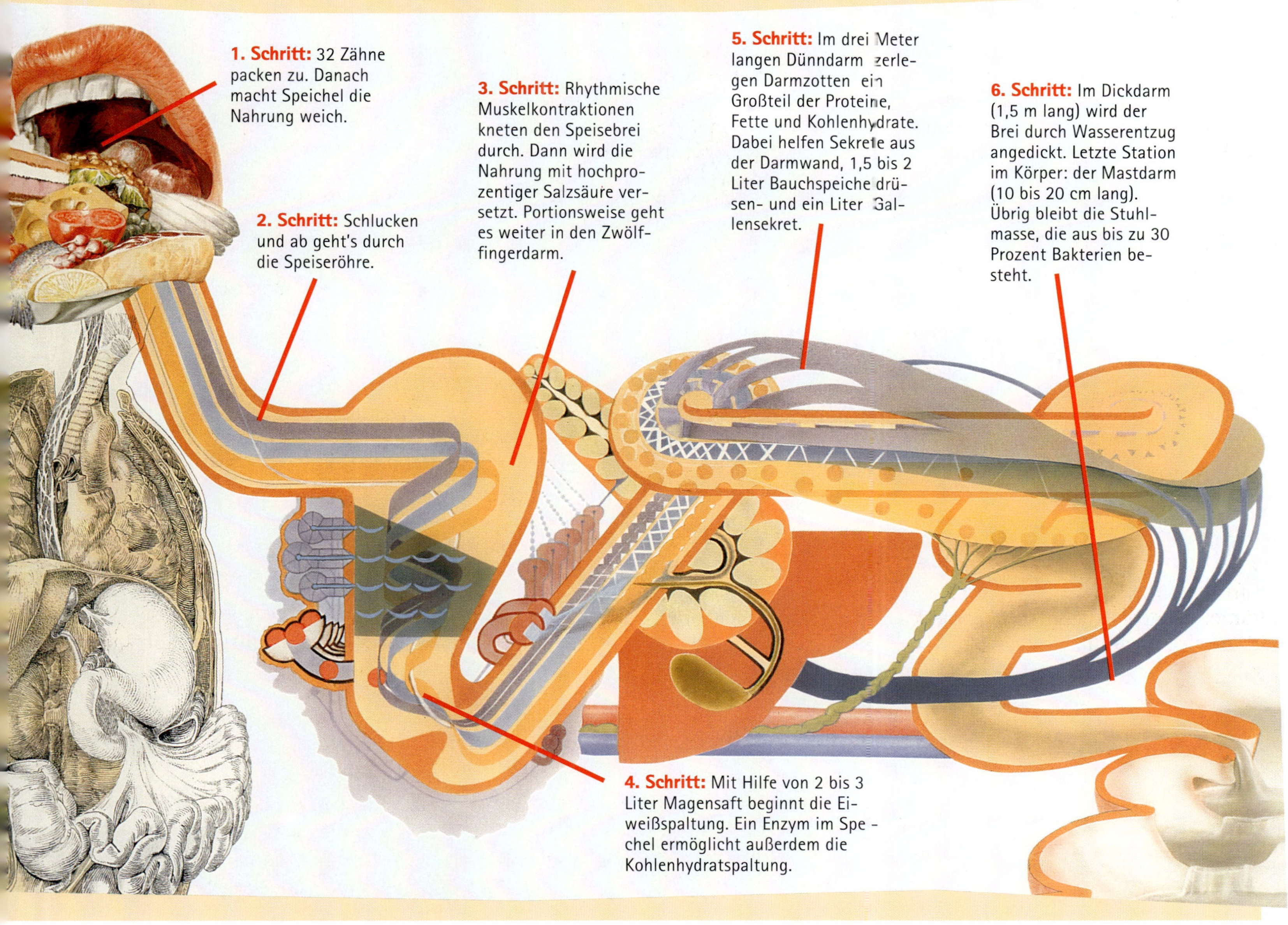

hätte abgelöst werden müssen, verbirgt sich alles, was gut schmeckt und dick macht. So wurde denn das Kalorienzählen zum Leitgedanken beinahe jeder Schlankheitsdiät. Und weil die Blicke der armen Fetten sich jedesmal durch die Kalorienbrille auf den Teller richteten, ließ die Lebensmittelindustrie sich bald was einfallen - die sogenannten Light-Produkte. Von den Ernährungsexperten nicht sonderlich geliebt, haben Light-Produkte immerhin dazu beigetragen, daß die Kalorie noch mehr ins Gerede kam. Schließlich mußte man für ihr geringeres Vorhandensein in den konfektionierten Light-Mahlzeiten ordentlich bezahlen.

Dabei ist die Trendwende längst eingeläutet. Schon lange waren sich Experten darüber einig, daß mit dem frustrierenden Kalorienzählen, weil durchaus unnötig, endlich aufzuhören sei und daß die Kohlenhydrate sämtlich zum Genuß freizugeben wären. Was künftig noch gezählt werden muß, ist lediglich das Fett - und zwar in Gramm. Denn darin und nur darin allein stecken, das haben Sie soeben aus dem kleinen Exkurs über den Fettstoffwechsel schon erfahren, die wirklich „bösen" Kalorien.

Das klingt nun ebenfalls wie eine Revolution - und ist es auch, läßt sich aber vom Stoffwechsel her wirklich einleuchtend begründen. Die neue frohe Botschaft ist ganz anders als die des Herrn Dr. Atkins: Wer ab- und nicht zunehmen möchte, darf sich an Kartoffeln, Brot, Nudeln, Reis, Gemüse und Obst satt essen. Amerikanische Wissenschaftler waren die ersten, die die lästige Erbsenzählerei mit Kalorien und Kohlenhydraten in Frage stellten, und spätestens seit dem Göttinger Adipositas-Kongreß im Herbst 1994 ist die Sache auch hierzulande durch.

Der Göttinger Ernährungspsychologe Volker Pudel hat eine wissenschaftliche Beweisführung zusammengestellt, die deutlich macht, daß es in Zukunft zwecks Lösung des Problems Übergewicht sinnvoller und besser heißen muß: Fett- statt Kalorienbilanzierung.

1. Eine Analyse von Sieben-Tage-Protokollen bei 200000 Menschen, die allesamt abnehmen wollten, erwies, daß die Energieaufnahme insgesamt vom Körpergewicht (gemessen nach dem Body Mass Index) nicht abhängt. Das heißt: Schwere und Leichte führten sich etwa gleich viel zu. Bei der Nährstoffrelation jedoch ergibt sich ein signifikanter Unterschied: Die Schweren beziehen mehr Kalorien aus Fett und weniger aus Kohlenhydraten als die Leichteren. Nach einem einjährigen Gewichtsabnahmetraining zeigte sich, daß alle, die ihre Energieaufnahme um durchschnittlich 500 Kalorien pro Tag reduziert hatten, danach ungleich erfolgreicher ihr Gewicht stabilisieren konnten, wenn

ERNÄHRUNG

Ganz ohne Fett geht es im Leben doch nicht

Abnehmen und schlank bleiben kann nur, wer den Fettgehalt seiner Mahlzeiten konsequent reduziert. Aber Achtung: Völlig ohne Fett geht es nämlich nicht.

Fett ist lebenswichtig: Fette versorgen uns mit mehrfach ungesättigten Fettsäuren sowie mit den fettlöslichen Vitaminen A, D und E. Männer brauchen deshalb täglich eine Fettzufuhr von etwa 40 Gramm während der Gewichtsreduktion, danach ca. 80 Gramm. Bei Frauen sind es 30 g bzw. 60 g. Leider liegen wir meistens weit darüber.

Verstecktes Fett: Was Sie in Form von purem Fett verzehren, können Sie abwiegen. Um festzustellen, wieviel Fett sich in der Nahrung verbirgt, ist die Fit For Fun-Fett-Tabelle im Anhang hilfreich.

Das Auge ißt mit: Schnell sind einem gute Vorsätze angesichts von Aufschnitt deshalb Wurst.

Fettzufuhr im Vergleich zu Referenzwerten

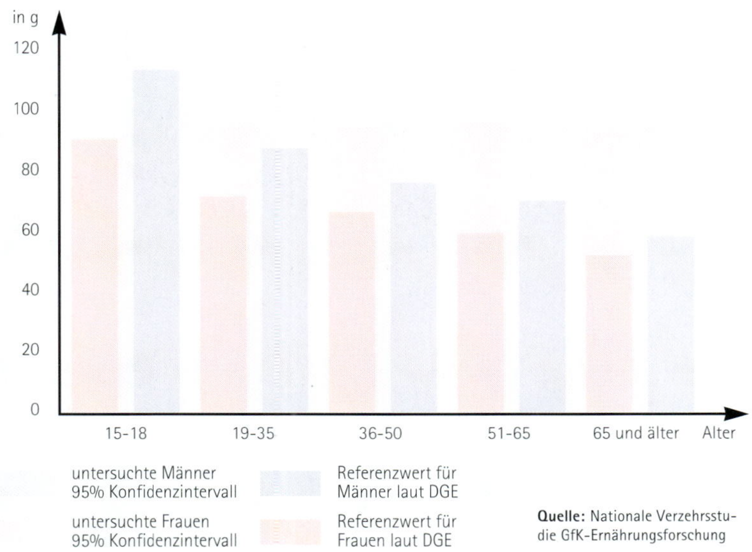

Quelle: Nationale Verzehrsstudie die GfK-Ernährungsforschung

Karriere trotz Kilos: Laut Broca-Index ist Anna-Nicole Smith ein Pummelchen, laut Fan-Club ein Kurvenwunder.

Sind wir wirklich ein Volk von Dicken geworden?

Die traurige Wahrheit: 30 Prozent aller Deutschen haben echtes Übergewicht, wiegen also ein Viertel mehr, als der Broca-Index erlaubt. Ganz schön gesundheitsschädlich!

Wir essen falsch: Die zu hohe Energiezufuhr ist, auch lange nach den fetten Wirtschaftswunder-Jahren, das größte Ernährungsproblem in der Bundesrepublik. Die Eßsünden „zuviel Fett" und „zuviel Eiweiß" sind laut DGE dabei die Hauptursachen vieler Rettungsringe und Doppelkinn-Ansätze.

Wer hat wieviel Übergewicht?

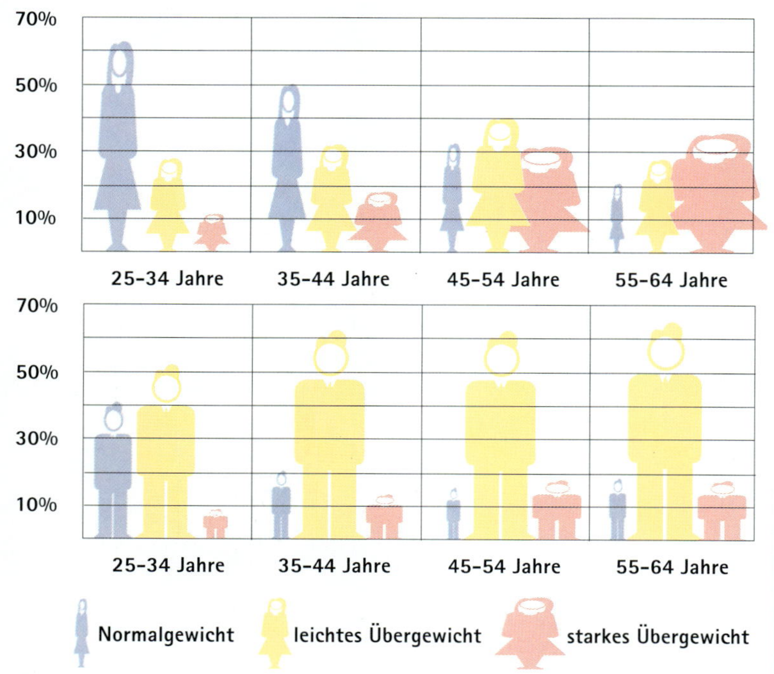

Quelle: „Die nationale Verzehrstudie" Band 18, Deutsche Gesellschaft für Ernährung, S. 29

sie diese Reduktion über Fett und nicht über Kohlenhydrate vorgenommen hatten.

2. Weiter ergab die Studie: Personen, die sich stets viel Nahrungsenergie zuführen, nehmen prozentual relativ viel Fett auf, und jene, die vergleichsweise wenig „Kalorien" konsumieren, verzehren prozentual relativ wenig Fett.

3. Biochemische Untersuchungen zeigen, daß Menschen - anders als Ratten, Schweine oder Vögel - unter normalen Verzehrbedingungen (bis zu 500 Gramm Kohlenhydrate pro Tag) aufgenommene Kohlenhydrate aufgrund ihrer enzymatischen Ausstattung nicht zur neuerlichen Fettsäuresynthese verwenden.

4. Der amerikanische Ernährungswissenschaftler Kendall und Kollegen boten elf Wochen lang einer Gruppe von Probanden kontrolliert fettarme und einer anderen normalfette Speisen - und soviel sie mochten. Nach sieben Wochen „Auswaschphase" wurden die Gruppen mit den jeweils anderen Speisen unter den gleichen Bedingungen konfrontiert. Das Ergebnis: Die Probanden aßen pro Tag 1400 Gramm Nahrung - gleich welcher Versuchsbedingung sie zugeordnet waren. Unter der fettarmen Bedingung werden 250 Kalorien pro Tag weniger gegessen. Die Probanden nahmen damit insgesamt 1,3 Kilo mehr ab. Da andere relevante Parameter bei diesen Gruppen gleich waren - beide beurteilten den Geschmack der Speisen gleich, beide waren gleich körperlich aktiv, beide waren gleich oft unpäßlich oder krank -, belegt diese Studie eindeutig, daß mit einer nicht begrenzten Nahrungsaufnahme eine Gewichtsabnahme erzielt werden kann, wenn lediglich der relative Fettanteil im Nahrungsangebot gesenkt wird.

5. Andere - niederländische und englische - Studien führten den Beweis, daß Fett in der Nahrung nur ganz wenig am Sättigungsempfinden der Probanden beteiligt ist, diese sich also fast ausschließlich durch andere Nahrungsbestandteile, insbesondere Kohlenhydrate, gesättigt fühlen. Fett „unterläuft" offenbar die langfristige Sättigungsregulation. Das würde auch erklären, daß Menschen, die insgesamt viel Nahrungsenergie aufnehmen, dies insbesondere mit viel Fett schaffen.

6. Amerikanische Forscher, die Geschmackspräferenzen untersuchten, kamen zu dem Ergebnis, daß besonders übergewichtige Frauen gern süß und fettreich essen. Der sogenannte „Süßhunger" ist von der Nährstoffrelation her gesehen eigentlich ein „Fetthunger". Das Kohlenhydrat-Fett-Verhältnis ist bei übergewichtigen Frauen in Richtung Fett verschoben. In anderen Untersuchungen wurde festgestellt, daß Übergewichtige beiderlei Geschlechts fettreiche Speisen bevorzugen. Der Genuß von Fett wird als positiv erlebt, insbesondere wenn es in Kombination mit „Süß" angeboten wird.

Aus all dem folgt, daß Nahrungs- und Körperfett offenbar in viel engerem Zusammenhang stehen als bislang angenommen. Nur wer viel Fett ißt, kann sich auch viele Kalorien zuführen. Kohlenhydrate sind an größere Volumen gebunden und aktivieren biologische Mechanismen der Sättigung, die sich selbst auf die nachfolgende Nahrungsaufnahme mindernd auswirkt. Fett hingegen verleiht den Speisen offenbar größere Schmackhaftigkeit und erhöht so die Appetenz im Ernährungsverhalten. Da aber die Sättigungsempfindung bei Fettreichem gering ist, wird auch mehr davon gegessen, was wiederum mehr Körperfett bildet. Ein regelrechter Teufelskreis.

Sind Füllige auch noch Frust-Säufer?

Übergewichtige trinken in aller Regel auch mehr Alkohol als Normalgewichtige. Alkohol aber ist mit 7 kcal pro Gramm fast so energiereich wie Fett (9 kcal pro Gramm) und wird im Stoffwechsel ähnlich wie Fett verbraucht. Solange das geschieht, wird der Fettabbau im Körper sogar zurückgestellt.

Dickmacher und Bewegungsmangel: ein Teufelskreis

Dabei verfügt der gesunde menschliche Körper über ein sehr wirksames fettverbrennendes System. Nur wird es angesichts des weitverbreiteten Bewegungsmangels kaum gefordert und läuft deshalb auf Sparflamme. Alle Energie, die der Körper für die grundlegenden Lebensvorgänge und für die minimalen abverlangten körperlichen Arbeitsleistungen braucht, holt er sich fast nur aus Kohlenhydraten. Die Fettreserven werden bei bewegungsarmen Sitzmenschen gar nicht angegriffen. Im Gegenteil: Neu zugeführte Fettkalorien lagern sich unverzüglich in den Fettdepots ab. Leider können Fettspeicher nahezu beliebig viel aufnehmen: Fettzellen sind prinzipiell unersättlich, wie Menschen mit drei Zentnern Lebendgewicht leibhaftig belegen. Dabei hat die Fettspeicherung biologisch durchaus ihren Sinn: Die Fettzellen legen Energievorräte für Mangelzeiten an, unter denen nicht nur unsere Vorfahren, sondern auch Menschen in weniger begünstigten Regionen auch heute häufig genug leiden. Für diesen Zweck eignet sich Fett besonders gut, denn bezogen auf das Volumen hat es von allen energieliefernden Nährstoffen die höchste Energiedichte (1 g Fett entspricht 9 kcal/38 kJ; je 1 g Kohlenhydrate Eiweiß 4 kcal/17 kJ).

So läuft alles wie geschmiert: Hochwertiges Planzenöl versorgt uns mit mehrfach ungesättigten Fettsäuren und Vitamin E.

Für uns aber, die wir nicht an Mangel leiden, sondern im Gegenteil an unserer Fülle, gilt

- die Fettaufnahme mit der Nahrung drosseln und
- die Fettverbrennung durch mehr Bewegung anheizen.

Wir allerdings, wir hocken im Büro, sitzen früh und spät im Stau, lümmeln uns nach Feierabend stundenlang vor der Glotze im Sessel. Selbst der Sport findet für viele oft nur auf dem Bildschirm statt. Die weit geringere Beanspruchung durch körperliche Arbeit und der Bewegungsmangel in der Freizeit bringen es mit sich, daß der Energieumsatz von ehemals rund 3000 kcal im Durchschnitt auf heute etwa 2000 kcal zurückgegangen ist. Wer früher körperliche Schwer- und Schwerstarbeit leistete, durfte und mußte auch ordentlich essen. Das „Bauernfrühstück" als kalorienreiche Mahlzeit mit viel Fett, Eiweiß und Kohlenhydraten hatte bis zum Mittag vorzuhalten. Doch solch schwere, fettreiche Kost verträgt sich nicht mehr mit der körperlicher Leichtarbeit von heute.

Daraus folgt: Wer sich wenig bewegt, wird sich halt mit kleinen Häppchen beim Essen begnügen müssen. Und für einen bewegungsarmen Hirn-Sitzmenschen sind Ballaststoffe das geeignete Sättigungsmittel. Als Energielieferanten sollten ihm nur noch Brot, Reis, Nudeln und Kartoffeln dienen. Denn die darin enthaltenen Kalorien werden völlig verbraucht und wandern nicht - wie die aus den stoffwechselträgen Fetten - auf Po, Bauch oder Hüfte. Gezielt, also in notwendigem Umfang zuzuführen, sind dann nur noch die essentiellen Nährstoffe: Vitamine, Spurenelemente, essentielle Fett- und Aminosäuren. Wir gewinnen sie aus Obst, Gemüse, Fleisch, Fisch und bestimmten hochwertigen Pflanzenfetten.

Ein falscher Eßrhythmus macht dick

Allerdings: Es kommt nicht nur darauf an, was wir essen, sondern auch darauf, wie und wann wir uns etwas in den Mund schieben. Die

„Fettsack Elvis": So titelte gehässig ein Boulevardblatt, als der „King of Rock 'n' Roll" nur noch Speck rollte.

Realität ist doch: Vielfach wird morgens nur rasch eine Tasse Kaffee getrunken und allenfalls zweimal ins Brot gebissen. Das soll dann das Frühstück sein. Abgesehen davon, daß durch mangelnde Nahrung ungeschützte Magenwände viel empfindlicher für Streßreize sind, kann die Tagesleistungskurve so weiß Gott nicht in Schwung kommen.

Mittags wird dann ebenfalls ernährungsphysiologisch gesündigt: Entweder man ißt zu üppig und gerät in ein ausgeprägtes Mittagstief, oder es bleibt überhaupt keine Zeit für eine Mahlzeit, was viele - da man ja ohnehin etwas für seine schlanke Linie tun will - auch noch befriedigt zur Kenntnis nehmen.

Den Nachmittag über gönnt man sich nur ein paar Täßchen Kaffee, denn die machen ja so schön frisch. Nach Feierabend aber wird ordentlich zugeschlagen: Jetzt ist endlich Muße zum ausgiebigen Schlemmen. Und ein paar Gläschen Bier dürfen's dann auch schon sein.

Dabei ist - selbst wenn morgens, mittags und abends einigermaßen richtig, sprich fettarm, gegessen wird - das alte Drei-Mahlzeiten-Schema ernährungswissenschaftlich längst nicht mehr zeitgemäß. Es entspricht zwar vielfach unserer Arbeits- und Lebenssituation, wird den Bedürfnissen des Körpers aber keineswegs gerecht. Beispielsweise kann das Vormittagshoch nur ausschöpfen, wer nicht nur durch ein angemessenes erstes, sondern auch durch ein zweites Frühstück die nötigen energetischen Voraussetzungen dafür schafft.

Es ist nach modernen Erkenntnissen sinnvoll, die täglich benötigten Kalorien auf mehrere kleinere Mahlzeiten zu verteilen. Ein Zwei- oder Drei-Stunden-Takt wäre ein figur- und fitneßfreundlicher Eßrhythmus. Eine solche über den Tag verteilte Nahrungsaufnahme beeinflußt die Hunger-Sättigungs-Regulation günstig. Heißhungerattacken und Schwankungen des Blutzuckers wird vorgebeugt. Und schließlich schützen mehrere, regelmäßig über den Tag verteilte kleine Mahlzeiten vor einer Gewichtszunahme. Denn wenn Sie die stets bewußt genießen, also langsam essen, so werden Sie davon auch jedesmal ordentlich satt. Wenige üppige Portionen führen hingegen leicht zu Stoßbelastungen des Stoffwechsels im Anschluß an die Mahlzeiten, zu plötzlichem Anstieg der Blutfettwerte, des Blutzuckerspiegels und daraus resultierender hoher Produktion des Hormons Insulin, was wiederum die Einlagerung von Fett begünstigt. Und mit zunehmendem Alter wachsen diese Gefahren noch erheblich. Deshalb empfehlen Ernährungswissenschaftler, die täglich benötigte Energiezufuhr wie folgt aufzuteilen:

1. Frühstück: 25 Prozent

2. Frühstück: 10 Prozent

Mittagessen: 30 Prozent

Nachmittagsimbiß: 10 Prozent

Abendbrot: 25 Prozent.

Niemand muß sich allzu starr an dieses Schema halten. Sie können auch ganz nach Ihrem Appetit zum ersten Frühstück etwas weniger essen und dafür zum zweiten entsprechend mehr. Abends sind die Kalorien auch auf ein kleines Abendbrot und auf einen zusätzlichen kleinen Spätimbiß aufzuteilen. Während der Arbeitswoche wäre sogar eine Verteilung auf fünf Portionen à 20 Prozent sinnvoll, während man am Wochenende vielleicht Frühstück und Mittagessen als Brunch zusammenlegt oder abends ein viergängiges Feinschmeckermenü genießt. Doch mit einiger Regelmäßigkeit sollte das Prinzip schon eingehalten werden.

Es leben die gesunden Kohlenhydrate!

Zu jeder Tageszeit aber haben alle Nahrungskohlenhydrate in Form von Vollkornprodukten, Kartoffeln, Hülsenfrüchten, Gemüse und Obst „Grünes Licht". Daran können Sie sich bedenkenlos satt essen. Diese Lebensmittel sind nicht nur kohlenhydratreich und fettarm, sie versorgen uns auch mit Ballaststoffen und jenen lebenswichtigen Nährstoffen, helfen also, vom Stoffwechsel her schlank zu bleiben. Manche Abnahme-Diäten fordern aber eben darauf Verzicht, so daß sie einem aktiven, verschlankenden Stoffwechsel geradezu entgegenwirken. Allerdings ist auch nach einer vernünftigen Diät und einer erfolgreichen Gewichtsabnahme Fettsparen und eine Kost mit reichlich komplexen Kohlenhydraten weiterhin nötig. Denn der Körper neigt gerade danach zu verminderter Lipolyse (Fettfreisetzung) und zu erhöhter Fetteinlagerung. Fettreiche Kost würde jeden Erfolg torpedieren. Mit weniger Fett schlank werden und Schlankbleiben ist nicht zuletzt auch die wirksamste Prävention von Herz-Kreislauf-Erkrankungen.

Es gilt die einfache Formel: Wer insgesamt nur 25 bis maximal 30 Prozent der zugeführten Kalorien in Form von Fett konsumiert, der hat es schon verdammt schwer, sich falsch zu ernähren.

Den Stoffwechsel unbedingt auf Trab bringen

Unerläßlich allerdings ist und bleibt, den Stoffwechsel gehörig durch Bewegung anzuheizen. Fitneßaktivitäten in der Freizeit sind keineswegs unnütze Zeitverschwendung, sondern müssen in der persönlichen Energiebilanz fest eingeplant werden. Ein weiteres, sehr angenehmes Motiv für Freizeitaktivitäten und mehr Bewegung im Alltag: Wer sich mehr bewegt, der darf auch mehr essen und erhöht so seinen individuellen Spielraum fürs Genießen-Können. Keine Angst vor dem angeblich großen Appetit nach sportlicher Leistung: Was hierbei an Kalorien konsumiert wird, ist weniger Energie, als durch die zusätzliche sportliche Aktivität und die davon ausgelöste Stoffwechselsteigerung verbraucht wird. Nicht zuletzt gilt: Keine Diät, keine Ernährungsumstellung schlägt an ohne mehr Bewegung, da sind sich die Fachleute einig. In diesem Sinne: Seien Sie Fit for Fun!

Zugegeben, manchmal scheint es sich mit Gardemaß leichter durch's Leben zu gehen. Doch das ist kein Grund, seinen Körper rigoros auszuhungern oder mit Pillen zu quälen. Wer's dennoch tut, hat seine Rechnung ohne den Jo-Jo-Effekt gemacht und zahlt obendrein mit ruinierter Gesundheit drauf.

Vors
vor dem
dicken

icht Ende

Vielfalt und keine Einfalt!

Es gibt viel zu viele obskure Abspeckkuren. Da soll man einzig durch Zitronen, Eier oder Wassersuppe schlank werden. Ja, dünner würde auch, wer ausschließlich Bier tränke, versprechen einige selbsternannte Diätpäpste. Alles Lüge! Unser Körper braucht die gesamte Nährstoffpalette, um auf gesunde Weise das richtige Gewicht erlangen zu können. Auch Tabletten, die Vitamine und Mineralien enthalten, können allenfalls eine kurzfristige Hilfestellung auf dem Weg zur dauerhaft ausgewogenen Ernährung sein!

Nur nicht einwickeln lassen!

„Drei Kilo in fünf Tagen", „Super-Blitz-Diät" und „das neue Abspeckwunder" - Hört sich das etwa seriös an? Trotzdem werden solch vollmundige Versprechungen, gespickt mit dünnen pseudowissenschaftlichen Begründungen, nur zu gerne geschluckt. Oft verschwindet allerdings nicht das Fett auf Dauer, sondern die gute Laune, und kurzfristige Erfolge werden nicht selten vom Jo-Jo-Effekt zu nichte gemacht. Die persönliche Traumfigur gibt es eben nicht auf Rezept und schon gar nicht innerhalb von 14 Tagen.

Viele Dicke neigen offenbar zum Wunderglauben. Entweder sind sie davon überzeugt, daß - auch wenn alle medizinische Welt von den Gefahren der Korpulenz für die Gesundheit redet - ihnen ausgerechnet ihr Speck nicht schade. Oder sie vertrauen blindlings auf Blitz- und Crash-Diäten, auf Mittelchen der chemischen Industrie oder auf geheimnisvolle, exotische Substanzen, die sie sozusagen über Nacht zu einer schlanken Venus oder zum ranken Adonis machen.

Gewiß, die Welt ist noch immer voller Unerklärlichem, und auch der Forscher staunt mitunter. Doch eines weiß er genau: Behauptungen im Namen seiner Zunft, die jeder wissenschaftlichen Erkenntnis und Erfahrung widersprechen, gebührt allerhöchstes Mißtrauen. Denn in kaum einer Disziplin, die sich mit dem Menschen selbst und dessen vitalen Funktionen beschäftigt, begegnet der Forscher mehr wissenschaftlicher Schaumschlägerei als in der Schlankheitsdiätetik.

Übergewicht ist hierzulande leider eine Volkskrankheit. Gegenmittel haben also einen großen Markt. Kein Wunder, daß sich Scharlatane darin tummeln. Da wird in Klein- und Großanzeigen geworben: „XY baut Fettpolster ab. Wissenschaftlich erwiesen, in zahlreichen Studien belegt." Unkritische, auf „Lebenshilfe" spezialisierte Triebe in unserem bunten Blätterwald bringen die neue Sensation noch intensiver unter das Volk.

Dabei sind die Wirkprinzipien, die eigentlichen „Fett-Weg-Formeln", meist völlig unklar. Teilweise handelt es sich um faule Tricks, die selbst einigermaßen intelligente Laien rasch durchschauen könnten. Viele dieser Wundermittel leeren nicht die kleinste Fettzelle, sondern nur das Portemonnaie und schaden der Gesundheit obendrein.

Auf Biegen oder Brechen: ...schwört er, jedes Gramm an seiner Freundin zu lieben. Und die Dünnen sind platt.

Manchmal verbürgt sich sogar ein „Wissenschaftler" in der Anzeige mit seiner Unterschrift für die Wirkung eines solchen Mittels. Doch vergebens sucht man in seriösen Fachzeitschriften nach den Ergebnissen seiner Studien, und auch die Namen der angeblich angesehenen US-Ernährungswissenschaftler, die diese oder jene neue Ultra-Fett-Schmelz-Formel entwickelt haben sollen, finden sich im „Who is who?" der Wissenschaft mitnichten.

Eine andere beliebte Masche, die Seriosität solcher Mittel vorzutäuschen, ist das Versprechen „Bei Nichtwirksamkeit garantiert Geld zurück". Doch die Schelme, die damit so vollmundig werben, wissen ganz genau, daß sie - weil meist hinter ausländischen Briefkastenfirmen versteckt - nur schwer zu fassen sind und daß ohnehin nur etwa zehn Prozent der Kunden reklamieren. Die große Mehrheit traut sich einfach nicht: Wer möchte auch schon zugeben, daß das Mittel bei einem persönlich versagt, da es doch so vielen anderen geholfen hat?

Dabei gibt es drei einfache Kriterien, denen ein Schlankheitsmittel in medizinischer Hinsicht standzuhalten hat:

- Seine Wirksamkeit muß durch wirklich zuverlässige und folglich kontrollierbare Studien belegt sein;
- es muß gut verträglich sein;
- es darf keine schädlichen Nebenwirkungen haben.

Bis zum heutigen Tage aber gibt es kein einziges Produkt, das diese drei Voraussetzungen sämtlich zufriedenstellend erfüllt. Begleiten Sie uns bitte auf der folgenden, keineswegs erschöpfenden Tour d'horizon über das Angebot solcher trügerischer Mittel, die in der Hoffnung auf ein Abspecken ohne Mühe leider immer noch erworben werden:

Hungerbremsen ohne Biß verderben nie den Appetit

Da gibt es kleine Pillen, die den großen Hunger dämpfen, die also den Appetit verderben. Experten der Stiftung Warentest kommen über sie zu einem bedenklichen Urteil: „Wegen ihrer Eigenschaft, gewohnheits- oder gar suchtbildend zu wirken, sind zahlreiche Stoffe dieser Gruppe nur auf ärztliches Rezept zu erhalten oder gar der Betäubungsmittel-Verschreibungsverordnung unterstellt.

Die Wirkstoffe Ephedrin, Norephedrin und D-Norpseudoephedrin sowie - das rezeptpflichtige - Fenfluramin können den Appetit reduzieren und dadurch Übergewichtigen die Einhaltung einer kalorienreduzierten Diät erleichtern. Sie haben stimulierende Eigenschaften, erregen das sympathische Nervensystem. Sie führen zwar zunächst zu einer gesteigerten Konzentrationsfähigkeit und Aufmerksamkeit, erhöhter Leistungsbereitschaft, Euphorie, aber auch zu Angst, motorischer Unruhe, Reizbarkeit; sie lösen unter Umständen psychotische Episoden aus, bewirken Blutdrucksteigerung, Herzfrequenzanstieg und Gliederzittern (Tremor).

Nicht erst seit bei einem Appetitzügler (Menocil) das Auftreten eines Lungenhochdrucks beobachtet wurde, werden diese Mittel insgesamt mit viel Kritik bedacht und mit erheblichem Mißtrauen gesehen: Denn durch die euphorisierende Wirkung und durch nachlassende Wirksamkeit, die nach zirka vier bis sechs Wochen auftritt, kommt es rasch zu einer Dosissteigerung und möglicherweise zu einer Abhängigkeitsentwicklung. Deshalb ist eine Einschränkung der Behandlungsdauer erforderlich.

Appetitzügler dürfen nicht eingenommen werden in der Schwangerschaft und Stillzeit, bei Neigung zu Abhängigkeit und Psychosen. Bei folgenden Erkrankungen sollte eine ärztliche Beratung erfolgen: Bluthochdruck, Herzerkrankungen wie schnelle Formen von Rythmusstörungen und Angina pectoris, Schilddrüsenüberfunktion, bei adrenalinbildendem Tumor der Nebenniere, bei Engwinkelglaukom und Prostatavergrößerung.

Als unerwünschte Wirkungen können auftreten: Nervosität, Schlafstörungen, weiterhin Müdigkeit, Mundtrockenheit, Schwitzen, Kopfschmerzen, Schwindel, Erbrechen und Übelkeit, psychische Störungen wie halluzinatorische Verkennung und Psychosen. Wechselwirkungen können mit zahlreichen Medikamenten auftreten, die vorwiegend zur Senkung des Bluthochdrucks oder aber zur Behandlung psychischer Erkrankungen gegeben werden. Norephedrin hat sich in verschiedenen Studien als wirksam zur Unterstützung der Gewichtsverminderung erwiesen, wenn die Effekte auch nicht groß waren (ein bis zwei Kilogramm in vier bis acht Wochen) und die Anwendung auf vier Wochen begrenzt ist. In jedem Fall muß die Gabe von Appetitzüglern im Rahmen eines ärztlichen Plans zur Gewichtsreduktion erfolgen, der in erster Linie die

PRAXIS-TIP

Figur-Falle: Versteckte Dickmacher lauern überall

Fertigprodukte machen mittlerweile über die Hälfte unserer Ernährung aus. Doch Vorsicht! Nicht selten sind die schnell zubereiteten Leckereien wahre Kalorienbomben!

Gar nicht „ohne“: Ein Blick auf die Herstellerhinweise ist auf jeden Fall empfehlenswert. So stecken beispielsweise in pikanten Frühlingsrollen und aromatischen Schlemmerfilets eine ganze Menge Kalorien. Auch die heißgeliebte Tiefkühl-Pizza hat es ganz schön in sich. Unsere Tabelle sagt's genau:

Nahrungsmittel und ihr Fettanteil:

	in g	in kcal	gesamt kcal
Tiefkühllasagne Packung à 300g	15	135	385
Croissant Stück à 45g	11	104	114
Frühlingsrolle Stück à 150 g	17	155	411
Eiweiß-Riegel Stück à 40 g	11	99	185
TK-Schlemmerfilet, Packung à 400g	44	396	715
Nuß-Nougat-Creme 100g	24	216	420
Toast Hawaii Stück à 150g	29	260	479
Pizza Margherita 280g	28	252	620
Quiche Lorraine Portion à 180g	26	234	345

Quelle: Deutsche Gesellschaft für Ernährung

kalorienreduzierte Diät umfaßt. Ein denkbares Anwendungsgebiet ist allenfalls die krankhafte Fettsucht, die vom Arzt behandelt wird." (Stiftung Warentest, „test spezial Ernährung", S. 119).

Tatsächlich kann nichts das Durchhaltevermögen beim freiwilligen Versuch, weniger zu essen, mehr gefährden als Heißhunger. Daß ein knurrender Magen zum ständigen Begleiter wird, mag ja noch hingenommen werden, vielfach sinkt aber auch der Blutzuckerspiegel gefährlich ab.

Dabei läßt sich dem Hunger ohne jegliches Risiko für die Diät auf natürlichste Weise abhelfen: Man muß nur einfach tagsüber mehrere kleinere Imbißmahlzeiten mit Frischkost und ballaststoff- und kohlenhydratreichen Lebensmitteln zu sich nehmen und stets ganz langsam essen und gut kauen. Soetwas wäre ein vorzüglicher Lernprozeß für ein Schlankheit garantierendes Eßverhalten nach der Abspeckung, den man mit den Anti-Hunger-Pillen kaum anschieben kann. Auch an sich akzeptable Appetitzügler wie sättigende Quellstoffpräparate oder ballaststoffreiche Kautabletten, die man vor einer Mahlzeit mit viel Wasser als „Magenfüller" schluckt, sind für eine Dauerlösung nicht geeignet.

Einen künstlichen Appetitzügler scheint es allerdings zu geben, dem schlimme Nebenwirkungen bislang nicht nachzusagen sind: das Dexfenfluramin. Wie diese Substanz auf den Stoffwechsel der Nährstoffe wirkt, suchen Wissenschaftler im Deutschen Institut für Ernährungsforschung Potsdam-Rehbrücke zu erforschen.

Ihr Ansatzpunkt ist die erstaunliche Tatsache, daß Menschen überhaupt mehr essen können, als ihr Körper wirklich braucht. Die Natur aber hat den Regelungsmechanismus von Hunger und Sättigung in unserem Körper nicht allzu eng an dessen aktuellen Energiebedarf gekoppelt, damit eine Energiespeicherung für Mangelzeiten möglich ist. Das ist für natürliche Lebensumstände sehr weise eingerichtet, nicht aber für unsere zivilisierten Verhältnisse mit ihrem Überangebot an Nahrungsmitteln.

Diese Hunger-/Sättigungs-Regulation erfolgt in einem Teil des Zwischenhirns. Dort erzeugen bestimmte Zentren Neurotransmitter, die eine verstärkte Nahrungsaufnahme stimulieren. Und wieder andere Gehirnabschnitte produzieren einen anderen dieser Nervenbotenstoffe, nämlich das Serotonin, das für das Sättigungsgefühl verantwortlich gemacht wird.

Und da nun setzt das Dexfenfluramin an. Es regt die Hirnzellen, die das Serotonin erzeugen, zur vermehrten Produktion und Ausschüttung an. Die Folge ist ein verstärktes und zeitlich verlängertes Sättigungsgefühl. Der Drang, sich zwischen den Mahlzeiten etwas zwischen die Zähne zu schieben - ein Verhalten, das die erstrebte Gewichtsabnahme bei Übergewichtigen oft unterläuft - läßt nach.

Unfreiwilliges Schlankheitsidol: Dünn wie Kate Moss wollen (zu) viele Frauen sein. Das Model selbst wundert's.

MANGELERSCHEINUNGEN

Was passieren kann, wenn wir das Falsche schlucken

Natürlich haben nicht alle unzulänglichen Diäten dieselben negativen Effekte. Gemeinsam sind ihnen allen jedoch grundsätzlich folgende gravierende Mängel:

Der Bauch ist leer, und der Magen knurrt gar jämmerlich. Energiedefizite durch mangelnde Kohlenhydratzufuhr machen uns nämlich einen **Bärenhunger**! Das flaue Gefühl in der Magengrube wird bei falschen Diäten oft zum ständigen Begleiter.

Nicht die Pfunde schwinden, sondern unsere gute Stimmung. Bei Kohlenhydratmangel ist **schlechte Laune** biochemisch programmiert. Der Grund: die Serotonin-Synthese im Gehirn wird herabsetzt, und die sorgt dafür, daß wir nicht als notorische Miesepeter durch's Leben gehen.

Wer falsch - sprich zu schnell und zu nährstoffarm - abnimmt, ist nicht nur schlecht drauf, sondern fühlt sich zudem schlapp und abgeschlagen. Schuld daran sind Vitamin- und Mineralstoffdefizite. Sie beeinträchtigen die mentale und körperliche **Fitneß**. Auch das Äußere leidet: Der Mangel wirkt sich negativ auf **Haut und Haare** aus.

Gar nicht ohne: Mangeldiäten und Hungerkuren führen zu Eiweißunterversorgung und dadurch zu **Muskelabbau**.

Der durch falsche Ernährung verursachte Ballaststoffmangel hat äußerst unangenehme Auswirkungen auf unser Verdauungssystem. **Darmträgheit** ist die Folge.

Mangel an Genußerlebnissen führt ebenso wie strenge Verbote zu **Heißhunger/Süßhunger.**

Je einseitiger die Diät, desto größer wird dieser Heißhunger auf alles Verbotene. Wer der Versuchung nachgibt, den quält das schlechte Gewissen. Und nicht zuletzt gefährdet mangelnder Erfolg das **Selbstbewußtsein**.

Nach dem Ergebnis von Studien mehrerer internationaler Zentren hat dies neue Mittel nicht die fatalen Nebenwirkungen jener anderen Präparate. Der Wirkstoff Dexfenfluramin ist deshalb in Deutschland inzwischen offiziell zugelassen. Doch bleibt auch seine Anwendung ausschließlich Fällen vorbehalten, in denen ein Patient sein gestörtes Eßverhalten auf andere Weise nicht beherrschen und normalisieren kann. Auch ist Dexfenfluramin auf die Dauer nur sinnvoll, wenn der Patient lernt, auf seinen natürlichen Regulationsmechanismus, also Hunger und Sättigungsgefühl, zu hören. Dabei hilft es ihm.

Freilich weisen manche Kritiker auf die verhältnismässig geringen durchschnittlichen Gewichtsabnahmen hin, die mit Dexfenfluramin erreichbar waren. Wundermittel wäre auch für dieses Präparat ein viel zu großes Wort.

So gilt denn weiter für alle, die bisher vergebens abzuspecken versucht haben, das Rezept Nr. 1: Da hilft - statt strenger Diät mit und ohne Pillen - nur eine grundsätzliche Änderung des Eßverhaltens.

RAT UND TAT

Wer hilft mir, wenn es ganz dick kommt?

Manchmal weiß man alleine einfach nicht weiter: Wie ernähre ich mich richtig? Bin ich schon eßgestört? Geht es anderen wie mir? - Eine Adressenliste, die weiterhilft:

Aktionskreis für Eß- und Magersucht „Cinderella" e.V.
Westendstraße 35
80339 München
Tel. 089-5021212
Schwerpunkte: Hilfe bei Eßstörungen

Kontakt- und Informationsstelle für Selbsthilfegruppen (KISS)
Gaußstraße 21
22765 Hamburg
Tel. 040-395767

ANAD-Selbsthilfe-Anorexia Bulimia Nervosa e.V.
Ungerer Straße 32
80802 München
Tel. 089-333877
Schwerpunkte: Hilfe bei schweren Eßstörungen

Frankfurter Zentrum für Eßstörungen e.V.
Hansaallee 18
60322 Frankfurt
Tel. 069-550176
Schwerpunkte: Hilfe bei div. Eßstörungen

Richtig Essen-Gesellschaft für Ernährungsberatung
Postfach 2249
53012 Bonn
Tel. 0228-5558150
Schwerpunkte: Ernährungs- und Diätberatung, diverse Tips

Deutsche Gesellschaft für Ernährung e.V.
Im Vogelgesang 40
60488 Frankfurt
Tel. 069-976803-0
Schwerpunkte: Beratung und Informationen rund um Ernährungsthemen

Bundeszentrale für gesundheitliche Aufklärung
Ostmerheimer Straße 200
51109 Köln
Tel. 0221-8992-0
Schwerpunkte: Informationen rund um Ernährungsthemen

Arbeitsgemeinschaft der Verbraucherverbände e.V.
Heilsbachstraße 20
53123 Bonn
Tel. 0228-641011
Schwerpunkte: Verbraucherschutz

„Ich hab' da ein Problem...": Wer unter Ernährungsstörungen leidet, findet bei vielen Organisationen Hilfe.

Der harte Pyrrhus-Sieg in unserem Darm

Viele, besonders jene, die den ganzen Tag auf ihrem Hintern sitzen oder sitzen müssen, bauen beim Kampf gegen die Pfunde auch auf Abführmittel oder Laxanzien - Mittel, welche die Darmtätigkeit anregen und dessen Entleerung fördern.
Im engeren Sinne sind das bestimmte Salze - Bittersalz (Magnesiumsulfat) oder Glaubersalz (Natriumsulfat) -, pflanzliche Öle (z.B. Rizinusöl) und pflanzliche Drogen, etwa aus Sennesblättern, Faulbaumrinde, Aloe oder Wurzelstöcken mancher Rhabarberarten. Einige andere chemische Substanzen zählen ebenfalls dazu. Abführmittel unterscheiden sich nach Wirkart (Volumenreiz, Anregung der Darmbewegung), Wirkungsstärke (mild oder drastisch) und Wirkort (Dünn- bzw. Dickdarm). Die meisten Laxanzien wirken allerdings vornehmlich im Dickdarm, wo in Richtung Abnehmen überhaupt nichts passiert.

Eine Daueranwendung dieser Mittel ist sogar höchst problematisch und kann das Gegenteil der gewünschten Wirkung erreichen, nämlich Stuhlverstopfung. Auch Darmschleimhautreizungen und krampfartige Leibschmerzen kommen vor. Abführmittel verursachen Kalium2verluste. Die Darmmuskulatur, die mangels ausreichender Ballaststoffe untätig geworden ist, „erschlafft" unter Kaliummangel noch mehr.

Vielfach folgt jetzt die falsche Reaktion: Die Dosis wird gesteigert. Ein Teufelskreis beginnt. Heraus kommen die Bedauernswerten da nur durch Verzehr ballaststoffreicher Kost. Bei chronischem Abführmittelmißbrauch stellt sich der Erfolg allerdings auch damit nicht über Nacht ein.

Da hilft nur, die Laxanzien-Dosis langsam zu reduzieren und die Ernährung konsequent umzustellen:

nur noch Vollkornbrot, schleimhautschützender Leinsamen zum Joghurt, Frischkost zu jeder Mahlzeit und zwei bis drei Liter Tee oder Mineralwasser am Tag. Und sprechen Sie notfalls mit Ihrem Arzt.

Dabei ist ein träger Darm durch volumenbildende Ballaststoffe, reichliche Zufuhr von Flüssigkeit und gehörige körperliche Bewegung ganz leicht auf natürlichem Wege in Stimmung zu bringen. Vollkornprodukte, Gemüse und Obst, ergänzt durch Milcherzeugnisse, die Milchzucker und zum Teil Milchsäure enthalten, liefern ihm mit Füllstoffen das richtige „Arbeitsmaterial" und fördern die Entwicklung einer gesunden Darmflora.

Füllstoffe, die über eine Volumenvermehrung die Darmtätigkeit anregen, sind auch in isolierter und konzentrierter Form, etwa als Kleie und Leinsamen, zu haben. Sie eignen sich gut als Übergangslösung auf dem Weg von einer „verfeinerten" Ernährung zur vollwertigen, ballaststoffhaltigen Mischkost.

Entwässern ist nicht gleich schlank werden

Ebensowenig sinnvoll zur Gewichtsreduktion wie die darmputzenden Laxanzien (Abführmitteln) sind entwässernde bzw. harntreibende Mittel. Diese Diuretika werden vom Arzt vornehmlich in der Therapie von Ödemen (Wasseransammlungen im Gewebe) sowie zur Behandlung von Herzschwäche eingesetzt. Ihr Wirkmechanismus beruht hauptsächlich auf einer vermehrten Ausschwemmung von Flüssigkeit und Kochsalz, das bekanntlich Wasser im Körper bindet.

Es gibt chemische und pflanzliche Stoffe, die unsere Nieren zur einer vermehrten Wasserausscheidung anregen. Für die Reduktion von körpereigenen Fettdepots ist ein solches Prinzip allerdings komplett unwirksam. Wer zu Wasseransammlungen neigt, sollte vielmehr vermehrt auf kaliumhaltige Nahrung setzen, außerdem nur sehr sparsam mit Kochsalz würzen, aber gleichwohl ausreichend trinken. Die Deutsche Gesellschaft für Adipositasforschung warnt sogar ausdrücklich vor den diversen Entwässerungstees, -pillen und Abführmitteln, die auf dem deutschen Markt erhältlich sind. Die Balance lebenswichtiger Stoffe werde durcheinandergebracht, einige Mittel könnten unter Umständen schwere Herzrhythmusstörungen oder andere gefährliche Nebenwirkungen mit sich bringen. Eine ebenso gefährliche wie sinnlose Quälerei, denn abgebaut wird bei dieser Prozedur nicht ein Gramm Fett.

Weniger gefährlich als die chemischen Produkte, aber genauso wirkungsarm sind exotische Teesorten, denen in unseren Breiten schlankmachende Wirkung zugeschrieben wird. Besonders beliebt: der stark koffeinhaltige südamerikanische Mate- und der chinesische Chongqing-Tee, der gar als „Fettauflöser" gepriesen wird. Beide wirken zwar anregend und entwässernd (Mate zudem leicht appetitbremsend), aber nicht fettabbauend. Und schließlich entsteht Übergewicht nicht durch ein Zuviel an Wasser, sondern durch zuviel Fett...

Zum großen Geschäft sind in den vergangenen Jahren als angebliche „Fettvernichter" außerdem Präparate mit Extrakten aus tropischen Früchten geworden. Und zwar, weil etwa Ananas, Papayas oder Mangos Enzyme wie Bromelain und Papain enthalten. Solche Enzyme unterstützen die Eiweißverdauung im Magen-Darm-Trakt. Aber gerade dadurch wird die „Futterverwertung" erst richtig gefördert, also auf keinen Fall Übergewicht in Form der körpereigenen Fettdepots abgebaut.

Enzyme können wirklich kein Fett fressen

Wer das behauptet, täuscht sich über den Vorgang der Verdauung - oder will andere mit falschen Informationen täuschen. Denn während des Verdauungsprozesses werden größere Nährstoffkomplexe wie Proteine, Kohlenhydrate und Fett zwar mit Hilfe von Verdauungsenzymen zerlegt - das aber sind Biostoffe, die der Körper ohnehin selber produziert. Die in diesem Prozeß freigesetzten Nahrungssubstanzen Zucker, Amino- und Fettsäuren gelangen anschließend durch die Darmschleimhaut in unseren Blutkreislauf beziehungsweise in die Lymphe. Dieses Transportsystem schleust sie dann zu den Zellen, wo sie entweder zu körpereigenen Substanzen umgebaut oder zur Energiegewinnung „verbrannt" beziehungsweise in Energiedepots gespeichert werden.

Jetzt wird reiner Wein eingeschenkt: Wer die Finger nicht vom Alkohol lassen kann, kriegt sein Fett nie weg.

Oder anders herum: Das Fett wird in unserem Darm praktisch überhaupt nicht verbraucht, und seien dort noch so viele Enzyme vorhanden. „Verbrannt" wird es vielmehr dort, wo die Energie aus ihm benötigt wird, nämlich in unseren Muskeln. Im Verdauungstrakt kann von unserem Körper dagegen kein einziger Nährstoff so weit abgebaut werden, daß null Kalorien übrigbleiben.

Nun gibt es zwar pflanzliche Substanzen - Bitterstoffe etwa in Artischocken oder Chicoree -, die sehr wohl die Fettverdauung unterstützen: Sie regen die dafür notwendige Gallentätigkeit an.

ALTERNATIVE GEWICHTSREDUKTION

Kein Wunder: Abnehmen ist schwerer, als gedacht

Es geht auch ohne Diäten. Das zumindest suggerieren Anbieter klassischer Alternativ-Therapien ebenso wie Scharlatane, die nur die schnelle Mark machen wollen.

Wer sich zu dick fühlt, dem ist oft jedes Mittel recht, Pfunde loszuwerden - zumal es Angebote gibt, bei denen **die „Anstrengung" des Abnehmens weitgehend entfällt.** Eine Reihe dieser Offerten sind zweifellos nützlich und unterstützen

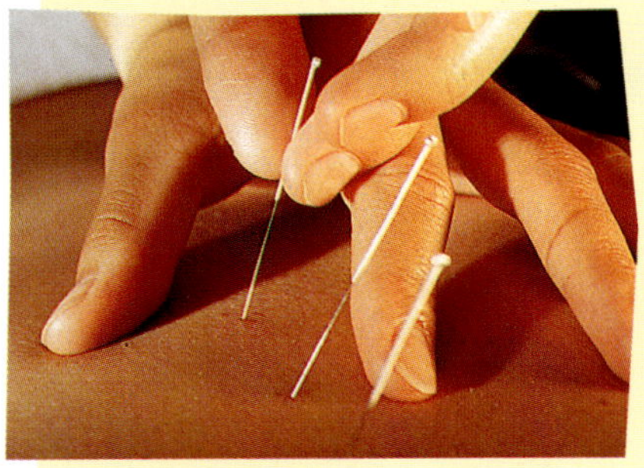

Schlank durch Akupunktur: Goldene und silberne Nadeln (z.B. am Ohr) sollen das Freßzentrum lahmlegen.

eine Diät. Andere füllen lediglich den Geldbeutel des Anbieters und wirken, wenn überhaupt, nach dem Motto: **„Glaube kann Berge versetzen"**. Einige gefährden die Gesundheit und sollten vom Bundesgesundheitsminister verboten oder mit einem Hinweis versehen werden.

Eine Auswahl:

- **Akupunktur:** Uraltes chinesisches Heilverfahren, bei dem durch **Einstich von Nadeln an festgelegten Punkten** z.B. erkrankte Organe oder eben Alkohol-, Nikotinsucht und Gewicht beeinflußt werden. Der erfahrene Akupunkteur (und nur der!) sticht in die „Suchtpunkte", um das Verlangen nach Nahrung abzuschwächen.

- **Akupressur:** Durch Pressen mit den Händen werden Körperpunkte angeregt. Auch diese Therapie kann helfen, Suchtverhalten abzubauen.

- **Aromatherapie:** Ebenfalls seit Jahrtausenden bekannt ist, daß bestimmte natürliche Düfte **Wirkungen u.a. auf das Eßverhalten** haben können. Wer einen seriösen Heilpraktiker findet, könnte damit eine Diät unterstützen. Wer auf „Duftsticks" aus Zeitungsanzeigen hereinfällt, darf nicht ernsthaft auf Erfolg hoffen.

- **Tiefenwärme:** Eine örtliche Überwärmung im Gewebe soll den **Stoffwechsel anregen.** Wissenschaftlich umstritten.

- **Hypnose:** Schlafähnlicher Zustand mit starker Bewußtseinseinengung und Bindung an den Willen des Hypnotiseurs. Wer in Trance verspricht: „Ich esse fettarm", hält das u.U. eine Zeit lang. Aber selbst, wenn man keinem Scharlatan aufsitzt, gibt es **keine Garantie** für langfristige Wirkung.

- **Massagetherapie:** „Schüttelmaschinen" versprechen Abnehmen ohne körperliche Anstrengung. Muskel- wird durch maschinelle Energie ersetzt. Das soll die Fettverbrennung künstlich einleiten. Wie alle physikalischen Therapien (z.B. Wärme, Strahlen, Wasser u.a.) ist dies **nur im Zusammenspiel mit einer sinnvollen Diät**, Bewegungstherapie und eisernem Willen zur Abnahme wirksam.

- **Magnetismus:** Magnetische Felder wirken auf Materie. Ob jedoch das Kupferarmband oder der „Knopf im Ohr" das Eßverhalten nachhaltig beeinflussen, gehört vorläufig in den Bereich der Glaubensangelegenheiten.

Aber mit dem Abschmelzen der Fettdepots, die das Übergewicht ausmachen, hat auch das nichts zu tun. Wiederum im Gegenteil: Bitterstoffe und Enzyme verbessern die Nährstoffausnutzung im Darm und sorgen somit dafür, daß die Nährstoffsubstanzen möglichst ohne Verlust in den Körper gelangen - die Energieträger unter ihnen also, sofern aktuell nicht benötigt, wiederum möglichst vollständig abgespeichert werden.

Wichtig: Blockieren Sie, was Ihnen gut tut!

Während die einen im Geschäft mit der Schlankheit auf die positive Wirkung von Enzym-Präparaten beim Abnehmen schwören, propagieren andere merkwürdigerweise fürs Abnehmen Enzymblocker. Sie sollen die enzymatischen Verdauungsvorgänge hemmen, so daß dem Körper eine Menge Nährstoffe und Kalorien vorenthalten werden. Konsequent kamen - Nahrungskohlenhydrate wurden ja lange genug als Dickmacher verteufelt - auch sogenannte Stärkeblocker auf den Markt: Eine Tablette mit Hemmern der enzymatischen Stärkeverdauung, und schon konnte man sich eine leckere, aber ach so gefährliche, Riesenpizza ungestraft einverleiben.

Nur stimmte erstens, wie wir bereits wissen, der Denkansatz nicht, daß Kohlenhydrate dick machen, und zweitens waren die Nebenwirkungen unerträglich: Die zwar gefutterte, aber nicht verdaute Stärke machte erhebliche Darmbeschwerden.

Heute ist das Mittel Orlistat im Gespräch und in der Testphase, das die Fettverdauung bremsen soll. Ein Viertel des verzehrten Fettes soll mit seiner Hilfe einfach unausgenutzt wieder ausgeschieden werden. Es gibt allerdings noch viele offene Fragen - im mindesten besteht die Gefahr, daß mit dem Fett auch die fettlöslichen Vitamine schwinden. Also hilft weiter nur eins: Ran an den Speck durch fettarme Ernährung und mehr Bewegung.

Der hochgelobte Superfettverbrenner Carnitin

Bodybuilder waren die ersten, die auf den fettabbauenden Effekt von L-Carnitin-Präparaten setzten. In den USA wird der Stoff landauf landab als „fat burner“ angepriesen. Daran ist etwas Wahres. Nur läßt man den ersten Teil der Erfolgsstory von Carnitin, der für den zweiten erst die Voraussetzung schafft, ganz einfach unter den Tisch fallen. Denn nur, wenn man mit Ausdauer trainiert, macht Carnitin tatsächlich schlank: Es schickt die bei Langzeiteinsätzen zur Energiegewinnung benötigten langkettigen Fettsäuren im Körperfett in die Mitochondrien, die Kraftwerke der Muskelzellen. Nicht das Carnitin ist das Zündholz für die Fettverbrennung, vielmehr muß der Funke Sauerstoff durch Training mit viel Sauerstoffatmung herüberspringen.

Einfach zum Anbeißen: Lust auf erotische Spielerei und Spaß an der Liebe sind beileibe keine Fragen des Gewichts.

Bei Bewegungsmangel wird kein Fett verbrannt. Daran können auch Carnitin-Präparate nichts ändern. Ist aber der Ofen angeworfen, darf dieser „Biocarrier“, der in der Geschichte der Forschung auch schon Vitamin B7, B11 und BT oder Vitamin T genannt und damit fälschlich den Vitaminen zugeordnet worden ist, nicht fehlen.

Und der faule Zauber der Carnitin-Propagandisten geht noch weiter: Das für den Fettsäuretransport in die Mitochondrien benötigte Carnitin braucht niemand in Form von Kapseln oder Sirup zu schlucken. Denn der Körper synthetisiert es aus zwei Nahrungseiweißbausteinen (Methionin und Lysin) in der Leber und Niere selber. Außerdem kommt es im Fleisch vor, einem Umstand, dem es überhaupt seinen Namen verdankt: Carne ist das lateinische Wort für Fleisch.

Theoretisch könnte ein Carnitinmangel zwar bei strengen Vegetariern vorkommen. Aber die sind selten übergewichtig, weil sie sich in der Regel fettarm ernähren. Es gibt also keinen Grund, Carnitin etwas zuzutrauen, das man durch fettbewußte Ernährung und Trainingsfleiß nicht schon ganz von allein schaffte.

Krankhaft schlank durch Thyroxin

Es stimmt schon: Fettleibigkeit kann auch die Folge einer Schilddrüsenunterfunktion sein. Über die Behandlung muß der Arzt entscheiden. Er verordnet gewöhnlich Präparate mit dem Schilddrüsenhormon Thyroxin, damit es den krankhaft niedrigen Grundumsatz steigert und dadurch eine vermehrte Verbrennung der Nahrung bewirkt. Durch Thyroxingabe kann bei Gesunden jedoch eine künstliche Schilddrüsenüberfunktion provoziert werden. Der schlankmachende Effekt muß teuer bezahlt werden: mit Schlaflosigkeit, Nervosität, Herzklopfen, Herzjagen, Herz-Rhythmus-Störungen, Zittern, Angst- und Erregungszuständen sowie Schweißausbrüchen.

Zum Aufbau des Schilddrüsenhormons im Organismus wird Jod benötigt. Prompt setzt mancher Clevere im Schlankheitsbusiness auch Jod oder Extrakte aus jodhaltigen Algen seinen Präparaten zu und weist natürlich auch deutlich darauf hin. Doch zur Vorbeugung eines nahrungsbedingten Jodmangels ist eine ordentliche Seefischmahlzeit viel leckerer und mindestens so effizient. Auch die exklusive Verwendung von Jodsalz im Haushalt und der Verzehr etwa von jodsalzgewürztem Brot haben den gleichen Erfolg. Eine Nutzung von Jod oder jodhaltigen Präparaten zur Gewichtsreduktion ist jedenfalls - wenn kein Mangel vorliegt - durch nichts begründet. Und Ihren Stoffwechsel kurbeln Sie ohnehin billiger und gefahrloser durch mehr Bewegung an als durch Manipulation an der Schilddrüse.

Diätprogramme: Je exotischer, desto begehrter

Das Schlankheitsgewerbe hat die Übergewichtigen offenbar sorgsam ausgeforscht und herausgefunden, daß ihre Klientel im verzweifelten Widerstand gegen die notwendige Ernährungsumstellung fast alles an Naturprodukten schluckt, wenn es nur geheimnisvoll genug klingt. Da wird für die amerikanische Faulbaumrinde mit abführender Wirkung getrommelt, für Gartenbohnenhülsen mit schwach harntreibendem Effekt oder auch für indischen Flohsamen

Keine Macht den Drogen: Vor Problemen zu kneifen hilft nicht, sie mit Rauschgift zu betäuben schon gar nicht.

mit quellendem Pflanzenschleim. Besonders gut gehen Pflanzenprodukte mit angeblich fettreduzierender Wirkung und harntreibende Tees, insbesondere solche mit chinesischen Namen und Inhaltsstoffen. Doch bekanntlich ist nicht jede Pflanze harmlos, sondern manche im Gegenteil überaus giftig. Zugegeben wird das allenfalls ganz bescheiden im Kleingedruckten. Einige Hersteller versuchen auch, Arzneisubstanzen als Nahrungsergänzung zu vermarkten, obwohl es sich dabei eindeutig um Wirkstoffe handelt, bei denen der Hersteller korrekterweise einen Nachweis über die Wirksamkeit und eventuellen Nebenwirkungen erbringen müßte. Selbst wenn einige wenige dieser Präparate tatsächlich im Rahmen einer Diät unterstützend wirken, gilt für alle: Sie bringen die Dicken vom Ziel ab: der dauerhaften Umstellung der Ernährungsgewohnheiten. Und eben nur mit der ist, ergänzt durch mehr körperliche Aktivität, das Gewicht langfristig zufriedenstellend zu regulieren.

Bulimie - der Gipfel des Hunger-Wahns

Mit der Lust haben offenbar auch die wenig im Sinn, die sich wieder und wieder „Crashkuren" antun. Nun sind freilich manche Zeitschriften und Broschüren auch voll mit „neuen", „sensationellen" Rezepten gegen das Übergewicht, entwickelt von diesem oder jenem „Experten", angeblich erfolgreich angewendet und empfohlen von diesem Prominenten oder jener Prominenten. Die Leute müßten wissen, was sie tun oder wofür sie sich werbend hergeben.

Den wirklichen Ernährungswissenschaftlern und den Ärzten sträuben sich aber die Haare darüber, was da alles im Dienste der Gesundheit und des Wohlbefindens angepriesen wird. Tatsächlich sind viele solcher „Diäten" nichts als gefährliche Mangelkost mit manchmal sogar nur 1000 Kilokalorien täglich. Und sie führen - ganz abgesehen davon, daß der Abnahmeerfolg vielfach äußerst zweifelhaft ist - oft zu schweren Erkrankungen.

Insbesonders jüngere Frauen gelten nach neueren Erkenntnissen ohnehin als Risikogruppe bei der Vitamin- und Mineralstoffversorgung. Und wenn sie dann noch dem modischen Schlankheitsideal zuliebe ständig oder häufig strenge Diät halten, sind sie geradezu programmiert auf eine Unterversorgung mit lebensnotwendigen Nährstoffen. Allzuoft müssen Ärzte bei jungen Frauen einen Mangel an Vitamin B 2, Folsäure, Calcium, Eisen und Zink diagnostizieren.

Mit der Unsitte, Gewichts- und Figurprobleme allein durch die Kalorienbremse lösen zu wollen, sündigen diese Schlankheitsfanatikerinnen sogar gegen ihre Schönheit, die sie eigentlich fördern wollen. Denn die kritische untere Grenze für eine sichere Versorgung mit jenen essentiellen Nährstoffen sind 1500 Kilokalorien. Darunter hat ein solcher letztlich selbstverschuldeter Mangel drastische negative Effekte auf Haut und Haare.

Aber nicht nur äußere Mangelerscheinungen treten auf, sondern auch Stoffwechselentgleisungen, die statt zur Gewichtsabnahme zur Gewichtszunahme führen, zu schweren Eßstörungen und ungewollter Kinderlosigkeit. Und nicht zuletzt zu schweren Depressionen, die über die Jahre Folge etlicher mißlungener Abnahmeversuche sein können.

Die ärgste Blüte im Hexengarten des Schlankheitswahns aber ist die Bulimia nervosa, die Eß-Brechsucht, ein schweres psychogenes Leiden. Als Folge von permanentem Diätmißbrauch entdeckt der Körper der Betroffenen das selbst herbeigeführte Erbrechen als „ultima ratio": Während einer Phase rigoroser Nahrungskarenz kommt es zu Heißhungerattacken, meist auf Speisen, die sonst als „Dickmacher" ängstlich gemieden werden. Angesichts der intensiven Furcht vor dem Dicksein oder Dickwerden wird nach einer solchen Freßattacke das Erbrechen als angstreduzierend, als tätige Reue gegen das sündige Verhalten empfunden. Und so beginnt ein Kreislauf zwischen enormer Unterversorgung, dem „Fressen" zum Abbau von Hunger, Spannungen, Nervosität und Reizbarkeit und letztlich dem Erbrechen als willkommen empfundener Lösung des Problems.

PLASTISCHE CHIRURGIE

Wer sich unter's Messer wagt, schneidet nicht immer gut ab

„Figur-Kosmetik" heißt das neue Schlagwort. Um Fettpolster an störenden Stellen (z.B. Oberschenkel) wegzuplätten, setzen viele auf Gels und Cremes mit „Wärmeeffekt". Hilft alles nichts, blitzt oftmals das Skalpell.

Mit Laser gegen Fettpolster: Sie sollen den Stoffwechsel in der trägen Unterhautfettschicht ebenso auf Touren bringen wie „Tiefenwärme-Behandlungen", „Aroma-Therapien", Laseranwendungen, Massagen und die „Wickel-Methode". Ohne abgestimmte Ernährungs- und Bewegungsprogramme, die allerdings in entsprechenden Kurkliniken oft ebenfalls geboten werden, nützt das alles allerdings wenig. Und auch dann lassen sich Hüften, Oberschenkel oder Bauch separat kaum wesentlich entfetten. Gezweifelt werden darf auch daran, ob Pölsterchen und Polster durch diese Methoden nicht nur kurzfristig, sondern wirklich auf Dauer verschwinden.

Leidige Orangenhaut: In diesem Zusammenhang auch ein Wort zur Cellulitis oder Cellulite, wie dieses ästhetische Problem sowohl jüngerer wie älterer, dickerer wie dünnerer Frauen im wohl nicht ganz so drastisch klingendem Englisch hierzulande mehr und mehr benannt wird. Sie äußert sich durch dellenartige Hautverformungen überwiegend an Oberschenkeln, Po, Bauch, aber auch im Bereich der Hüften und der Oberarme. Diese „Orangenhaut" resultiert aus einer Veränderung und damit schlechteren Durchblutung des Fettgewebes; Wasseransammlungen kommen hinzu. Viele Betroffene empfinden sie als ausgesprochen unschön, müssen sich aber leider mit ihrem Los abfinden, denn:

Cremes helfen wenig: Man kann sich diese ungeliebten Pölsterchen, so sie einmal da sind, leider nicht einfach weghungern. Äußerlich anzuwendende Produkte, die den Stoffwechsel anregen, die Durchblutung fördern, die Haut straffen und überflüssiges Wasser und Fett aus dem Bindegewebe ableiten sollen, erbringen allein kaum befriedigende Ergebnisse. Wesentlich hilfreicher sind umfassende Behandlungen samt vollwertiger, fettarmer Ernährung, durchblutungsfördernder Gymnastik, Massagen und manchem mehr.

Ran an die Problemzonen: Immer wieder hat die Unzufriedenheit mit dem eigenen Spiegelbild nichts mit erheblichen Gewichtsüberschreitungen zu tun, sondern mit zuviel oder zuwenig Fett an bestimmten Körperstellen. Wenn's denn in Gottes Namen sein muß, kann ein erfahrener Arzt (und nur der!) für plastische Chirurgie solches Fettgewebe tatsächlich absaugen. Oder umgekehrt magere Stellen, z. B. im Bereich der Wangenknochen, mit Unterhautfettgewebe anderer Körperstellen unterspritzen. Solch Entfettungsmodellierung wird in den USA Liposculpturing genannt und das Fettabsaugen „Liposuktion".

Drastische Konsequenzen: Hat aber das Körperfett gewaltige Formen ausgebildet, versuchen manche, ihm mit chirurgischen Eingriffen beizukommen, etwa durch vorübergehende Verkürzung des Dünndarms. Man legt quasi einen Teil des Darms lahm, der für die Aufnahme von Nährstoffen und somit Energie in den Blutkreislauf zuständig ist. Die Nahrung wird so energetisch weniger genutzt. Mediziner nennen dieses Verfahren Jejunoileostomie.

Sinnlose Quälerei: Sogar der zeitweilige Verschluß des Mundes soll schon vorgenommen worden sein. Eigentlich merkwürdig - selbst ganz hartnäckigen Vielessern müßte doch irgendwann klar werden, daß eine Änderung der Ernährungsweise viel leichter, schmerzloser und lustvoller durchzuführen ist.

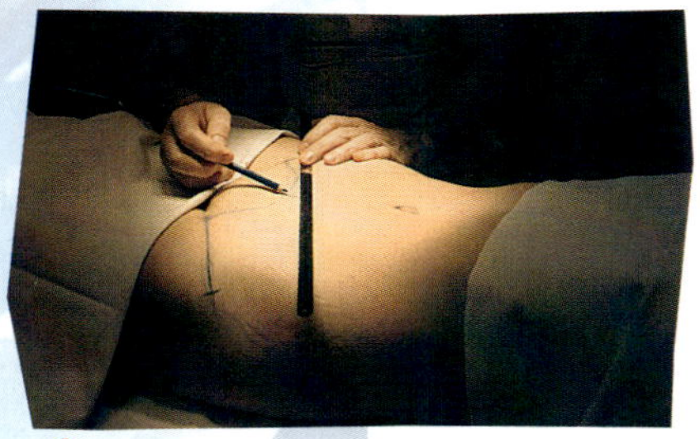

1. Schnittmuster: Bevor der Chirurg mit der Bauchstraffung beginnt, wird die Schnittführung aufgemalt.

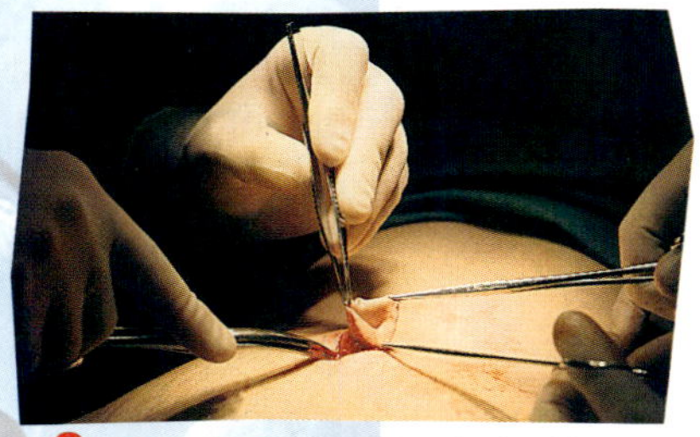

2. Nabelfrei: Die plastische Operation beginnt mit einem Rundschnitt um den Bauchnabel.

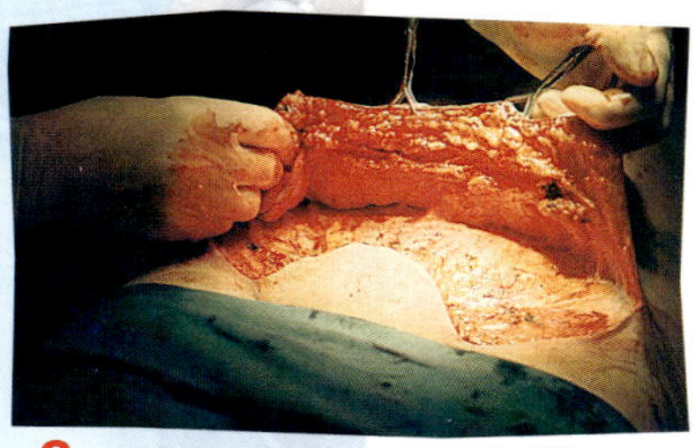

3. Der entscheidende Schnitt: Ein elektrisches Messer trennt Haut und Fettgewebe von der Muskulatur.

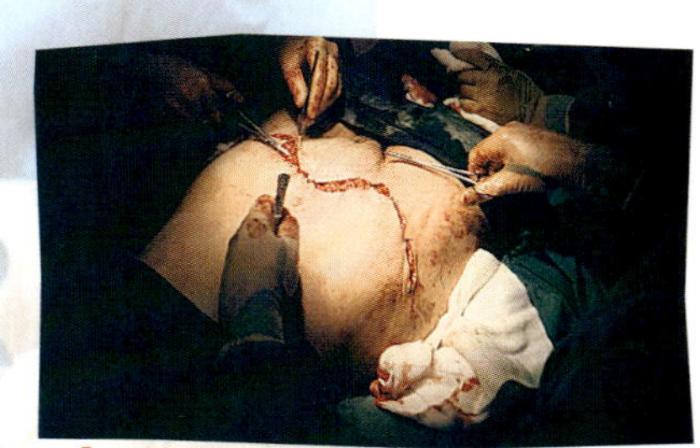

4. Die Wampe ist weg: Unterhaut und Fettgewebe des gestrafften Bauches werden wieder vernäht.

Ernährungsphysiologisch gesehen erregen bestimmte Diätzusammensetzungen - meist eiweißreich und kohlenhydratarm - Heißhunger auf Nahrungskohlenhydrate (Wurtmann-Hypothese). Und der wiederum löst, wie es die Psychologen Paul und Pudel beschreiben, physiologische Mechanismen aus, die zu dem suchtartigen Eßverhalten bei Bulimia nervosa führen. Wege aus diesem lebensbedrohlichen Teufelskreis sind langwierig und schwierig, denn Seele und Körper sind gleichermaßen geschunden und müssen kuriert werden.

Im Rahmen der Therapie kommt es vor allem auf eine ausgewogene Zusammensetzung der Ernährung an. Insbesondere muß das Vorurteil, kohlenhydratreiche Lebensmittel machten dick, ausgeräumt werden. Fachkräften aus dem Bereich der Ernährungsberatung, z.B. den Oecotrophologen, kommt bei der Behandlung der Krankheit Bulimia nervosa die Aufgabe zu, entsprechende Speisepläne zu erarbeiten, die reichlich kohlenhydratreiche Lebensmittel einbeziehen und eine über den Tag verteilte Energiezufuhr (als häufiger kleine Mahlzeiten) vorsehen.

Den Kranken muß - und kann! - bewiesen werden, daß dieses neue, wünschenswerte Ernährungsverhalten nicht dick macht. Gleichzeitig müssen sie angesichts ihres - meist vorhandenem - deutlichem Untergewicht akzeptieren lernen, daß eine Gewichtszunahme auf ein gesundheitlich unbedenkliches Maß unerläßlich ist. Ebenso gilt es, im Laufe der Behandlung „irrationale Gedanken in bezug auf Gewicht, Attraktivität, ‚schlechte' und ‚gute' Lebensmittel, Kalorienvorstellungen bzw. -verwertungen auszuräumen" - betonen die Göttinger Wissenschaftler Paul und Pudel.

Im Rahmen der Verhaltenstherapie von Eßstörungen wie der Bulimie ist eine enge Zusammenarbeit von Psychologen, Medizinern und Ernährungsexperten unerläßlich. In das „Helfersystem" sind aber auch die Eltern, Freunde, Lehrer, Ausbilder, Sporttrainer und womöglich im Fitneßstudio Tätige miteinzubeziehen. In diesem Zusammenhang ebenfalls sehr wichtig ist außerdem, durch verstärkte Aufklärungsarbeit der Öffentlichkeit deutlich zu machen, zu welchen Exzessen das herrschende gesellschaftliche Schlankheitsideal führen kann.

Denn Eßstörungen sind weitverbreitet und vor allem dort zu registrieren, wo die berufliche Rolle mit einem hohen Anspruch an Äußerlichkeit und Leistung verbunden ist. Und das ist nicht nur bei Mannequins der Fall. In der gesamten Modebranche bis hinunter zur Verkäuferin wird sich für das „Ideal" schlank und krank gehungert.

Doch auch im Leistungssport sind Störungen dieser Art nicht selten, so z. B. bei Turnerinnen und Langläuferinnen, außerdem bei mit ihrem Gewicht kämpfenden Jockeys und Ringern. Sogar bei Bodybuildern, die für Wettkämpfe trainieren und dabei extreme Ernährungsformen praktizieren, treten die Krankheiten auf.

Eßstörungen sind ein physiologisches und psychologisches Problem. Aus einem gestörten Verhalten wie der Bulimie wieder herauszufinden, kostet neben Zeit, Selbstüberwindung und Qual. In welch prekärer Situation sich Betroffene befinden, machen Auszüge aus dem Gesprächsprotokoll mit einer Magersüchtigen deutlich:

„Ich war der Überzeugung, ich könnte nur einen netten Freund bekommen, wenn ich so schlank wie nur irgend möglich wäre, also begann ich darauf zu achten, was ich zu mir nahm. Nach den ersten Abnahmeerfolgen war ich sehr stolz und wollte dieses Gefühl noch steigern. Ich gestand mir nur noch minimale Nahrungsmengen zu, nahm stetig weiter ab und fühlte mich immer stärker. ... Ich genoß es unheimlich, die anderen essen zu sehen und dabei zu erleben, wie sie in meinen Augen immer schwächer wurden. ... Ja, sie wurden nicht nur schwächer, sie waren auf einmal schlechtere Menschen als ich. Im Gegensatz zu mir brauchten sie etwas so Primitives wie Essen. Sie hatten sich nicht im Griff, ihnen fehlte die Beherrschung. Sie waren gierig, waren wie wilde, heruntergekommene Tiere, die sich auf etwas zu Fressen stürzten. Nichtessen aber war meine Stärke allein, und niemand konnte sie mir rauben." (aus: „Magersucht - Auseinandersetzung mit einer Krankheit"; Psychologie Verlags Union)

Ungemein wichtig, ja lebenswichtig ist deshalb für diese Kranken, daß sie wieder „genießen" lernen und mit sich selbst und ihrer Körperlichkeit in einen gesunden Einklang kommen. Denn Essen ist mehr als Kalorien- und Nährstoffaufnahme. Es bestimmt ganz erheblich die seelische Gesundheit.

Patentrezepte zum Schlankwerden und -bleiben kann es schon deswegen nicht geben, weil jeder Mensch in seiner Eßproblematik völlig unterschiedlich ist. Das gilt für den Stoffwechsel ebenso, wie für die physische und psychische Struktur. Der einzig erfolgreiche Weg ist eine angemessene Ernährungsumstellung auf Zeit, die schrittweise zu einer dauerhaften Änderung führt. Ebenfalls unerläßlich ist eine Rückbesinnung auf die Notwendigkeit körperlicher Aktivität:

Denn ein immer wirksames Mittel gegen Beschwerden wie Übergewicht, Bluthochdruck, erhöhtes Cholesterin, Durchblutungs- und Schlafstörungen und nicht zuletzt gegen häufige Abgeschlagenheit und Stimmungstiefs gibt es schon ganz lange - und auch noch rezeptfrei. Es heißt schlicht und ergreifend: mehr Bewegung!

Trauen Sie daher keinem, der Sie Glauben machen will, Fettpolster quasi über Nacht von Ihrem Leib schmelzen zu können. Ein bis zwei Pfund Gewichtsverlust pro Woche sind völlig ausreichend, wenn der Erfolg von Dauer sein soll. Sie haben jetzt wahrlich Grund genug zum Mißtrauen gegenüber allen Crashkuren und -diäten, gegenüber allen Pillen, Tröpfchen und Sensationen.

Figurbewußte kommen regelmäßig ganz schön ins Schwitzen – und das aus gutem Grund. Wer wirklich glaubt, allein mit Miniportionen Kilos killen zu können, muß sich

Bewe

ein Leben lang elendig abstrampeln. Ran an den Speck kommt man viel einfacher durch ein volles Pfund Action. Stetes Trimmen für die eigene Traumfigur macht fit statt fett – und ist außerdem Fun.

b

Se

egen

ringt

gen

Shooting-Star beim Power-Play

Man muß beileibe kein Marathon-Mann und keine Hardcore-Amazone sein, um die Körper-Proportionen im Gleichgewicht zu halten. Regelmäßige Bewegung - sei es durch Spiel, Sport und nicht zuletzt beim Sex - halten Körper und Geist gesund. Wer zudem ehrgeizig Sekunden und Kilometer zählt - bitte schön. Nötig ist das nicht unbedingt, solange man sich nur stetig auf Trab bringt. Und nicht vergessen: Der Spaß an der Sache ist mindestens ebenso wichtig wie die Sache selbst.

Fit wie ein Fisch im Wasser

Meeresfrüchte halten unsere Gräten in Schuß. Zum Glück, denn sonst würde uns Bewegung ganz schön auf die Knochen gehen. Das sollten sich vor allem diejenigen hinter die Ohren schreiben, die sich beim Thema Fitneß bisher zurückgehalten haben, jetzt aber voll durchstarten wollen. Gesundes, natürliches Power-Food muß sein. Denn denen, die von falschem sportiven Ehrgeiz getrieben, übertreiben und dabei die Ernährung vernachlässigen, steht das Wasser ganz schnell bis zum Hals.

Kein Ernährungsprogramm, das schlank macht und hält, kommt ohne den unterstützenden Effekt von Bewegung und Sport aus. Ausdauertraining ist ein perfekter Fettkiller. Und vielfach bräuchten wir die ganze Diätschinderei überhaupt nicht, wenn wir uns nur genug bewegen würden. Längst ist aus dem Traum vom Schlaraffenland der Kalorienalptraum des bewegungsarmen Wohlstandsbürgers geworden. Wer die Völlerei stoppen will, zieht die Kalorienbremse meist erheblich an - mit der Folge, daß der Körper die „Diät" als Notsituation versteht und auf Sparflamme schaltet.

Wer aber wenig oder gar zu wenig ißt, nimmt nicht unbedingt anständig ab. Im Gegenteil: Die Schlankheitsdiät entpuppt sich als Mangeldiät, und statt der Fettpolster schwinden die Muskeln. Viel effektiver, als nur ein paar armselige Kalorien einzusparen, ist die Erhöhung des Kalorienverbrauchs durch vermehrte Bewegung. Aber auch die bewirkt nicht automatisch Fettabbau. Nur wer richtig auf Trab kommt, läuft seinen Pfunden davon und kommt Schritt für Schritt seiner Traumfigur näher.

Die Errungenschaften der modernen Zivilisation haben es mit sich gebracht, daß im Alltag die Notwendigkeit für körperliche Bewegung auf ein Minimum zurückgegangen ist. Unser Herz-Kreislauf- und unser Bewegungssystem sind jedoch auf „Action" programmiert. Damit sie reibungslos funktionieren, ist eine gewisse Minimalbelastung nötig. Anhaltende Unterforderung dagegen macht krank. Wer rastet, der rostet - wer sich bewegt, hat mehr vom Leben.

Sports for President: US-Oberhäuptling Bill Clinton und Al Gore strampeln sich auf dem Weg zum Erfolg ab.

Bewegungstraining hat jedoch nichts mit verbissenem sportlichen Ehrgeiz zu tun. Einfach mal stramm zu Fuß gehen, statt mit Auto oder Bus zu fahren, oder ein halbes Stündchen radeln helfen dem Fettstoffwechsel schon mächtig auf - vorausgesetzt, man tut das über längere Zeit immer wieder. Kraftakte nützen da wenig. Im Gegenteil: Sie schaden eher. Denn nur mit Ausdauer purzeln die Pfunde. Allerdings zeichnet sich ein erfolgreiches Bewegungsprogramm auch durch gezieltes Muskeltraining aus, das aus individuell ausgewählten Dehnungs-, Lockerungs-, Koordinations- und Kraftübungen sowie Entspannungs- und Regenerationselementen besteht.

Allen, denen das immer noch zu sehr nach Sport und ausgeklügeltem Trainingsprogramm klingt, sei zunächst ein ganz simpler Einstieg geraten:

Wie aus dem Passiv ein Aktiv werden kann

Wer während der Arbeitszeit und auch am Feierabend überwiegend sitzt und zwischendurch nur von Auto, Rolltreppe oder Fahrstuhl bewegt wird, muß einfach erkennen, daß der normale Alltag ihm im Grunde genommen keinen wesentlichen Energieverbrauch abverlangt. Über den Grundumsatz, also den Energiebedarf zur Aufrechterhaltung der lebenswichtigen Stoffwechselfunktionen in „Ruhestellung", geht er jedenfalls kaum hinaus. Und eben das gilt es zu ändern.

SPORT UND KARRIERE

Wer regelmäßig trimmt, hat weniger Streß

Sportive sind optimistischer als Couch Potatoes. Eine bundesweite Gallup-Umfrage ergab, daß sie Gesundheit, Streßresistenz und ihre Karriere positiver bewerten.

Gelassenheit ist Trumpf: 55 Prozent der Befragten erklärten, daß sie weniger Streß in Beruf und Privatleben hätten, seit sie trainieren. Weniger oft krank fühlten sich 47 Prozent der Sportiven. 44 Prozent berichteten zudem sogar von positiven Auswirkungen auf ihren beruflichen Erfolg.

Dazu gibt es mehr als genug Möglichkeiten, ohne deshalb gleich auf dem Sportplatz oder in der Turnhalle herumtoben zu müssen. Wenn wirklich jede alltägliche Gelegenheit, die sich für ein wenig Bewegung anbietet, genutzt würde, könnte man auf gezielten Sport als Mittel gegen Bewegungsmangel durchaus verzichten. Allerdings setzt das eine wirklich konsequente Umsetzung aller Möglichkeiten, die sich Tag für Tag als „Training" anbieten voraus: Fahren Sie also immer mit dem Rad zum Einkaufen und wenn möglich auch zur Arbeit. Benutzen Sie Treppen statt Aufzüge, lassen Sie im Kaufhaus die Rolltreppe sausen und marschieren Sie die Stufen hoch. Kalorienfressend und figurwirksam sind außerdem Haus- und Gartenarbeiten.

Tanken Sie nach dem Abendbrot während eines Spaziergangs Sauerstoff, bevor Sie sich Hobbys wie Musik hören, fernsehen oder lesen widmen. Sie werden bald feststellen, daß solche kleinen Veränderungen der Alltagsgewohnheiten Ihnen gut tun.

Auf die 200 Kilokalorien, die Sie auf diese Weise vielleicht zusätzlich verbrennen, kommt es dabei gar nicht mal so sehr an. Ausschlaggebend ist vielmehr, daß Sie durch diese einfachen Aktivitäten allmählich Ihre Bewegungsgewohnheiten im Sinne einer allgemeinen Aktivierung verändern. Denn selbst die kleinsten Schritte können dazu beitragen, endlich das allergrößte Übel des zeitgenössischen körperlichen Mißbehagens zu bekämpfen - die lähmende Trägheit.

Das Programm gegen unliebsame Pölsterchen

Über Jahrtausende hat die Ausdauer - bei der Jagd wie bei der Flucht - den Menschen das Überleben ermöglicht. Dafür hatte er in Zeiten des Wohlseins seine Fettreserven gespeichert, die in solchen Situationen dann verbrannt wurden. Geändert hat sich an diesem Prinzip wenig: Nach wie vor lagern wir Fettreserven ein, die für wochenlange Arbeit reichen würden, speichern hingegen Zucker nur quasi als Tagesration. Ein gesunder erwachsener Mann bunkert rund 100000 Kilokalorien als Energiereserve im Fettgewebe und nur rund 2000 als Glykogen, das Reservekohlenhydrat, in Leber und Muskulatur. Das zeigt in aller Deutlichkeit, welch enorme Bedeutung der Fettstoffwechsel hat.

Nichtsdestoweniger hilft das beste Fettverbrennungssystem nichts, wenn nicht das Fahrwerk - die Muskeln, Sehnen, Bänder, Gelenke und Knochen - in Ordnung ist. Folglich muß ein gezieltes Muskeltraining, das primär aus Dehnungs-, Koordinations- und Muskelkräftigungsübungen (mit und ohne Geräte) besteht, zum festen Bestandteil eines ausgewogenen Fitneßtrainings zählen. Insbesondere für „Einsteiger" in die neue Bewegung muß in der ersten Zeit das Muskeltraining sogar Schwerpunkt sein. Denn erst eine ausreichend große Muskelmasse kann überhaupt (Fett-) Kalorien in nennenswertem Umfang abbauen.

Ohne Bewegung bleiben wir gnadenlos schlapp

Schlappies wissen: Ohne eine gut entwickelte Muskulatur fallen nicht nur „Kraftakte" schwer, sondern auch Alltägliches wie Treppensteigen und Rasenmähen. Selbst die gefüllte Einkaufstasche wird zur echten Last. Und das alles, weil uns der schöne technische Fortschritt buchstäblich aufs Kreuz gelegt hat.

Richtiges Dehnen bringt die Muskeln in Topform

Vor dem Training macht Stretching den Körper fit für das nachfolgende Programm. Nach dem Training gilt: Eine Viertelstunde Dehnen hilft, Verletzungen vorzubeugen.

Warum Stretching? Dehnübungen verhindern, daß sich Muskeln, Sehnen und Bänder verkürzen. Planen Sie Stretching vor und nach jeder sportlichen Betätigung jeweils 15 Minuten ein.

Der Stretching-Fahrplan: Mit gezielten Dehnübungen können Sie Steifheit in den Gelenken und Muskelverkürzungen entgegenwirken. Gehen Sie grundsätzlich langsam in die Dehnposition, bis Sie einen ganz leichten Zugschmerz spüren. 15 bis 20 Sekunden halten, dann wieder entspannen. Zehn Sekunden Pause, dann noch zwei- bis dreimal wiederholen.

Für Fortgeschrittene: Halten Sie die Dehnposition wie angegeben. Nach 20 Sekunden ein wenig weiterdehnen, dabei tief einatmen. Wieder Position halten, dann entspannen (20 Sekunden).

Wichtig: Gehen Sie niemals über den Zugschmerz hinaus! Er ist ein Warnsignal des Körpers: „Stop, hier geht's nicht weiter!" Vermeiden Sie einseitiges Stretching. Wenn Sie z.B. den vorderen Oberschenkel (Quadrizeps) dehnen, sollten Sie auch seinen „Gegenspieler", den hinteren Beinbizeps, beachten.

Aufgepaßt!

Atmen Sie gleichmäßig! Ideal: Während des Dehnens einatmen, beim Halten und Relaxen langsam ausatmen.

Immer langsam: Vermeiden Sie ruckartige Bewegungen und federn Sie nicht nach.

Niemals kalt dehnen – Verletzungsgefahr! Vor dem Stretching auf jeden Fall mindestens zehn Minuten lang aufwärmen. Sehnen, Bänder und Muskeln arbeiten dann besser, der Körper ist geschmeidiger!

Achtung: Folgen Sie genau den Anweisungen und übertreiben Sie es nicht!

1. Ganzkörperspannung: Füße, Arme und Hände strecken - Spannung lösen - Ruhen

6. Ellbogen langsam nach hinten ziehen - gleichmäßig atmen!

5. Rücken: Becken nach vorne schieben - Oberkörper langsam einrollen.

7. Fußspitze anziehen - Rumpf langsam vorbeugen - dabei gleichmäßig atmen!

8. Ferse langsam zu Boden drücken.

2. Abwechselnd mit den Händen langsam nach oben greifen - gleichmäßig atmen!

3. Rumpfdrehung - Arm (über Schulterhöhe) nach hinten führen - gleichmäßig atmen!

4. Ein Bein überstellen und fixieren. Oberkörper langsam drehen.

9. Hüfte vorschieben - Fuß langsam nach oben ziehen - gleichmäßig atmen!

Achtung!

Bei Überdehnung der Bänder: Ruhig stellen und ab zum Arzt! Bei Zerrungen: Eispakkung, Spezialsalben.

Früher boten die meisten Berufe und nicht zuletzt die täglichen Arbeiten daheim unablässig genügend „Trainingsreize". Das hatte zur Folge, daß eine ausreichende Muskelkraft bis ins hohe Alter erhalten blieb. Heute dagegen verrichten Maschinen unsere Muskelarbeit, und wir sind genötigt, das durch ein - am besten täglich betriebenes - Muskeltraining zu kompensieren. Nur damit können wir die eigentlich ganz natürliche Fitneß aufrechterhalten oder wiedergewinnen und so bewegungsmangelbedingten Erkrankungen vorbeugen.

Muskeln formen den Körper - wenn wir nur wollen

Denn je mehr Muskeln wir bilden (und sie natürlich in der richtigen Weise bewegen), desto mehr Energie fressen sie. Und schließlich gehen sie auch an die dafür vorgehaltenen energetischen Reserven - an die Fettzellen. Es kann sogar passieren, daß der eine Prozeß vorübergehend den anderen verdeckt.

Die Folge: Die Waage zeigt trotz angemessenen Trainings irritierende Gewichtszunahme. Doch der Blick in den Spiegel bringt die Wahrheit ans Licht: Fett ist weg, und Muskeln schwellen. Denn auf die Dauer entsteht dort, wo das Fett verbrennt, Platz für feste Muskeln. Und das ist der ganze Zweck der Übung. Es geht dabei, wohlgemerkt, nicht um Muskelprotzerei, sondern schlicht um mehr aktive Körpersubstanz und einen dadurch aktiveren Stoffwechsel.

Ein häufiges Mißverständnis muß in diesem Zusammenhang allerdings ausgeräumt werden. Es gibt keinen auf bestimmte Stellen beschränkten Fettabbau. D.h., Fett wird nur verbrannt, wenn große Muskelgruppen arbeiten. Deshalb sind neben gezielten kräftigenden Übungen auch Ausdaueraktivitäten wichtig, die möglichst viele Muskeln bewegen und damit die Zahl der „Energieverbrennungsöfen" erhöhen. Nur so bekommen Sie Ihr Fett in nennenswertem Umfang weg.

Synchron bewegen für Körper und Köpfchen

Probleme, in der Aerobic-Stunde Schritt zu halten? Unser Programm hilft, den Körper denken zu lehren und Bewegungsabläufe in „Fleisch und Blut" übergehen zu lassen.

Zur Koordination: Die Fähigkeit, Arme und Beine gleichzeitig gegeneinander zu bewegen, können Sie lernen. Genau wie bei den ersten Gehversuchen als Kind brauchen Sie eines: Geduld. Es dauert nämlich eine Weile, bis die Feinmotorik ausgebildet ist. Üben Sie unser Programm mindestens zweimal pro Woche!

Koordinations-Fahrplan: Unsere Übungen können Sie mit allen tänzerischen Sportarten kombinieren. Sie prägen die Feinmotorik durch festgelegte Choreographien; bestimmte Bewegungsabläufe werden synchronisiert. Führen Sie jede Übung etwa drei Minuten lang aus, pausieren Sie dann etwa 30 Sekunden lang.

Für Fortgeschrittene: Kombinieren Sie jeweils zwei Übungen miteinander und führen Sie sie im Wechsel aus. Beispiel: Locker traben (Nr. 3) und dabei ein Bein beugen (Nr. 1). Versuchen Sie, die Übungen im Takt mit Musik auszuführen.

Wichtig: Wärmen Sie sich einige Minuten lang auf - mit lockerem Trab auf der Stelle und leichtem Armkreisen. Führen Sie die Übungen nie ruckartig aus, sondern tänzerisch und geschmeidig.

Aufgepaßt!

Gut vorbereiten: Schützen Sie sich vor Zugluft und tragen Sie bequeme Kleidung.

Eile mit Weile: Fangen Sie langsam an. Wenn Sie zu Musik üben: Beginnen Sie mit ruhigen, soften Klängen.

Haltung annehmen: Beim Laufen auf der Stelle mit gleichzeitiger Armbewegung sollten Sie immer darauf achten, daß Sie nach vorne schauen und den Kopf dabei gerade halten. Das schont nämlich die Wirbelsäule.

Achtung: Folgen Sie genau den Anweisungen und übertreiben Sie es nicht!

1. Locker traben: Arme in der Vorhalte - gelegentlich einen Arm und ein Bein gleichzeitig beugen.

6. Vor- und rückwärtsgehen - Blick nach vorn.

7. Einbeiniger Schrittsprung - Stehenbleiben - Ausbalancieren.

8. 1/4-, 1/2-, 1/1-Drehsprünge auf einem Bein.

2. Arme im Stand und bei leichtem Traben gegengleich kreisen.

3. Locker traben: Gleichzeitig einen Arm nach oben, den anderen zur Seite strecken.

4. Mit den Armen vor dem Körper „Achter-Kreisen“ - Impuls aus den Knien.

5. Einbeiniges „Achter-Kreisen“.

9. Füße strecken - Beine anspannen - Hände zur Faust ballen - Arme anspannen - Spannung lösen - Ruhen.

Durch kräftigende Gymnastikübungen kann sogar die Rate des Muskel- sowie die des Eiweißabbaus während einiger Diäten verringert werden. Das gleichzeitige Nahrungsproteinangebot von mindestens 50 Gramm pro Tag wirkt ebenfalls muskelerhaltend.

Stufenprogramm für eine traumhafte Figur

In den ersten Wochen des in diesem Kapitel vorgestellten, gezielten Fitneßtrainings stehen Dehnungs- und Lockerungsübungen im Vorder-

No Sports: Der britische Staatsmann und Literat Sir Winston Churchill (1874-1965) bevorzugte Denksport.

grund. Dann aber sollten die kräftigenden Übungen in das Gymnastikprogramm integriert werden - die für Beine, Bauch und Rücken. Da ein gezieltes Bauchmuskeltraining zudem so manches Rückenproblem eindämmt, darf darauf keinesfalls verzichtet werden. Schließlich gilt der Experten-Satz: „Der Bauch ist der halbe Rücken!“

Was Beweglichkeit und Flexibilität für die Fitneß bedeuten, ist sehr gut an Katzen zu sehen. Deren bewundernswerte Geschmeidigkeit und Elastizität scheinen sogar Alterungsprozesse nichts anhaben zu können. Dabei ist des Rätsels Lösung sehr einfach: Katzen beherrschen das

So werden Problemzonen straff und knackig

Vergessen Sie die High-Tech-Maschinen im Fitneß-Center! Für unser Bauch- und Po-Programm brauchen Sie nur einen Trainingspartner: Ihr eigenes Körpergewicht.

Zum Bauch- und Po-Training: Wenn Sie die Problemzonen in Form bringen wollen, sollten Sie die nachfolgenden Übungen zwei- bis dreimal wöchentlich ausführen. Das strafft die Muskulatur.

Bauch- und Po-Fahrplan: Unser Programm bringt Ihre Muskulatur in Topform. Führen Sie jede Übung zehnmal hintereinander aus, 20 Sekunden Pause, wiederholen. Für die Übungen 5 und 6 gilt: je 20 Sekunden halten (zweimal). Wenn Sie auch Fett abbauen möchten, sollten Sie das Workout durch Ausdauersport ergänzen (zwei- bis dreimal die Woche mindestens 30 Minuten Radfahren, Joggen oder Walking). Achten Sie dabei auf eine Pulsfrequenz von höchstens 130 bis 140 Schlägen pro Minute.

Für Fortgeschrittene: Jede Übung viermal ausführen, die Pausen weglassen. Mit kleinen Gewichten an Hand- und Fußgelenken wird's intensiver!

Wichtig: Halten Sie während der Übung niemals die Luft an, sondern atmen Sie entspannt und gleichmäßig. Bei Bodenübungen nie ohne Matte oder dickes Handtuch turnen - blaue Flecke drohen!

Aufgepaßt!

Hintereinander weg: Führen Sie alle Übungen für den Bauch (Nr. 1-4) nacheinander aus. Beginnen Sie erst dann mit dem Po-Programm (Nr. 5-9). So trainieren Sie effektiver.

Bloß kein Krampf: Bei Muskelkrämpfen bewegen Sie langsam den betroffenen Körperteil und massieren Sie ihn. Mineraldrinks oder -wasser trinken!

Richtig Atmen: Im anstrengenden (Hebe-)Teil während jeder Bewegung aus, beim Entspannen einatmen.

Achtung: Folgen Sie genau den Anweisungen und übertreiben Sie es nicht!

1. Kopf und Schultern langsam anheben - Gleichmäßig atmen!

6. Beide Beine gleichzeitig anheben - Nach unten schauen! Gleichmäßig atmen!

5. Kopf und Schulter leicht anheben - Nach unten schauen!

7. Mit gestrecktem Bein (wechselseitig) kreisen - dabei gleichmäßig atmen! Matte benutzen!

2. Kopf und Schultern langsam anheben - Beine im rechten Winkel.

3. Einseitig die Schulter anheben - Gleichmäßig atmen!

4. Beine wechselseitig zur Seite führen „Scheibenwischerbewegung" - gleichmäßig atmen!

8. Bein „gestreckt" weit zur Seite führen.

9. Gesäß langsam anheben - gleichmäßig atmen!

Wechselspiel zwischen Ruhe und Aktivität perfekt. Nach jeder Entspannungsphase recken und strecken sie sich ausgiebig, machen also ihre Muskulatur lang und elastisch.

Würden wir Menschen dieses kätzische „Standardprogramm" übernehmen, wir uns also nach jedem längeren Liegen oder Sitzen die entsprechenden Muskeln gezielt recken, strecken und lockern, hätten wir ein erhebliches Stück auf dem Wege zur perfekten Muskelhygiene zurückgelegt. Tatsächlich kann ein jeder morgens nach dem Aufwachen, mittags im Büro und abends nach der „Tagesschau" oder den „Tagesthemen" mit ein paar gezielten Dehnungsübungen peu à peu Elastizität und Vitalität wiedergewinnen.

Diese einfachen und gezielten Dehnungsübungen sind die Basis eines jeden Muskeltrainings. Ohne sie verbesserte es zwar die reine Muskelkraft, doch die Einbußen in der Beweglichkeit und Elastizität würden den Gesamterfolg, nämlich Fitneß und Wohlbefinden, in Frage stellen. Was nützt es Otto Normalverbraucher, wenn er zwar Klaviere wegtragen kann, sich vor lauter Muskelverkürzung und Steifheit aber nicht einmal selber die Schuhe zuschnüren kann?

Das wahre Salz in der Muskeltrainingssuppe ist schließlich die Koordination: das Zusammenspiel zwischen Nervensystem und Muskulatur. Denn je besser sie funktioniert, um so ökonomischer ist die Bewegung, und um so leichter gehen körperliche Aktivitäten und Bewegungen vonstatten. Unsicher und schwer sind unsere ersten Schritte als Kleinkind - und dann, nach relativ kurzer Zeit der Übung, bewegen wir uns mit völliger Selbstverständlichkeit bis ins hohe Alter auf zwei Beinen durchs Leben. Koordination ist nichts anderes als eine Leistungsverbesserung durch Üben, und bestimmte Grundfertigkeiten - etwa das Gleichgewichthalten - sind ganz gezielt durch gymnastische Übungen auch in den eigenen vier Wänden zu trainieren.

JOGGEN

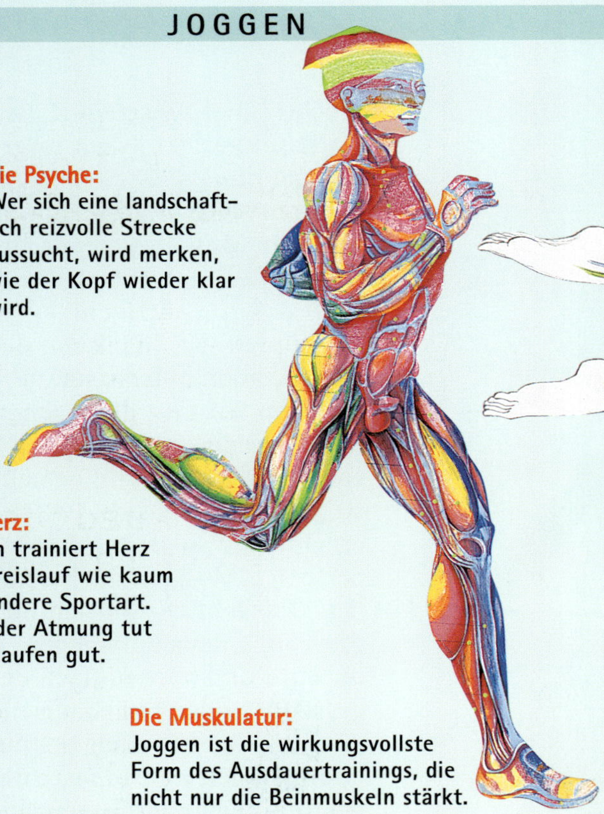

Die Psyche:
Wer sich eine landschaftlich reizvolle Strecke aussucht, wird merken, wie der Kopf wieder klar wird.

Das Herz:
Joggen trainiert Herz und Kreislauf wie kaum eine andere Sportart. Auch der Atmung tut Dauerlaufen gut.

Die Muskulatur:
Joggen ist die wirkungsvollste Form des Ausdauertrainings, die nicht nur die Beinmuskeln stärkt.

Illustrationen: E. O. Klama

Im Dauerlauf bis zum großen Ziel Fitneß

Den Pfunden davonlaufen - mit Jogging kein Problem. Fit wird man schnell. Ein Biker muß sich z.B. doppelt so lange abstrampeln, um dieselbe Kondition zu erreichen.

Vorteile:
Dauerlaufen ist quasi immer und überall möglich. Die Kosten sind gering, der Fitneß-Effekt groß. Und: Jogging gibt ein gutes Gefühl.

+ Sehr gute Ausdauerwirkung. Jogging kräftigt Herz, Kreislauf und Atmung, steigert zusätzlich den Fett- und Zuckerstoffwechsel.

+ Gute Laufschuhe und täglich eine Stunde Zeit reichen für perfekte Fitneß.

+ Durch die unterschiedlichen Eindrücke und die Möglichkeit, ohne Anleitung auch auf Leistung zu laufen, hat Jogging einen großen mentalen Effekt.

Nachteile:
Schädigung der Gelenke, Sehnen und Bänder sind möglich, besonders wenn bereits Vorschäden da sind.

– Wer nicht auf Gehpausen achtet und ebenso schnell wie häufig auf Leistung läuft, kann seine Gelenke schädigen.

– Häufigste Ursachen von Verletzungen sind, den Läufern meist unbekannte, Vorschäden wie beispielsweise Senkfüße oder Arthrose.

– Bei Überforderung drohen Herz- und Kreislaufkollaps. Jogger neigen zu Leichtsinn, weil sie schnell Erfolge sehen wollen.

SCHWIMMEN

Die Durchblutung:
Der thermische Reiz und die Massagewirkung des Wassers fördern die Durchblutung.

Die Wirbelsäule:
Bei Haltungsschäden und Problemen mit den Gelenken gilt Schwimmen als „Wunderwaffe".

Die Atmung:
Schwimmen trainiert den Atemrhythmus und verbessert zudem die Lungenkapazität.

Das Wasser darf uns bis zum Hals stehen

Für Ärzte sonnenklar: Schwimmen ist die gesündeste Sportart. Das Wasser entlastet Gelenke, Wirbelsäule und Rückenmuskeln. Eine Wohltat für Sitzmenschen!

Vorteile:
Wir erbringen hohe Leistung bei niedrigem Puls. Die Massagewirkung ist ebenso wohltuend wie die Entlastung des Stützapparates.

+ Im Gegensatz zu Joggen bleibt die Pulsfrequenz niedrig: Die Haut wird im Wasser geringer durchblutet, und so steht den Muskeln mehr Sauerstoff zur Verfügung.

+ Wasser entspannt und bringt neue Energie.

+ Der gesamte Stützapparat des Körpers wird beim Schwimmen entlastet und die Gelenkigkeit erhöht. Schwimmen ist deshalb der ideale Ausgleichsport.

Nachteile:
Ein nicht immer billiger Sport, der schnell monoton werden kann. Die Infektionsgefahr darf ebenso wie die Gefahr der Unterkühlung nicht unterschätzt werden.

– Die Eintrittspreise für Badeanstalten sind stark angestiegen und machen Schwimmen teuer. Hinzu kommt der Streßfaktor Lärm.

– Manchen fällt es schwer, den inneren Schweinehund zu überwinden und sich ins kühle Naß zu wagen.

– Nicht immer hat das Badewasser Trinkwasserqualität. Und zuviel Chlor schadet der Haut.

FAHRRADFAHREN

Das Herz:
Sehr gleichmäßiger Effekt für Herz und Kreislauf.

Die Muskulatur:
Fahrradfahren stärkt die Muskeln am ganzen Körper.

Das Gleichgewicht:
Der Gleichgewichtssinn wird trainiert. Das ist auch für andere Sportarten wichtig.

Wer in die Pedalen tritt, ist immer auf Draht

Biker sind die Vagabunden des Sports. Sie sehen während des „Trainings" wesentlich mehr als andere Sportive und fahren zudem auch mental voraus.

Vorteile:
Radfahren ist nicht nur ein gutes Ausdauer-Training, das den Aufbau vieler Muskelpartien fördert, sondern hat zudem hohen Erholungswert.

+ Was die wenigsten wissen: Radeln trainiert nicht nur die Beinmuskulatur, sondern auch die des Bauches, der Füße, der Arme und nicht zuletzt des Beckens.
+ Radfahrer nehmen viel von ihrer Umwelt wahr und können gut abschalten. Der Fitneßeffekt kommt quasi im Vorbeifahren.
+ Fahrradfahren bringt nicht nur viel Ausdauer, sondern auch jede Menge Kraft.

Nachteile:
Zum hohen Unfallrisiko kommt das sehr teure Material. Wer falsch sitzt, hat schnell Rückenprobleme:

– Fahrradfahren birgt, zumindest in Städten, durch den Autoverkehr ein relativ hohes Gefahrenpotential. Auch Stürze auf meist schlechten Fahrradwegen gehören dazu.
– Teuer wird's, wenn man technisch nicht hinterherfahren will. Ein gutes Bike ist unterhalb einer vierstelligen Summe nicht zu haben.
– Vielfahrer haben nicht selten mit Rückenproblemen zu kämpfen.

Ganz gezieltes Training für die Problemzonen

Unsere Übungen trainieren gezielt die drei Problemzonen Bauch, Po und Oberschenkel. Schlank machen sie allerdings nicht. Das schafft nur das Ausdauertraining durch allgemeine Fettverbrennung.

Mit Ausdauer endlich ran an den Speck

Ausdauerathleten sind selten dick. Denn während Gymnastik die Figur aktiviert, feuert Ausdauertraining den Fettstoffwechsel an. Nur ausgiebiges Laufen, aber auch lange Fußmärsche, Radfahren und Schwimmen schmelzen vorhandene Fettdepots ab und vermeiden neue.

Das Ziel solchen Trainings ist für den Hirn-Sitz-Menschen unserer Tage relativ klar zu definieren: Es gilt, einen zusätzlichen Kalorienumsatz von rund 1500 Kilokalorien pro Woche zu erreichen. Das gelingt, wenn Sie drei- bis viermal joggen - vorausgesetzt, Sie laufen schön langsam. Denn Fett verbrennt nur mit Sauerstoff und nicht, wenn man aus der Puste kommt. Schnellkraft-übungen wie Sprints verbrauchen die rasch verfügbaren Energiequellen Glykogen und Zucker. Auch am Anfang einer Dauerbelastung greift sich der Körper diesen Superkraftstoff.

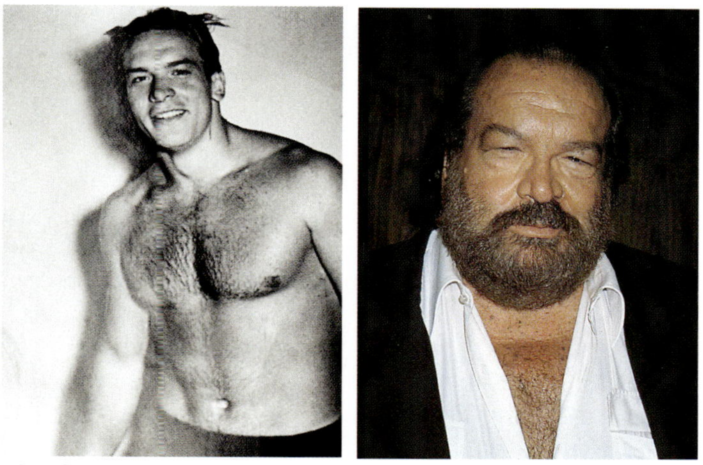

Der Superschwimmer und das Nilpferd: Zweimal Bud Spencer wie er leibt und lebt – als junger erfolgreicher Olympionike und als gewichtiger Star-Schauspieler.

Erst bei längerer gleichmäßiger Beanspruchung schaltet er auf den „Dieseltreibstoff" Fett um. Neben der Trainingsintensität spielt also der Zeitfaktor eine entscheidende Rolle. Wer folglich auf Sport als Mittel zum Schlankwerden und Schlankbleiben setzt, muß sich an das Motto halten: Lieber langsamer und länger als kurz und intensiv!

Die Gesetze der erfolgreichen Fettreduktion

Natürlich sollte man den Erfolg des Ausdauertrainings nicht durch fettreiche Nahrung torpedieren. Wer Sport und Diät kombiniert, muß vielmehr für die Zufuhr von reichlich Kohlenhydraten und Flüssigkeit sowie genügend Eiweiß sorgen. Geradezu gefährlich ist eine sehr starke Kalorieneinschränkung (etwa durch Schlankheitsdiäten vom Typ Atkins), denn die untere Grenze für eine sichere Vitamin- und Mineralstoffversorgung liegt auch schon ohne zusätzliche sportliche Bewegung bei 1500 Kilokalorien.

Kohlenhydratreiche Kostformen (Getreide, Kartoffeln, Obst und Gemüse) liefern dagegen genug Energie für Ausdaueraktivitäten. Außerdem schaffen Kohlenhydrate im biochemischen Stoffwechsel die ideale Voraussetzung für die Fettverbrennung (Fette verbrennen im „Feuer" der Kohlenhydrate).

Allerdings sollte man vor dem Sport lieber rechtzeitig komplexe Kohlenhydrate (z. B. Vollkornprodukte) verzehren und nicht statt dessen kurz vor dem Training Zuckriges tanken. Das stimuliert nämlich die Insulinausschüttung, und das wiederum hemmt den Fettabbau.

Lassen Sie Ihr Training ganz langsam angehen!

Geduld und Selbstdisziplin sind Tugenden, ohne die ein Dicker sich nicht schlank laufen kann. Gerade wer Bewegung fast neu lernen muß, sollte sich zur Mäßigung zwingen. Hier gilt - ein Paradoxon für unsere hektische Zeit: Je schneller, um so schlechter. Tatsächlich ist, um die für den Fettstoffwechsel relevanten Ausdauereffekte zu erzielen, eher eine subjektive Unterforderung vonnöten. So sollte der ungeübte und womöglich übergewichtige Trimm-Einsteiger sich in den ersten Wochen, neben der regelmäßigen Gymnastik, auf gezieltes Gehen oder Spazierengehen beschränken. Erst nach einer solchen Aktivierungsphase ist intensiveres Lauf- oder Fahrradtraining erlaubt. Gerade dafür ist gezieltes Einsteigen besonders wichtig, und eben deshalb hat Fit For Fun folgendes Dreistufenprogramm zur Entwicklung des richtigen Belastungsgefühls für die richtige Geschwindigkeit erarbeitet.

Stufe 1 - Gleichmäßigkeitsstufe: Auf ebener Bahn gleichmäßig und bewußt locker eine Minute lang in eine Richtung laufen, dann wenden und zurücklaufen. Wenn Sie tatsächlich gleichmäßig gelaufen sind, erreichen Sie nach genau zwei Minuten wieder den Ausgangspunkt. Trainieren Sie dieses Tempo durch Wiederholungsläufe (anfangs nur einige Male, ohne aus der Puste zu kommen).

Stufe 2 - Geschwindigkeitsstufe: Nun geht es um die Festlegung des richtigen Lauftempos. Sie können es anhand Ihrer individuellen Trainingspulsfrequenz (siehe Tabelle) ermitteln. Laufen Sie, wie bei Stufe 1, Pendelläufe mit unterschiedlichen, aber stets gleichmäßigen Tempi, bis Sie das für Sie richtige Lauftempo gefunden haben. Es empfiehlt sich, am Anfang bewußt langsam zu laufen und eher die Laufgeschwindigkeit mit der Zeit zu erhöhen als umgekehrt.

Stufe 3 - Kontrollstufe: Kontrollieren Sie während eines Dauerlaufes Ihre Geschwindigkeit bzw. Intensität mit Ihrer Pulsfrequenz bzw. Ihrer Atmung. Es gilt: laufen ohne zu schnaufen (am besten im Sprechtempo!) oder über eine kurze Strecke ein bis zwei Minuten lang (nicht länger!) so zu traben, daß Sie auf jeweils vier Schritten aus- und einatmen (Vierer-Rhythmus). Bei diesen Kontroll-Läufen sollten Sie keine Atmungsprobleme bekommen und stets darauf achten, daß Sie auch bei weiteren Strecken die für Sie optimale Pulsfrequenz nicht überschreiten! Dasselbe gilt natürlich auch, wenn sie ein gezieltes Gehtraining durchführen.

Wichtig für den Rundum-Erfolg ist das gute Timing

Auf keinen Fall vergessen: Jedes Ausdauertraining sollte grundsätzlich mit einer mindestens fünf bis zehn Minuten langen Aufwärmphase beginnen. Hierfür haben sich leichtes Gehen - bei besser Trainierten auch leichtes Traben - in Kombination mit einigen gymnastischen Übungen besonders bewährt. Die Aufwärmung ist für den Körper sehr wichtig, damit er sich von „Ruhe" auf „Belastung" umstellen kann.

Am Ende des Trainings fördert gemäßigtes Auslaufen - sprich, leichtes Traben in den letzten fünf bis zehn Minuten - die Normalisierung der Körperfunktionen. Wer das Traben mit gezielten Dehnungs-, Lockerungs- und Entspannungsübungen verbindet, tut seinem Körper ebenfalls etwas gutes. Duschen, Wechsel- und Saunabäder beeinflussen den Erholungsprozeß ebenfalls positiv. Dasselbe gilt für bewußtes Essen.

Zweimal überlegen sollten Sie sich ein abruptes Abbrechen der sportiven Betätigung. Denn ohne den langsamen Abschluß mit Auslaufen und Gymnastik verlängert sich die Regenerationszeit. Außerdem wird der angestrebte Trainingseffekt verzögert und nicht zuletzt reduziert sich das Wohlbefinden.

Den Durst nach dem Training sollten Sie unverzüglich löschen. Am besten eignet sich dazu eine Apfelsaftschorle, mit viel Mineralwasser gut verdünnt. Frisches, saftiges Obst tut es aber ebenso gut. Alkohol und fettreiche Imbisse verzögern dagegen die Regeneration und heben zudem den schlankmachenden Effekt des Aktivprogramms womöglich auf.

DIE PSYCHE

Sie verwandeln sich während jeder Hungerkur in ein Nervenbündel? – Kein Wunder, denn das Zusammenspiel von Körper und Geist wird durch das, was wir essen, ganz erheblich beeinflußt. Nahrung kann das Leben versüßen oder uns im wahrsten Sinne des Wortes auf die Nerven gehen. Wer jedoch mit Verstand abnimmt, den kann auch nichts aus der Ruhe bringen – schon gar kein Diätstreß.

für Leib Se

Kein Streß und ele

Wenn die Seele hungert

Der Blick in den Spiegel ist wichtiger als der Blick auf die Waage. Wer sich eine Hungerkur verordnet, sollte deshalb zuvor genau prüfen, ob es wirklich der kleine Speckring auf der Hüfte ist, der das Selbstbewußtsein so belastet oder ob vielleicht etwas anderes hinter dem Stimmungstief steckt. Vielleicht hungert unsere Seele bereits - nach Anerkennung, nach Liebe oder nach Veränderung - und wir merken es gar nicht. Also erst einmal dem Frust auf den Grund gehen. Denn nur dann hat die liebe Seele nach der Diät auch wirklich Ruh'.

Jeder Mensch braucht Nervenfutter

Ungesunde Eßgewohnheiten gehen uns auf die Nerven - und zwar im wahrsten Sinne des Wortes. Für einseitige und nährstoffarme Nahrungszufuhr rächt sich unserer Körper mit Mangelsymptomen wie Abgespanntheit, Nervosität, Gereiztheit oder gar mit Depressionen. Und alles nur, weil wir uns falsch ernährt haben. Erste Hilfe im Krisenfall: Statt Junk-Food und Süßigkeiten einen knackigen Sommersalat verputzen, statt Schokolade süßes Obst naschen - und dabei die Seele baumeln lassen.

Sie haben sich endlich zu einer richtig strengen Diät entschlossen. Und schon haben Sie das Rosa-Nilpferd-mit-dem-grünen-Punkt-Problem. So ein Tierchen gibt es nicht? Noch nie davon gehört? Schließen Sie bitte mal ganz fest die Augen und versuchen Sie sich - kein solches Fabeltier vorzustellen. Wetten, was passiert? In Ihrer Phantasie ist soeben ein schönes rosa Nilpferd mit einem grünen Punkt entstanden. Diese Schnurre wird von Psychologen gern als Beispiel für den merkwürdigen Mechanismus gewählt, der im Kopf abläuft, wenn er mit dem Problem „Das darf ja überhaupt nicht sein" konfrontiert wird.

Genau das passiert auch, wenn Sie bei einer Schlankheitsdiät nicht an Schokolade, Pommes frites und Sahnetorten denken dürfen. Sie geraten in ein verhängnisvolles, von Verboten und schlechtem Gewissen gesteuertes Gedankenkarussell. Denn üblicherweise bewirken Diätvorschriften ja keineswegs, sich auf das zu konzentrieren, was man essen darf, sondern tatsächlich darauf, was einem strikt verboten ist. Doch je stärker Sie sich bestimmte Lebensmittel aus dem Kopf schlagen wollen, um so mehr werden Sie an eben diese denken. Und schließlich kreisen Ihre Gedanken hauptsächlich nur noch darum.

ABNEHMEN MIT KÖPFCHEN

Die schlanke Linie beginnt immer in Ihrem Kopf

Crash-Kuren bringen gar nichts. Schlank und fit werden Sie vielmehr, wenn Sie sich ein wirklich modernes Ernährungsprogramm auf Zeit verschreiben - und umdenken.

Erst Denken, dann Handeln: Bevor Sie in den Kampf gegen Ihr Übergewicht ziehen, müssen Sie sich außerdem einige Fragen stellen, deren ehrliche Beantwortung über Sieg oder Niederlage entscheidet:

- Was bewegt mich, gerade jetzt abzunehmen?
- Für wen will ich schlank werden?
- Was steckt hinter meinem Eßproblem?
- Wie sehe ich mich als schlanker Mensch?
- Welchen Stellenwert schreibe ich meinem Gewicht, meinem Eßverhalten und bestimmten Speisen und Getränken zu?
- Welches Ziel habe ich vor Augen - kurzfristig, langfristig?
- Welche Unterstützung und welche Widerstände habe ich von mir selbst, meinen Mitmenschen und von meinen Lebensbedingungen zu erwarten?
- Welche begleitenden Strategien - Entspannungstechniken, Sport, Freizeitgestaltung - erscheinen mir möglich und sinnvoll?

Die Strategie: Die Voraussetzungen für Schlankheits-, Fitneß- und Gesundheitspläne sind derart unterschiedlich, daß nur individuelle Lösungen Aussicht auf Erfolg haben: Jeder Mensch ist anders in seiner Eßproblematik, seinem Stoffwechsel, seiner psychischen und seiner physischen Struktur. Das Pauschalangebot „1000-Kalorien-Diät" z.B. kann nie „maßgeschneidert" sein. Orientieren Sie sich deshalb an Ihrem persönlichen Wohlfühlgewicht und nicht an vorgegebenen Normen. Werden Sie zu Ihrem eigenen Ernährungs-Programmdirektor, nicht zum Mitläufer irgendeiner Mode-Diät.

Schlemmen unter Freunden: Ab und an ein kalorienreiches Fünf-Gänge-Menü ist gar nicht tabu.

Kraft durch Körner: Frühstücksmüsli und Obst sorgen dafür, daß uns der Magen nicht so schnell wieder knurrt.

Flexibilität bei Tisch ist die halbe Miete

Da ist es wesentlich sinnvoller, sich überhaupt nicht mehr mit Verbotslisten herumzuquälen, sondern das Ganze ins Positive zu wenden - also eine Einstellung gegenüber Essen und Lebensmitteln zu entwickeln, die nach dem Motto funktioniert: Das darf ich ohne weiteres mit aller Lust genießen.

Damit ist natürlich nicht haltlose Völlerei gemeint, sondern schlicht der Spaß zu essen, was einem wirklich bekommt und schmeckt - ohne schlechtes Gewissen. Wer so ißt, hat auch Spaß am Leben. Und lebt dabei sogar gesund! Längst sind Genuß und Gesundheit bei der Nahrungsaufnahme keine unvereinbaren Gegensätze mehr. Denn wer sich nicht ständig zügeln zu müssen meint, wird leichter das persönlich richtige Maß herausfinden, anders als diejenigen, die der Frust wegen des selbstauferlegten Verzichts schließlich doch über die Stränge schlagen läßt.

Tatsächlich ist eine wesentliche Voraussetzung für eine befriedigende und auf Dauer akzeptierbare Ernährungsweise der Verzicht auf strenge Kontrollen beim Essen, die - wenn überhaupt - nicht allzu lange durchzuhalten sind. Denn mit starren Diätplänen, sturem Kalorienzählen, Essen nach dem „Alles oder nichts-Prinzip", Verboten und Verzicht sind oft übertriebene Erfolgserwartungen verbunden. Auf individuelle Bedürfnisse nimmt solche Planwirtschaft bei Tisch nicht die geringste Rücksicht. Zwangsläufig kommt es zu „Diätfehlern" und „Pflichtverletzungen", und die führen zu schlechtem Gewissen und nicht selten zu gefährlichen Ernährungsstörungen, insbesondere zur Bulimie.

Flexibilität hingegen berücksichtigt die jeweilige Situation und die persönlichen Bedürfnisse, sie erlaubt einen individuellen Ausgleich unterschiedlichen Eßverhaltens an einzelnen Tagen. Wenn aus irgendeinem Grund - bei einer Einladung oder Feier - mal richtig geschlemmt wird, so ist das bei den nächsten Mahlzeiten oder durch mehr Bewegung einfach wieder auszugleichen.

Am allerwichtigsten aber ist, daß nur mit einem genußvollen abwechslungsreichen Speiseplan eine langfristige Änderung des Ernährungsverhaltens gelingt. Selbst Lieblingsspeisen dürfen - bewußt eingeteilt - ohne schlechtes Gewissen aufgetischt werden. Ein totaler Süßigkeitenverzicht zum Beispiel provoziert nur Nachholverhalten: Die Begier darauf staut sich auf und will dann plötzlich exzessiv befriedigt werden. Selbstverständlich heißt solche Toleranz nicht, daß man Süßigkeiten - die ja oft eher „Fettigkeiten" sind - allzeit bedenkenlos in sich hineinstopfen darf.

Woher die Lust auf Süßes kommt

Gerade die Lust auf Süßes ist sehr natürlich und ein Produkt der frühkindlichen Ernährungsgeschichte. Sie kann entstehen, wenn der Serotoninspiegel im Gehirn absinkt. Der Neurotransmitter Serotonin, ein Botenstoff im Nervensystem, hat Einfluß auf unsere Stimmungslage. Kohlenhydrate erhöhen den Serotoninspiegel und das Wohlbefinden.Es handelt sich dabei allerdings um einen komplizierten biochemischen Vorgang: Grundstoff der Serotoninsynthese im Gehirn ist die Aminosäure Tryptophan, ein Eiweißbaustein.

So mag es verwundern, daß reine Eiweißdiäten Menschen aufs Gemüt schlagen. Tatsächlich aber müssen, damit Tryptophan ins Gehirn gelangen kann, dafür erst die biochemischen Voraussetzungen geschaffen werden. Und daran ist das Hormon Insulin beteiligt, das die Bauchspeicheldrüse aber nur dann ausschüttet, wenn Kohlenhydrate, also auch Zucker, ins Verdauungssystem gelangen. Aber nicht nur etwa Schokolade, auch Nudeln machen glücklich. Der Begriff Makkaroni soll sich sogar vom griechischen Wort „makarios" - der Glückliche - herleiten. Und ebensogut für die Grundversorgung mit stimmungsaufhellenden Nahrungskohlenhydraten eignen sich die Fitmacher Brot, Reis und Müsli. Wer allein auf Süßes zur Stimmungsaufheiterung setzt, läuft leicht Gefahr, daß sich sein Appetit erhöht, denn mit Süßigkeiten kann man sich geradezu hungrig essen.

Doch wenn Sie wirklich einmal unwiderstehlich die Lust auf Süßes packt, dann sollten Sie ihr unverzüglich nachgeben, am besten mit kleinen Portionen. Ein Verzicht verstärkt nur die Begier, bringt die Stimmung auf den Nullpunkt und führt mitunter zu regelrechten Freßexzessen.

Zwar mögen Menschen Süßes schon als Baby, die Gier darauf kann aber auch antrainiert werden. Kleinkinder gewöhnen sich frühzeitig an den Erwachsenengeschmack, etwa wenn Mütter den Brei nach ihrem eigenen Geschmack nachzuckern. Und wer als Kind oft Süßigkeiten als Belohnung oder Trost erhalten hat, der greift auch als Erwachsener oft später in Situationen, die nach „Ersatzbefriedigungen" rufen, zu irgend etwas Süßem. Umgekehrt aber ist übertriebene Lust auf Süßes durch Geschmackstraining wieder auf ein vernünftiges Maß zu reduzieren.

Um in Stimmung zu kommen, also eine gute Serotoninproduktion zu ermöglichen, empfiehlt es sich somit, statt Berge von Zuckerwerk in sich hineinzustopfen, eher betont kohlenhydratreich zu essen, so wie es die Rezepte des Fit For Fun-Ernährungsprogramms vorschlagen - und nicht zuletzt, von einer Eiweißmast entschieden Abstand zu nehmen. Denn das macht Sie weder wirklich schlank noch froh.

Vielleicht haben Sie sich in einem unserer Eß-Typen erkannt, und hoffentlich bringt Sie diese Selbsterkenntnis einen Schritt weiter auf dem Wege zur Wiedergewinnung der Schlankheit, zur Gesundheit, Fitneß und Lebensfreude.

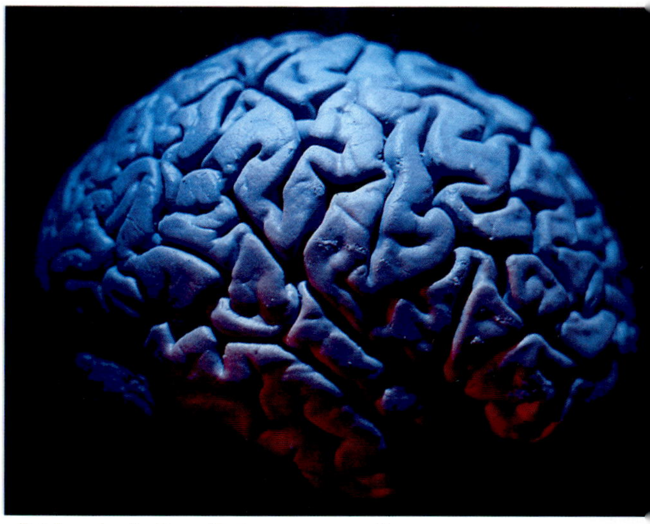

Gehirn abschalten: Und zwar, wenn die Gedanken ums Essen kreisen und beim Naschen das schlechte Gewissen kommt.

Was für ein Typ sind Sie?

Jeder denkt, daß er ißt, worauf er gerade Lust hat. Doch das ist nicht wahr.

Von Außen bestimmt: In Wirklichkeit ist unser Eßverhalten von der Gesellschaft geprägt. Eine Repräsentativumfrage zum Thema „Genußvoll essen, bewußt ernähren - Gemeinsamkeiten und Unterschiede am neuen deutschen Tisch" (1991) verdeutlicht: Die Begriffe Essen und Ernährung lösen unterschiedliche Assoziationen aus. Mit „Essen" werden eher die angenehmen Seiten der Nahrungsaufnahme wie „Lieblingsgericht", „Ausgehen", „Genuß", „Geselligkeit" verbunden. Beim Wort „Ernährung" denken viele an Ab-

Eigenwilliger Exot: Travestiestar Divine war wohl einer der wenigen, denen Figurnormen egal waren.

straktes wie „Kalorien", „Nährstoffe", „Gesundheit" oder „Chemie". „Essen" betrifft also mehr das Gefühl, „Ernährung" eher den Verstand. So ergeben sich durch Gefühl oder durch Verstand geprägte Verhaltensweisen. Der bewußte Genießer wäre der, der das gesunde Gleichgewicht von beiden verkörpert - also eine Art Idealtyp.

Der Hektiker

Ständig unter Streß: Es wird unzureichend oder gar nicht gefrühstückt, das Mittagessen fällt aus oder wird heruntergeschlungen. Oft ist der Streß durch falsche Zeiteinteilung „hausgemacht".

Der Streßesser ist weder Kopf- noch Bauchtyp, von der Balance zwischen Verstand und Gefühl sehr weit entfernt. Übergewichtig wird er durch zu hektisches und deshalb zu reichliches Essen tagsüber und abends, wenn er sich zum erstenmal ein bißchen Ruhe gönnt. Nicht minder figurfeindlich ist fortwährendes Knabbern von Süßigkeiten.

Dabei wäre schon allein regelmäßiges Essen und Trinken ein guter Schutzschild gegen Streß. Nikotin und Alkohol sind dagegen besonders von Streßtypen zu meiden.

Mal richtig ausspannen: Das wäre Balsam für Seele und Figur des hektischen Essers.

fit FOR FUN **Tip:** Öfter und dann weniger essen. Das physiologisch günstigste und figurfreundlichste Anti-Streßrezept ist jedoch sportliche Aktivität.

Der Rechner

Eine lästige Pflicht: Essen ist für diese Kopf-Typen eine ernährungsphysiologische Notwendigkeit. Sättigung ist ihnen wichtiger als Genuß. Vor allem aber muß der Preis stimmen. Dem Rechner bietet das heutige Angebot an Lebensmitteln eine sichere Nährstoffversorgung, die

Die Mark zweimal umgedreht: Bei „Rechner"-Typen siegt die Geldbörse über den Genuß.

relativ preiswert und bequem zu verwirklichen ist. Und falls auch noch das Fertiggericht als Sonderangebot im Supermarkt-Regal liegt, ist die Welt völlig in Ordnung. Rechner sind wieder besonders anfällig für Übergewicht noch diätbesessen. Denn „Bauch", sprich Gefühl, haben sie nicht und also auch keine besondere Leidenschaft fürs Essen und Trinken.

fit FOR FUN **Tip:** Der Rechner sollte sich unter Menschen mischen, die etwas vom Genießen verstehen. So etwas färbt auf Dauer ab. Der soziale Aspekt spielt übrigens für jedes Eßverhalten eine große Rolle.

Der Jo-Jo-Diäter

Wie unter Zwang: Sie kennen jede Diät und probieren sie auch konsequent aus. Manchmal sind sie sogar erfolgreich - aber nie auf die Dauer. Ihr Gewicht bewegt sich wie ein Jo-Jo auf und ab. Dadurch droht die Stoffwechselregulation aus dem Gleichgewicht zu geraten. Das Risiko, übergewichtig zu bleiben und sogar Eßstörungen zu entwickeln, wächst. Die Intervalle zwischen zwei Diäten werden immer kleiner, der Frust immer größer. Von Eßlust keine Rede: Alles wird nur noch durch die Kalorienbrille betrachtet. Für einen solchen „Kopftypen" gibt es nur einen Aus-

Das ewig schlechte Gewissen: Der „Jo-Jo"-Typ treibt sich selbst in den Diät-Wahnsinn.

weg: Die Umstellung auf einen ausgewogenen Speiseplan, ergänzt durch körperliche Aktivität, die Spaß macht.

fit FOR FUN **Tip:** Machen Sie endlich Schluß mit dem sinnlosen Diät-Streß! Lernen Sie stattdessen, daß es Gerichte gibt, die Sie wirklich mit gutem Gewissen genießen dürfen.

Der Gesundheitsapostel

Kein gesundes Mittelmaß: Solche Menschen entsprechen dem klassischen Kopftyp, der seine Ernährung mit der Kalorientabelle plant, Vitamine, Mineralstoffe und Ballaststoffe in den Mittelpunkt stellt, Kalorien und Cholesterin als Teufelszeug meidet. Dabei macht kein Lebensmittel allein dick oder dünn. Es kommt immer auf deren Zusammenspiel an. Dann stellt sich automatisch das Gleichgewicht der Nährstoffe ein, und außerdem schmeckt es dann auch am besten. Genuß und Gesundheit sind in Nahrungsdingen voneinander nicht zu trennen. Obwohl eigentlich nie übergewichtig, herrscht bei extrem Gesundheitsbewußten nicht selten die Tendenz vor, sich auf Diäten einzulassen.

Tip: Essen und Trinken sind mehr als Kalorien- und Nährstoffaufnahme. Der Genuß beim Essen ist sogar das Salz in der Suppe des gesunden Lebens.

Gesundes Grünzeug: Salat ist ein kalorienarmer Genuß – sogar für Gesundheitsapostel.

Der Fitneß-Esser

Bitte nur Power-Food: Sie schlürfen Mineraldrinks und beziehen Proteine lieber aus der Dose als aus rotem Muskelfleisch – könnte ja Fett und Cholesterin enthalten! Um ihre Pfunde müssen sich diese verbissenen Fitneß-Freaks allerdings keine Gedanken machen. High-Tech-Food setzt halt nicht an, weil Fett – das „Schmeckt-nach-mehr-Prinzip" – darin nicht eingebaut ist. Und Sport treiben diese Vertreter des menschlichen Geschlechts ja meist ohnehin.

Volle Energie: Fitneß-Esser vernachlässigen zugunsten der Power den Geschmack.

Tip: Fitneß allein ist nicht das wahre Leben. Mindestens ebenso nachhaltig fit und gesund wird man auch durch eine ausgewogene leckere Mischkost (z.B. Fit For Fun-Diät). Und ordentlich Kohlenhydrate zur rechten Zeit machen nicht nur fit, sondern auch froh.

Der Frustesser

Die gehaltvolle Ersatzbefriedigung: Sie sind die bedauernswertesten in der Eßverhaltens-Typologie: die Frustesser. Sie können weder richtig genießen weil sie dauernd ein schlechtes Gewissen haben, noch haben sie mit Diäten dauerhaft Erfolg. Denn ihre Abnahmeerwartungen sind stets so hoch angesetzt, daß der Abbruch „dieser miesen Diät" geradezu programmiert ist. Also wird wieder frustriert allerlei Ungesundes in sich hineingefuttert. Ein verhängnisvoller Kreislauf beginnt, aus dem viele Betroffene alleine leider kaum noch herauskommen.

Frust und Pfunde: Elizabeth Taylor tröstete sich in Lebenskrisen mit Freßorgien.

Tip: Bevor sie ganz in Selbstmitleid versinken, sei diesen Menschen eine energische sachkundige Ernährungsberatung empfohlen.

Der Genießer

Hauptsache, es schmeckt: Dieser sinnenfrohe, eher bauchbetonte Eßtyp achtet vor allem aufs Ambiente und darauf, daß es ihm schmeckt. Er wählt seine Lebensmittel mit dem Auge, dem Gaumen und aus dem Bauch heraus aus. Der moderne Genießer kann zwei gesundheitliche Vorteile für sich reklamieren: Er bevorzugt frische Lebensmittel, nährstoff- und aromaschonend zubereitet, und er liebt beim Essen die Abwechslung. Außerdem läßt er sich Zeit. Als Nachteil erweist sich oft die Menge: Er ißt gerne zuviel und kennt bei alkoholischen Getränken, die für ihn unabdingbar zu einem guten Essen gehören, mitunter kein Maß. Das Risiko zum Übergewicht ist somit die Schattenseite im Leben des „Genießer"-Typs.

Wein, Weib, Gesang: Für Genießer zählt beim Essen vor allem das Ambiente.

Tip: Genießen Sie weiterhin bewußt, essen Sie was schmeckt – aber bitte nach dem Motto: „Von allem etwas und von keinem zuviel."

Wer sein Wunschgewicht bekommen und vor allem auch behalten will, kann jedenfalls zwei offensichtliche Schlußfolgerungen aus jenem - zugegeben etwas groben - Typenraster ziehen: Essen Sie richtig, aber mit Genuß.

Vergessen Sie des weiteren all die Verbotslisten, die Ihnen allerorten unter die Augen kommen. Sie dürfen nämlich im Prinzip alles essen, was Ihnen schmeckt - in persönlich richtigen Mengen und mit Zurückhaltung beim Fett. Der Spielraum fürs Essen-Dürfen und Genießen-Können ist durch mehr körperliche Aktivität enorm zu erweitern.

Erforschen Sie Ihr natürliches Eß-Bedürfnis

Gerade wer häufig Diät hält, spürt nur schwer, wann er hungrig oder satt ist. Schieben Sie Ihr Hungergefühl nie auf, bis es zum Heißhunger wird. Essen Sie sofort eine Kleinigkeit. Natürlich sollten Sie andererseits sofort jedes Mahl beenden, wenn Sie satt sind. Die elterliche Erziehungsstrategie „Du bist satt, wenn der Teller leer ist" ist einer der Gründe dafür, daß viele ihr Eßverhalten nicht an ihren wirklichen Bedürfnissen orientieren - der natürlichen Hunger-Sättigungs-Regulation ihres Organismus.

Langsames Essen und sorgsames Kauen kommen beidem zugute - dem Genuß ebenso wie der Sättigung. Wer seinen Mund nur als Pforte zum Magen gebraucht, bringt sich nicht nur um die Essensfreude, sondern schadet seiner Gesundheit. Denn eine durch bewußtes Genießen verlängerte Eßzeit läßt die Sättigungssignale des Stoffwechsels besser wirken. Schließlich braucht das Gehirn nach Beginn der Nahrungsaufnahme etwa 20 Minuten, bis es die erste Sättigungsrückmeldung aus dem Magen-Darm-Trakt erhält. Wenn Sie aber Ihr Übergewicht zu einer Diätnötigt, kommt es nicht allein darauf an, was Sie dagegen tun, sondern auch darauf, wann Sie was tun. „Novemberdiäten" zum Beispiel haben geringe Erfolgsaussicht: Lichtmangel im Herbst und Winter drückt aufs Gemüt, und das Körpergewicht erhöht sich selbst bei den Schlankesten dann ein wenig.

Im Frühjahr dagegen, mit wachsender Lichteinwirkung, regt sich auch der Stoffwechsel wieder. Die Menschen sind besser gelaunt, die Tage werden länger, man bewegt sich wieder mehr an der frischen Luft. Schon von allein sinkt das Körpergewicht leicht. Wissenschaftlich ist tatsächlich nachzuweisen, daß die zunehmende Lichteinwirkung über das Auge die innersekretorischen Drüsen im verstärkten Maße zur Produktion auffordert. Deren Produkte, die Hormone, werden nun ebenfalls verstärkt an bestimmte Bereiche im Gehirn weitergeleitet, aktivieren den gesamten Organismus und machen den Körper aufnahmefähig für neue Reize. Diesen natürlichen Aufschwung sollte man nutzen, um seine Ernährung umzustellen und körperlich aktiver zu werden - nach der alterprobten Devise: Fit in den Frühling.

Plädoyer für eine neue Eßkultur

Ja ja, wir essen zu fett, zu süß und im allgemeinen auch noch zuviel. Selbst gegen Ende des Jahrhunderts haben wir immer noch nicht vollends die Kurve aus den fünfziger Jahren gekriegt, als der Nachholbedarf aus der kargen Kriegszeit in einer „Freßwelle" gipfelte. Dazu saufen und salzen wir auf Teufel komm raus. Und obwohl die Abbilder ranker Jungfern und Jünglinge in Filmen, Magazinen und auf Postern die neue Religion der fitneßbewußten Körperlichkeit predigen, belasten Überernährung und Bewegungsmangel die Gesundheit und das Wohlbefinden von Millionen.

Zwar ist die „Edelfreßwelle" abgeebbt, doch zu einer Woge des Gesundheitsbewußtseins ist sie längst noch nicht gewachsen. Und das wird sie auch solange nicht, wie gesunde Ernährung mit asketischen und genußfeindlichen Verzichtprogrammen gleichgesetzt und Fitneß - die Fähigkeit und die Freude daran, sich viel und vor allem gut zu bewegen - verbissen an der Zahl zurückgelegter Laufkilometer gemessen wird.

Wirklich gesunde Ernährung hat immer etwas mit Wohlfühlen zu tun. Deshalb führt das Auf und Ab von Dick und Dünn mit herkömmlichen Schlankheitsdiäten ebensowenig zum Ziel wie das Surfen auf der jeweils neuesten Fitneßwelle. Daß Menschen sich wohlfühlen, resultiert stets aus sinnlichem Vergnügen. Was wahrhaftig gesund erhält, muß also wirklich gut schmecken. Was den Körper wirklich trimmt, muß auch tatsächlich Spaß machen.

Es scheint sogar, als wäre das Vergnügen am Essen eine Zielvorgabe, die zu gesundheitsbewußtem Verhalten motivieren kann. Nur muß eine individuell richtige Ernährung diesem sympathischen Wohlfühl-Trend auch folgen. Auch im Jahre 2000 wird es keinen ernährungswissenschaftlich bis ins letzte ausgeklügelten Speiseplan für alle Menschen geben.

Vielmehr müssen sich individuelle Stilrichtungen des Eßverhaltens entwickeln, die jeder problemlos nebeneinander praktizieren kann. Das gilt für die zahlreichen Nutzer von Convenience-Produkten ebenso wie für gesundheits- und körperbewußte Esser und natürlich auch für Gourmets. Das Eßverhalten darf künftig nicht mehr über einen Kamm geschoren werden. Nahrungsaufnahme muß weniger Gesundheitsrisiken bergen als vielmehr Gesundheitsschutz sein.

Es muß endlich ein Ende eingeläutet werden - und zwar das für die sektiererischen Diätideologien und die starren Essensvorschriften. Stattdessen muß ein ganz neues Ernährungs-Credo die Welt gewinnen: Essen und Trinken heißt Genuß und Entspannung, heißt Kommunikation und Interaktion, heißt Feste und Feiern. Auch für die Zukunft gilt allerdings: Natürlich darf man dabei die gesunde Balance zwischen Essen und Bewegung nicht vergessen!

Vor dem Kalorien-Countdown kommt das große Kopfzerbrechen. Welche Abspeckkur ist die richtige? Wirklich keine leichte Entscheidung, denn die Versprechen mancher Diät-Erfinder sind nicht selten viel zu dick aufgetragen. Dünn wird oft allenfalls das Portemonnaie, abgebaut wird nicht Fett, sondern Gesundheit. Die Fitmacher, die Nieten:

Diä auf Prüf

ten

dem

stand

Skalen der Eitelkeit

Die Waage - ein unerbittliches Symbol für das menschliche Körpergewicht. Dabei braucht man sie für praktisch keine seriöse Diät wirklich - oder allenfalls als Bestätigung für das neue Selbstwertgefühl. Tägliches Wiegen ist dagegen tabu. Denn wer beim Abspecken auf Geschwindigkeit statt auf Effizienz setzt und mit irgendeiner fragwürdigen Hardcore-Kur ins Guinness-Buch der Rekorde will, legt im Extremfall sogar sein Leben in die Waagschalen.

Der Fit-for-Fun Diättest auf einen Blick

Diät	Prinzip	Praktikabilität	Beurteilung	Note
Fettarme Diäten (z.B. Fit For Fun-Diät)	Kein Kalorienzählen. Fettaufnahme wird zum Abnehmen auf 30-50 g reduziert	Abwechslungsreiche Kost, Kenntnisse über Fettgehalt von Nahrung vorteilhaft	Im Trend der modernen Ernährungswissenschaft mit Sportprogram; Lerneffekt	1
Brigitte-Diät	Ausgewogene, abwechslungsreiche und kalorienreduzierte Mischkost	Gut; leicht nachvollziehbare Rezepte mit Einkaufslisten	Ernährungsphysiologisch ausgewogen; Anleitung für richtiges Ernährungsverhalten	1-
Gruppenprogramme (z.B. Weight Watchers)	Hilfe bei Ernährungsumstellung: Übergewichtige treffen sich regelmäßig mit Experten	Ohne regelmäßige Teilnahme und Geduld läuft nichts, sonst gute Dauererfolgschancen	Erlernen eines auf Dauer richtigen, zufriedenstellenden Eßverhaltens	2+
Pudel-Plan (und neue Pfundskur)	Kohlenhydratreiche, fettarme Diäten des Ernährungspsychologen Prof. Dr. Volker Pudel	Gegessen werden darf im Prinzip alles - nur fettarm muß es sein	Dauerhafte Ernährungsumstellung für alle, die es damit ernst meinen	2+
Immun-Diät	Eiweißbetonte, energiereduzierte Mischkost	Vielseitige Ernährung ohne besonderen Rezeptaufwand; guter Lerneffekt im Alltag	Nicht Abnehmen, sondern Stärkung der Abwehrkräfte steht im Vordergrund	2
Japan-Diät	Die japanische Küche zählt zu den fettärmsten Ernährungsweisen der Welt	Lernprozeß (Kochen im Wok) und gute Lebensmittelqualität erforderlich	Exzellent als Schlankheitskost geeignet; allerdings mit europäischem Frühstück	2
Mittelmeer-Diät (und vergleichbare Diäten wie Cooley-Diät)	Schmackhafte, vielseitige Küche; viel gegrillter Fisch, viel Obst, Salat mit Olivenöl	Gibt es in allen Restaurants von Mittelmeer-Anrainern, auch zu Hause umzusetzen	Kohlenhydratreiche Ernährung; langsame Gewichtsabnahme, guter Lerneffekt	2
Eskimo- oder Fischdiät	Viel jodreicher Seefisch mit leicht verdaulichem Eiweiß hält die Blutgefäße gesund	Wer keinen Fisch mag, hat schlechte Karten	Kein spezifischer Verschlankungseffekt, aber eine gesunde Ernährungsweise	2-
F-Plan-Diät	Ballaststoffe werden als Allheilmittel gegen Zivilisationskrankheiten eingesetzt	Abwechslungsreiche Rezepte, gute Sättigung; auf jeden Fall reichlich Trinken	Ballaststoffreiche Speisen sparen Fettkalorien. Aber Vorsicht vor Einseitigkeit!	2-
Kohlenhydratbetonte Diäten	Kohlenhydrat- und ballaststoffreiche Lebensmittel mit guter Sättigung	Nach Eingewöhnungsphase gut; bei Vollwertvarianten auf Lebenmittelqualität achten	Mit Ausnahme der streng vegetarischen Variante zufriedenstellende Versorgung	2-
Nutripoint-Diät	Gezählt werden nicht Kalorien, sondern Nutripoints (Punkte für Nährstoffdichte)	Kompliziertes Ernährungssystem; aufwendiges Listenlesen erforderlich	Qualität statt Quantität; gegessen wird „gesunde" Kost mit hoher Nährstoffdichte	2-
Pritikin-Diät	Vorläufer aller kohlenhydratreichen, extrem fettarmen Diäten, plus Sportprogramm	Wie bei allen extrem fettarmen Diäten hohe Motivation und Disziplin erforderlich	Guter ganzheitlicher Ansatz; auf genügenden Verzehr von tierischen Produkten achten	2-
Rosemary Conley-Diät	Bestsellerdiät; eiweißbetonte, energiereduzierte Mischkost	Einfaches Prinzip; praktisch überall durchführbar	Kleine, kalorienarme Mahlzeiten lassen Pfunde schmelzen - aber nur langsam	2-
Schalttage	Zwischen „normalen" Ernährungstagen wird ein bis zwei Tage anders/weniger gegessen	Einfach und praktisch überall durchführbar	Keine Diät, sondern ein Kalorienausgleichsprogramm; gute Entlastung, Entwässerung	2-
Formula-Diäten	In Wasser gerührtes Nährstoffpulver soll Mahlzeiten ersetzen	Einfach und bequem, auf Dauer aber eintönig	Produziert keine Mangelerscheinungen; aber auch kein Lerneffekt	3+
G-Index-Diät	Nach dem Glykämischen Index (Diabetikerdiät) ; viele komplexe Kohlenhydrate	Nicht ganz einfach; fundierte Kenntnis über Nahrungszusammensetzung nötig	Ballaststoff-Diät, in der Feinschmeckervariante allerdings auf den Fettgehalt achten	3+

Diät	Prinzip	Praktikabilität	Beurteilung	Note
Dr. Haas Diät	Als Fitmacher für amerikanische Sportler erfunden; extrem kohlenhydratreich	Schwierig, da mit europäischen Ernährungsgewohnheiten schlecht vereinbar	Im Prinzip nicht schlecht, aber zu starke Beschränkung von tierischen Lebensmitteln	3–
Lipotrope Diät	In kalifornischen Laboratorien entwickelte Diät mit Pseudo-wissenschaftlichem Ansatz	Gewöhnungsbedürftig	Verhältnismäßig ausgewogene Mischkost-Diät mit unnötigem Fachchinesisch	3–
Null-Diät und Fasten (z.B. Wasser-Kur)	Verzicht auf jegliche feste Nahrung; der Körper soll die eigenen Energievoräte nutzen	Einfaches Prinzip, aber über längeren Zeitraum nur unter ärztlicher Aufsicht	Nur für Patienten mit starkem Übergewicht oder bei begründeter medizinischer Indikation	3–
Streß-Diät	Diät ohne Kalorienreduzierung; pseudo-wissenschaftlicher Ansatz	Relativ einfache Gerichte; muß diszipliniert durchgehalten werden	Die wissenschaftliche Grundlage fehlt, aber die Diät ist immerhin ausgewogen	3–
T-Faktor-Diät	Thermogenese (Wärmeabgabe) soll durch Sport und richtige Ernährung Fett abbauen	Für Disziplinierte mit Sportsgeist	Etwas zu proteinlastig	3–
Gayelord-Hauser-Diät	Typische kalorienreduzierte Abspeckkur eines amerikanischen Promi-Doktors	Viel Eiweiß, vor allem aus Fisch, Fleisch und Eiern, außerdem Salat und Gemüse	Diätklassiker, der aber ernährungswissenschaftlich überholt ist	4+
Einseitige Diäten (z.B. Ananas- oder Eier-Diät, Apfel- oder Traubenkur)	Fast jedes Lebensmittel wurde schon einmal in den Mittelpunkt einer Diät gestellt	Je nach erlaubten Lebensmitteln mehr oder weniger einfach	Oft zu rigide Kalorieneinschränkung; einseitig; Gefahr von Mangelerscheinungen	4–
Hollywood-Diät	Viel rohes Obst, vor allem tropische Früchte, deren Enzyme schlank machen sollen	Komplizierte Diätvorschriften, was den Verzehr der Früchte betrifft	Ohne wissenschaftliche Grundlage; Enzyme von „außen" machen nicht schlank	4–
Mayo-Diät	Eiweißdiät mit Steaks, Eiern, Salat; anzuwenden für ein bis zwei Wochen	Einfach; morgens ausschließlich Eier, Steaks und Salate gibt es in jedem Restaurant	Viel zu geringe Kohlenhydratzufuhr; besonders problematisch für Sportler	4–
Trennkost (und ähnliche Diäten wie Köhnlechners Blitzdiät)	Eiweiß- und kohlenhydratreiche Lebensmittel dürfen nicht zusammen gegessen werden	Zu kompliziert für den Alltag	Viele gesunde Lebensmittel , trotzdem stoffwechselphysiologisch nicht sinnvoll	4–
Rohkost-Diät	Kalorien- und fettarm; hauptsächlich rohes Gemüse, Obst und Nüsse	Einfach, aber mit starker Einschränkung des Lebensmittelspektrums	Einseitige Kost; deckt auf Dauer nicht den Energiebedarf bei körperlicher Arbeit/Sport	5+
Atkins-Diät (und vergleichbare Diäten)	Schlemmen nach dem Prinzip „Eiweiß- und Fettreiches - ja, Kohlenhydrate - nein"	Einfach	Zählt zu den Extrem-Diäten. Gesundheitsgefährdung durch zu viel Fett. Deshalb „out"!	5
FdH („Friß die Hälfte")	Die Portionen werden halbiert oder einfach eine Mahlzeit gestrichen	Einfach	Planlos. Nährstoffmangel möglich, geringe Sättigung und kein Lerneffekt	5
Fit-for-Life-Diät	Eher ein Lebensstil-Programm als eine Schlankheitsdiät; mittlerweile überholt	Früchtediät, bei der bis Mittags nur Obst gegessen werden darf	Widersprüchliche Ernährungsempfehlungen; Stärkereiches kommt zu kurz	5
Lutz-Diät	Österreichische Variante der Dr. Atkins-Diät, die „Ein Leben ohne Brot" propagiert	Gut umsetzbarer, aber sehr eingeschränkter Speiseplan (Kohlenhydratbeschränkung)	Längerfristige Erfolge sind wissenschaftlich nicht belegbar; Krankheitsrisiko	5
Schlankmacher (z.B. Appetitzügler, Abführmittel, Entwässerungstabletten)	Schlankheitspillen und -tropfen statt Diät und Ernährungsumstellung	Einfach; denn Medikamenteneinnahme ist leichter als die Umstellung der Ernährung	Chemische Appetitzügler bergen ein erhebliches Nebenwirkungsrisiko	5
Schroth-Kur	Wechsel von Trocken- und Trinktagen; bei der Flüssigkeitszufuhr dominiert Wein	Nur in Kurklinik unter ärztlicher Aufsicht durchführbar	Extrem einseitig; insgesamt zu geringe Flüssigkeitszufuhr; kein Lerneffekt	5
Waerland-Kur	Als Fastenkur mit Quellwasser oder zusätzlich mit Gemüsesaft, Leinsamen, Sellerie	Einfach, da fast nicht gegessen wird	Nur unter ärztlicher Aufsicht; kein Lerneffekt	5

Der Überblick: So funktioniert's

Sind Sie unsicher, auf welchem Weg Ihre Pfunde purzeln sollen? Dann werfen Sie einen Blick auf den Test. Und beherzigen Sie bei der Wahl Ihrer Diät: Keine Crash-Kuren! Schließlich will gut Ding' Weile haben!

Für immer schlank! Ein wirklich fabelhaftes Diätversprechen - allerdings auch ein ziemlich widersinniges. Denn wäre der Abnahmeerfolg der Anwender wirklich von Dauer, wäre es für viele im großen internationalen Abspeck-Business ja bald aus mit dem schönen und gewinnbringenden Geschäft. Und so halten sich die Diät-Erfinder mit solchen endgültigen Zusicherungen auch merklich zurück.

Viel lieber setzen sie in einer Weise auf das Prinzip Hoffnung, die ihnen das (viel zu) große Heer der diäthörigen Frauen und mittlerweile auch Männer nicht abspenstig macht.

Und mal ehrlich: Es ist ja auch so viel einfacher, sich für eine begrenzte Zeit zusammenzureißen und eine Abmagerungskur einzuhalten, als endlich aus dem gewohnten Trott auszubrechen und seine Ernährung wirklich auf Dauer umzustellen. Wenn man mit einer Diät keinen Erfolg hatte - na, was soll's; mit der nächsten klappt es bestimmt. Und so offerieren die Schlankheitskur-Vermarkter immer wieder eine neue Chance, immer wieder eine neue Diätsensation einer treuen und dankbaren Diät-Fan-Gemeinde.

Tatsächlich ist nicht der Wunsch nach purzelnden Pfunden und Fitneß bedenklich, sondern die Mehrzahl der Methoden, mit denen das Ziel „Schlankheit" angeblich mühelos zu erreichen ist. Über 300 Abspeckkuren werden in diesem unseren Lande schätzungsweise propagiert - neben diversen Eßbremsen und Schlankeitstropfen, Diätpillen und -pulvern. Und da zudem Abspeckkuren in Zeitschriften Auflage machen, haben sie auch weiterhin Hochkonjunktur.

Ein bißchen Spaß muß sein: auch während einer Diät. Crash-Kuren sind deswegen echte Spielverderber.

Wunderwaffen gegen Bauchspeck gibt es nicht

In Wirklichkeit beschränkt sich die Phantasie der Diäterfinder allerdings hauptsächlich auf die Namensgebung. Vollmundig angepriesene Innovationen entpuppen sich allzuoft als längst bekannte, unter einem neuen Schlagwort aufgewärmte Diäten mit ein bißchen mehr Psycho- und ein paar Bewegungstips. Oder es werden seitenlang diverse Stoffwechselaktivatoren gefeiert, dazu geheimnisvolle „Fatburner" wie Enzyme oder Carnitin.

Aber in Wirklichkeit gibt es keine Wunderwaffen gegen die Pfunde. Weder kann sie unser Körper im Schlaf bilden, noch nimmt man sie ganz einfach im Essen oder in Pillenform auf. Der einzige Fettschmelzer, den die Wissenschaft kennt, ist die körpereigene Muskulatur. Und die funktioniert eben nur richtig, wenn wir sie gehörig aktivieren. Die überhaupt nicht geheimnisvollen „Zündstoffe" für diese einzige wirksame Fettverbrennung sind ganz normale Nahrungsbestandteile, Nährstoffe, aus denen unser Körper zu diesem Zweck selber Enzyme, Hormone - und auch das als Wunderstoff gepriesene Carnitin herstellt. Damit das klar ist: Ohne Bewegung

REGISTER

Der Test auf einen Blick:

Wollen Sie mehr über eine ganz bestimmte Diät wissen? Dann hilft Ihnen das nachfolgende Register weiter.

schwindet auf die Dauer kein einziges Gramm. Und wer sich dann auch noch richtig ernährt, hat alles Mögliche für seine schlanke Linie und seine Fitneß getan. Die Wahrheit ist also tatsächlich ziemlich unspektakulär. Ergo: Was Schlankheitsdiäten und -mittelchen versprechen, kann nur eine veränderte Lebensweise einlösen.

Chancenlos bleiben deswegen sowohl extremes Hungern als auch Crashkuren mit minimalem Kalorienangebot unter 1000 Kilokalorien am Tag, um überflüssige Kilos loszuwerden. Denn diese Quälerei lohnt sich auf Dauer gesehen garantiert nicht, kann im Gegenteil sogar der Gesundheit empfindlich zusetzen. Unübersehbare Sieger in Sachen Gesundheit sind im Fit For Fun-Diättest die moderateren Abnahmestrategien, Kombinationen von Ernährung, Bewegung und Psyche.

Überhaupt können alle, die sich bisher mit diversen Abspeckkuren auf ihr Ideal runtergehungert haben, aufatmen: Denn angebrochen ist endlich das Zeitalter des Wohlfühlgewichts und der sanften Fitneß. Und das schlägt sich in den Diätprogrammen nieder: Zwar kann man mit beinahe jeder Diät abnehmen. Doch schlank auf Dauer wird dadurch fast niemand.

Viele haben diese Erfahrung - oft mehr als einmal - gemacht: Je schneller die Pfunde schwinden, desto schneller sind sie auch wieder drauf. Je einseitiger das Abspeckprogramm, desto größer wird der fatale Heißhunger auf alles Verbotene. Da helfen weder Kalorienzählen noch rigide Selbstkontrolle. Denn, wie bereits erwähnt, fast alle herkömmlichen Diäten sehen lediglich zeitlich begrenzte Maßnahmen der Essens- bzw. Kalorieneinsparung vor. Sie zielen nicht auf eine grundsätzliche Änderung des alltäglichen Ernährungsverhaltens, bzw. auf eine gesündere Lebensweise, die sowohl bewußte Nahrungsaufnahme als auch körperliche Aktivität umfaßt.

Aber nur das garantiert einen wirklichen Dauererfolg. Der zermürbende Unfug, es immer wieder mit neuen Hungerkuren zu versuchen, macht beileibe nicht schlank, sondern vielmehr krank und schürt zudem nur das schlechte Gewissen beim Essen und Genießen. Der Erfolg solcher Diäten wird nämlich letztlich an der Beantwortung der Frage gemessen: „Habe ich gesündigt oder nicht?“ Kein Wunder also, daß für diejenigen, die in einen solchen Teufelskreis geraten, bald gar nichts mehr, was mit Essen zusammenhängt, auch nur ansatzweise mit unbeschwertem Genuß zu tun hat.

Deshalb hat Fit For Fun die gängigsten Diäten und Abnahmestrategien nicht nur nach ernährungswissenschaftlichen Test-Kriterien geprüft, sondern auch im Hinblick darauf, daß eine Diät fit halten und Spaß machen sollte. In diesem Sinne, viel Spaß beim Auswählen.

Alles, was Ihnen die getesteten Diäten an Vor- und Nachteilen bieten, finden Sie in diesem „Diätprofil“-Kasten auf einen Blick. Bevor Sie sich aber für eine der vorgestellten Abspeckkuren entscheiden, sollten Sie die gesamte Beschreibung genau gelesen haben.

EXPERTENMEINUNG: DIÄTPROFIL

Die Bewertung ergibt sich aus der Beschreibung der Diäten. Sie zeigt in der Tendenz deren Vor- und Nachteile auf.

Im Einzelfall hängt sie natürlich von der subjektiven Bewertung ab. So hat ein Vielesser und Schlemmer bei der Atkins-Diät oder G-Index-Diät mehr „fun“ im Vergleich zu einem „verordneten“ Fleischverzicht bei einer vegetarischen Abspeckkur.

Die gesundheitlichen Risiken hängen vor allem von der Dauer der Diät ab.

Ärgerliche und unsachliche Behauptungen werden ebenso negativ bewertet wie ein „Nur ich habe Recht-Anspruch“ des Diäterfinders. Denn bekanntlich führen viele Wege (einschließlich Umwege!) nach Rom, und lernen kann man fast von jeder Schlankheitskur etwas.

Die Bewertungskriterien Nährstoffsicherheit, Fitneß, Lern- und Langzeiterfolg sind uns dabei besonders wichtig.

Der Stand der Teller gibt einen schnellen Überblick darüber, ob bei einer Diät eher mit positiven Eigenschaften oder aber mit negativen zu rechnen ist. Im allgemeinen gilt die Faustregel: je mehr Teller oben stehen und je höher sie plaziert sind, desto besser ist die Abspeckkur.

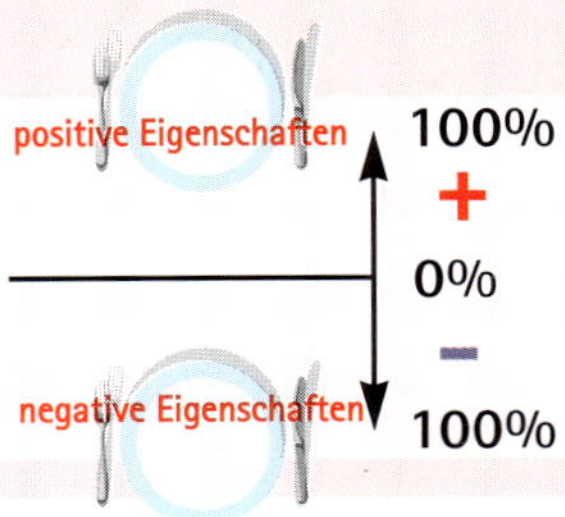

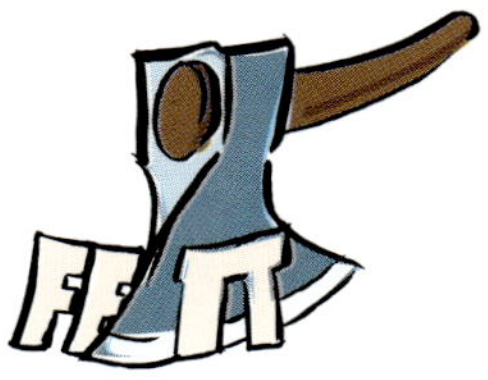

Fettarme Diäten

Nie wieder Kalorienzählen! Und keine Zurückhaltung mehr bei Kohlenhydraten (Kartoffeln, Brot, Reis und Nudeln). Sie sind – mit Ausnahme fetthaltiger Süßigkeiten – sämtlich freigegeben. Lediglich Fett muß konsequent reduziert werden.

Prinzip: Fettarme Diäten sind eine wirklich gute Sache. Sie bieten eine ausgewogene, gesunde Ernährung, die Spaß macht und mittelfristig auch noch schlank. Auf dieses Diät-Prinzip setzt **Fit For Fun!** Das einzige, was die Anwender solcher Diäten konsequent einschränken müssen, sind große Mengen Fett. Während der Abnahmephase reichen 30 bis 50 Gramm, in der Erhaltungsphase 60 bis 80 Gramm pro Tag. Ein weiterer Vorteil der fettarmen Abspeckkuren: Kohlenhydratreiche, aber fettarme Speisepläne bieten auch bei relativ wenig Kalorien im Bereich von 1500 viel Volumen auf dem Teller. Das kommt sogar Gourmets entgegen.

Praktikabilität: Kenntnisse des Fettgehalts der Lebensmittel sind erforderlich. (Dabei hilft die Fit For Fun-Fett-Tabelle im Anhang). Auch die Küchenausstattung muß unter Umständen zur Umsetzung der fettsparenden Gartechniken etwas aufgestockt werden. Ohne Wok, Tontopf und einigen Spezialpfannen funktionieren viele Rezepte nicht. Der Speiseplan fettarmer Diäten ist abwechslungsreich und reichhaltig: Brot, Gemüse, Kartoffeln, Reis, Nudeln und Obst überwiegen dabei die tierischen Lebensmittel. Ein weiteres entscheidendes Plus: Zahlreiche gute Rezepte (etwa entsprechend dem Cooking-light-Prinzip von „Prima", der „neuen Ideal-Diät" von „Brigitte" und natürlich dem **Fit For Fun**-Schlank-Programm) machen Lust auf leichte Küche und lassen Langeweile auf dem Teller keine Chance. Nach Eingewöhnung in die neue Küchen-Mengenlehre ist die Umsetzung einer solchen Diät übrigens völlig unproblematisch – auch beim Einkauf. Schließlich geht es lediglich darum, Fettreiches bewußt links liegen zu lassen.

IHR DIÄTCHECK

	Ja	Nein
Essen Sie lieber Schokolade als Gummibärchen?	○	○
Fett macht ein Essen erst richtig schmackhaft.	○	○
Achten Sie nicht auf die Angabe „Fett in der Trockenmasse" beim Käseeinkauf?	○	○

Auswertung: Jede Antwort mit einem „Ja" bedeutet, daß Sie diese Diät besser nicht machen sollten. Bei 3x „Nein" könnten Sie die Diät zwar machen, d. h. aber nicht, daß Sie auch ernährungsphysiologisch zu empfehlen ist. Schauen Sie in jedem Fall auf die Gesamtnote und das Diätprofil.

Abwechslung und Ausgewogenheit auf dem Teller – was heißt das konkret? Der Tagesplan einer fettarmen Diät könnte z.B. so aussehen:

Das fängt ja gut an: Sie sind rechtzeitig genug aus den Federn gekommen, um den Sprint zum Bäcker zu schaffen. Dafür werden Sie mit zwei knusprigen Vollkornbrötchen, bestrichen mit Magerquark und Honig, bzw. Fruchtgelee belohnt. Die Krönung: ein Frühstücksei. So gewappnet starten sie voll durch bis zum zweiten Frühstück. Nach dem pikanten Tomatenknäcke gestern ist Ihnen heute nach etwas Süßerem. Also gibt's Magerquark mit Himbeeren. In der Mittagspause ernten Sie neidische Blicke der Kollegen, als Sie den zu Hause vorbereiteten Krabbencocktail verputzen. Sie fühlen sich satt und gut! Erzählen Sie deshalb besser nicht, daß Sie sich heute abend noch auf Pasta mit Lachs und Broccoli freuen dürfen und daß der gesamte fettarme Speiseplan mit nur 1800 Kalorien zu Buche schlägt!

Die große Diät

Alle Rezepte auf den Seiten 186 bis 246!

Kalorien: Werden bei keinem der Diät-Programme gezählt.

Dauer: Nicht nur eine Diät im klassischen Sinn, sondern auch als dauerhafte Ernährung empfehlenswert!

fit for fun-Gesamturteil: Die fettarmen Diäten packen, im Gegensatz zu vielen anderen Abspeckkuren, das Übel an der Wurzel und bekämpfen die Hauptursache des Übergewichts - und das bei exzellenter Sättigung. Fett macht nun einmal fett. Besonders effektiv werden solche Ernährungsumstellungen in Kombination mit einem Training der Fettstoffverbrennung wie im Fit For Fun-Diät-Programm. Kurz: ein günstiger Lerneffekt für den Alltag. Deshalb sind fettarme Diäten als Dauerstrategie sehr empfehlenswert. Eine fettarme Ernährung ist nämlich zudem die beste Vorbeugestrategie gegen fast alle ernährungsabhängigen Krankheiten. Der früher so geschätzte Sättigungsfaktor Fett steht in der heutigen, von Bewegungsmangel geprägten Zeit hinter den komplexen Kohlenhydratträgern (stärke- und ballaststoffreiche Lebensmittel) deutlich zurück. Oder andersherum: Ballaststoffe sind die zeitgemäße Sättigungssubstanz, die vorbeugend gegenüber Störungen des Fettstoffwechsels (z. B. erhöhtes Cholesterin) wirken. Fettreiche Kost weist im Vergleich zu kohlenhydratbetonter eine geringe Nährstoffdichte auf, d. h. der Anteil an Vitaminen und Mineralstoffen im Verhältnis zu den Kalorien auf dem Teller ist ungünstiger. Das heißt aber nicht, gänzlich darauf zu verzichten. Etwa zehn Gramm mehrfach ungesättigte Fettsäuren aus hochwertigen Pflanzenölen und Seefisch sind nämlich lebensnotwendig.

Morgenstund hat Gold im Mund: Denn mit der Fit For Fun-Diät verläßt niemand mit knurrendem Magen das Haus.

Nie wieder Diätfrust: Vom gefüllten Pita-Brot bekommen Sie allenfalls ein wenig Fernweh.

Fast Food Light: Selbst verbissenen Kalorienzählern geht's mit diesem Hot dog nie hundeelend.

Note: 1
Top-Fitmacher-Diät

EXPERTENMEINUNG: DIÄTPROFIL

Die Gegensatzpaare geben einen schnellen Überblick über Vermögen oder Unvermögen der Diät.

Fit For Fun-Ernährungswissenschaftler haben Teller in Richtung dieser Gegensätze gerückt. Damit kann jeder für sich selbst ablesen, wohin die jeweilige Diät tendiert. Die persönliche Entscheidung dafür oder dagegen wird so erleichtert.

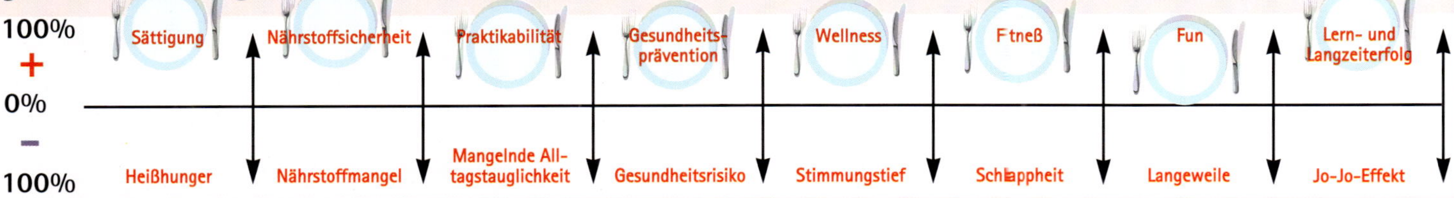

Brigitte-Diät

Der Klassiker unter den Zeitschriften-Diäten propagiert eine ausgewogene, kalorienreduzierte Mischkost im Bereich von 1000 bis 1300 Kilokalorien. Auch im Angebot: eine vegetarische Form sowie eine mit viel TK-Gemüse für ungeduldige Köche.

Prinzip: Die Brigitte-Diätexperten haben ihre Erfolgsrezepte stets weiterentwickelt. Sehr aktuell ist eine fettarme Diätvariante, bei der die Anwender keine Kalorien mehr zählen. Stattdessen wird für jedes Rezept der Fettgehalt angegeben. Im Mittelpunkt stehen bei dieser Brigitte-Diät die Nahrungskohlenhydrate. Wert wird dabei insbesondere auf viel Gemüse gelegt. Täglich Obst, Salat, Vollkorn- und fettarme Milchprodukte sorgen für Abwechslung auf dem Teller sowie eine gute Nährstoffversorgung des Körpers. Auf Alkohol sollte man allerdings besser verzichten, ansonsten aber reichlich trinken (möglichst Mineralwasser sowie Tee und Kaffee ohne Zucker). Kombinieren Sie das Diätprogramm, wie von den Verfassern empfohlen, mit einem sanften Bewegungsprogramm, haben Sie den richtigen Weg zu dauerhafter gesunder Ernährung und Schlankheit eingeschlagen.

Praktikabilität: Die Brigitte-Diät zeichnet sich durch hohe Alltagstauglichkeit aus. Übersichtliche Einkaufs- und Vorratslisten, die Verwendung von Restmengen, leicht nachvollziehbare und abwechslungsreiche Rezepte und „Küchentricks" - an alles ist gedacht worden. Die Abspeckkur eignet sich nicht zuletzt deshalb hervorragend für die gesamte Familie. Es müssen schließlich nicht umständlich Kalorien gezählt werden; man hält sich vielmehr einfach an die genau berechneten Rezepte. Ein weiteres Plus: Der klare Aufbau der Tagespläne. Die Rezeptvielfalt und die Verwendung von Zutaten, die auch nach Beendigung der eigentlichen Diät zur Dauerernährung gehören sollen, machen die Brigitte-Diät zu einer unkomplizierten Abmagerungskost mit ausgewogenem Kohlenhydrat-, Eiweiß- und Fett-

IHR DIÄTCHECK

	Ja	Nein
Ich brauche keine Rezepte zum Abnehmen.	○	○
Einkaufen und Kochen machen mir keinen Spaß.	○	○
Ich setze lieber auf die neueste Diätsensation anstatt einer ausgewogenen Mischkost.	○	○

Auswertung: Jede Antwort mit einem „Ja" bedeutet, daß Sie diese Diät besser nicht machen sollten. Bei 3x „Nein" könnten Sie die Diät zwar machen, d. h. aber nicht, daß Sie auch ernährungsphysiologisch zu empfehlen ist. Schauen Sie in jedem Fall auf die Gesamtnote und das Diätprofil.

Kalorien- und fettarm, dabei ausgewogen und lecker - nicht von ungefähr ist die Brigitte-Diät so beliebt. Aufgetischt wird z.B.:

Zeit für's Frühstücken muß auch bei nur 1000 Kalorien täglich sein: Heute erleichtert ein Roggenbrötchen mit Marmelade, bzw. Kräuterschmelzkäse den Start in den Vormittag. Kurze Pause zum zweiten Frühstück: Das Heidelbeer-Joghurt-Müsli schmeckt prima, bringt Power, belastet aber nicht. Bis zur Mittagspause knurrt der Magen garantiert nicht. Nehmen Sie sich Zeit für die Tomaten-Kartoffeln mit der feinen Joghurt-Sauce, die Sie morgens zu Hause schnell vorbereitet haben. Der Imbiß ist zum hastigen Runterschlingen zwischendurch wirklich zu schade. Nach getaner Arbeit haben Sie sich das würzige gefüllte Hähnchenfilet mit Spargel redlich verdient. Zum Glück ist es schnell und ohne großen Aufwand zubereitet. Und einen Teil des morgigen Zutatenbedarfes können Sie gleich mit vorkochen.

Verhältnis. „Umlernen" müssen Sie lediglich bei der Einschränkung fettreicher Lebensmittel und beim Einsparen von Fett in der Küche. Aber das fällt angesichts der angebotenen Alternativrezepte wirklich nicht schwer.

Kalorien: Zwischen 1000 - 1300 am Tag.

Dauer: Angeboten werden meist sechs- bis achtwöchige Programme.

fit for fun-Gesamturteil: Die Brigitte-Diät zählt sicherlich zu Deutschlands bekanntesten und auch erfolgreichesten Abspeckkuren. Von Ernährungswissenschaftlern wird sie als ausgewogene Reduktionskost gelobt, die die Pfunde zwar nicht schnell, aber stetig purzeln läßt. Der Kalorienanteil von 1000 Kilokalorien erscheint Fachleuten jedoch auf Dauer zu knapp, um alle notwendigen Nährstoffe abzudekken. Besser wäre deshalb eine Variante mit einem Anteil von 1200 bis 1600 Kilokalorien in einer prinzipiell ausgewogenen Mischkost. Das wäre insbesondere dann wichtig, wenn man auch noch sportlich aktiv werden möchte; was die Brigitte-Experten ja empfehlen. Da für diese Diät Lebensmittel mit hoher Nährstoffdichte bevorzugt und praktikable Hinweise für den Einkauf (detaillierte Shoppinglisten für jeden Tag) sowie Tips für die Zubereitung (Aufbewahrung, Resteverwertung) gegeben werden und sich dadurch auch ein Lerneffekt für eine auf Dauer richtige Alltagsnahrung ergibt, ist die Brigitte-Abspeckkur eine insgesamt sehr empfehlenswerte Form der Gewichtsreduktion. Das ausgewogene Diätprogramm enthält genügend Kohlenhydrate und lebensnotwendige Nährstoffe (Vitamine und Mineralien), so daß es bei einer zeitlich begrenzten Anwendung zu keinerlei gesundheitlichen Risiken kommen kann. Darüberhinaus läßt die Abwechslung (große Rezeptauswahl mit internationaler leichter Küche) auf dem Teller dem Diät-Frust wahrlich keine Chance, sondern kann vielmehr der Schlüssel zum Spaß an besseren, gesünderen und ausgeglicheneren Eßgewohnheiten sein.

Rezepte für Genießer: Brigitte setzt auf leichte Leckereien wie z.B. marokkanischen Möhrentopf (400 kcal).

Macht fit für den Vormittag: Kerniges Bananenmüsli, natürlich selbst gemischt.

Der Happen zwischendurch: Knusprige Vollkornbrötchen vertreiben den kleinen Hunger.

Note: 1 –
Fitmacher-Diät

EXPERTENMEINUNG: DIÄTPROFIL

Die Gegensatzpaare geben einen schnellen Überblick über Vermögen oder Unvermögen der Diät.

Fit For Fun-Ernährungswissenschaftler haben Teller in Richtung dieser Gegensätze gerückt. Damit kann jeder für sich selbst ablesen, wohin die jeweilige Diät tendiert. Die persönliche Entscheidung dafür oder dagegen wird so erleichtert.

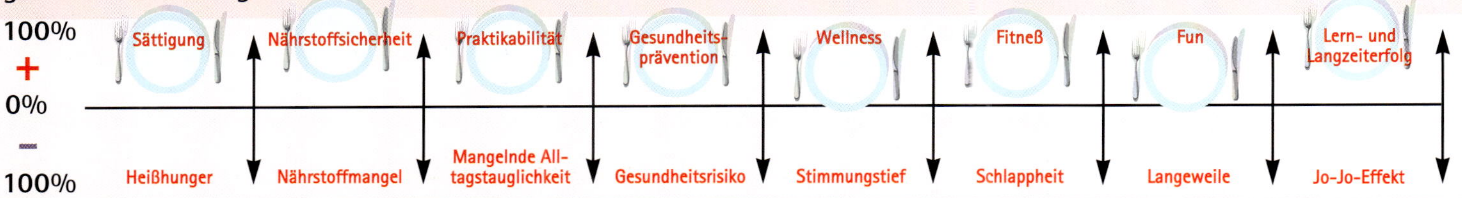

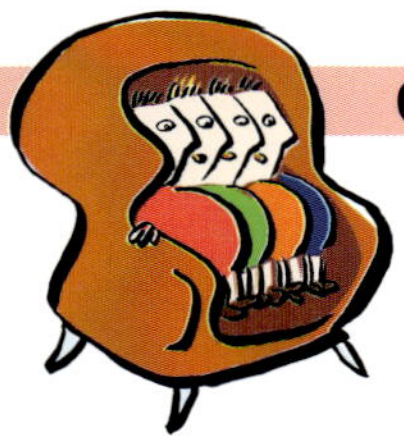

GEMEINSAM STATT EINSAM

Gruppenprogramme

Gemeinsam wird man oft leichter mit seinem Hüftund Bauchspeck fertig. Sowohl Gleichgesinnte als auch Ernährungsexperten beraten, ermutigen, beruhigen - und trösten, wenn sich der Erfolg zunächst nicht so recht einstellen will.

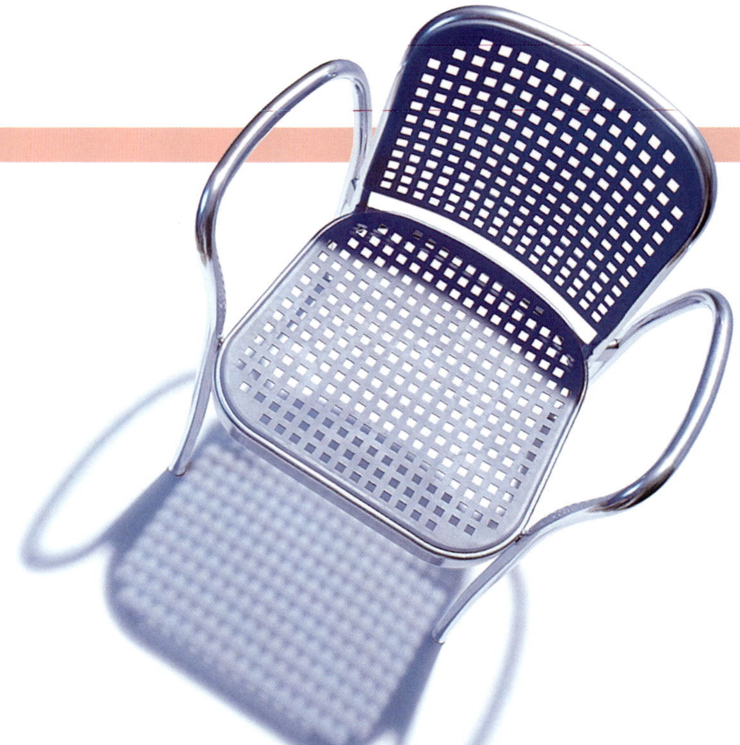

Prinzip: Zu den bekanntesten, ältesten und erfahrensten Selbsthilfegruppen zählen die „Weight Watchers", die „Gewichtswächter". Aber auch Krankenkassen, Volkshochschulen, Sportvereine und Fitneßstudios stellen Gruppen für Schlankheits- und Fitneßbewußte zusammen. Hilfreich sind außerdem die Arbeitsmappen und Trainingsprogramme der Deutschen Gesellschaft für Ernährung (DGE) und der Bundeszentrale für gesundheitliche Aufklärung (Adressen siehe Kapitel „Gefahren"). Eine Gruppe besteht meist aus zehn bis 15 Personen und trifft sich mit einem Experten einmal wöchentlich über einen Zeitraum von mehreren Monaten. Ziel ist nicht die Vermittlung einer zeitlich begrenzten Diät, sondern das Erlernen eines auf Dauer angemessenen Ernährungs- und Bewegungsverhaltens. Inhalte solcher Gruppenprogramme sind meist folgende Schritte:

1. Selbstbeobachtung des Eßverhaltens durch Tagebuchführung
2. Kontrolle der Eßauslöser, d. h. Essen und Trinken nur noch an einem bestimmten Platz
3. Verhaltensänderung beim Essen, also bewußt genießen und langsam essen
4. Bestärkung der neuen Lebensweise durch die Gruppe und durch den persönlichen Erfolg
5. Alternativen statt Essen aus Langeweile oder Frust, z. B. persönlich ansprechendes Hobby herausfinden wie Lesen, Spaziergänge, Gespräche
6. Ergänzende Maßnahmen wie z.B. Sport und Entspannungstechniken
7. Die herkömmliche Diätmentalität und -erwartung aufgeben.

IHR DIÄTCHECK

	Ja	Nein
Wollen Sie nur den schnellen Abnahmeerfolg?	○	○
Ich habe keine Zeit für regelmäßige Gruppentreffen	○	○
Bevorzugen Sie es, allein abzunehmen?	○	○

Auswertung: Jede Antwort mit einem „Ja" bedeutet, daß Sie diese Diät besser nicht machen sollten. Bei 3x „Nein" könnten Sie die Diät zwar machen, d. h. aber nicht, daß Sie auch ernährungsphysiologisch zu empfehlen ist. Schauen Sie in jedem Fall auf die Gesamtnote und das Diätprofil.

Praktikabilität: Nichts für eingefleischte Eigenbrötler: Man muß sich fest entschließen, an den Gruppensitzungen regelmäßig teilzunehmen und den für den Dauererfolg notwendigen langen Zeitraum einplanen. Wünschenswert ist Unterstützung auch außerhalb der Gruppe - durch den Partner, durch die Familie, durch Kollegen.

Kalorien: unterschiedlich.

Dauer: So lange, bis man es alleine schafft.

fit FOR FUN -Gesamturteil: Empfehlenswerte Strategie für alle, die eine Ernährungsumstellung allein nicht schaffen. Abgenommen wird durch eine vernünftig zusammengestellte, energiereduzierte Mischkost mit Lerneffekt für den Alltag. Angesichts der unterschiedlichen Programme und Anbieter lohnt sich ein Preis- und Angebotsvergleich. Achten Sie insbesondere darauf, ob Bewegungsprogramme integriert sind. Ein Augenmerk sollte zudem darauf gelegt werden, ob die Gewichtsabnahme realistisch (in angemessener Zeit) geplant ist und ob Erfolgszwang herrscht. Solcher Gruppendruck („Wer hat am schnellsten und besten abgenommen?") wirkt kontraproduktiv und hat schon manchen weniger Erfolgreichen aus der Gruppe vertrieben.

Note: 2+
Fitmacher-Diät

EXPERTENMEINUNG: DIÄTPROFIL

Die Gegensatzpaare geben einen schnellen Überblick über Vermögen oder Unvermögen der Diät.

Fit For Fun-Ernährungswissenschaftler haben Teller in Richtung dieser Gegensätze gerückt. Damit kann jeder für sich selbst ablesen, wohin die jeweilige Diät tendiert. Die persönliche Entscheidung dafür oder dagegen wird so erleichtert.

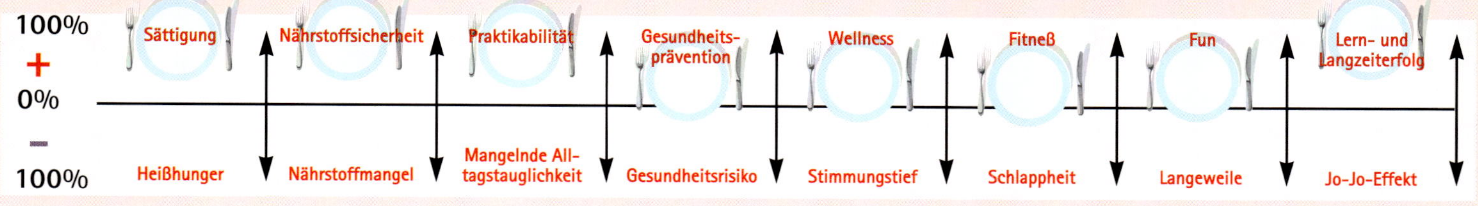

EILE MIT WEILE

Pudel-Plan / Neue Pfundskur

Für Gesundheitsbewußte mit etwas Geduld. Ernährungspsychologe Prof. Dr. Volker Pudel hält von Wunderkuren und Crash-Diäten gar nichts: Langsam aber stetig ohne starre Vorschriften und komplizierter Ernährungskonzepte abnehmen, rät er.

Prinzip: In seinen Diäten (kohlenhydratreich und fettarm) appelliert er deshalb an die Vernunft der Anwender. Prof. Pudel legt neben dem Prinzip der fettarmen Ernährung besonderen Wert auf eine flexible Gestaltung des Eßverhaltens. Rigide Verbote und Appelle wie „Du darfst nicht" führen eher zu Eßstörungen und selten zum wirklichen Schlankheitserfolg. Überhaupt sind die Langzeitergebnisse wichtiger als der kurzfristige Pfundeverlust. In den Büchern zur Pfundskur und zum Pudel-Plan sind verschiedene Tests und Übungselemente mit eingebaut, so daß das Ganze mehr ein Lernprogramm als eine zeitlich begrenzte Diät ist. Jeder Teilnehmer kann sein Ernährungstraining und Abnahmeprogramm individuell gestalten. Ein längerfristiges Programm ist die Vier-Jahreszeiten-Kur, ebenfalls von Prof. Pudel mitentwickelt, eine Art schriftlicher Dialog, bei dem man über ein ganzes Jahr anhand von Fragebogen, Ernährungstagebüchern und Beratungsbriefen lernt, sein Ernährungsverhalten zu ändern. Diese Brief-Methode hat sich, ähnlich wie die Gruppenprogramme, als sehr erfolgreich für die Änderung der Ernährungsgewohnheiten erwiesen.

IHR DIÄTCHECK

	Ja	Nein
Bedeutet Ihnen der Langzeiterfolg mehr als ein kurzfristiger Pfundsverlust?		
Haben Sie keine Geduld?		
Zählen Sie lieber Kalorien als Fettaugen?		

Auswertung: Jede Antwort mit einem „Ja" bedeutet, daß Sie diese Diät besser nicht machen sollten. Bei 3x „Nein" könnten Sie die Diät zwar machen, d. h. aber nicht, daß Sie auch ernährungsphysiologisch zu empfehlen ist. Schauen Sie in jedem Fall auf die Gesamtnote und das Diätprofil.

Praktikabilität: Für alle, die ernst- und dauerhaft ihre Ernährung verbessern und überflüssige Kilos verlieren wollen. Denn wer nach Dr. Pudels Methoden abnehmen will, muß erst einmal das entsprechende Buch dazu verinnerlichen. Die Gerichte sind allerdings so abwechslungsreich, daß das Durchhaltevermögen auf keine so harte Probe gestellt wird. Gegessen werden darf im Prinzip (fast) alles - nur fettarm muß es sein.

Kalorien: Werden nicht gezählt. Es gibt keine pauschale Beschränkung

Dauer: Sowohl als zeitlich begrenzte Diät als auch als dauerhaftes Ernährungsprinzip.

fit FOR FUN-Gesamturteil: Abnehmen mit Verstand und ohne strikte Verbote - eine bessere Voraussetzung für einen Erfolg gibt es wohl kaum. Wer fettarm und dadurch automatisch kohlenhydratreicher ißt, nimmt langsam, aber stetig ab.

Und das wichtigste: Mit Ruhe und Bedacht abgenommene Pfunde sind dauerhaft abgenommene Pfunde! Nicht zuletzt lernt man fast nebenbei, sich künftig gesund und ausgewogen zu ernähren. Im Gegensatz zu fettreichen Lebensmitteln ist nämlich Kohlenhydratreiches von Ballaststoffen, Vitaminen und Mineralstoffen begleitet. Kurzum: diese Fitmacher haben einfach eine bessere Nährstoffdichte.

Note: 2+
Fitmacher-Diät mit Gesundheitsplus

EXPERTENMEINUNG: DIÄTPROFIL

Die Gegensatzpaare geben einen schnellen Überblick über Vermögen oder Unvermögen der Diät.

Fit For Fun-Ernährungswissenschaftler haben Teller in Richtung dieser Gegensätze gerückt. Damit kann jeder für sich selbst ablesen, wohin die jeweilige Diät tendiert. Die persönliche Entscheidung dafür oder dagegen wird so erleichtert.

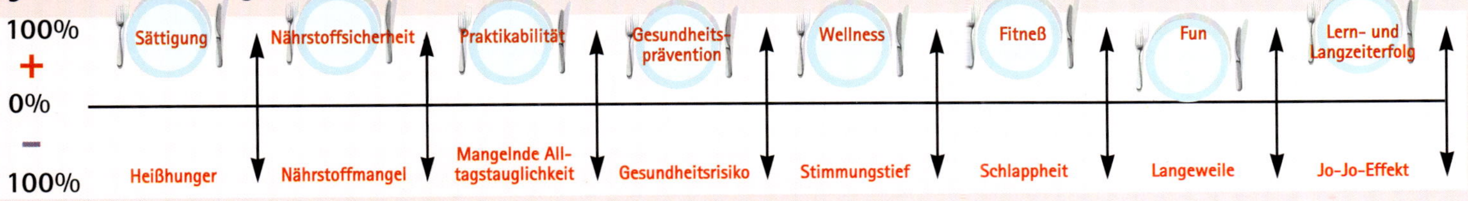

Immun-Diät

Nicht nur schlank soll der Diät-Anwender werden, auch die Stärkung der Abwehrkräfte wird gefördert - durch eiweißbetonte, energiereduzierte Mischkost. Bevorzugt werden Lebensmittel, die reich an wichtigen Nährstoffen für das Immunsystem sind.

Prinzip: Die Diät setzt auf die Schutzfunktionen u.a. von Zink, Selen, Eisen, von antioxidativen Vitaminen (E, C, Beta-Carotin) sowie Eiweiß. Diese Nährstoffe sollen in erster Linie aus Vollkornprodukten, gelbroten und grünen Gemüsen, Obst und hochwertigen Pflanzenölen stammen; das Eiweiß aus fettarmen Quellen. Diese Diät macht den Zusammenhang von Nährstoffen und stabilen Abwehrkräften bewußt. Viele einseitige und strenge Schlankheitsdiäten sind dagegen oft Mangeldiäten gerade auch an Nährstoffen für ein abwehrstarkes Immunsystem. Allerdings dürfte bei den aktuellen präventiven Zufuhrempfehlungen für Schutznährstoffe eine nahrungsergänzende Extraportion an Zink, Selen, Beta-Carotin und Vitamin E sinnvoll sein - etwa im Bereich von zehn bis 15 mg Zink, 50 mg Selen, fünf mg Beta-Carotin und 50 mg Vitamin E. Das Erreichen der empfohlenen Vitamin-C-Menge von etwa 150 mg pro Tag dürfte angesichts des reichen Angebots an Obst und Gemüse kein Problem sein. Übrigens: Eine gute und schmackhafte Möglichkeit der zusätzlichen Versorgung mit den wichtigen Schutzvitaminen E, C und Beta-Carotin sind Multi-Vitaminsäfte. Zur Immun-Diät gehört selbstverständlich auch eine reichliche Flüssigkeitszufuhr.

IHR DIÄTCHECK

	Ja	Nein
Ist Ihnen der Abnahmeerfolg wichtiger als die Gesundheit?	○	○
Setzen Sie lieber auf Pillen anstatt gesunde Ernährung?	○	○
Abnehmen schwächt die Abwehrkräfte.	○	○

Auswertung: Jede Antwort mit einem „Ja" bedeutet, daß Sie diese Diät besser nicht machen sollten. Bei 3x „Nein" könnten Sie die Diät zwar machen, d. h. aber nicht, daß Sie auch ernährungsphysiologisch zu empfehlen ist. Schauen Sie in jedem Fall auf die Gesamtnote und das Diätprofil.

Praktikabilität: Vielseitige Mischkost, mit keinem besonderen Aufwand verbunden. Falls die Kalorienbeschränkung 1200 Kilokalorien nicht unterschreitet, rund drei bis vier Wochen lang durchführbar. Bei Langzeitanwendung ist - wie bei jeder Diät - auf jeden Fall der Arzt zu fragen. Sporttreibende müssen darauf achten, daß sie genügend kohlenhydratreiche Lebensmittel wie Kartoffeln, Getreideprodukte und Obst zu sich nehmen.

Kalorien: Nicht weniger als 1200

Dauer: Zwei bis vier Wochen.

fit FOR FUN -Gesamturteil: Im Ansatz gut: Das Abnehmen steht nicht einseitig im Vordergrund, sondern es kommt auf die Qualität der Nahrung und damit auf die Erhaltung von Gesundheit und Fitneß an. Dies sollte eigentlich das Ziel jeder gesunden Diät bzw. Ernährungsumstellung sein: Essen, um sich wohlzufühlen, fit zu bleiben und den körpereigenen Gesundheitsschutz zu stärken. Bei normaler Energiezufuhr und entsprechender Kohlenhydratzulage ist die Immun-Diät im Prinzip als Dauerernährung möglich. In jedem Fall hat sie einen guten Lerneffekt hinsichtlich einer gesundheitsbewußten Lebensmittelauswahl.

Note: 2

Fitmacher-Diät mit Gesundheitsplus

EXPERTENMEINUNG: DIÄTPROFIL

Die Gegensatzpaare geben einen schnellen Überblick über Vermögen oder Unvermögen der Diät.

Fit For Fun-Ernährungswissenschaftler haben Teller in Richtung dieser Gegensätze gerückt. Damit kann jeder für sich selbst ablesen, wohin die jeweilige Diät tendiert. Die persönliche Entscheidung dafür oder dagegen wird so erleichtert.

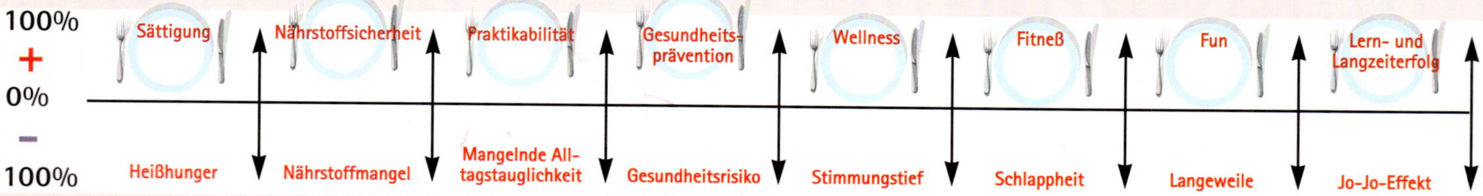

FRISCH MIT FISCH

Japan-Diät

Alles knackig und vitaminfrisch: Im Mittelpunkt der Diät stehen leichte Gemüse-, Fisch- und Reisgerichte. Im Wok - dem asiatischen Universalkoch-, Schmor- und Brattopf - lassen sich Gemüse, Fisch und Fleisch fettarm bei kurzer Gardauer zubereiten.

Prinzip: Leckeres für Wok-Fans wird mit Sojasoße gewürzt. Fettreiche Sahnesoßen sind unbekannt. Sushi - Snacks mit Reis, Gemüse und Fisch - sind leichter als unsere belegten Brote und meist auch schmackhafter. Herzhafte Fonduegerichte werden fettarm in kochender Gemüsebrühe mit kurzer Gardauer statt minutenlang in siedendem Öl zubereitet.

Praktikabilität: Nicht ganz einfach. Die Japan-Diät erfordert Übung in der Nutzung eines Wok. Die neuartigen Rezepte erfordern während des Einkaufens z.T. detektivisches Gespür beim Auftreiben der benötigten Lebensmittel. Frische ist bei Fisch und Gemüse das A und O. Trotzdem ist die japanische Abspeckkur gerade für Leute, die viel unterwegs sind, von Vorteil: japanische und euroasiatische Restaurants sind überall weit verbreitet. Ihr Angebot läuft praktisch auf die Japan-Diät hinaus. So werden beruflich Vielreisende erleichtert feststellen, daß das gefürchtete Arbeitsessen nicht mehr zum Kalorienalptraum wird, wenn es auf asiatische Art ist.

IHR DIÄTCHECK

	Ja	Nein
Haben Sie keinen Wok?	○	○
Mögen Sie Gemüse nur weichgekocht?	○	○
Essen Sie lieber Fischstäbchen als mit Stäbchen?	○	○

Auswertung: Jede Antwort mit einem „Ja" bedeutet, daß Sie diese Diät besser nicht machen sollten. Bei 3x „Nein" könnten Sie die Diät zwar machen, d. h. aber nicht, daß Sie auch ernährungsphysiologisch zu empfehlen ist. Schauen Sie in jedem Fall auf die Gesamtnote und das Diätprofil.

Kalorien: 1200.

Dauer: Zwei bis vier Wochen

fit for fun -Gesamturteil: Asiatische, speziell japanische Küche ist - wie die mediterrane - leicht, fettarm und frisch, wie erfunden für Figurbewußte sowie gegen Herz- und Kreislaufleiden. Die Kost ist lobenswert kohlenhydratbetont. Traditionell stehen Reis, Sojaprodukte, Gemüse und Fisch im Mittelpunkt. Von unserem Ernährungsgewohnheiten sollten wir allerdings das Frühstück beibehalten - in einer Kombination von Getreide- und Milchprodukten sowie Obst. Vergleicht man die Nährstoffrelationen der japanischen mit unseren „Alltagsdiäten" fällt auf: statt 40 Prozent Fett nur 20-25 Prozent Fettkalorien, statt 45 Prozent Kohlenhydrate sogar 65 Prozent! Ein spezielles gesundheitliches Plus - nicht nur während einer Reduktionsdiät - ist grüner Tee. Er paßt übrigens geschmacklich am besten zu asiatischen Gerichten. Außerdem ist er reich an sogenannten sekundären Pflanzenstoffen (Polyphenole). Diese Substanzen wirken ähnlich wie Vitamin E als natürliche Antioxidanzen. Der geringe Fettgehalt der Japan-Diät und der hohe Anteil an natürlichen Antioxidantien macht ihren hohen Wert als Herz-Kreislauf-Schutzkost aus.

Note: 2
Fitmacher-Diät mit Gesundheitsplus

EXPERTENMEINUNG: DIÄTPROFIL

Die Gegensatzpaare geben einen schnellen Überblick über Vermögen oder Unvermögen der Diät.

Fit For Fun-Ernährungswissenschaftler haben Teller in Richtung dieser Gegensätze gerückt. Damit kann jeder für sich selbst ablesen, wohin die jeweilige Diät tendiert. Die persönliche Entscheidung dafür oder dagegen wird so erleichtert.

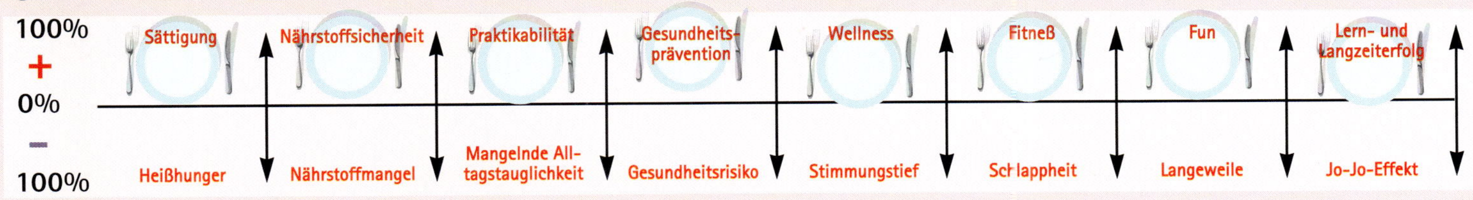

Mittelmeer-Diät

Schlemmen kann gesund sein: Was die Ernährungswissenschaft zur Vorbeugung von Herz-Kreislauferkrankungen empfiehlt, entspricht ziemlich genau den Eßsitten in den Mittelmeerländern. Dort erleiden die Menschen weniger Infarkte als im Norden.

Prinzip: Aufgetischt werden viel Gemüse und Salat mit Olivenöl, Fisch und Pasta-Gerichte. Zum Nachtisch und für zwischendurch gibt es frisches Obst. Ein weiteres wichtiges Erfolgsgeheimnis: unsere südeuropäischen Nachbarn nehmen sich viel mehr Zeit zum Essen. Der Faktor „Lebensfreude und Genuß" beim Essen besitzt außerdem einen großen Stellenwert. Kostzusammensetzung und Ambiente machen also den gesundheitlichen Wert der mediterranen Kost aus. Ernährungsphysiologisch schlechte Noten bekommt dagegen das Frühstück, das oft nur aus Brot, Konfitüre und Kaffee besteht. Hier wäre zumindest eine Schale frischer Obstsalat mit Joghurt eine willkommene Aufwertung.

Praktikabilität: Einfach - auch zu Hause. Eine wahre Gaumenfreude: In der Küche der Mittelmeerländer wird reichlich mit frischen Kräutern gewürzt. Im Gegensatz zu Salz und Pfeffer braucht man damit keineswegs sparsam umzugehen. Frische oder tiefgefrorene Küchenkräuter sind aber nicht nur Geschmackszutaten, sondern enthalten zudem eine Fülle von gesundheitsfördernden Stoffen und unterstützen nicht zuletzt das Zusammenspiel unserer Verdauungsorgane. Und wenn mal auswärts gegessen wird: Restaurants mit südeuropäischer Küche - besonders Gemüse-Antipasti, frischem Salat und gegrilltem Fisch - gibt es praktisch überall.

IHR DIÄTCHECK

	Ja	Nein
Essen Sie am liebsten deutsche Küche?	◯	◯
Sind Sie ein Gemüsemuffel?	◯	◯
Mögen Sie Pastagerichte nur mit Sahnesoße?	◯	◯

Auswertung: Jede Antwort mit einem „Ja" bedeutet, daß Sie diese Diät besser nicht machen sollten. Bei 3x „Nein" könnten Sie die Diät zwar machen, d. h. aber nicht, daß Sie auch ernährungsphysiologisch zu empfehlen ist. Schauen Sie in jedem Fall auf die Gesamtnote und das Diätprofil.

Kalorien: 1200 bis 1600.

Dauer: Zwei bis vier Wochen.

fit FOR FUN-Gesamturteil: Diese Diät ist reich an den Herz-Kreislauf-Schutzvitaminen C, Beta-Carotin (Provitamin A) und E. Für Manager und Sportler erweist sie sich zudem als eine ideale leichte Frischeküche. Eine Einschränkung: Vorsicht vor, zugegebenermaßen verführerisch-leckeren, Sahnesoßen bei Pasta-Gerichten! Das Olivenöl der Mittelmeerküche ist ein ausgezeichneter Beitrag zur Gesunderhaltung von Herz und Kreislauf, sollte aber insgesamt sparsam verwendet werden, denn beim Abnehmen zählen letztendlich alle Fettkalorien. Oft wird auch der gesundheitliche Vorteil von mäßigem (!) Rotweingenuß herausgestellt. Ähnlich wie im Grünen Tee der Japan-Diät wirken sich die Rotweinpolyphenole antioxidativ aus. Während der Abnahmephase empfiehlt es sich allerdings, eher auf den ebenfalls antioxidativen Effekt von Beta-Carotin und Vitamin C aus Salaten, Gemüse und Obst zu setzen.

Note: 2
Fitmacher-Diät mit Gesundheitsplus

EXPERTENMEINUNG: DIÄTPROFIL

Die Gegensatzpaare geben einen schnellen Überblick über Vermögen oder Unvermögen der Diät.

Fit For Fun-Ernährungswissenschaftler haben Teller in Richtung dieser Gegensätze gerückt. Damit kann jeder für sich selbst ablesen, wohin die jeweilige Diät tendiert. Die persönliche Entscheidung dafür oder dagegen wird so erleichtert.

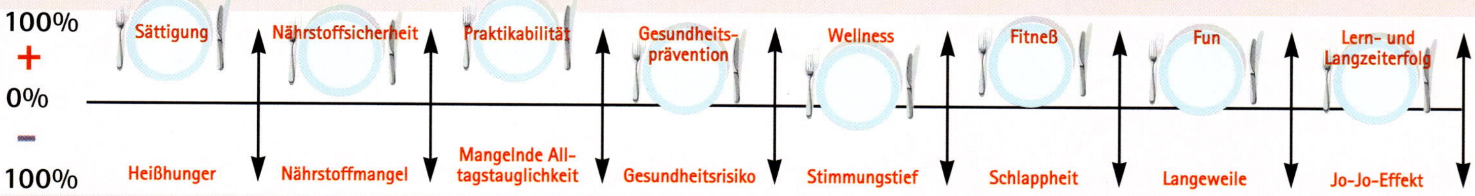

GESUNDHEITSHOCH AUS DEM NORDEN

Eskimo- oder Fischdiät

Diese typisch nordische Diät sieht reichlich Seefisch auf dem Speiseplan vor - vorzugsweise Lachs, Makrele und Hering mit ihrem hohen Gehalt an mehrfach ungesättigten Omega-3-Fettsäuren. Sie erhalten Blutgefäße und Fettstoffwechsel gesund.

Prinzip: Neben den fetten Flossentieren gehören auch magere eiweißreiche Fische wie Schellfisch, Scholle, Seelachs, Steinbeißer, Rotbarsch etc. zum Speiseplan. Seefisch ist jodreich und damit ein wichtiger Fitmacher für die Schilddrüse, die unsere Stoffwechselaktivität steuert. Die Fischmahlzeiten werden ergänzt mit Kartoffeln, Reis, Salaten und Gemüse, damit die Ernährung nicht zu kopflastig an Eiweiß und Fett wird. Morgens gibt es Vollkornbrötchen oder Müsli.

Praktikabilität: Grundvoraussetzung für diese Diät: Man muß Fisch mögen. Frischer oder tiefgefrorener Fisch eignen sich gleichermaßen. Empfehlenswert ist ein gutes Kochbuch mit abwechslungsreichen fettarmen maritimen Rezepten.

Kalorien: 1200, kann bei Aufnahme zusätzlicherKohlenhydrate nach der ersten Woche auf 2000 erhöht werden.

Dauer: Zwei bis vier Wochen.

fit for fun -Gesamturteil: Seefisch ist ein wichtiger Bestandteil einer ausgewogenen Ernährung zum Schlankwerden und Schlankbleiben. Sportlich Aktive profitieren vom leicht verdaulichen Fischeiweiß in Kombination mit energiespendenden Kohlenhydraten (Reis, Nudeln, Kartoffeln). Sofern die Fischgerichte mit genügend Kohlenhydraten und viel Gemüse ergänzt werden, tritt kein Mangel an lebensnotwendigen Nährstoffen auf. Vom Grundprinzip der Eskimo-Diät ist zu lernen: Zweimal wöchentlich gehört Seefisch auf den Teller. Am Prinzip der Abspeckkur wird zudem deutlich, daß der Qualität der Fettzufuhr nicht nur während einer Diät eine besondere Bedeutung zukommt. Gesundheitlich vorteilhaft sind insbesondere die einfach und mehrfach ungesättigten Fettsäuren, die vor allem in Pflanzenölen vorkommen. Aber auch im Fett bzw. Öl der Kaltwasserfische Hering, Makrele und Lachs finden sie sich und machen die Flossentiere zu einem gesunden Lebensmittel. Insgesamt kommen den mehrfach ungesättigten Fettsäuren pflanzlichen und marinen Ursprungs folgende gesundheitsschützende Eigenschaften zu:

- Aufbau und Schutz der Zellmembran
- Regulierung des Fettstoffwechsels, Verbesserung der Fließeigenschaft des Blutes
- Blutdruckregulierung
- Entzündungshemmend
- Unterstützung der gesunden Hautfunktion.

Übrigens: Während einer Diät gelten 7-10 Gramm mehrfach ungesättigte Fettsäuren am Tag als essentiell.

IHR DIÄTCHECK

	Ja	Nein
Mögen Sie keinen Fisch?	○	○
Kennen Sie nicht mehr als 3 Fischrezepte?	○	○
Leiden Sie an einer Fischeiweißallergie?	○	○

Auswertung: Jede Antwort mit einem „Ja" bedeutet, daß Sie diese Diät besser nicht machen sollten. Bei 3x „Nein" könnten Sie die Diät zwar machen, d. h. aber nicht, daß Sie auch ernährungsphysiologisch zu empfehlen ist. Schauen Sie in jedem Fall auf die Gesamtnote und das Diätprofil.

Note: 2–

Fitmacher-Diät mit Gesundheitsplus

EXPERTENMEINUNG: DIÄTPROFIL

Die Gegensatzpaare geben einen schnellen Überblick über Vermögen oder Unvermögen der Diät.

Fit For Fun-Ernährungswissenschaftler haben Teller in Richtung dieser Gegensätze gerückt. Damit kann jeder für sich selbst ablesen, wohin die jeweilige Diät tendiert. Die persönliche Entscheidung dafür oder dagegen wird so erleichtert.

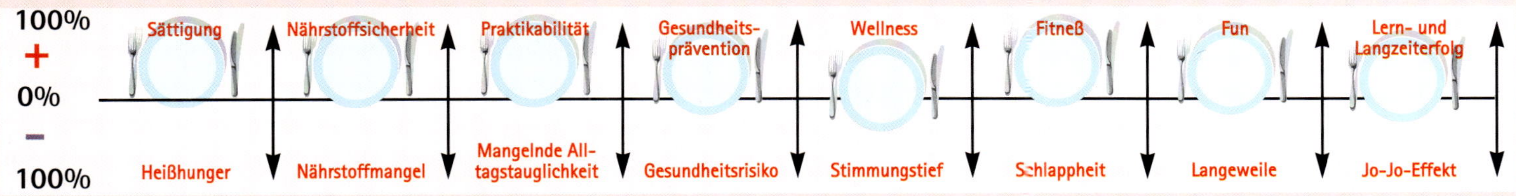

F-Plan-Diät

„F" leitet sich vom englischen Wort „Fiber" (Ballaststoff) ab. Diät-Bestseller-Autorin Audrey Eyton hat die Erkenntnisse des Ballaststoff-Forschers Dr. Burkitt und des Kohlenhydrat-Propagandisten Dr. Pritikin geschickt vermarktet.

Prinzip: Etwa 50 Gramm Ballaststoffe pro Tag sind Pflicht: Nach einem Müsli am Morgen stehen auch tagsüber reichlich Ballaststoffe in Form von Vollkorn, Hülsenfrüchten und Gemüse auf dem Plan. Obst ist erlaubt, süße Leckereien allerdings nicht. Die F-Plan-Diät gibt es in drei Energiestufen: 1000, 1250 und 1500 Kilokalorien.

Praktikabilität: Bei Kenntnis ballaststoffreicher Lebensmittel ist die Diät nicht sonderlich schwer umzusetzen. Neben Vollkornprodukten und Rohkost können auch ballaststoffangereicherte Lebensmittel und Ballaststoffe in konzentrierter Form (z.B. Kleie) verwendet werden. Zufriedenstellende Rezeptvielfalt. Bei Menschen mit überwiegend sitzender Tätigkeit kann es zu Verträglichkeitsproblemen kommen. Deshalb langsam starten und die Kost Schritt für Schritt ballaststoffreicher machen. Zucker und süßes Obst verträgt sich nicht immer mit ballaststoffreicher Körner-Kost. Testen Sie aus, was Ihnen bekommt! Am besten verträglich sind Vollkornhaferflocken, feinkrumige Vollkornbrote, Leinsamen und Haferkleie. Als schwerer verdaulich gelten Hülsenfrüchte. Da die verschiedenen Ballaststoffe aus Getreide, Hülsenfrüchten, Gemüse und Obst unterschiedliche Wirkungen haben, sollten Sie im wöchentlichen Speiseplan die Ballaststoffträger abwechslungsreich kombinieren. Gemüse, Obst und Vollkorn gehören allerdings täglich auf den Tisch.

Kalorien: Verschiedene Stufen zwischen 1000 und 1500.

Dauer: Zwei bis drei Wochen; längerfristig möglich.

fit FOR FUN-Gesamturteil: Entspricht dem Trend der ballaststoffreichen und kohlenhydratbetonten Diäten. Ballaststoffe sind natürliche Sättigungshilfen, weil diese Lebensmittel gut gekaut werden müssen und die Faserstoffe die Magenverweildauer von Speisen erhöhen. Ballaststoffreiche Kost hat zudem einen dämpfenden Einfluß auf die Blutzuckerwerte, was ebenfalls zur langfristigen Sättigung beiträgt, und beugt der Darmträgheit vor. „Leichter mit Ballaststoffen" ist also kein bloßes Werbeversprechen. Wer es probieren will, sollte jedoch die 1500-Kilokalorien-Variante bevorzugen und das Abnahmevorhaben nicht allzusehr forcieren. Wegen der reichlichen Ballaststoffzufuhr muß viel getrunken werden. Für sportlich Aktive gibt es keine besonderen Vorteile im Vergleich zu anderen kohlenhydratbetonten Kostformen.

IHR DIÄTCHECK

	Ja	Nein
Denken Sie bei Pflanzenfasern eher an Tierfutter?	○	○
Vertragen Sie ballaststoffreiche Lebensmittel schlecht?	○	○
Trinken Sie generell (zu) wenig?	○	○

Auswertung: Jede Antwort mit einem „Ja" bedeutet, daß Sie diese Diät besser nicht machen sollten. Bei 3x „Nein" könnten Sie die Diät zwar machen, d. h. aber nicht, daß Sie auch ernährungsphysiologisch zu empfehlen ist. Schauen Sie in jedem Fall auf die Gesamtnote und das Diätprofil.

Note: 2–
Schlankmacher-Diät

EXPERTENMEINUNG: DIÄTPROFIL

Die Gegensatzpaare geben einen schnellen Überblick über Vermögen oder Unvermögen der Diät.

Fit For Fun-Ernährungswissenschaftler haben Teller in Richtung dieser Gegensätze gerückt. Damit kann jeder für sich selbst ablesen, wohin die jeweilige Diät tendiert. Die persönliche Entscheidung dafür oder dagegen wird so erleichtert.

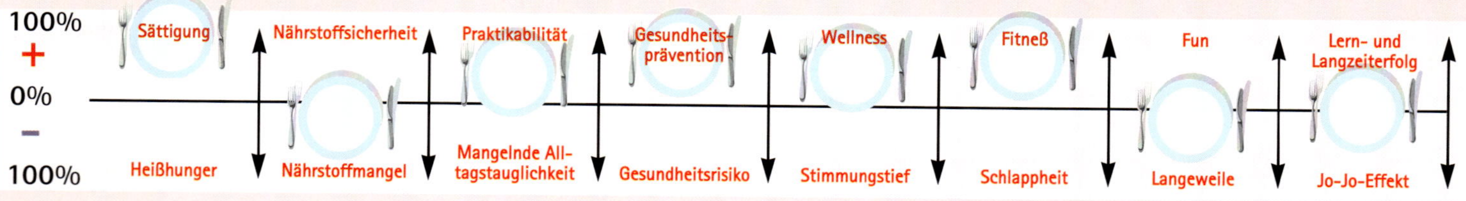

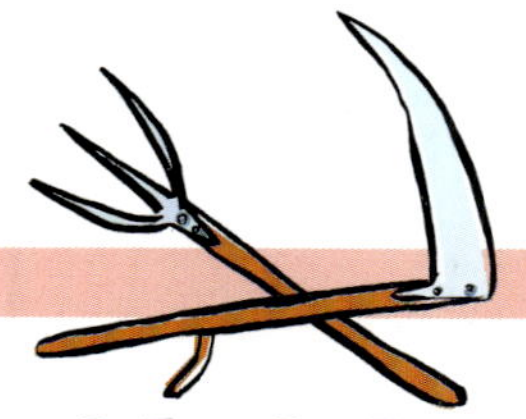

GESUNDES AUS DEM BAUERNGARTEN

Kohlenhydrat-betonte Diäten

Frische Landkost: Getreide und Getreideprodukte, Kartoffeln, Hülsenfrüchte, Gemüse und Obst stehen im Mittelpunkt dieser Diät. Eine ausreichende Versorgung mit Ballaststoffen sowie allen Vitaminen und Mineralstoffen ist also sichergestellt.

Prinzip: Bei relativ geringem Kaloriengehalt sind die Mahlzeiten vom Volumen her reichlich. Die Sättigungswirkung ist gut, wenn der Fettgehalt nicht allzu drastisch gesenkt wird. Es muß jedoch, um eine ausreichende Eiweißqualität und Calciumversorgung sicherzustellen, darauf geachtet werden, daß die Ernährung als sogenannte laktovegetarische Kost (mit Milch und Milchprodukten) gestaltet wird. Zur Erläuterung: Wir unterscheiden drei vegetarische Kostformen: vegan (ganz ohne tierische Lebensmittel), laktovegetabil (Pflanzenkost mit Milch und Milchprodukten) sowie ovolaktovegetabil (zusätzlicher Eierverzehr). Bei der Vollwert-Küche geht es weniger speziell zu: Die Qualität der Lebensmittel steht nach dem Motto „so natürlich wie möglich" an erster Stelle. Zubereitungsverluste durch Verarbeitungsverfahren sollen so gering wie möglich gehalten werden. Dadurch ergibt sich automatisch ein sehr hoher Rohkostanteil. Kartoffeln, Vollkornreis und -nudeln sowie Brot sind neben geringen Mengen an Fisch und Fleisch die eigentlichen „gegarten" Lebensmittel in dieser Kost. Wichtig: Bei den kohlenhydratbetonten Diäten muß genügend getrunken werden – am besten Mineralwasser, Kräuter- und Früchtetee sowie mit Wasser ver- dünnte Obstsäfte. Kaffee, Schwarztee und alkoholische Getränke sind einzuschränken.

IHR DIÄTCHECK

	Ja	Nein
Sind Sie ein ausgesprochener Fleischfan?		
Sind Sie ein Bewegungsmuffel?		
Halten Sie Ballaststoffe für überflüssig?		

Auswertung: Jede Antwort mit einem „Ja" bedeutet, daß Sie diese Diät besser nicht machen sollten. Bei 3x „Nein" könnten Sie die Diät zwar machen, d. h. aber nicht, daß Sie auch ernährungsphysiologisch zu empfehlen ist. Schauen Sie in jedem Fall auf die Gesamtnote und das Diätprofil.

Praktikabilität: Gut. Bei der Vollwert-Variante ist die notwendige Lebensmittelqualität (Frische der Produkte, gute Anbauqualität) mitunter schwer einzukaufen. Denjenigen, die überwiegend sitzend arbeiten, drohen infolge des hohen Ballaststoffanteils Probleme im Verdauungstrakt.

Kalorien: Werden meist nicht gezählt. Die Vollwert-Diät geht von 1200 Kalorien aus.

Dauer: Meist langfristige Ernährungsprogramme.

fit FOR FUN-Gesamturteil: Wegen des hohen Kohlenhydrat-Ballaststoff-Vitamin-Mineralstoffanteils empfehlenswerte Trend-Diät für eine Dauerernährung. Die Lebensmittelauswahl sollte aber, um die Nährstoffsicherheit zu gewährleisten, unbedingt täglich durch Milch und Milchprodukte (Protein, Calcium, Zink) und wöchentlich etwa zweimal durch Fleisch (Vitamin B 12, Eisen, Zink, Selen) und Fisch (Jod, Zink, Vitamin D) ergänzt werden. Übrigens: Kohlenhydratreiche Kostformen verlangen geradezu nach körperlicher Aktivität. Wer sich trimmt, darf aber nicht zuwenig essen, sondern sollte sich lieber viel Zeit nehmen fürs Schlankwerden.

Note: 2–
Fitmacher-Diät

EXPERTENMEINUNG: DIÄTPROFIL

Die Gegensatzpaare geben einen schnellen Überblick über Vermögen oder Unvermögen der Diät.

Fit For Fun-Ernährungswissenschaftler haben Teller in Richtung dieser Gegensätze gerückt. Damit kann jeder für sich selbst ablesen, wohin die jeweilige Diät tendiert. Die persönliche Entscheidung dafür oder dagegen wird so erleichtert.

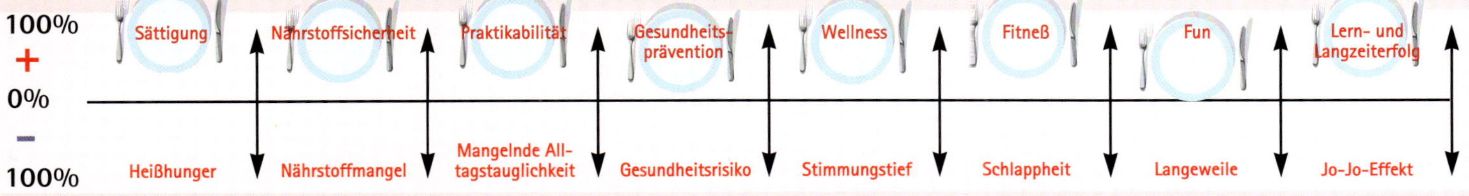

Nutripoint-Diät

Kalorienzählen ist bei der Nutripoint-Diät passé. Stattdessen müssen die „richtigen“ Lebensmittel nach ihrer Nährstoffdichte ausgewählt werden. Diese gibt das Vitamin-Mineralstoff-Kalorien-Verhältnis in der Nahrung wieder.

Prinzip: Die in den USA entwickelten Nutripoints bewerten Lebensmittel nach einem Punktesystem: Berechnet wird die Nährstoffdichte jeweils für einen lebensnotwendigen Nährstoff, z. B. Calcium in der Milch oder Vitamin B1 im Vollkornbrot. Lebensmittel mit hoher Dichte (z.B. Gemüse, Obst, Hülsenfrüchte, Vollkorn sowie Milchprodukte, Fleisch und Fische mit geringem Fettanteil) sind von Natur aus „leicht“. Mit Hilfe der Datenverarbeitung werden alle positiven Eigenschaften (z. B. Vitamine, Mineralstoffe, Ballaststoffe) mit einzuschränkenden Inhaltsstoffen (z. B. Fett, Zucker, Alkohol, Kochsalz etc.) verrechnet. Heraus kommt ein Nutripoint. Es gilt die einfache Regel: Je mehr Nutripoints ein Lebensmittel hat, desto besser, je weniger, desto schlechter. Gemüse sind die Spitzenreiter in der Liste. Gleichwohl müssen Produkte aus verschiedenen Nahrungsgruppen den täglichen Speiseplan komplettieren - und zwar nach einer je nach Diät-Ziel vorgegebenen Gesamtnutripoint-Zahl: z. B. 100 als Abnahmestufe oder 200 als Erhaltungsstufe. Bei den verschiedenen Nutripoint-Nahrungsgruppen schneiden die folgenden Lebensmittel besonders gut ab:
Gemüse: Spinat, Römer-Salat, Brokkoli, Grünkohl, Feldsalat und Paprika
Getreide: alle Vollkornprodukte sowie Hülsenfrüchte und Ölsaaten, Sojasprossen, Erbsen, Linsen, Sesam, Sonnenblumenkerne
Obst: Melone, Guave, Papaya, Kiwi, Erdbeeren, Himbeeren, Zitrusfrüchte
Milch und Milchprodukte: Alle fettarmen Milchprodukte
Fleisch, Fisch, Eier: Alle mageren Sorten, z. B. Filet vom Schwein und Rind, Geflügelfleisch, Seezunge, Scholle, Schellfisch und in Wasser konservierter Thunfisch, Eiklar

IHR DIÄTCHECK

	Ja	Nein
Einkaufen und Essen nach Tabellen und Punktelisten ist mir zu kompliziert.	○	○
Zählen Sie immer noch die Kalorien beim Essen?	○	○
Lehnen Sie es ab, daß „gesunde“ Lebensmittel einen grünen Punkt bekommen?	○	○

Auswertung: Jede Antwort mit einem „Ja“ bedeutet, daß Sie diese Diät besser nicht machen sollten. Bei 3x „Nein“ könnten Sie die Diät zwar machen, d. h. aber nicht, daß Sie auch ernährungsphysiologisch zu empfehlen ist. Schauen Sie in jedem Fall auf die Gesamtnote und das Diätprofil.

Praktikabilität: Kompliziert: Das Abschiednehmen von der alten Maßeinheit Kalorien erfordert das Blättern in endlos langen Lebensmittellisten.

Kalorien: Werden nicht gezählt.

Dauer: Dauerhafte Ernährungsumstellung.

fit for fun-Gesamturteil: Der Ansatz, Lebensmittel nach deren Nährstoffdichte auszuwählen und nicht nur die Kalorien zu zählen, ist zu begrüßen. Auf diese Weise werden hauptsächlich „gesunde“ Lebensmittel gegessen; wobei solche mit geringer durch welche mit höherer Nutripointzahl ausgeglichen werden können. Da die Diät den Fettgehalt der Lebensmittel besonders negativ bewertet, muß darauf geachtet werden, daß es nicht zu einem Mangel an essentiellen Fettsäuren und fettlöslichen Vitaminen kommt. Wer das Auswahlprinzip begriffen hat, kann es zur Dauerstrategie machen. Eine mehr alltagstaugliche Variante - vor allem im Bereich der Lebensmittellisten - wäre von großem Vorteil.

Note: 2–
Fitmacher-Diät mit Abstrichen

EXPERTENMEINUNG: DIÄTPROFIL

Die Gegensatzpaare geben einen schnellen Überblick über Vermögen oder Unvermögen der Diät.

Fit For Fun-Ernährungswissenschaftler haben Teller in Richtung dieser Gegensätze gerückt. Damit kann jeder für sich selbst ablesen, wohin die jeweilige Diät tendiert. Die persönliche Entscheidung dafür oder dagegen wird so erleichtert.

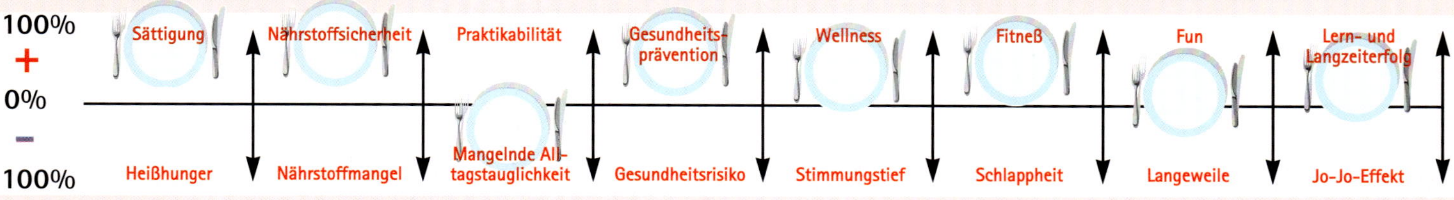

DISZIPLIN, BITTE!

Pritikin-Diät

Ein kohlenhydratreiches und fettarmes Ernährungsprogramm in Verbindung mit körperlicher Aktivität - erfunden von den Amerikanern Ilene und Nathan Pritikin. 80 Prozent der Energie sollen aus Kohlenhydraten, nur rund zehn Prozent aus Fett stammen.

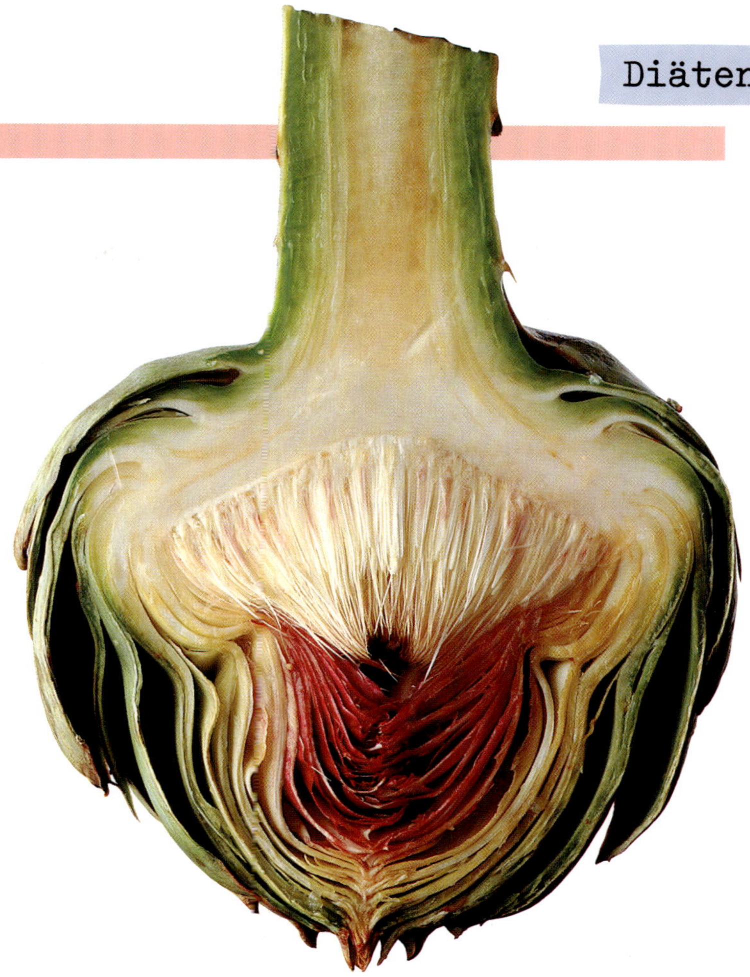

Prinzip: Die Speisen werden also möglichst ohne Fett zubereitet. Verboten sind außerdem Zucker, Kochsalz und Alkohol.

Praktikabilität: Wie bei allen kohlenhydratreichen, stark fetteingeschränkten Diäten ist hohe Bereitschaft und Selbstdisziplin erforderlich. In den USA gibt es Restaurants und sogar einen entsprechenden Führer für diejenigen, die sich mit dem Pritikin-Programm ernähren.

Kalorien: Werden nicht gezählt.

Dauer: Langfristiges Ernährungsprogramm.

fit FOR FUN-Gesamturteil: Kohlenhydrate sind Fitmacher, und eine fettarme Diät fördert das Abnehmen und ist eine Schutzkost gegen Herz-Kreislaufbeschwerden. Lobenswert im ganzheitlichen Pritikin-Programm ist die Empfehlung, regelmäßig sportlich tätig zu werden, mit dem Ziel einer Aktivierung des Stoffwechsels (erhöhter Grundumsatz, erhöhter Energieverbrauch). Günstiger Einfluß auf das Blutcholesterin als positiver Begleiteffekt. Übrigens: Dr. Nathan Pritikin starb zwar schon mit 69 Jahren, hatte aber Arterien wie ein junger Mann, frei von jeglichen Ablagerungen, obwohl sein Blutcholesterin bereits im mittleren Lebensalter sehr hohe Werte aufwies. Bei zu starker Zurückhaltung bei den Nahrungsmengen, droht bei seiner Diät allerdings eine energetische Mangelsituation und, wenn insgesamt zu wenig Tierisches gegessen wird, ein Defizit an Calcium, Eisen, Jod, Zink, Selen, Vitamin D und Vitamin B 12. Übrigens: Auch das kalifornische Lebensweiseprogramm von Dean Ornish baut auf den Grundsätzen einer extrem fettarmen Diät mit 70 Prozent Kohlenhydratenergie aber nur 10 Prozent der Kalorien aus Fett. Zusätzlich gehören zum Ornish-Programm wie bei Dr. Pritikin umfangreiche Bewegungsaktivitäten und darüber hinaus Streßentspannungsübungen. Durch eine konsequente Umstellung der Lebens- und Ernährungsgewohnheiten konnten bei Hochrisikopatienten für Herz-Kreislauferkrankungen eine deutliche Minderung des Arterioskleroserisikos erreicht werden. Die Ideen von Pritikin haben also ihre erfolgreiche Fortsetzung gefunden. Allerdings können auch bei der Ornish-Diät einige Nährstoffe - insbesondere Calcium und die fettlöslichen Vitamine - ins Defizit geraten.

IHR DIÄTCHECK

	Ja	Nein
Schwelgen Sie gerne im Fett?	○	○
Haben Sie wenig Selbstdisziplin?	○	○
Ist Ihr Gesamtcholesterin extrem niedrig?	○	○

Auswertung: Jede Antwort mit einem „Ja" bedeutet, daß Sie diese Diät besser nicht machen sollten. Bei 3x „Nein" könnten Sie die Diät zwar machen, d. h. aber nicht, daß Sie auch ernährungsphysiologisch zu empfehlen ist. Schauen Sie in jedem Fall auf die Gesamtnote und das Diätprofil.

Note: 2-
Fitmacher-Programm mit Einschränkung

EXPERTENMEINUNG: DIÄTPROFIL

Die Gegensatzpaare geben einen schnellen Überblick über Vermögen oder Unvermögen der Diät.

Fit For Fun-Ernährungswissenschaftler haben Teller in Richtung dieser Gegensätze gerückt. Damit kann jeder für sich selbst ablesen, wohin die jeweilige Diät tendiert. Die persönliche Entscheidung dafür oder dagegen wird so erleichtert.

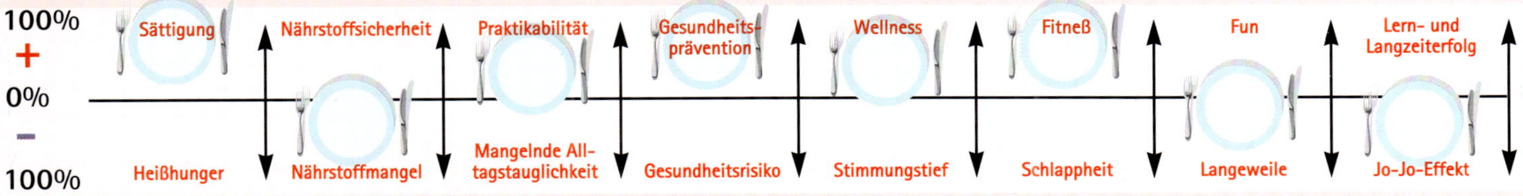

Rosemary-Conley-Diät

Die Bestsellerautorin Rosemary Conley setzt in ihren Diätbüchern auf eine kohlenhydratbetonte und energiereduzierte Mischkost, und verkauft diese ansich einfache Botschaft geschickt als positives Lifestyle-Konzept.

Prinzip: Bestseller mit so vielversprechenden Titeln wie „Iß Dich schlank" und „Positiv leben" machten Rosemary Conley in der internationalen Diät-Gemeinde bekannt. Die erfolgreiche Autorin setzt auf eine kohlenhydratreiche Ernährung im Kampf gegen unerwünschte Speckröllchen. Fit- und Schlankmacher in ihren Diät-Konzepten sind Vollkornprodukte, gelb-rote und grüne Gemüse sowie fettarme Eiweißträger. Verboten sind bei ihr alle Fettbomben wie Butter, Margarine, Sahne, Nüsse, Avocados, Eigelb, fettreicher Käse, fetter Fisch, Geflügelhaut, fettreiche Fleischteilstücke, fettreiche Wurst, in Öl eingelegte Lebensmittel und panierte und in Fett gebratene Speisen - kurz, die klassischen Dickmacher, wenn man sie reichlich und allzu oft verzehrt. Soßen und Dressings sollen in der Conley-Diät ganz ohne Fett zubereitet werden. Ein Löffel hochwertiges Pflanzenöl sollte allerdings erlaubt sein, denn es versorgt unseren Körper mit mehrfach ungesättigten Fettsäuren und dem wichtigen Vitamin E. Zur Vorsicht rät die Diätautorin aber zusätzlich zur ergänzenden Einnahme von Vitaminpräparaten.

Praktikabilität: Wegen des einfachen Prinzips ist diese Diät überall leicht durchführbar und auch für Kantinenesser durchaus geeignet. Man muß eben nur mit dem Fett sparsam umgehen. Bei „Ernährungssünden" gibt es als Ausgleichsmenü Melone, Hüttenkäse oder Hähnchenbrust.

Kalorien: 1500

Dauer: Nach eigenem Ermessen. Auch langfristig möglich.

fit FOR FUN -Gesamturteil: Kleine, kalorienarme Mahlzeiten, im Verhältnis 60 Prozent Kohlenhydrate und nur 10 Prozent Fett, sollen Pfunde schmelzen lassen. Auf dem Speiseplan ganz oben stehen Obst, Kartoffeln und Gemüse. Tabu: Zucker, Süßigkeiten, in Öl oder Fett gebackene Lebensmittel (Pommes Frites etc.). Saucen und Salat-Dressings kommen nur ohne Fett auf den Tisch, Milchprodukte nur in fettarmen Varianten. Bei allen kohlenhydratreichen Diäten ist der Einfluß auf die Insulinproduktion zu bedenken, die die Fettzellen verschließt mit der Folge eines geringeren Fettabbaus. Kohlenhydrate können zwar im Körper bekanntlich nicht so leicht in Fette umgewandelt werden, wird der Energiebedarf aber vollständig durch Kohlenhydrate gedeckt, besteht natürlich auch wenig Veranlassung zum Fettabbau. Deshalb ist das Zwischendurchessen von Süßigkeiten, zuckerhaltigen Lebensmitteln und Getränken zu vermeiden. Zusätzlich Ausdauersport greift am ehesten die Fettdepots an.

IHR DIÄTCHECK

	Ja	Nein
Haben Sie keine Zeit für regelmäßige Mahlzeiten?	○	○
Haben Sie eine Schwäche für Süßigkeiten und Pommes?	○	○
Essen Sie weniger als fünf Portionen Obst, Gemüse und Kartoffeln pro Tag?	○	○

Auswertung: Jede Antwort mit einem „Ja" bedeutet, daß Sie diese Diät besser nicht machen sollten. Bei 3x „Nein" könnten Sie die Diät zwar machen, d. h. aber nicht, daß Sie auch ernährungsphysiologisch zu empfehlen ist. Schauen Sie in jedem Fall auf die Gesamtnote und das Diätprofil.

Note: 2–
Fitmacher-Diät mit Einschränkung

EXPERTENMEINUNG: DIÄTPROFIL

Die Gegensatzpaare geben einen schnellen Überblick über Vermögen oder Unvermögen der Diät.

Fit For Fun-Ernährungswissenschaftler haben Teller in Richtung dieser Gegensätze gerückt. Damit kann jeder für sich selbst ablesen, wohin die jeweilige Diät tendiert. Die persönliche Entscheidung dafür oder dagegen wird so erleichtert.

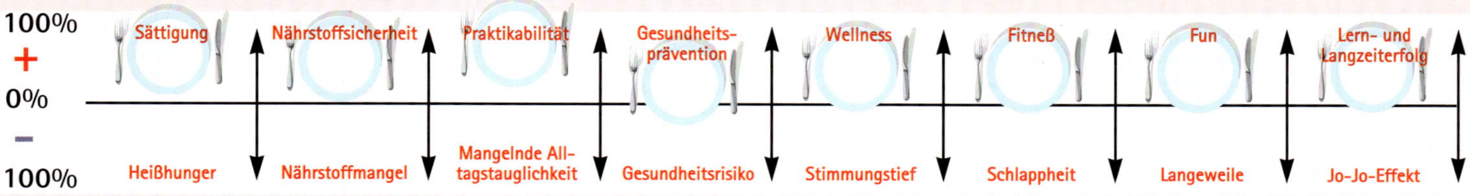

AUF „KALORIENARM“ UMSCHALTEN

Schalt-tage

Ein bis zwei Tage lang wird bewußt anderes und wenig verzehrt, z. B. nur Äpfel oder Weintrauben. Empfohlen werden auch Weizendiät-, Reis- und Trinktage, an denen gar nichts gegessen, sondern nur Obst-, bzw. Gemüsesäfte getrunken werden.

Prinzip: Folgende Schalttage-Rezepte sind etwas gehaltvoller als die rein flüssigen Varianten:

Reistage: Sie werden entweder mit Fertigprodukten oder nach folgendem Rezept durchgeführt: 200 Gramm Vollkornreis ohne Salz mit Wasser kochen, in fünf Portionen aufteilen und jeweils mit zwei Eßlöffeln ungesüßtem Apfelmus verrühren, oder ungesüßtes Obst (auch tiefgefrorenes) zugeben. Mit etwas Zitronensaft und flüssigem Süßstoff abschmecken.

Weizendiät- bzw. Weizenschalttage: Fertigprodukte aus Reformhaus, Drogerie oder Apotheke werden nach Anweisung des Herstellers zubereitet und in fünf Portionen über den Tag verteilt verzehrt. Beide sind auch ausgezeichnet dafür geeignet, einen derangierten Magen-Darm-Trakt nach ausgiebiger Völlerei wieder zu versöhnen.

Obsttage: Bei dieser Variante ist ganz besonders auf die persönliche Verträglichkeit der Obstsorten (Äpfel, Trauben, Birnen) zu achten. Gegessen werden müssen rund ein bis eineinhalb Kilogramm Früchte pro Tag. Alles wird möglichst langsam genossen und gut gekaut. Achtung: Obst enthält sehr viel Wasser. Wer trotzdem Durst hat, darf nur Mineralwasser und ungesüßte Teeaufgüsse dazu trinken.

IHR DIÄTCHECK

	Ja	Nein
Ein Fastentag in der Woche kommt für mich überhaupt nicht in Frage.	○	○
Lohnt sich für Sie eine Diät nur, wenn Sie richtig zugenommen haben?	○	○
Halten Sie nichts von „Vorbeugen ist besser als Heilen“?	○	○

Auswertung: Jede Antwort mit einem „Ja“ bedeutet, daß Sie diese Diät besser nicht machen sollten. Bei 3x „Nein“ könnten Sie die Diät zwar machen, d. h. aber nicht, daß Sie auch ernährungsphysiologisch zu empfehlen ist. Schauen Sie in jedem Fall auf die Gesamtnote und das Diätprofil.

Gemüsetage: Aufgetischt werden fünf Gemüsemahlzeiten nach Geschmack und Verträglichkeit (jeweils ca. 250 Gramm geputztes Gemüse). Zwei Portionen sollten roh als Frischkost gegessen werden. Die übrigen werden, der Geschmacks- und Nährstofferhaltung wegen, gedünstet und mit frischen Kräutern und Hefeflocken abgeschmeckt. Sie können auch Gemüsesuppen zubereiten. Dazu wird etwa ein Liter Mineralwasser oder Tee getrunken.

Formula-Tage: Einen Schalttag kann man durchaus mit einem speziellen Diätprodukt (Formula-Diät) bestreiten. Die Zubereitung ist denkbar einfach und die zeitliche Begrenzung hat den Vorteil, daß die geschmackliche Eintönigkeit nicht so ins Gewicht fällt.

Praktikabilität: Schalttage sind einfach und praktisch und überall durchführbar. Bei aufkommendem Bärenhunger knabbert man etwas Knäckebrot oder ungesüßte Haferkekse und wird trotzdem satt.

Kalorien: Werden nicht gezählt.

Dauer: Ein bis zwei Tage.

fit for fun-Gesamturteil: Schalttage sind keine Diät (und schon gar nicht auf Dauer geeignet!), sondern ein Ausgleichsprogramm. Kleine Eßsünden sind damit aus der Welt zu schaffen, damit das Bäuchlein nicht gleich wieder schwillt. Der hohe Kalium- und der geringe Natriumgehalt von Obst wirkt zusätzlich entwässernd und entlastend. Obst- oder Safttage können außerdem die Zunge bei der Entwöhnung von zuviel Salz verfeinern.

Note: 2–
Gute Vorbeugestrategie

EXPERTENMEINUNG: DIÄTPROFIL

Die Gegensatzpaare geben einen schnellen Überblick über Vermögen oder Unvermögen der Diät.

Fit For Fun-Ernährungswissenschaftler haben Teller in Richtung dieser Gegensätze gerückt. Damit kann jeder für sich selbst ablesen, wohin die jeweilige Diät tendiert. Die persönliche Entscheidung dafür oder dagegen wird so erleichtert.

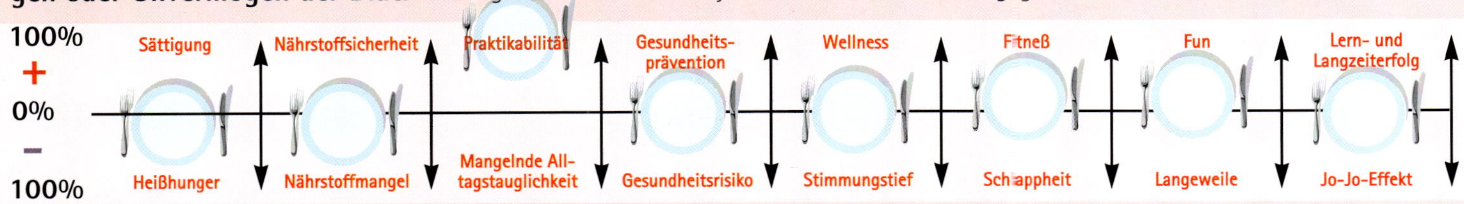

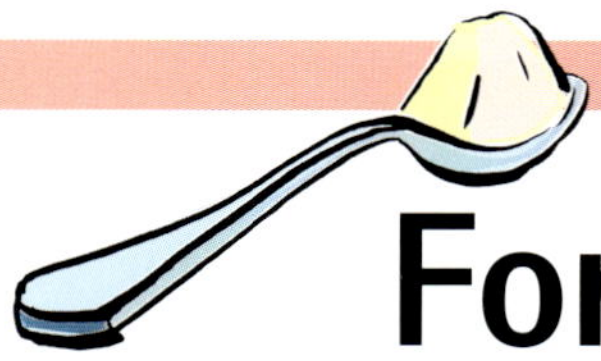

KEIN GELD VERPULVERN

Formula-Diäten

„Aus"-Zeit für die Geschmacksnerven: Nach Diät-Verordnung standardisierte Produkte - etwa Pulver oder Fertiggerichte ersetzen herkömmliche Mahlzeiten. Immerhin enthalten alle lebensnotwendige Nährstoffe, die man während einer Diät braucht.

Prinzip: Einige Hersteller reichern ihre Produkte freiwillig mit Ballaststoffen und bestimmten Spurenelementen, z. B. Jod und Selen, an. Manchmal werden auch freie „Genuß-Mahlzeiten" erlaubt, die bei dem geringen Kalorienanteil der Pulvernahrung nicht ins Gewicht fallen. Obst und Gemüse „zwischendurch" sind ebenfalls kein Problem. Auf jeden Fall müssen zusätzlich mindestens zwei Liter kalorienfreie Flüssigkeit getrunken werden.

Praktikabilität: Einfachste Anwendung: nur mit Wasser anrühren und trinken. Lebensmitteleinkauf und Kochen entfallen. Trotz geschmacklicher Vielfalt - viele süße Varianten - aber schnell eintönig.

Kalorien: Nach Programm unterschiedlich.

Dauer: In der Regel zwischen einer und vier Wochen.

fit for fun-Gesamturteil: Bei hohem Übergewicht ein guter und sicherer Einstieg zur Gewichtsreduktion. Aufgrund ihrer präzise definierten Zusammensetzung ermöglichen die Präparate bei Aufnahme von weniger als 1000 Kilokalorien pro Tag und einer gleichwohl hohen Nährstoffsicherheit rasche Gewichtsabnahme. Lebensnotwendige Nährstoffe wie Vitamine, Eiweißbausteine, Mineralstoffe, mehrfach ungesättigte Fettsäuren und teilweise auch Ballaststoffe werden zugesetzt, so daß für einen begrenzten Zeitraum eine ausschließliche Ernährung damit möglich ist. Bei Langzeitanwendung muß der Arzt gefragt werden. Man kann die ersten Tage durchaus „pur" davon leben. Obwohl sehr wenig Energie zugeführt wird, ist der Anwender optimal mit Vitaminen und Mineralstoffen versorgt, was bei modischen Niedrig-Kalorien-Kuren durchaus nicht immer gewährleistet ist.
Zwar sind diese maßgeschneiderten Fertigdiäten mit hohem Bequemlichkeitsgrad als „Starthilfe" für das Abnahmevorhaben geeignet. Doch sollten die Ersatzmahlzeiten aus der Dose oder Tüte möglichst bald durch leichte, bewußt zusammengestellte Gerichte ergänzt bzw. ausgetauscht werden. Der alleinige Einsatz dieser Diäthilfen ist auf Dauer abzulehnen, da man dabei nichts über vernünftiges Essen lernt. Sinnvoll in Kombination mit einem Ernährungslernprogramm (mit Beratung und Training). Das ist letztlich die Voraussetzung für einen Dauererfolg.
Übrigens: Beim Einkauf der Formula-Produkte lohnt ein Preisvergleich. Denn von den Inhaltsstoffen her sind sie ja gemäß Diätverordnung durchaus vergleichbar.

IHR DIÄTCHECK

	Ja	Nein
Sind Sie ein Genußmensch?	○	○
Lieben Sie Mahlzeiten mit Biß?	○	○
Essen Sie auch mit den Augen?	○	○

Auswertung: Jede Antwort mit einem „Ja" bedeutet, daß Sie diese Diät besser nicht machen sollten. Bei 3x „Nein" könnten Sie die Diät zwar machen, d. h. aber nicht, daß Sie auch ernährungsphysiologisch zu empfehlen ist. Schauen Sie in jedem Fall auf die Gesamtnote und das Diätprofil.

Note: 3+
Begrenzter Einsatz

EXPERTENMEINUNG: DIÄTPROFIL

Die Gegensatzpaare geben einen schnellen Überblick über Vermögen oder Unvermögen der Diät.

Fit For Fun-Ernährungswissenschaftler haben Teller in Richtung dieser Gegensätze gerückt. Damit kann jeder für sich selbst ablesen, wohin die jeweilige Diät tendiert. Die persönliche Entscheidung dafür oder dagegen wird so erleichtert.

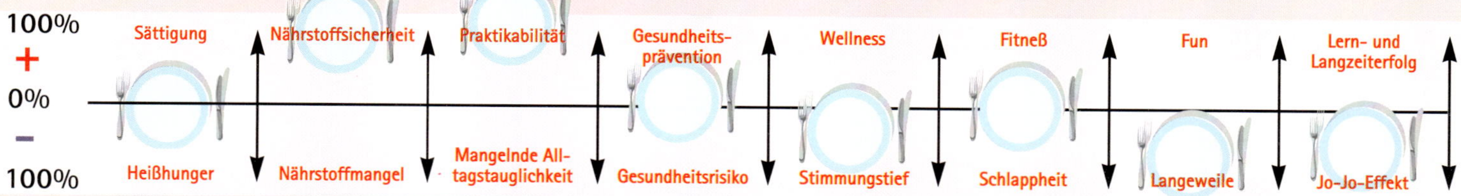

SPORTIV

G-Index-Diät

Hinter dem „G" verbirgt sich der „Glykämische Index". Dieser Begriff aus der Diabetikerkost gewinnt vor allem in der Sporternährung an Bedeutung. Er gibt an, wie rasch und wie hoch der Blutzuckerspiegel durch die verschiedenen Kohlenhydrate steigt.

Prinzip: Rechnen ist angesagt. Je niedriger der Index ist, desto besser: Die schnell resorbierbare Glukose erhöht den Glykämischen Index schnell und steil, provoziert also auch eine starke Insulinausschüttung. Der G-Index von Glukose ist deshalb gleich 100 gesetzt. Die komplexen Kohlenhydrate und die Nahrungsmittel, die, neben den Kohlenhydraten, auch Fett und Eiweiß enthalten, bewirken einen deutlich langsameren und niedrigeren Blutzuckeranstieg. Der Index beträgt deswegen nur rund 40 bis 60. Das ist für eine gleichbleibende Leistung, anhaltende Sättigung sowie das Schlankwerden und Schlankbleiben von Vorteil. Empfehlenswerte Kohlenhydratträger (niedriger Index) sind vor allem Vollkornprodukte, Hülsenfrüchte und fast alle Gemüsearten, viele Früchte sowie Fruchtzucker und Soja. Gut zu dieser Diät passen zudem fettarme Milchprodukte, Geflügel, Fisch und mageres Fleisch. Nicht zu oft gegessen werden sollten Weißmehlprodukte, Cornflakes, Trauben- und Haushaltszucker, Honig, Marmelade und stark zuckerreiche Früchte wie Rosinen und Ananas. Kaffee und reichlich Alkohol sind tabu. Der Franzose Michel Montignac hat aus der G-Index- eine Schlemmerdiät entwickelt: Fett- und eiweißreiche Speisen sind darin erlaubt, solange man auf Beilagen wie Weißbrot, geschälten Reis, Nudeln und Kartoffeln verzichtet.

IHR DIÄTCHECK

	Ja	Nein
Essen Sie gerne Weißbrot?	○	○
Mögen Sie es gerne süß?	○	○
Mögen Sie keine Hülsenfrüchte?	○	○

Auswertung: Jede Antwort mit einem „Ja" bedeutet, daß Sie diese Diät besser nicht machen sollten. Bei 3x „Nein" könnten Sie die Diät zwar machen, d. h. aber nicht, daß Sie auch ernährungsphysiologisch zu empfehlen ist. Schauen Sie in jedem Fall auf die Gesamtnote und das Diätprofil.

Praktikabilität: Nötig sind fundierte Kenntnisse über die Zusammensetzung der Nahrung und die richtige Zusammenstellung des Speiseplans. Wenn man sich nicht zu sehr auf fett- und eiweißreiche Speisen verläßt, entspricht das Nahrungsspektrum mit vielen Vollkornprodukten und Hülsenfrüchten dem Prinzip einer ballaststoffreichen Kost unter Vermeidung von isolierten Zuckern. Sie ist besonders geeignet für Übergewichtige, die Probleme mit der Blutzuckerregulation haben.

Kalorien: Unterschiedlich..

Dauer: Längerfristig möglich.

fit FOR FUN -Gesamturteil: Die G-Index-Diät ist auch für Nicht-Diabetiker ein guter Anhaltspunkt bei der Auswahl empfehlenswerter Nahrungkohlenhydratträger, die gut sättigen. Sie leisten aus stoffwechselphysiologischer Sicht einen sinnvollen Beitrag zum Schlankbleiben. Lebensmittel mit einem niedrigen Glykämischen Index sind nicht zuletzt für die Trainings- und Basisernährung von Sportlern die richtige Wahl. Der relativ hohe Anteil von Fett und Eiweiß darf aber nicht dazu führen, daß das persönlich richtige Maß der Energiezufuhr außer acht gelassen wird, ist also kein Freifahrschein für fettreiche Käse und Sahnesoßen.

Note: 3+
Richtige Nahrung

EXPERTENMEINUNG: DIÄTPROFIL

Die Gegensatzpaare geben einen schnellen Überblick über Vermögen oder Unvermögen der Diät.

Fit For Fun-Ernährungswissenschaftler haben Teller in Richtung dieser Gegensätze gerückt. Damit kann jeder für sich selbst ablesen, wohin die jeweilige Diät tendiert. Die persönliche Entscheidung dafür oder dagegen wird so erleichtert.

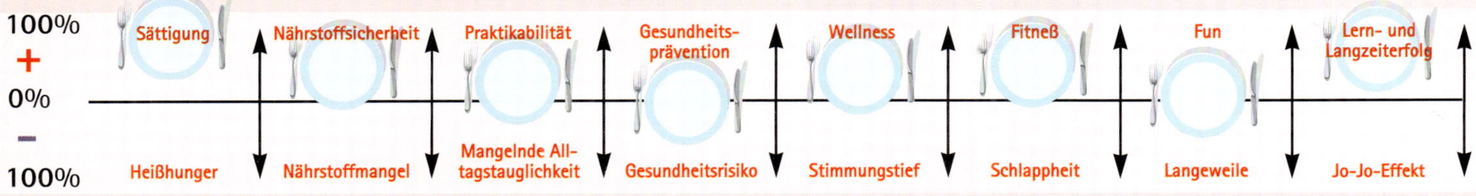

SCHLANKHEITSSIEG MIT ABSTRICHEN

Dr. Haas-Diät „Eat to win"

Dr. Haas erkannte in den USA, dem Land der Protein-Kuren die Zeichen der Zeit: Statt der gewohnten Eiweißmast verordnete er US-Sportlern eine extrem kohlenhydratreiche Diät. Damit trug er nicht nur zum Siegeszug seiner Schützlinge erfolgreich bei.

Prinzip: Dr. Haas verhalf zudem den lange als Dickmachern geschmähten Kohlenhydraten (Müsli, Reis und Nudeln) zu neuen Ehren. Mit einer Nährstoffrelation von 70 bis 80 Prozent der Kalorien aus Kohlenhydraten und 20 bis 30 Prozent aus Fett und Eiweiß - jeweils zu etwa gleichen Teilen - kommt die Haas-Diät praktisch einer vegetarischen Ernährung nahe. In seinem zweiten Diät-Buch „Eat to succeed" hat Dr. Haas sein kohlenhydratreiches Ernährungskonzept mit Nahrungsergänzungsprodukten von Multivitaminen und Multimineralstoffen über Pulvernahrungen bis hin zu speziellen Formeln mit Carnitin, Coenzym Q10, Aminosäuren und High-Tech-Sportgetränken erweitert. Mit Namen wie „Fat Fighters" und „Energy Boosters" lockte er neben Sportlern auch Prominente aus der Popmusik-Szene.

IHR DIÄTCHECK

	Ja	Nein
Setzen Sie auf viel Protein?	○	○
Glauben Sie daran, daß Kohlenhydrate die eigentlichen Dickmacher sind?	○	○
Lehnen Sie eine vegetarische Küche ab?	○	○

Auswertung: Jede Antwort mit einem „Ja" bedeutet, daß Sie diese Diät besser nicht machen sollten. Bei 3x „Nein" könnten Sie die Diät zwar machen, d. h. aber nicht, daß Sie auch ernährungsphysiologisch zu empfehlen ist. Schauen Sie in jedem Fall auf die Gesamtnote und das Diätprofil.

Praktikabilität: Die Haas-Diät erfordert Konsequenz und Disziplin. Extrem kohlenhydratreiche, fett- und eiweißarme Diät, ist mit unserem Lebensmittelangebot schwer zu realisieren. Weicht stark von unseren Verzehrgewohnheiten ab. Zubereitung nach völlig neuen Rezepten erforderlich. Bundesliga-Fußballer haben mit Erfolg protestiert, als sie auf Haas-Diät gesetzt werden sollten.

Kalorien: Verschiedene Varianten zwiscnen 1000 und 2000.

Dauer: Längerfristig angelegtes Ernährungsprogramm.

fit FOR FUN-Gesamturteil: Die Grundidee, kohlenhydratreiche Kost als Fitmacher für alle sportlichen Aktivitäten schmackhaft zu machen und durch starke Fetteinschränkung gleichzeitig auch das Übergewicht und Blutcholesterin herunter zu bringen, ist völlig richtig. Indes versorgt diese Kost bei allzu knappen Fleisch-, Fisch- und Käserationen nicht ausreichend mit Calcium, Eisen, Zink, Jod und Selen sowie mit biologisch hochwertigem Eiweiß, das sich meist erst aus der richtigen Mischung von pflanzlichem und tierischem Protein ergibt. Insbesondere die 1000-Kilokalorien-Variante ist für sportlich Aktive außerdem energetisch zu knapp bemessen. Für sie sind nur die höheren Kalorienstufen im Bereich von 1500 bis 2000 Kilokalorien o.k. Werden allerdings wie bei „Eat to succeed" Nahrungsergänzungen genommen, dürften keine Versorgungsdefizite auftreten.

Note: 3–
Fitmacher-Diät mit Einschränkung

EXPERTENMEINUNG: DIÄTPROFIL

Die Gegensatzpaare geben einen schnellen Überblick über Vermögen oder Unvermögen der Diät.

Fit For Fun-Ernährungswissenschaftler haben Teller in Richtung dieser Gegensätze gerückt. Damit kann jeder für sich selbst ablesen, wohin die jeweilige Diät tendiert. Die persönliche Entscheidung dafür oder dagegen wird so erleichtert.

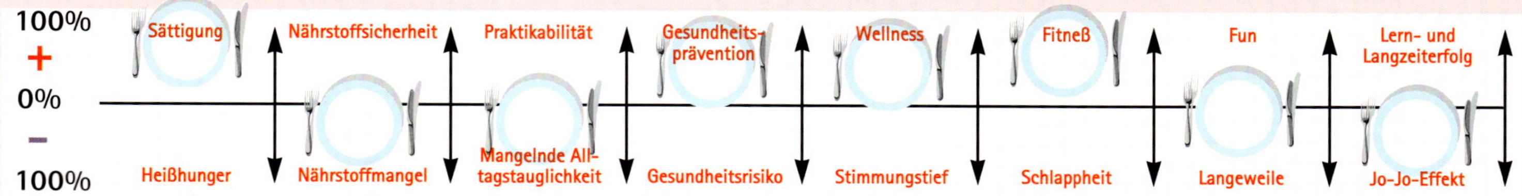

MOGELPACKUNG

Lipotrope Diät

In kalifornischen Laboratorien enstand eine Diät mit verwirrendem Namen. Das Wort „Lipotrop" weißt nämlich lediglich auf eine Beziehung zum Fett hin. Diese sehr allgemeine Stoffwechselwirkung bezieht sich keinesfalls nur aufs Abnehmen.

Prinzip: Wissenschaftlich korrekt müßte die Diät „Lipolyse", sprich „Fettabbau", heißen. Darum geht es auch. Bestimmte Nahrungsbestandteile sollen unerwünschtes Depot-Fett ins Blut freisetzen und so den Abbau der Fettzellen vorantreiben. Die Rohstoffe für das Fettverbrennungssystem sollen deshalb auch konsequent während und nach der Diät auf dem Teller erscheinen.

Praktikabilität: Gewöhnungsbedürftig. Auf den Tisch kommen viel Seegetier (Fisch, Krabben), Innereien (Nieren, Leber), jede Menge Obst, Gemüse, Rohkost, Getreide, magere Milchprodukte und Naturreis. Als ideale Snacks für den kleinen Hunger werden Samen, Kerne, Nüsse und Soja-Gebäck gepriesen. Übrigens: Hähncheneiweiß mit Zitronensaft (abends gegessen) macht nur schlank, wenn man es anstelle von Chips und Bier verzehrt.

Kalorien: Werden nicht gezählt. Es sollten für Frauen jedoch nicht weniger als 2200, für Männer nicht weniger als 2500 sein. Man muß auf jeden Fall genügend Kohlenhydrate essen, die die Fette im „Stoffwechselfeuer" verbrennen.

IHR DIÄTCHECK

	Ja	Nein
Sind Sie ein realistischer Typ?	○	○
Sind Sie bei Diäten aus den USA skeptisch?	○	○
Setzen Sie lieber auf Ausdauersport anstelle von vermeintlichen Fettschmelzformeln?	○	○

Auswertung: Jede Antwort mit einem „Ja" bedeutet, daß Sie diese Diät besser nicht machen sollten. Bei 3x „Nein" könnten Sie die Diät zwar machen, d. h. aber nicht, daß Sie auch ernährungsphysiologisch zu empfehlen ist. Schauen Sie in jedem Fall auf die Gesamtnote und das Diätprofil.

Dauer: Dauerhaftes Ernährungsprinzip.

fit for fun-Gesamturteil: Pseudowissenschaftlicher Ansatz, denn es wird wieder nur die halbe Wahrheit gesagt. Das an sich verhältnismäßig ausgewogene Ernährungsprogramm wird mit Behauptungen verkauft, die aus einer braven Mischkost eine Turbo-Diät machen sollen. Hier streiten sich die Geister durchaus. Vielleicht muß man das „Normale" manchmal marktschreierisch anpreisen, damit die Ernährungsbotschaft auch ankommt. Nur sollte man die Dinge beim richtigen Namen nennen. Nährstoffe für das Fettverbrennungssystem wirken nur, wenn der Bedarf durch regelmäßiges körperliches Training geschaffen wird. Eine vollwertige Ernährung vorausgesetzt, baut sich der Körper aus Nährstoffen alles auf, was er zum Fitsein und Schlankbleiben benötigt. Aber diese Botschaft ist vielen wohl zu langweilig.

Note: 3–
Diät mit unnötigem Fachchinesisch

EXPERTENMEINUNG: DIÄTPROFIL

Die Gegensatzpaare geben einen schnellen Überblick über Vermögen oder Unvermögen der Diät.

Fit For Fun-Ernährungswissenschaftler haben Teller in Richtung dieser Gegensätze gerückt. Damit kann jeder für sich selbst ablesen, wohin die jeweilige Diät tendiert. Die persönliche Entscheidung dafür oder dagegen wird so erleichtert.

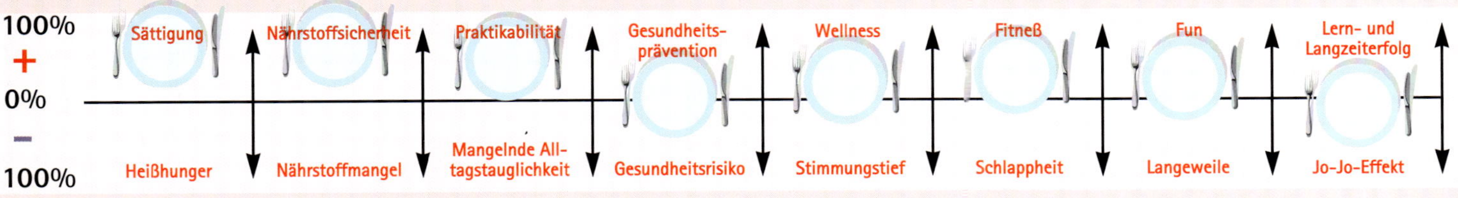

Null-Diät und Fasten

Die Küche bleibt kalt. Abgesehen von reichlich Wasser - ca. drei Liter am Tag - und einer Vitamin- und Mineralstoffsubstitution (Kapsel) kommt nichts in den Magen. Beim Saftfasten werden Kräutertees und Säfte getrunken.

Prinzip: Fasten bzw. Null-Diät bedeutet Verzicht auf feste Nahrungsaufnahme. Der Körper soll zur Deckung seines Energiebedarfs vor allem auf die eigenen Energievorräte zurückgreifen. Angestrebt wird ein Abbau der Fettdepots. Doch aus physiologischen Gründen ist das alleine nicht möglich, so daß bei dieser krassen Variante der Kalorieneinschränkung immer auch Proteinbestände mit abgebaut werden. Lebensnotwendige Nährstoffe wie Wasser, Vitamine und Mineralstoffe müssen dagegen beim Fasten täglich zugeführt werden. Das sogenannte proteinmodifizierte Fasten sieht als einzige Nahrung mit Eiweiß angereicherte Getränke oder Trinkmolke vor, damit der Körpereiweißabbau während der Diät gering bleibt.

IHR DIÄTCHECK

	Ja	Nein
Haben Sie keinen eisernen Willen?	○	○
Haben Sie Herz-Kreislaufprobleme?	○	○
Denken Sie auch, nach dem Fasten schmeckt es mir doppelt so gut?	○	○

Auswertung: Jede Antwort mit einem „Ja" bedeutet, daß Sie diese Diät besser nicht machen sollten. Bei 3x „Nein" könnten Sie die Diät zwar machen, d. h. aber nicht, daß Sie auch ernährungsphysiologisch zu empfehlen ist. Schauen Sie in jedem Fall auf die Gesamtnote und das Diätprofil.

Praktikabilität: Die Diät ist einfach durchzuführen und darf aber nur unter ärztlicher Aufsicht und über einen begrenzten Zeitraum angewendet werden!

Kalorien: Der Name ist Programm.

Dauer: Darüber kann nur der Arzt unter Berücksichtigung des Fastenziels entscheiden.

fit for fun-Gesamturteil: Die Null-Diät empfiehlt sich allenfalls unter medizinisch begründeter Indikationsstellung für Patienten mit starkem Übergewicht. Denn sie bewirkt raschen Gewichtsverlust. Die Stoffwechselveränderungen beim strengen Fasten und die Gewichtsreduzierungen beruhen zum großen Teil auf Wasserverlusten und Abbau von Muskeleiweiß. Es besteht deshalb die Gefahr von Herz-Kreislaufbeschwerden und Gichtanfällen. Ohne anschliessende konsequente Umstellung der Ernährung haben Fasten oder eine Null-Diät keinen Langzeiterfolg. Fasten ist jedoch für viele mehr als bloße Gewichtsreduktion. Viele unterziehen sich dem freiwilligen Nahrungsverzicht einmal im Jahr, ohne übergewichtig zu sein. Im Vordergrund steht vielmehr eine persönliche Selbsterfahrung, die insgesamt zu einer gesundheitsbewußteren Lebensweise führen kann. Außerdem lernt man, einmal bewußt Verzicht zu üben. Umstritten sind allerdings übertriebene Erwartungen, die an die Begriffe „Heilfasten" und „Entschlackung" geknüpft sind. Ganz wichtig: Ohne erfahrenen Fastenarzt sollte sich niemand auf ein solches Experiment einlassen!

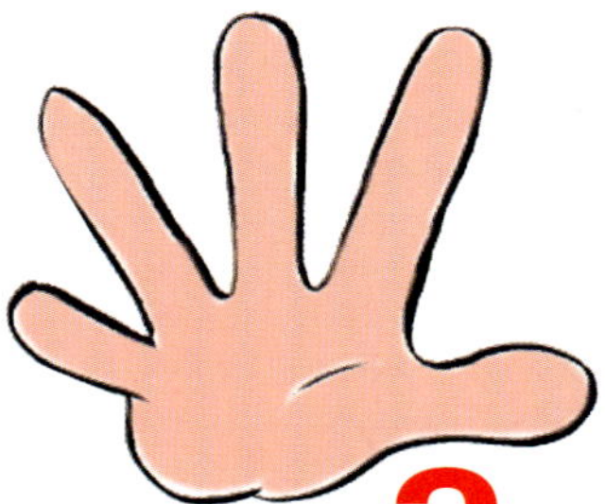

Note: 3–

Stopp! Nicht ohne Arzt!

EXPERTENMEINUNG: DIÄTPROFIL

Die Gegensatzpaare geben einen schnellen Überblick über Vermögen oder Unvermögen der Diät.

Fit For Fun-Ernährungswissenschaftler haben Teller in Richtung dieser Gegensätze gerückt. Damit kann jeder für sich selbst ablesen, wohin die jeweilige Diät tendiert. Die persönliche Entscheidung dafür oder dagegen wird so erleichtert.

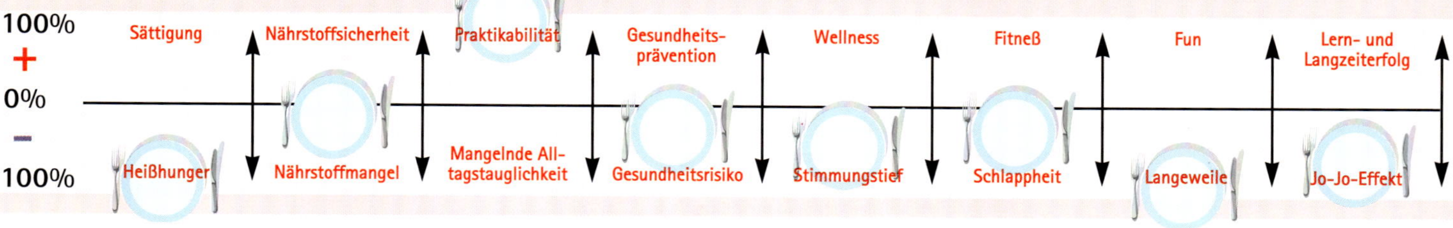

BLINDER ALARM

Streß-Diät

Der Nervöse, der schlankmachendes Nervenfutter erwartet, wird enttäuscht. Amerikanische Diät-Tüftler meinen zwar, auf der Suche nach einem neuen Anti-Fett-Zauber eine Wunder-Formel entdeckt zu haben. Nur funktioniert's nicht so recht.

Prinzip: Wer meint, mit dieser Diät aus der Not (Streß) eine Tugend (Abnahme) machen zu können, liegt falsch. Kost für ein gutes Nervenkostüm müßte auf dem Anti-Streß-Mineralstoff Magnesium, den „Nerven"-Vitaminen der B-Gruppe und auf der Nervennahrung Nummer eins, den Kohlenhydraten, aufgebaut sein. Und das entspricht bereits den kohlenhydratreichen Abspeckkuren mit reichlich Vollkorn und Gemüse. Doch die pseudo-wissenschaftliche Fettschmelze mit dem mißverständlichen Namen „Streß-Diät" setzt auf etwas anderes: Streß jeder Art sei ansich eine gute Voraussetzung zum Abnehmen, denn wer Streß habe, versetze seinen Körper in eine Art „Alarmstimmung", die zur Mobilmachung der Energie - sprich von Kohlenhydraten und Fettreserven - führe. Doch daß Streßhormone aus Nahrungseiweißbausteinen aufgebaut werden, ist weder eine Neuheit, noch ein Geheimnis kalifornischer Fettschmelzlaboratorien. Und wer zudem ernsthaft behauptet, wir müßten beim allgemeinen Eiweißüberangebot gezielt auf Eiweiß setzen und dazu Zitronensaft trinken, verschweigt das Wesentliche. Streß macht nur schlank, wenn die ganze Mobilmachung der Energiereserven auch zur biologisch erwünschten Reaktion führt. Und die heißt, je nach Gefahrenlage: Angriff oder Flucht. In jedem Fall ist damit aber körperliche Aktivität gemeint. Ohne die geht gar nichts in Sachen Fettschmelze. Wer dagegen den Streß in sich hineinfrißt, lagert das mobilisierte Fett nur in den Gefäßen ab.

IHR DIÄTCHECK

Sind Sie die Ruhe selbst?	Ja	Nein
Sind Sie die Ruhe selbst?	○	○
Ist Essen Ihre liebste Streß-bewältigungs-strategie?	○	○
Lassen Sie sich nur ungern zu sportlichen Aktivitäten verleiten?	○	○

Auswertung: Jede Antwort mit einem „Ja" bedeutet, daß Sie diese Diät besser nicht machen sollten. Bei 3x „Nein" könnten Sie die Diät zwar machen, d. h. aber nicht, daß Sie auch ernährungsphysiologisch zu empfehlen ist. Schauen Sie in jedem Fall auf die Gesamtnote und das Diätprofil.

Praktikabilität: Diät ohne Kalorienreduzierung mit relativ einfachen Gerichten. Muß diszipliniert durchgehalten werden.

Kalorien: Werden nicht gezählt

Dauer: Ein bis drei Wochen.

fit FOR FUN-Gesamturteil: Die Diät soll Body und Nervenkostüm in Form bringen, indem sie auf Hormon- und Peptid-System wirkt, sagen die Erfinder. Eiweiß, Magnesium, Mangan und Vitamin B, die durch Streßeinwirkung vermehrt vonnöten sind, werden auf dem Diät-Speisezettel ersetzt, das Fett aber nicht. Essen darf man deswegen vor allem Lebensmittel, die für die Produktion der Streßhormone benötigt werden sowie Nahrungsmittel, die die Aminosäuren Phenylalanin, Tyrosin und Methionin enthalten, beispielsweise Fisch, Fleisch und Geflügel. Der Diätplan erlaubt außerdem viele Vollkornprodukte, Obst und Gemüse. Süßes, helle Teigwaren und polierter Reis werden vom Speiseplan verbannt. Obwohl die wissenschaftliche Grundlage fehlt, ist die Diät ausgewogen zusammengestellt und läßt tatsächlich ein paar Pfündchen purzeln. Das ist ein Trostpflaster.

Note: 3–
Fitmacher-Diät mit Einschränkung

EXPERTENMEINUNG: DIÄTPROFIL

Die Gegensatzpaare geben einen schnellen Überblick über Vermögen oder Unvermögen der Diät.

Fit For Fun-Ernährungswissenschaftler haben Teller in Richtung dieser Gegensätze gerückt. Damit kann jeder für sich selbst ablesen, wohin die jeweilige Diät tendiert. Die persönliche Entscheidung dafür oder dagegen wird so erleichtert.

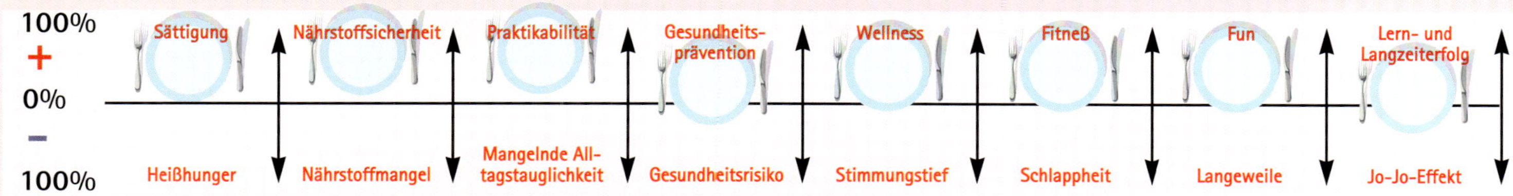

T-Faktor-Diät

Das „T“ steht für Thermogenese, was „erhöhte Wärmeabgabe“ bedeutet. Die soll, unterstützt durch schweißtreibende Aktivität, den Körper nach den Mahlzeiten mehr Hitze abgeben lassen. So bleibt ihm weniger Energie für die Fettbildung.

Prinzip: Zwar entscheiden in erster Linie die Erbanlagen, ob jemand zu den „guten“ oder „schlechten“ Futterverwertern zählt, doch kann man die Wärmeproduktion durch die Zusammensetzung der Mahlzeiten beeinflussen. Von allen Nährstoffen hat Eiweiß den höchsten Thermogenese-Effekt. Damit das ganze aber trotzdem nicht in eine ungesunde Proteinmast ausartet, enthält die T-Faktor-Diät ein ausgeklügeltes Mengenverhältnis von 50 Prozentanteilen komlexer Kohlenhydrate, 25 Prozent Eiweiß und 25 Prozent Fett. Übrigens: Die Thermogenese läßt sich natürlich auch durch sportliche Betätigung steigern. Sie kennen sicherlich den „Nachverbrennungseffekt“ nach anstrengender körperlicher Aktivität. Der Körper läuft noch eine ganze Zeit auf Hochtouren, und man schwitzt auch im Ruhezustand eine ganze Weile weiter. Regelmäßiges Trimmen ist daher nicht nur unter dem unmittelbaren Effekt des Kalorienverbrennens während sportlicher Belastung zu sehen. Auch die Zeit danach zählt mit; wobei der Grundumsatz ebenfalls auf einem höheren Niveau verbleibt, wenn Sie regelmäßig sportlich aktiv sind.

IHR DIÄTCHECK

	Ja	Nein
Sind Sie ein Bewegungsmuffel?	○	○
Haben Sie eine Schilddrüsenüberfunktion?	○	○
Ist es Ihnen unangenehm beim Essen zu schwitzen?	○	○

Auswertung: Jede Antwort mit einem „Ja“ bedeutet, daß Sie diese Diät besser nicht machen sollten. Bei 3x „Nein“ könnten Sie die Diät zwar machen, d. h. aber nicht, daß Sie auch ernährungsphysiologisch zu empfehlen ist. Schauen Sie in jedem Fall auf die Gesamtnote und das Diätprofil.

Praktikabilität: Für Disziplinierte mit Sportsgeist. Vor allem Ballaststoffe in Form von Gemüse, Salat, Rohkost und Vollkornprodukten stehen auf dem Speiseplan. Daneben gibt es fettarme Proteine wie mageres Fleisch, viel Fisch, Quark und mageren Käse. Auch Gewürze sind erlaubt; Salz nur in Maßen.

Kalorien: 1500 bis 1800.

Dauer: Sowohl als drei-Wochen-Diät als auch als dauerhaftes Ernährungsprinzip, dann aber im Bereich von 2000 kcal.

fit for fun-Gesamturteil: Die „Energieverschwendung“ im Namen der Gesundheit hat einen nur vermeintlich guten Ansatz, weil sie sehr proteinlastig ist. Der Erfolg der Diät wird gesteigert, wenn Sie dem Dickmacher Fett, den der Körper ja praktisch ohne Wärmeverlust speichert, mit fettzehrendem Ausdauertraining wie Joggen und Radfahren zu Leibe rücken.

Übrigens gab es auch schon einmal eine Kur, die sich den Thermogenese-Effekt zunutze machen wollte: die „Brr-Diät“: Eiskalte Getränke, ausschließlich kaltes Essen, kaltes Duschen und leichte Kleidung (auch bei niedrigen Temperaturen!) sollten den Körper zur Wärmeproduktion anregen. Die Tortur hatte allerdings ungesunde Nebenwirkungen - von leichter Erkältung bis zur Grippe.

Note: 3–
veraltete Diät

EXPERTENMEINUNG: DIÄTPROFIL

Die Gegensatzpaare geben einen schnellen Überblick über Vermögen oder Unvermögen der Diät.

Fit For Fun-Ernährungswissenschaftler haben Teller in Richtung dieser Gegensätze gerückt. Damit kann jeder für sich selbst ablesen, wohin die jeweilige Diät tendiert. Die persönliche Entscheidung dafür oder dagegen wird so erleichtert.

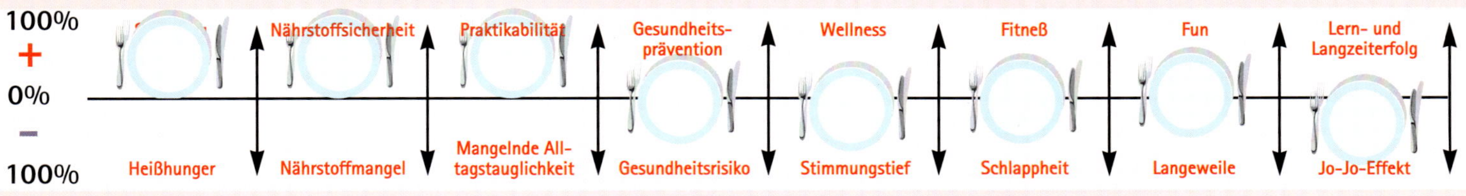

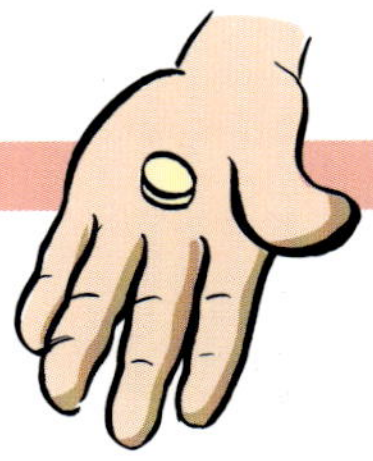

ALTER HUT

Gayelord Hauser-Diät

Vor 50 Jahren noch eine Sensation, mittlerweile ein angestaubter Diätklassiker. Hollywood-Arzt Dr. Hauser baut auf sich ergänzende Nährstoffkonzentrate, viel Eiweiß und wenige Kohlenhydrate. Mittlerweile ist die Wissenschaft allerdings weiter.

Prinzip: Die Gayelord-Hauser-Diät ist eine typische kalorienreduzierte Abspeckkur, bei der der Körper anfänglich vor allem (nur) gespeicherte Kohlenhydrate und Wasser verliert. Die „Kopflastigkeit" im Eiweißangebot wird heutzutage durch schlankmachende Kohlenhydrate ersetzt.

Praktikabilität: Hunger-Kur von gestern. Weil Promi-Doktor Hauser nur 25 bis 30 Prozent Kohlenhydrate erlaubt, ist bereits die geliebte morgendliche Frühstücksstulle gestrichen. Stattdessen gibt es viel Eiweiß, in erster Linie in Form von Fisch, Fleisch, Eiern, außerdem Salat und Gemüse. Fett soll ganz wenig auf den Teller. Immerhin erreicht das Diätprinzip unter Einberechnung der „versteckten" Fette in Käse, Ei Fleisch und Fisch 25 Prozent der Fettkalorien, die im Vergleich zu den satten 40 Prozent der Durschnittskost ein Fortschritt sind. Die Extraportion „Weizenkeimöl" sollte den Körper ordentlich mit Vitamin E versorgen. Der Hintergrund: Als die Diät auf den Markt kam, begann in den USA die Vitamin E-Welle. Heute greift man besser zu fettfreien Vitamin E-Kapseln. Auch Bierhefe war bei Gayelord-Hauser eine geschätzte Nahrungsergänzung. Bierheflocken, -pulver oder -tabletten sind keineswegs out, enthalten sie doch die meisten Vitamine der B-Gruppe sowie verschiedene Mineralstoffe, allen voran den Muskelaktivstoff Kalium. Weniger wichtig im Vergleich zu Gayelord-Hausers-Protein-Boom ist der Proteingehalt der Hefe. Heutzutage bekommen wir den Biostoff satt aus Milch, Käse, Fisch, Fleisch und Ei in der Kombination mit Getreide, Kartoffeln, Gemüse.

IHR DIÄTCHECK

	Ja	Nein
Sind Kohlenhydrate für Sie die Fitmacher Nr. 1?	○	○
Sind Sie kein Protein-Freak?	○	○
Nehmen Sie lieber Vitaminkapseln statt Weizenkeimöl, Lebertran und Bierhefe?	○	○

Auswertung: Jede Antwort mit einem „Ja" bedeutet, daß Sie diese Diät besser nicht machen sollten. Bei 3x „Nein" könnten Sie die Diät zwar machen, d. h. aber nicht, daß Sie auch ernährungsphysiologisch zu empfehlen ist. Schauen Sie in jedem Fall auf die Gesamtnote und das Diätprofil.

Kalorien: 800 bis 1200.

Dauer: 10-Tage-Kur.

fit FOR FUN-Gesamturteil: Nährstoff- und abwechslungsreich, aber leider überholt. Zwar stellen sich erste Erfolge schnell ein; aber nur durch den Verlust gespeicherter Kohlenhydrate und Wasser. Wenn es nach zehn Tagen ernsthaft an die Fettreserven geht, ist die Kur vorbei. Die Botschaft von Gayelord-Hauser: „Bleib jung, lebe länger" war aber mehr als eine Schlankheitsdiät. Sein Konzept machte ihn vor allem bei Prominenten berühmt. Sein Standardrezept zum Frühstück: Fischöl, Weizenkeimöl mit Bierhefe sollte zu einer morgendlichen Pflichtübung werden: Ein kräftiger Vitaminstoß als gesunder Starter für die Tagesarbeit, aber sicher nicht nach jedermanns Geschmack. Das beste Sprungbrett in den Tag ist allerdings nach heutiger Auffassung ein Müsli mit Vollkornflocken, frischem Obst und einem Milchprodukt.

Note: 4+
veraltete Diät

EXPERTENMEINUNG: DIÄTPROFIL

Die Gegensatzpaare geben einen schnellen Überblick über Vermögen oder Unvermögen der Diät.

Fit For Fun-Ernährungswissenschaftler haben Teller in Richtung dieser Gegensätze gerückt. Damit kann jeder für sich selbst ablesen, wohin die jeweilige Diät tendiert. Die persönliche Entscheidung dafür oder dagegen wird so erleichtert.Blindtexter.

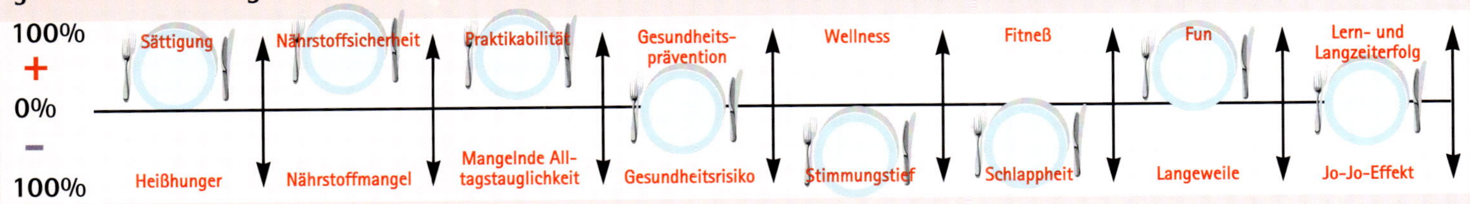

MONOTONE MANGELERNÄHRUNG

Einseitige Diäten

Im Mittelpunkt stehen ein oder nur sehr wenige Lebensmittel – etwa Ananas, Eier, Steaks, Quark, Brot, Körner oder Zitronensaft. Die Speisepläne sind unterschiedlich radikal: von Zitronensafttrinken bis zu abwechslungsreicheren Brotmahlzeiten.

Prinzip: Die „Hauptdarsteller" dieser einseitigen Programme sind dabei unterschiedlich „gesund". Brot, Körner und Quark empfehlen sich ernährungsphysiologisch eher als Eier oder Zitronensaft. Übrigens: Sie können auch eine Bonbon-Diät machen. 30-40 Bonbons am Tag geben einem das Gefühl, ständig etwas essen zu dürfen, enthalten aber nicht mehr als 600-800 Kilokalorien am Tag. Dieses Beispiel zeigt gleichzeitig, daß es unsinnig und gefährlich ist, nur die Kalorien zu zählen anstatt auf eine gute Nährstoffversorgung zu achten.

Praktikabilität: Geringer Aufwand und scheinbar simpel, insbesondere, wenn nur ein einziges Lebensmittel auf den Tisch kommt. Auch sind viele Rezepte einfach und überall umsetzbar. Insgesamt ist jedoch bei solchen Diäten die Abbruchrate sehr groß – mit zunehmender Einschränkung der Lebensmittelauswahl wachsend. Das liegt nicht zuletzt an der geschmacklichen Eintönigkeit. Wichtig: Wenn Sie sich tatsächlich entschlossen haben und so einseitig abnehmen möchten, kombinieren Sie mindestens drei Fitmacher miteinander: Vollkorn (z. B. Brot oder Müsli), fettarme Milchprodukte (z. B. Quark oder Joghurt) mit frischem Obst. Dann steigen die Chancen zu einer guten Nährstoffversorgung und der Speiseplan ist nicht ganz so eintönig.

IHR DIÄTCHECK

	Ja	Nein
Wollen Sie bei Ihrer Diät etwas lernen?	◯	◯
Mögen Sie es gerne abwechslungsreich beim Essen?	◯	◯
Hatten Sie schon öfter Mißerfolg bei Schlankheitsdiäten?	◯	◯

Auswertung: Jede Antwort mit einem „Ja" bedeutet, daß Sie diese Diät besser nicht machen sollten. Bei 3x „Nein" könnten Sie die Diät zwar machen, d. h. aber nicht, daß Sie auch ernährungsphysiologisch zu empfehlen ist. Schauen Sie in jedem Fall auf die Gesamtnote und das Diätprofil.

Kalorien: Werden meistens nicht gezählt.

Dauer: Unterschiedlich. Doch bereits nach wenigen Tagen ist die Gefahr von Mangelerscheinungen sehr hoch.

fit for fun-Gesamturteil: Einzelne „schlankmachende" Lebensmittel oder gar Lebensmittel mit „negativen Kalorien", die angeblich mehr Kalorien verbrennen, als sie zuführen, gibt es nicht. Der ausschließliche Verzehr von Ananas, Zitronensaft, Eiern oder Quark ermöglicht zwar schnelle Gewichtsverluste, wirkt jedoch bei längerer Anwendung gesundheitsschädigend und darf deshalb höchstens wenige Tage durchgeführt werden. Nach Umstellung auf normale Kost ist das alte Gewicht allerdings oft schnell wieder erreicht. Viel besser ist es deshalb, Fitmacher-Lebensmittel wie Obst, Gemüse, Vollkornprodukte und Quark nicht einseitig zu verzehren, sondern in einen abwechslungsreichen Speiseplan zu integrieren. Übrigens sind selbst für Sporttreibende die Eiweißbomben Eier und Quark ohne Kohlenhydratbegleitung nutzloses Kraftfutter. Oft reagiert der Körper auf solch monotone Kuren mit erhöhter Reizbarkeit und der Abnahme des körpereigenen Streßschutzes. Das Argument, man schaffe mit einseitigen Diäten am besten den Absprung vom üblichen Ernährungstrott, zählt nicht. Denn meist wird der Heißhunger auf die gewohnte Kost dadurch erst recht groß.

Note: 4–
Schlappmacher-Diät

EXPERTENMEINUNG: DIÄTPROFIL

Die Gegensatzpaare geben einen schnellen Überblick über Vermögen oder Unvermögen der Diät.

Fit For Fun-Ernährungswissenschaftler haben Teller in Richtung dieser Gegensätze gerückt. Damit kann jeder für sich selbst ablesen, wohin die jeweilige Diät tendiert. Die persönliche Entscheidung dafür oder dagegen wird so erleichtert.

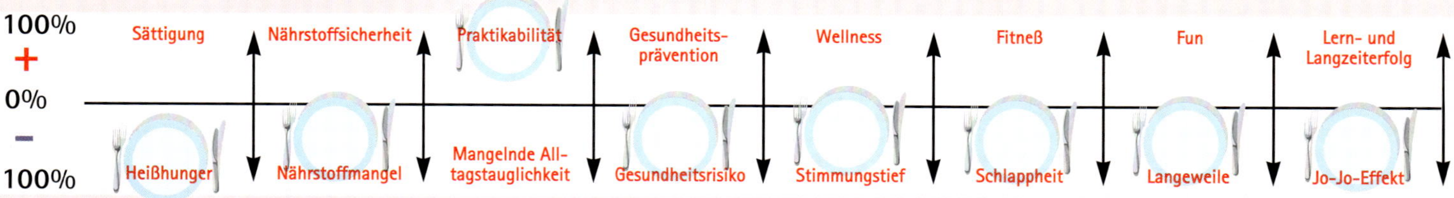

KEINE STARQUALITÄTEN

Hollywood-Diät

Ob Hollywood-Stars und Sternchen wirklich noch auf dieses Abspeck-Programm schwören, dürfte fraglich sein. Was laut Hollywood-Diät schlank machen soll, ist der reichliche Verzehr tropischer Früchte – und zwar aufgrund des Enzymreichtums.

Prinzip: Niemand wird bestreiten, daß viel frisches Obst gesund ist, und - da natürlich „leicht“ - auch ein wichtiger Bestandteil jeder ausgewogenen Reduktionskost sein muß. Nur stimmt das Grundprinzip leider nicht: Fruchtenzyme bauen weder Nahrungsfett zu Null Kalorien ab, noch lassen sie Körperpfunde schmelzen.

Praktikabilität: Ziemlich diffus und kompliziert. Die Erfinderin der Hollywood-Diät, J. Mazel, schreibt zur Handhabung der Abspeckkur wörtlich: „Doch dazu müssen Sie mein sorgfältig zusammengestelltes Diät-Programm genau beachten. Nur in der angegebenen Reihenfolge mit den angegebenen Früchten kann es erfolgreich sein. Jede Veränderung des Programms verringert die Erfolgschancen erheblich. Denken Sie auch immer daran, bevor Sie von einer Fruchtsorte zur nächsten wechseln, zwei Stunden Pause zu machen. Wenn Sie sich dazu entschließen, zur nächsten Fruchtsorte überzugehen, dann überlegen Sie sich noch einmal, ob Sie von der ersten wirklich genug haben, denn Sie können dann nicht mehr zurückwechseln.“ Angesichts der Rezeptvielfalt wird die Diät immerhin nicht langweilig.

IHR DIÄTCHECK

	Ja	Nein
Mögen Sie keine tropischen Früchte?	○	○
Lehnen Sie amerikanische Schauspieler als Vorbilder für ein gesundes Diätverhalten ab?	○	○
Bezweifeln Sie, daß man mit Enzymen schlank werden kann?	○	○

Auswertung: Jede Antwort mit einem „Ja“ bedeutet, daß Sie diese Diät besser nicht machen sollten. Bei 3x „Nein“ könnten Sie die Diät zwar machen, d. h. aber nicht, daß Sie auch ernährungsphysiologisch zu empfehlen ist. Schauen Sie in jedem Fall auf die Gesamtnote und das Diätprofil.

Kalorien: Werden nicht gezählt.

Dauer: Nicht festgelegt.

fit for fun-Gesamturteil: Die Diät-Erfinderin Mazel dreht ein großes ernährungsphysiologisches und biochemisches Rad: „Sie erinnern sich noch an die Enzyme Pepsin und Hydrochloridsäure? Pepsin ist für die Verdauung von Eiweiß, Hydrochloridsäure für die Verdauung von Fett zuständig. Und nun kommt der Trick mit unseren Früchten: Sie alle enthalten in äußerst konzentrierter Form bestimmte Enzyme, die sofort die beiden Verdauungsenzyme Pepsin und Hydrochloridsäure in unseren Mägen aktivieren. Die intensivste Wirkung haben dabei die tropischen Früchte, allen voran die Ananas. Noch bevor Sie eine ganze Ananasfrucht aufgegessen haben, bildet sich in Ihrem Magen Hydrochloridsäure, die sofort mit der Verbrennung von allem überflüssigen Fett beginnt. Das gleiche geschieht mit überflüssigem Eiweiß, wenn Sie Mango, Kiwi oder Datteln essen - nur daß hierbei eben das für die Verdauung von Eiweiß zuständige Enzym Pepsin aktiviert wird. Das Ergebnis dieser Enzymkur läßt nicht lange auf sich warten: Schon nach einer Woche haben Sie schon einige Pfunde verloren, und Sie werden feststellen können, daß Ihre Hautfarbe frischer ist, die Haare wieder glänzen und Augenringe verschwunden sind.“ - Ein Kommentar hierzu ist überflüssig, weil die Ernährungsphysiologie neu geschrieben werden müßte, falls man an diese groben Fachfehler glaubt.

Note: 4–
Schlappmacher-Diät

EXPERTENMEINUNG: DIÄTPROFIL

Die Gegensatzpaare geben einen schnellen Überblick über Vermögen oder Unvermögen der Diät.

Fit For Fun-Ernährungswissenschaftler haben Teller in Richtung dieser Gegensätze gerückt. Damit kann jeder für sich selbst ablesen, wohin die jeweilige Diät tendiert. Die persönliche Entscheidung dafür oder dagegen wird so erleichtert.

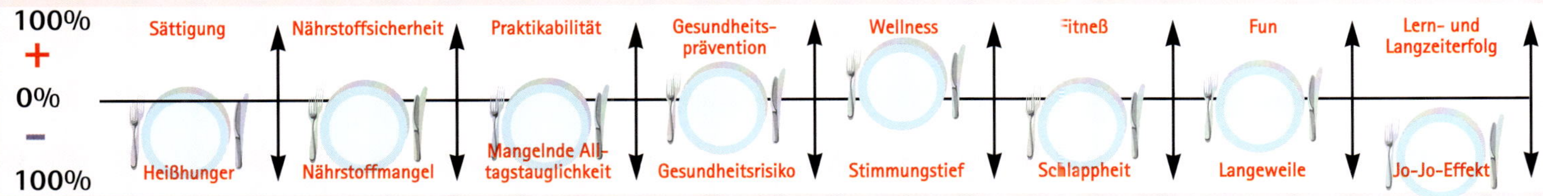

Mayo-Diät

Eigentlich veraltet: Entwickelt wurde diese Diät in der berühmten Mayo-Klinik im US-Staat Minnesota. Sie zählt zu der Gruppe der eiweißreichen Diäten mit einem Energiegehalt von rund 1000 bis 1500 Kilokalorien, wobei die Hälfte aus Protein stammt.

Prinzip: Die Mayo-Diät setzt auf den Verschlankungseffekt von Eiweiß. Dabei soll die Protein-Zufuhr den diätbedingten Kohlenhydratmangel ausgleichen. Das Ziel jeder Abspeckkur, Übergewicht durch Fettabbau zu verringern, klappt nämlich nur, wenn das körpereigene „Heizwerk" mit beidem, Kohlenhydraten und Fett, befeuert wird. Fette verbrennen nämlich im Feuer der Kohlenhydrate . Falls erstere aber nicht in ausreichendem Maß zur Verfügung stehen, wandelt der Körper in einem komplizierten biochemischen Prozeß Eiweiß in Kohlenhydrate um. Bei der Majo-Diät wird dieses Eiweiß aus der Nahrung zugeführt, damit es nicht - wie bei der Null-Diät - aus dem Muskelprotein abgebaut wird. Dennoch ist diese Form der Protein-Abspeckkur eine unökonomische Ernährung. Besser ist es, auch während des Abspeckens genügend Kohlenhydrate zu essen. Während der Majo-Diät kommen bevorzugt fettarme tierische Eiweißträger wie Fleisch, Geflügel und Fisch sowie fettarme Milchprodukte auf den Tisch - und morgens zwei bis drei Eier. Dadurch, daß auch Gemüse und Obst erlaubt sind, ist eine verhältnismäßig gute Vitamin- und Mineralstoffversorgung gewährleistet. Die Mayo-Abspeckkur ist nach ihrer Zielsetzung und ihren Anwendungserfolgen eine Kurzzeit-Diät. Sie mag bei denjenigen besonders Gefallen finden, die gerne Eier, Steaks vom Rind, Pute, Kalbsschnitzel und Krabben essen. Wer allerdings so eiweißreich ißt, muß ganz viel trinken, um die Nieren bei der Ausscheidung der Eiweißabbauprodukte zu unterstützen.

Praktikabilität: Die Rezepte sind relativ einfach umzusetzten. Nahezu jedes Restaurant bietet Filetsteak mit Salat oder gegrillten Fisch mit Gemüsebeilage.

Kalorien: 1000 bis 1500.

Dauer: Ein bis zwei Wochen. Im therapeutischen Einsatz sind bis zu sechs Wochen möglich.

fit FOR FUN -Gesamturteil: Anfänglich rascher Gewichtsverlust bei guter Sättigungswirkung durch den hohen Proteinanteil, doch nur zur Anwendung für maximal zwei, drei Wochen geeignet. Wegen des zu geringen Gehalts kohlenhydratreicher Lebensmittel für eine Dauerernährung nicht zu empfehlen. Das Kohlenhydratdefizit erweist sich auch als Hauptmanko bei gleichzeitigen Fitneß-Aktivitäten. Problematisch für Menschen mit Risiko für Herz-Kreislauferkrankungen. Obwohl diese Diät an einer Klinik entwickelt und erprobt wurde, zeigt sich, daß sie nicht für alle und schon gar nicht zur Daueranwendung geeignet ist. Sie hat weder Langzeitwirkung noch Lerneffekt in bezug auf eine ausgewogene Ernährung.

IHR DIÄTCHECK

	Ja	Nein
Mögen Sie keine Eier?	○	○
Haben Sie bereits erhöhte Cholesterinwerte?	○	○
Essen Sie lieber Kartoffeln und Gemüse statt Fleisch?	○	○

Auswertung: Jede Antwort mit einem „Ja" bedeutet, daß Sie diese Diät besser nicht machen sollten. Bei 3x „Nein" könnten Sie die Diät zwar machen, d. h. aber nicht, daß Sie auch ernährungsphysiologisch zu empfehlen ist. Schauen Sie in jedem Fall auf die Gesamtnote und das Diätprofil.

Note: 4–
Schlappmacher-Diät

EXPERTENMEINUNG: DIÄTPROFIL

Die Gegensatzpaare geben einen schnellen Überblick über Vermögen oder Unvermögen der Diät.

Fit For Fun-Ernährungswissenschaftler haben Teller in Richtung dieser Gegensätze gerückt. Damit kann jeder für sich selbst ablesen, wohin die jeweilige Diät tendiert. Die persönliche Entscheidung dafür oder dagegen wird so erleichtert.

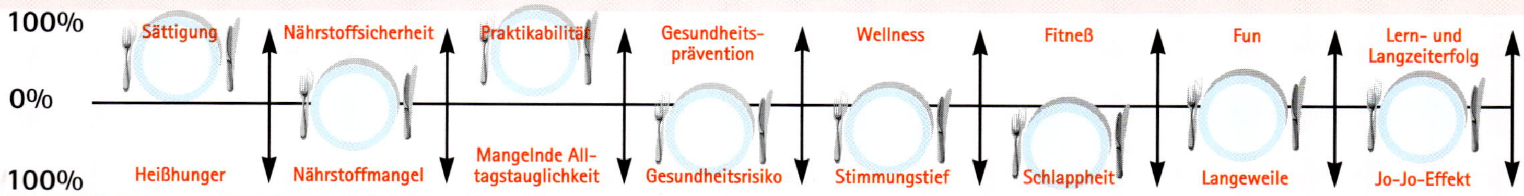

ABSCHIED VON DER AUSGEWOGENHEIT

Trenn-kost

Fast 60 Jahre alter Diät-Klassiker nach Dr. Hay: Der Verzehr von eiweiß- und kohlenhydrathaltigen Lebensmitteln wird strikt getrennt. Konkret bedeutet das, daß z.B. Brot und Käse oder Kartoffeln und Fleisch nie zusammen gegessen werden.

Prinzip: Trennkost ist kohlenhydratbetont und relativ fettarm; „gesunde“ Lebensmittel wie Obst, Gemüse, Hülsenfrüchte und Vollkorn werden bevorzugt. Basenüberschüssige Kost (Obst, Gemüse, Hülsenfrüchte) gilt als besonders gesund und soll außerdem den Organismus entlasten.

Praktikabilität: Der Diät fehlt es an Alltagstauglichkeit - vor allem für Berufstätige und Sportler - da die konsequente Trennung von Eiweiß und Kohlenhydraten in vielen Fällen schwierig ist (Milch und Getreide sind sowohl eiweiß- als auch kohlenhydrathaltig). Um sich einmal ein Bild von einem typischen Tagesplan zu machen, sei folgendes Beispiel angeführt:

Frühstück: Tee oder Kaffee ohne Zucker, Brot mit Margarine und Marmelade

Mittag: Kartoffeln mit Gemüse oder Gemüseeintopf, großer Salatteller

Abends: eher eiweißreiche Komponenten, z. B. Käse, Fisch oder Fleisch; wobei diese „Säurenahrung“ aber nur 20 Prozent gegenüber der „Basennahrung“ aus Gemüse und Obst ausmachen soll.

IHR DIÄTCHECK

	Ja	Nein
Bevorzugen Sie eine ausgewogene Mischkost?	○	○
Lehnen Sie komplizierte Eßregeln ab?	○	○
Haben Sie keine Verträglichkeitsprobleme beim Essen?	○	○

Auswertung: Jede Antwort mit einem „Ja“ bedeutet, daß Sie diese Diät besser nicht machen sollten. Bei 3x „Nein“ könnten Sie die Diät zwar machen, d. h. aber nicht, daß Sie auch ernährungsphysiologisch zu empfehlen ist. Schauen Sie in jedem Fall auf die Gesamtnote und das Diätprofil.

Kalorien: 800 bis 1200 Kalorien.

Dauer: Mehr oder weniger unbegrenzt.

fit for fun -Gesamturteil: Die „Chemischen Verdauungsgesetze“ des Dr. Hay sind längst wissenschaftlich widerlegt: Der Mensch kann sehr wohl Eiweiß und Kohlenhydrate parallel verdauen. Der zeitlich getrennte Verzehr eiweiß- und kohlenhydrathaltiger Lebensmittel bringt keine Vorteile, sondern sogar den Nachteil, daß die erwünschte Ergänzungswirkung pflanzlicher und tierischer Eiweißquellen nicht eintreten kann. Je stärker Milch, Fleisch und andere eiweißhaltige Lebensmittel eingeschränkt werden, desto mehr führt das zu einer unausgewogenen Kost. Der Anspruch auf Heilung bestimmter Krankheiten allein durch Trennkost ist darüberhinaus zum Teil unverantwortlich! Und ein etwaiger Abnahmeerfolg hat mit dem Trennen nichts zu tun: Er tritt nur bei Kalorieneinschränkung auf und dann meist dadurch, daß aufgrund der ungewohnten Speisenzusammenstellungen weniger sowie insgesamt relativ fettarm gegessen wird. Für diese Ernährungsweise, die insgesamt kohlenhydratbetont und fettarm ist, spricht ein ziemlich hoher Anteil von Obst, Gemüse und Kartoffeln. Wenn die starre Trennung und die physiologisch falschen Grundvoraussetzungen nicht wären, würde die Trenn-Kost sicherlich besser abschneiden.

Note: 4-
Pseudo-Diät

EXPERTENMEINUNG: DIÄTPROFIL

Die Gegensatzpaare geben einen schnellen Überblick über Vermögen oder Unvermögen der Diät.

Fit For Fun-Ernährungswissenschaftler haben Teller in Richtung dieser Gegensätze gerückt. Damit kann jeder für sich selbst ablesen, wohin die jeweilige Diät tendiert. Die persönliche Entscheidung dafür oder dagegen wird so erleichtert.

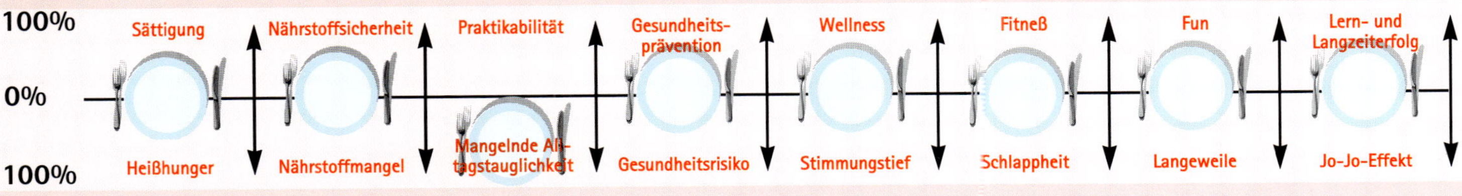

Rohkost-Diät

Ein Fest für Puristen, bekennende Nicht-Köche und diejenigen, die in Nahrungssymbiose mit ihrem Stallhasen leben. Es gibt naturbelassenes Obst und Gemüse, Salate und Nüsse. Auch Möhren, Paprika, Tomaten, Staudensellerie werden roh verzehrt.

Prinzip: Im Rohzustand ist der Vitamingehalt von pflanzlichen Lebensmittel am höchsten. Allerdings wird durch einen ausschließlichen Rohverzehr das Nahrungsspektrum eingeschränkt, denn man kann bekanntlich nicht alles roh essen. Nicht roh genießbar sind Kartoffeln, weil ihre Stärke nur im gekochten Zustand verdaulich ist. Hülsenfrüchte enthalten im rohen Zustand Stoffe, die die Eiweißverdauung im Körper hemmen. Rohes Getreide ist für viele besser bekömmlich, wenn es geröstet oder gebacken wird, z. B. als Vollkornflocken oder Brot. Auch die Verwertbarkeit von Milcheiweiß verbessert sich, wenn es durch Säuern (Joghurt, Quark) oder Erhitzen (Pasteurisierte Trinkmilch) verändert wird.

Praktikabilität: Da der Kochtopf vergessen werden kann, ist das Ernährungsprinzip sehr einfach und überall leicht durchzuführen.

Kalorien: Werden nicht gezählt.

Dauer: Nur kurzfristig!

IHR DIÄTCHECK

	Ja	Nein
Brauchen Sie einfach eine warme Mahlzeit am Tag?	○	○
Halten Sie Rohkost für Kaninchenfutter?	○	○
Stimmen Sie auch der Aussage zu, die Nutzung des Feuers sei der größte Fortschritt in der Geschichte?	○	○

Auswertung: Jede Antwort mit einem „Ja" bedeutet, daß Sie diese Diät besser nicht machen sollten. Bei 3x „Nein" könnten Sie die Diät zwar machen, d. h. aber nicht, daß Sie auch ernährungsphysiologisch zu empfehlen ist. Schauen Sie in jedem Fall auf die Gesamtnote und das Diätprofil.

fit FOR FUN-Gesamturteil: Eine Einseitige, im Nahrungsspektrum zu sehr eingeschränkte Kost. Obwohl für wenige Tage durchaus empfehlenswert, kann ein ausschließlicher Rohkostverzehr auf Dauer die energetischen Bedürfnisse eines Aktiven kaum decken. Denn Rohkost-Diät schließt wichtige stärkereiche Lebensmittel wie Kartoffeln und Hülsenfrüchten aus, die roh nicht gegessen werden dürfen. Auch Vollkorngetreide können viele besser vertragen, wenn es als Brot verzehrt wird. Der oftmals herausgestellte Enzymreichtum der Rohkost hat keinerlei schlankmachenden Effekt. Vorsicht vor der Empfehlung, destilliertes Wasser zu trinken: Es ist wirklich gefährlich! Rohkost fördert gutes Kauen und damit ein figurfreundliches Eßtempo. Sie sollte in Form von Obst, Salat und Gemüse viel öfter auf den Tisch und praktisch alle Mahlzeiten begleiten - also frisches Obst morgens zum Müsli, zwischendurch oder als Dessert. Dünsten Sie Gemüse, statt es durchzukochen! Verzehren Sie täglich eine große Portion Rohkostsalat, bei dem Sie einen Tropfen Öl nie vergessen sollten. Denn dann können die fettlöslichen Vitamine vom Körper aufgenommen werden. Übrigens: Nichts einzuwenden ist allerdings gegen das Rohkost-Prinzip bei der Durchführung von Schalttagen; z.B. Trauben- oder Apfeltag.

Note: 5+
Schlappmacher-Diät mit positiven Effekten

EXPERTENMEINUNG: DIÄTPROFIL

Die Gegensatzpaare geben einen schnellen Überblick über Vermögen oder Unvermögen der Diät.

Fit For Fun-Ernährungswissenschaftler haben Teller in Richtung dieser Gegensätze gerückt. Damit kann jeder für sich selbst ablesen, wohin die jeweilige Diät tendiert. Die persönliche Entscheidung dafür oder dagegen wird so erleichtert.

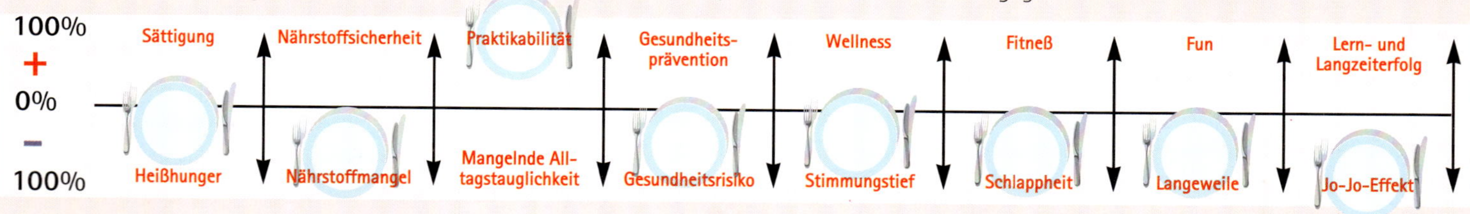

FLEISCHESLUST

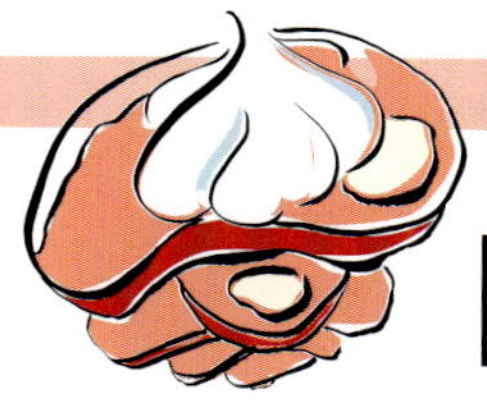

Dr. Atkins-Diätrevolution

Diät-Revoluzzer Dr. Atkins schwört auf fett- und eiweißreiche, aber extrem kohlenhydratarme Kost. Fleisch, Sahne, Eier, Butter, Wurst, Käse - all das darf man nach Herzenslust schlemmen. Kartoffeln, Nudeln, Reis und Getreideprodukte sind verpönt.

Prinzip: Der hohe Fettgehalt soll eine gute Sättigung bewirken. Getreideprodukte wie Brot, Obst und zuckerhaltige Lebensmittel haben dagegen keinen Platz auf dem Speiseplan. Was werden Sie also frühstükken? - Gebratenen Frühstücksspeck mit Eiern zum Beispiel. Oder ein Omelette. Und weshalb versuchen Sie es nicht einmal mit Steak zum Frühstück? Übrigens: Trinken Sie Ihren Kaffee mit Sahne? - Ja, die Atkins Diät verspricht Schlemmereien rund um die Uhr. „Zwischendurch" gibt es Cocktailwürstchen, Fleischklößchen (ausschließlich aus Fleisch), gefüllte Eier, geräucherten Lachs, Hühnerkeulen, Käsewürfel, Tartar und Scampi mit Mayonnaise-Dip. Es versteht sich von selbst, daß kohlenhydrathaltige Fitmacher wie Banane, Trockenfrüchte, Fruchtjoghurt und Fruchtsäfte ebenso verboten sind wie Kekse, Schokolade und alle anderen Süßigkeiten.

Praktikabilität: Man kann ohne große Überlegungen nach Herzenslust essen - allerdings unter weitgehendem Verzicht auf Kohlenhydrate. Es werden also keine Kalorien gezählt. Das Diätprinzip ist einfach, wenn auch auf längere Zeit etwas eintönig. Der Kohlenhydratmangel kann zu Stimmungstiefs und Depressionen führen. Oft stellt sich ein regelrechter Heißhunger auf Brot oder Kartoffeln ein.

IHR DIÄTCHECK

	Ja	Nein
Haben Sie bereits Risikofaktoren für Herz-Kreislauferkrankungen ?	○	○
Möchten Sie Ihre Diät mit Sport kombinieren?	○	○
Essen Sie gerne Brot, Müsli, Nudeln und Kartoffeln?	○	○

Auswertung: Jede Antwort mit einem „Ja" bedeutet, daß Sie diese Diät besser nicht machen sollten. Bei 3x „Nein" könnten Sie die Diät zwar machen, d. h. aber nicht, daß Sie auch ernährungsphysiologisch zu empfehlen ist. Schauen Sie in jedem Fall auf die Gesamtnote und das Diätprofil.

Kalorien: Werden nicht gezählt.

Dauer: Zwei bis drei Wochen; später Langzeitprogramm.

fit FOR FUN -Gesamturteil: Die von Medizinern und Ernährungswissenschaftlern am meisten kritisierte Diät. Sie beruht auf einer pauschalen Verteufelung der Nahrungskohlenhydrate als Dickmacher und schwimmt so gegen den Strom einer modernen kohlenhydratreichen, fettarmen Schlankheitskost. Bei längerer Anwendung besteht die Gefahr von Mangelerscheinungen, weil z. B. zu wenig Kalium, Magnesium, Provitamin A und Vitamin C aufgenommen werden. Infolge reichlicher Fett-, Cholesterin- und Purinezufuhr (Harnsäurebildnern) wächst das Risiko, an Fettstoffwechselstörungen und Gicht zu erkranken. Weil der Ballaststoffanteil (Schutz vor erhöhtem Blutcholesterin) viel zu gering ist, nehmen auch Herz-Kreislaufrisiken zu. Der anfänglich rasche Gewichtsverlust resultiert aus einem verstärkten Abbau der Kohlenhydratspeicher und der damit verbundenen Wasserfreisetzung. Ein weiterer Abnahmeerfolg stellt sich vermutlich ein, weil man wegen der ungewohnten Speisekombination weniger ißt. Zudem fehlt buchstäblich die Energie für sportliche Aktivität. Kohlenhydratmangel in Verbindung mit Sport führt zu einem regelrechten Heißhunger auf diese „verbotenen" Biostoffe bzw. zu einem Süßhunger.

Note: 5
Schlappmacher-Diät

EXPERTENMEINUNG: DIÄTPROFIL

Die Gegensatzpaare geben einen schnellen Überblick über Vermögen oder Unvermögen der Diät.

Fit For Fun-Ernährungswissenschaftler haben Teller in Richtung dieser Gegensätze gerückt. Damit kann jeder für sich selbst ablesen, wohin die jeweilige Diät tendiert. Die persönliche Entscheidung dafür oder dagegen wird so erleichtert.

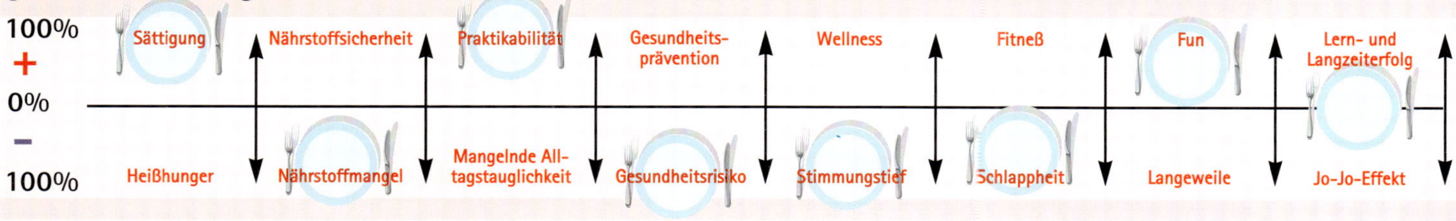

FdH („Friß die Hälfte")

Mal ehrlich, wer hat noch nie probiert, mit FdH den Bauchspeck in den Griff zu kriegen? - In der Praxis ist das Halbierungsprinzip weit verbreitet. Für viele scheint FdH die Urform aller Schlankheitskuren zu sein: simpel, bequem - und uneffektiv.

Prinzip: Beliebt sind auch folgende Varianten: beim Mittagessen die Kartoffeln weglassen oder weniger Brot und doppelten Aufschnitt. Da durch die übliche FdH-Tour leicht Hunger aufkommt, warb ein Appetitzüglerhersteller sogar: XY damit Ihnen FdH leichter fällt. Um sich beim Essen sinnvoll zurückhalten zu können, empfehlen sich ein großes Glas Wasser vor dem Essen und als Starter ein großer Salatteller. Dann fällt es leichter, sich von den kalorienschweren - insbesondere fetthaltigen Speisen - weniger auf den Teller zu häufen.

Praktikabilität: Wegen des scheinbar einfachen Prinzips überall leicht durchführbar. In Wirklichkeit aber planlos und unsicher. Es fehlen konkrete Anleitungen für die Lebensmittelauswahl und Mahlzeitenzusammenstellung.

Kalorien: Werden nicht gezählt.

Dauer: Auf jeden Fall nur kurzfristig, weil die Gefahr von Mangelerscheinungen sehr hoch ist!

IHR DIÄTCHECK

	Ja	Nein
Ist Ihnen der Langzeiterfolg wichtiger als ein paar Pfunde Übergewicht auf die Schnelle?	○	○
Werden Sie schnell hungrig?	○	○
Möchten Sie zusätzlich Sport treiben?	○	○

Auswertung: Jede Antwort mit einem „Ja" bedeutet, daß Sie diese Diät besser nicht machen sollten. Bei 3x „Nein" könnten Sie die Diät zwar machen, d. h. aber nicht, daß Sie auch ernährungsphysiologisch zu empfehlen ist. Schauen Sie in jedem Fall auf die Gesamtnote und das Diätprofil.

fit FOR FUN-Gesamturteil: Trotz einfacher Anwendbarkeit für geistig und nervlich Geforderte sowie sportlich Aktive nicht empfehlenswert. Gefahr von Mangelerscheinungen, wenn auch von den lebensnotwendigen Nährstoffen - Vitaminen, Mineralstoffen, essentiellen Fettsäuren - nur die „Hälfte" zugeführt wird. Oft werden einfach die wohltätigen kohlenhydratreichen Beilagen wie Kartoffeln, Reis oder Nudeln weggelassen. Bei Verzicht auf eine Mahlzeit drohen Heißhunger, Konzentrationsverlust und Leistungsabfall etwa durch Absinken des Blutzuckerspiegels; bei gleichzeitigen Vitamin-B- und Magnesium-Defiziten erhöhte Reizbarkeit und Abnahme des körpereigenen Streßschutzes. Niemand lernt durch FdH, sich wirklich richtig zu ernähren. Übrigens: Die einzig sinnvolle Alternative zu FdH ist IdR = Iß das Richtige. FdH darf sich nur auf's Fettsparen beziehen, z. B. 60 Gramm anstatt der üblichen 120 Gramm. Von den wertvollen Kohlenhydraten wie Gemüse, Obst, Kartoffeln und Vollkornprodukte können Sie ruhig mehr, im Fall von Obst und Gemüse sogar das Doppelte, essen. Noch besser wird IdR in der Kombination mit TDR = Trimm Dich richtig. Jetzt aber genug mit den Diätabkürzungen!

Note: 5
Schlappmacher-Diät

EXPERTENMEINUNG: DIÄTPROFIL

Die Gegensatzpaare geben einen schnellen Überblick über Vermögen oder Unvermögen der Diät.

Fit For Fun-Ernährungswissenschaftler haben Teller in Richtung dieser Gegensätze gerückt. Damit kann jeder für sich selbst ablesen, wohin die jeweilige Diät tendiert. Die persönliche Entscheidung dafür oder dagegen wird so erleichtert.

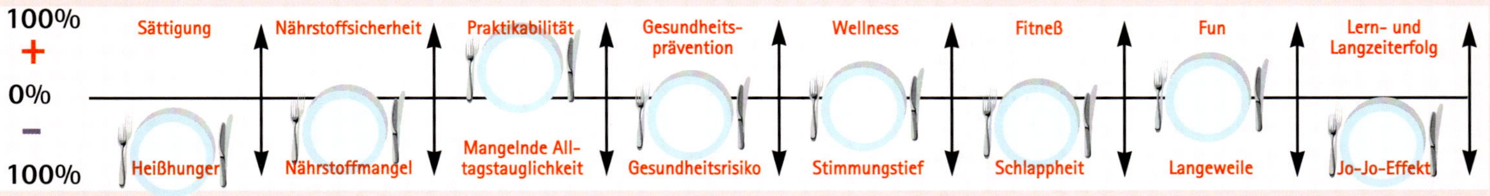

FALSCHE LEBENSHILFE

Fit-for-Life Diät

Der umstrittene Diät-Bestseller: Mit ihrer Trennkost-Variante „Fit for Life" wurden die beiden Amerikaner Marilyn und Harvey Diamond in den übergewichtsgeplagten Industrieländern rund um den Globus zu Stars und Bestsellerautoren.

Prinzip: Das Fit for Life-Prinzip ist eher ein Lebensstil-Programm und nicht primär eine Schlankheitsdiät. Mittlerweile wurde die einst als neue Ernährungsphilosophie gepriesene Früchtekur zudem als alles andere als gesundheitsfördernd entzaubert. Und mal ehrlich, wer kann schon eine Ernährungsempfehlung für seriös halten, die allen Ernstes das Trinken von (gesundheitsgefährdendem!) destilliertem Wasser propagiert und Milch als darmwandverklebenden Schleim abtut, der Übergewicht verursacht?

Praktikabilität: Der „Fit for Life"-Speiseplan ist gewöhnungsbedürftig. Das Nahrungsverhältnis sieht folgendermaßen aus: 70 Prozent Obst, Salat, Gemüse, Rohkost; die restlichen 30 Prozent bestehen aus „konzentrierter" Nahrung, sprich Brot, Getreide, Fleisch, Fisch, Geflügel und Milchprodukte. Mit jeder Mahlzeit werden ein „konzentriertes" und ein wasserhaltiges Lebensmittel (z.B. Obst, Salat, Gemüse) miteinander kombiniert. Bis Mittags darf man nur Obst essen. Dieser einfache Ernährungseinstieg in den Tag birgt aber auch Nachteile: z.B. geringe Sättigung, wenn die Stärkekohlenhydrate fehlen. Wer allerdings in der ersten Tageshälfte so „leicht" ißt, hat bezogen auf die Tagesbilanz schon ganz schön an Kalorien und Fett gespart.

IHR DIÄTCHECK

	Ja	Nein
Mögen Sie gerne Milch und Milchprodukte?	○	○
Stehen Sie auf Mineralwasser als Fitneßgetränk?	○	○
Sind Sie Obstmuffel und kein Rohkostfan?	○	○

Auswertung: Jede Antwort mit einem „Ja" bedeutet, daß Sie diese Diät besser nicht machen sollten. Bei 3x „Nein" könnten Sie die Diät zwar machen, d. h. aber nicht, daß Sie auch ernährungsphysiologisch zu empfehlen ist. Schauen Sie in jedem Fall auf die Gesamtnote und das Diätprofil.

Kalorien: Werden nicht gezählt. Ob und wieviel man abnimmt, hängt von der Menge der verzehrten Lebensmittel ab.

Dauer: Dauerhaftes Ernährungsprinzip.

fit for fun-Gesamturteil: Die Weiterentwicklung der „Hayschen Trennkost" entbehrt wissenschaftlicher Grundlagen. Die Tatsache, daß die Erde zu 70 Prozent aus Wasser besteht und auch der menschliche Organismus 70 Prozent Wasser enthält, verleitet die Diamonds zu der Aussage, daß größere Mengen sogenannter „Sonnenkost" (Obst, Gemüse und Salat), die ebenfalls 70 Prozent Wasser enthalten, giftige und für das Übergewicht verantwortliche Schlacken aus dem Körper entfernen. Bereits normale Mischkost führt nach ihrer Überzeugung zu Übersäuerung und Vergiftung des Körpers. Darum dürfen Lebensmittel nur in bestimmten Kombinationen gegessen werden. Warum dem so ist, bleibt das Geheimnis der „Fit for Life"-Erfinder. Eine fundierte Begründung ihrer Thesen fehlt nämlich. Insgesamt kommen bei den widersprüchlichen Ernährungsempfehlungen stärkereiche Lebensmittel wie Getreideprodukte und Kartoffeln zu kurz. Wer ganz auf Milch und Käse verzichtet, bekommt Probleme mit der Kalziumversorgung. Gerade die Angriffe auf Milch und Milchprodukte sind wissenschaftlich nicht haltbar: Trenn-Kost-Behauptungen werden nicht richtiger, wenn sie immer wieder neu aufgegriffen werden.

Note: 5
Schlappmacher-Diät

EXPERTENMEINUNG: DIÄTPROFIL

Die Gegensatzpaare geben einen schnellen Überblick über Vermögen oder Unvermögen der Diät.

Fit For Fun-Ernährungswissenschaftler haben Teller in Richtung dieser Gegensätze gerückt. Damit kann jeder für sich selbst ablesen, wohin die jeweilige Diät tendiert. Die persönliche Entscheidung dafür oder dagegen wird so erleichtert.

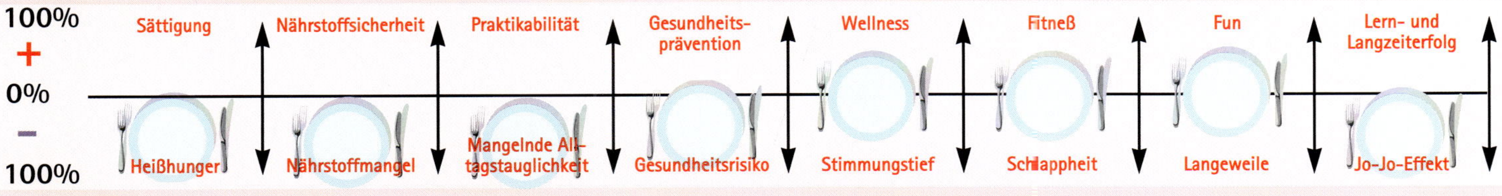

Lutz-Diät

Der österreichische Arzt Dr. Wolfgang Lutz gehört zu den Propagandisten kohlenhydratarmer Diäten. Sein Ansatz, stark vereinfacht: „Mehlerzeugnisse machen jeden Fleischesser dick". Sie werden in seinem Programm deshalb vom Speiseplan gestrichen.

Prinzip: Die österreichische Variante der Dr. Atkins-Diät. Der Arzt Dr. Wolfgang Lutz schlägt den Bogen von der Eiszeitjäger-Diät bis zum Selbstversuch und kommt zu dem Schluß: Mit den Kohlenhydraten kamen die Zivilisationskrankheiten. Und gegen Fettleibigkeit setzt er auf konsequenten Verzicht von Kohlenhydraten. Fett darf dagegen (reichlich) gegessen werden. Die Umwandlung von Nahrungskohlenhydraten in Körperfett findet allerdings nach neueren Untersuchungen keineswegs in dem Maße statt, wie Dr. Lutz behauptet. Der Ansatz einer kohlenhydratarmen Ernährung als Schlankheitsdiät ist out; vielleicht ist das Diätprinzip nach Rücksprache mit einem Arzt bei bestimmten Darmerkrankungen einen Versuch wert, wobei dann auf wenig Zucker und mehr Ballaststoffe gesetzt wird. Eine generelle Empfehlung für ein „Leben ohne Brot" (so heißt das Diätbuch von Dr. Lutz) kann keinesfalls gegeben werden. Im Gegenteil, Brot und andere Getreideprodukte sind - neben Obst, Gemüse und Kartoffeln - die Säulen einer Fitmacher-Ernährung.

IHR DIÄTCHECK

	Ja	Nein
Mögen Sie gerne Mehlspeisen?	○	○
Wollen Sie beim Abnehmen Diät und Sport kombinieren?	○	○
Ist Fett für Sie der eigentliche Dickmacher?	○	○

Auswertung: Jede Antwort mit einem „Ja" bedeutet, daß Sie diese Diät besser nicht machen sollten. Bei 3x „Nein" könnten Sie die Diät zwar machen, d. h. aber nicht, daß Sie auch ernährungsphysiologisch zu empfehlen ist. Schauen Sie in jedem Fall auf die Gesamtnote und das Diätprofil.

Praktikabilität: Der Speiseplan erlaubt viel Geflügel, Fisch sowie Wurst und Fleisch, das sogar Fett sein darf, wie z.B. Schweinebraten und Schnitzel. Dazu gibt es Eier und Milchprodukte (auch Butter), sogar das ein oder andere Gläschen Bier! Nur sehr begrenzt erlaubt sind Obst, Rohkost, Gemüse, Kartoffeln, Reis, Nudeln und Vollkornprodukte. Kein Wunder, daß sich oft Heißhunger darauf einstellt.

Kalorien: Spielen keine Rolle.

Dauer: Langzeitdiät.

fit for fun-Gesamturteil: Eine Diät, die zwar Pfunde purzeln läßt, aber nur kurzfristig (durch die Ernährungsumstellung). Längerfristige Erfolge sind wissenschaftlich nicht belegbar. Im Gegenteil: fett- und eiweißreiche Ernährung erschwehrt das Abnehmen. Dagegen ist sehr wohl nachweisbar, daß einige Krankheiten durch zu hohen Fett- und zu niedrigen Kohlenhydratkonsum entstehen. Und genau das propagiert Dr. Lutz. Er empfiehlt „ein Leben ohne Brot" bei einer ganzen Reihe von Zivilisationskrankheiten bis hin zum Krebs, die er mit hohem Kohlenhydratverzehr in Verbindung bringt. Dr. Lutz weist auch im positiven Sinne auf die schon vor Jahren in Verruf geratene kohlenhydratarme Punkte-Diät (man mußte nur Kohlenhydrat-Punkte zählen) hin und meint, daß mindestens 200.000 Menschen erfolgreich „gepunktet" haben. Ja, eine kohlenhydratarme Diät verhelfe sogar den ernährungsmäßig recht schwer zu behandelnden mageren Menschen zum Wunschgewicht.

Note: 5
Schlappmacher-Diät

EXPERTENMEINUNG: DIÄTPROFIL

Die Gegensatzpaare geben einen schnellen Überblick über Vermögen oder Unvermögen der Diät.

Fit For Fun-Ernährungswissenschaftler haben Teller in Richtung dieser Gegensätze gerückt. Damit kann jeder für sich selbst ablesen, wohin die jeweilige Diät tendiert. Die persönliche Entscheidung dafür oder dagegen wird so erleichtert.

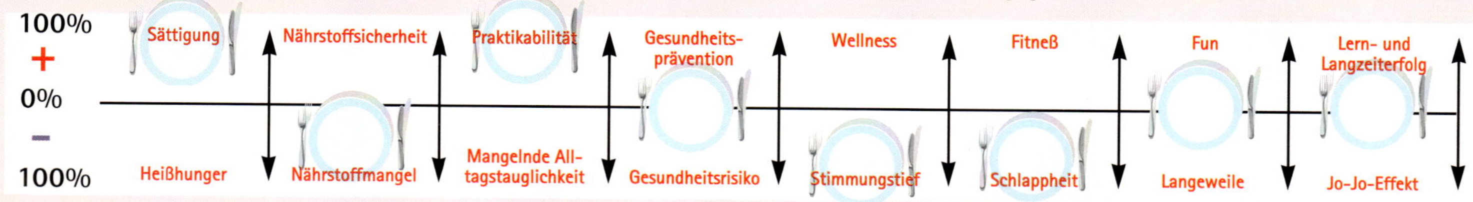

CHEMISCHE KEULE

Schlankmacher

Für viele eine – trügerische – Hoffnung: Die lästigen Pfunde sollen durch chemische Appetitzügler, Füll- und Quellstoffe (Pektin und andere Ballaststoffe), Abführmittel (Laxantien), Entwässerungstabletten (Diuretika), Enzyme, Carnitin purzeln.

Prinzip: Wem Diäten keinen Erfolg bescheren und wem eine Umstellung der Ernährungs- und Bewegungsgewohnheiten zu mühselig scheint, wird immer wieder zu „Wundermitteln" greifen, die in schönster Regelmäßigkeit in den Medien angepriesen werden. Nach Kauf findet man allerdings nicht selten in der Produktinformation den (ehrlichen) Hinweis, daß das „Zaubermittel" ohne Sport und weniger Fett auf dem Teller nicht funktioniert. Nun gibt es, wie überall im Leben, schwarze Schafe ebenso wie seriöse Hersteller. Am besten Fragen Sie daher Ihren Arzt oder Apotheker, bei ganz unglaublichen Versprechungen ruhig auch die örtliche Verbraucherberatung um Rat. Eins sei vorweggenommen: Ohne Umstellung der Ernährung geht auf Dauer, auch mit „Wundermitteln, gar nichts. Ehrlich!

Praktikabilität: Einfach: Präparat schlucken und Ende.

Kalorien: Werden nicht gezählt.

Dauer: Bei längerer Anwendung besteht die Gefahr der Gewöhnung und von Dosissteigerung.

fit FOR FUN-Gesamturteil: Chemische Appetitzügler sind nicht geeignet, eine Umstellung der Ernährungs- und Bewegungsgewohnheiten zu ersetzen und können gefährliche Nebenwirkungen haben. Abführmittel, Entwässerungstabletten, Enzyme und Carnitin – von außen zugeführt – helfen beim Fettabbau überhaupt nicht. Enzyme aus tropischen Früchten können allenfalls die Eiweißverdauung im Darm unterstützen, allerdings ohne jeden Verschlankungseffekt.

„Anstelle-von-Tabletten"-Tips:

1. Anstatt Appetitzügler zu benutzen besser gut kauen, langsam essen, ein Glas Wasser vor dem Mahl trinken und Salat vor dem Hauptgang genießen.
2. Statt Abführmittel ballaststoffreich essen, genügend trinken und sich viel bewegen.
3. Anstelle von Entwässerungstabletten weniger Kochsalz und viel Kalium essen (z. B. Obst, ungesalzenes Gemüse).
4. Anstatt Fettburner (Carnitin) viel Bewegung mit Ausdauer.
5. Anstatt Enzyme genügend Eiweiß und Vitamine essen. Der Körper baut alle Enzyme aus diesen Nährstoffgruppen auf.

IHR DIÄTCHECK

	Ja	Nein
Möchten Sie ohne Gesundheitsrisiko abnehmen?	◯	◯
Mißtrauen Sie unseriösen Werbeversprechen?	◯	◯
Stimmen Sie der Aussage zu, daß die eigenen Muskeln die besten Fettverbrenner sind?	◯	◯

Auswertung: Jede Antwort mit einem „Ja" bedeutet, daß Sie diese Diät besser nicht machen sollten. Bei 3x „Nein" könnten Sie die Diät zwar machen, d. h. aber nicht, daß Sie auch ernährungsphysiologisch zu empfehlen ist. Schauen Sie in jedem Fall auf die Gesamtnote und das Diätprofil.

Note: 5
Selbsttäuschung

EXPERTENMEINUNG: DIÄTPROFIL

Die Gegensatzpaare geben einen schnellen Überblick über Vermögen oder Unvermögen der Diät.

Fit For Fun-Ernährungswissenschaftler haben Teller in Richtung dieser Gegensätze gerückt. Damit kann jeder für sich selbst ablesen, wohin die jeweilige Diät tendiert. Die persönliche Entscheidung dafür oder dagegen wird so erleichtert.

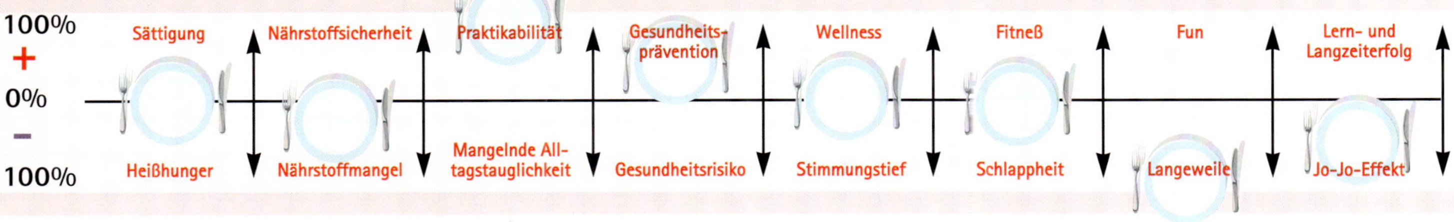

Schroth-Kur

„Der Wein ist unter den Getränken das nützlichste, unter den Arzneien das schmackhafteste und unter den Nahrungsmitteln das angenehmste." (Plutarch) Das muß sich auch der Erfinder der Kur, Johann Schroth, ein schlesischer Fuhrmann, gedacht haben.

Prinzip: Charakteristisch ist der Wechsel von Trocken- und Trinktagen, wobei letztere feuchtfröhlich mit Wein gestaltet werden. Die Schroth-Kur - eine kalorienarme Diät mit starker Einschränkung der Lebensmittelauswahl - zählt zu den Methoden des Heilfastens. Erlaubt sind Reis, Früchte und trockene Semmeln sowie Wein. Trockentage mit extrem niedriger Flüssigkeitszufuhr (ein Achtelliter Wein) stehen im Wechsel mit kleinen und großen Trinktagen (ein Viertel- bis ein Liter Wein). Die Energiezufuhr ist je nach Trocken- oder Trinktag auf 500 bis 1200 Kilokalorien beschränkt.

Praktikabilität: Nur in Kurkliniken unter ärztlicher Aufsicht durchführbar. Die Trockentage sind schwer durchzuhalten, wohingegen der Wein die Trinktage fröhlich macht.

Kalorien: 700 an Trockentagen, 1200 an Trinktagen.

Dauer: Eine Woche.

fit FOR FUN-Gesamturteil: Die niedrige Flüssigkeitszufuhr führt zu einem Anstieg der Harnsäure im Blut und birgt die Gefahr von Gichtanfällen. Die Kostform ist zudem extrem einseitig, und es kann zu einer mangelnden Zufuhr an Vitaminen, Mineralstoffen, Ballaststoffen und Eiweiß kommen. Wein ist bei der Schroth-Kur das wichtigste Getränk, vor allem wegen seiner belebenden Wirkung. Doch ist das regelmäßige Alkoholtrinken bedenklich. Der kurzfristige schnelle Gewichtsverlust hält meist nicht lange vor, wenn diese Kur kein zusätzliches Ernährungstraining vorsieht und nicht zuletzt deshalb auch keinen Lernerfolg hinsichtlich einer auf Dauer angelegten gesunden Ernäh-rungsweise hat. Untaugliches Diätprinzip für Fitneßbewußte.

Warum Alkohol und Abnehmen nicht so gut zusammenpassen:

1. Alkohol ist nach Fett die zweitkalorienreichste Nahrungssubstanz (7 kcal/30 kJ pro Gramm).
2. Alkohol macht Appetit und läßt die guten Vorsätze beim Essen schwinden.
3. Alkohol hemmt den Fettabbau im Körper.
4. Alkohol hemmt die Harnsäureausscheidung über die Nieren. Beim Abnehmen kann aber vermehrt Harnsäure entstehen.
5. Alkohol wirkt diuretisch, d. h., es regt die Nieren zur vermehrten Wasserausscheidung an. Deshalb muß mehr Wasser getrunken werden, eine Aufforderung, die beim Abnehmen ohnehin oft zu kurz kommt.
6. Alkoholische Getränke liefern viel Kalorien, kaum Vitamine und ganz wenige Mineralstoffe. Deshalb bei einer Diät immer viel trinken - am besten Mineralwasser!

IHR DIÄTCHECK

	Ja	Nein
Sind Sie Antialkoholiker?	○	○
Möchten Sie kein Wiederholungstäter werden?	○	○
Sind Sie gichtgefährdet?	○	○

Auswertung: Jede Antwort mit einem „Ja" bedeutet, daß Sie diese Diät besser nicht machen sollten. Bei 3x „Nein" könnten Sie die Diät zwar machen, d. h. aber nicht, daß Sie auch ernährungsphysiologisch zu empfehlen ist. Schauen Sie in jedem Fall auf die Gesamtnote und das Diätprofil.

Note: 5
Schlappmacher-Diät

EXPERTENMEINUNG: DIÄTPROFIL

Die Gegensatzpaare geben einen schnellen Überblick über Vermögen oder Unvermögen der Diät.

Fit For Fun-Ernährungswissenschaftler haben Teller in Richtung dieser Gegensätze gerückt. Damit kann jeder für sich selbst ablesen, wohin die jeweilige Diät tendiert. Die persönliche Entscheidung dafür oder dagegen wird so erleichtert.

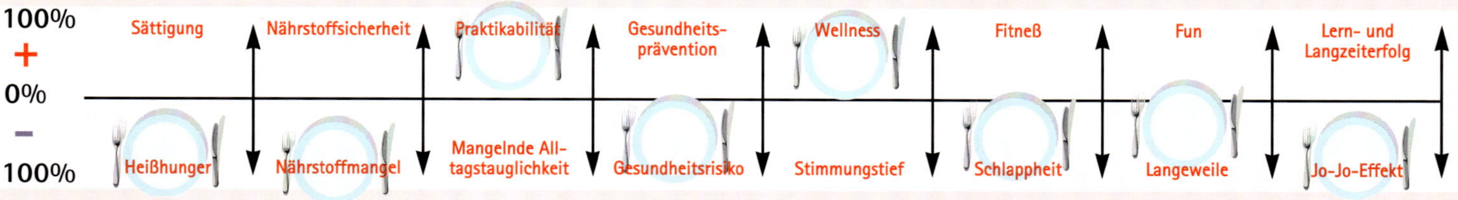

DARBEN BEI WASSER UND BROT

Waerland-Kur

Skandinavische Hardcore-Diät für Hungerleider und alle anderen, die es auch nicht besser wissen. Ernährungswissenschaftler Ake Waerlands Entschlackungskur garantiert zwar schnellen Gewichtsverlust, läßt Abspeckwillige dafür aber einen hohen Preis zahlen.

Prinzip: Logisch, daß der Körper auf die eigenen Reserven zurückgreifen muß, wenn die Kost auf Minimal-Happen und Wasser reduziert wird. So schmelzen zwar die Pfunde wie Fjord-Eis in der schwedischen Frühlingssonne, aber ebensoschnell auch die gute Laune. Die martialische Abspeckkur kann nämlich äußerst unschöne Nebenwirkungen wie Durchfall und Schwächeanfälle, Gereiztheit und weitere gesundheitliche Nachteile zur Folge haben - ganz zu schweigen vom heftigen Heißhunger, mit dem sich der Kur-Anwender herumplagt.

Praktikabilität: Theoretisch funktioniert die Kur ganz einfach, weil es kaum etwas zum Beißen gibt. Eigentlich ist sogar nur Quellwasser erlaubt. Für die weniger Hartgesottenen gibt es außerdem ein paar Kartoffeln, Sellerie, Leinsamen und Gemüsesaft. Praktisch ist Ake Waerlands Kur deshalb mordsmäßig schwer durchzuhalten.

Kalorien: 600.

Dauer: Nicht mehr als zwei Wochen.

IHR DIÄTCHECK

	Ja	Nein
Glauben Sie daran, daß man auch auf die sanfte Tour abnehmen kann?	○	○
Wollen Sie sich beim Abnehmen fit und wohlfühlen?	○	○
Geben Sie bei Diät-Tortur schnell auf?	○	○

Auswertung: Jede Antwort mit einem „Ja" bedeutet, daß Sie diese Diät besser nicht machen sollten. Bei 3x „Nein" könnten Sie die Diät zwar machen, d. h. aber nicht, daß Sie auch ernährungsphysiologisch zu empfehlen ist. Schauen Sie in jedem Fall auf die Gesamtnote und das Diätprofil.

fit FOR FUN-Gesamturteil: Die Diät-Tortur haut selbst den robustesten Wikinger um. Anwender sollten sich deshalb unsere wissenschaftliche Erläuterung zum Thema „Säure- oder Basisüberschüssigkeit" zu Herzen nehmen (gilt auch bei Hay und anderen Ernährungsforschern). Folgendes ist gemeint: Eine Lösung reagiert neutral, sauer oder basisch (für letztere Reaktion sagt man auch alkalisch). So hat das Blut beispielsweise einen pH-Wert von 7,4, Magensaft zwischen 0,9 und 1,8, Harn 5,0 bis 7,0 und Speichel von 6,3. Diese Bereiche müssen konstant gehalten werden, denn alle biochemischen Reaktionen im Stoffwechsel sind von diesen ganz spezifischen pH-Verhältnissen abhängig. Durch die Stoffwechselendprodukte (z. B. aus Eiweiß- oder Fettabbau) können theoretisch erhebliche Abweichungen von den normalen Reaktionen der Körperflüssigkeit auftreten. Der gesunde Organismus muß daher über wirksame Puffersysteme verfügen. Sie müssen gebildete Säuren abfangen können, so daß sich die pH-Verhältnisse nicht wesentlich ändern. Daran sind Atmung, Nieren, Blutfarbstoff und Mineralsalze beteiligt. Bei ausgewogener, vollwertiger Kost leiden gesunde Menschen nicht unter Störungen im normalen Reaktionsmilieu. Anders ist es bei Stoffwechselstörungen und extremen -situationen wie Diabetes mellitus (Zuckerkrankheit), Fieber, schweren körperlichen Belastungen, Durchfällen, Nierenerkrankungen, starker Entwässerung durch Tabletten mit Kaliumverlusten - und eben bei extremen Hungerkuren! Hier herrscht eine Tendenz zur chronischen Übersäuerung. Beste Vorbeugung: Eine mineralstoffreiche und ausgewogene Kost.

Note: 5
Schlappmacher-Diät

EXPERTENMEINUNG: **DIÄTPROFIL**

Die Gegensatzpaare geben einen schnellen Überblick über Vermögen oder Unvermögen der Diät.

Fit For Fun-Ernährungswissenschaftler haben Teller in Richtung dieser Gegensätze gerückt. Damit kann jeder für sich selbst ablesen, wohin die jeweilige Diät tendiert. Die persönliche Entscheidung dafür oder dagegen wird so erleichtert.

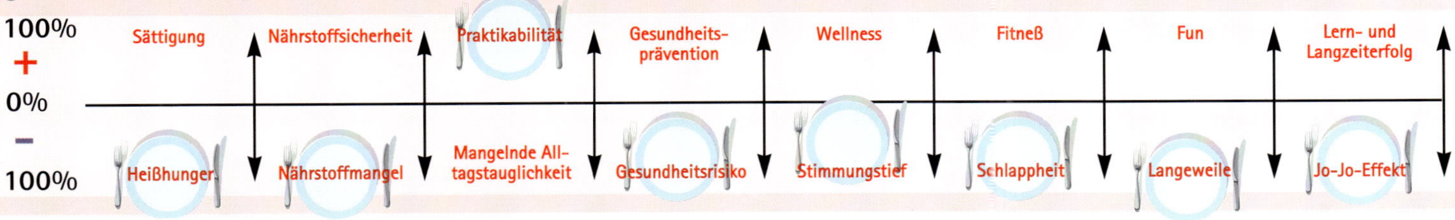

Die gr

D

FOR

Der Worte sind genug gewechselt, jetzt geht es aktiv ran an die ungeliebten Speckpölsterchen! Und zwar effizient, ausgewogen und dauerhaft mit einem eigens für Fit For Fun ausgeklügelten, dreiwöchigen Diät-Programm à 1500 Kilokalorien und 40 g Fett oder à 1800

oße

iät

FuN

Kilokalorien und 50 g Fett. Kernige Frühstücke, appetitliche Zwischenmahlzeiten, leckere warme und kalte Gerichte werden im Baukasten-System beliebig zusammengestellt. So kann jeder aussuchen, was ihm wirklich schmeckt – völlig unkompliziert. Also dann, los geht's!

Das gab es noch nie: Eine Diät, bei der Sie hundertprozentig satt werden, keinerlei Nährstoffmängeln ausgesetzt sind und trotzdem - langsam aber sicher - abnehmen. Magenknurren gibt es nicht, versprochen! Sie werden staunen, wie üppig die Portionen sind.

Was ist der Trick? Kohlenhydrate statt Fett heißt die Zauberformel. Wer diese Diät längere Zeit durchgezogen hat, lernt ganz nebenbei, wie man sich auf gesunde Weise ernährt, ohne dick zu werden. Reichlich Gemüse, Obst, Kartoffeln, Vollkornnudeln, Naturreis, Getreide, fettarmer Fisch, Milch, Käse und kleine Fleischmengen sorgen für ein Maximum an Vitaminen, Mineralstoffen, hochwertigem Eiweiß und Ballaststoffen. Komplexe Kohlenhydrate geben Ihnen geballte Energie, die Verdauung kommt ordentlich in Schwung, ohne daß das Essen müde macht oder wie ein Stein im Magen liegt. Kurzum: Sie werden richtig fit. Zusätzlich mit einem kleinen, lockerflockigen Sportprogramm kombiniert, stellt sich der Erfolg natürlich noch schneller ein.

Dies ist keine einseitige Crash-Diät, die Ihnen verspricht, daß in kürzester Zeit massenweise Pfunde purzeln. Im Gegensatz zu anderen Diäten dürfen Sie diese ohne Risiko so oft wiederholen, wie es Ihnen gefällt. Ab 1500 Kalorien am Tag ist der Nährstoffbedarf gesichert, mit weniger Kalorien wäre das nicht gewährleistet. Der Körper wird sanft auf eine andere Ernährung umgestellt, ohne daß er auf Sparflamme kochen muß, denn letzteres würde den gefürchteten Jo-Jo-Effekt auslösen, d.h. Sie würden zwar in kurzer Zeit viel abnehmen, aber nach der Diät sofort wieder Speck ansetzen.

Anwenderfreundlich: Die Rezepte der Fit For Fun-Diät schmecken lecker und sind zudem unkompliziert.

Sie haben die Wahl zwischen einer 1500-Kalorien- und einer 1800-Kalorien-Diät, die Sie sich im Baukasten-System nach Lust und Laune selbst zusammenstellen. Die 1500-Kalorien-Variante ist für diejenigen gedacht, deren Stoffwechsel durch viele vergebliche Diäten schon sehr reduziert arbeitet oder aber für übergewichtige Kids bis zehn Jahre und ältere Menschen ab fünfzig. Wer durch körperliche oder geistige Tätigkeiten stark beansprucht ist, sollte sich besser für die 1800 Kalorien am Tag entscheiden. Auch Männer, die ohnehin einen höheren Kalorienbedarf als Frauen haben, und Teenies sind mit 1800 Kalorien besser bedient.

Für beide Diäten stehen je 21 warme Mahlzeiten und je 21 kalte Mahlzeiten zur Auswahl. Sie können also drei Wochen lang mittags und abends immer etwas anderes essen. Wenn Sie eines der Gerichte nicht mögen, dürfen Sie stattdessen auch ein anderes mehrmals essen. Allerdings soll es an jedem Tag immer eine warme und eine kalte Mahlzeit sein und nicht etwa zwei kalte oder zwei warme Gerichte. Ob Sie die kalte Mahlzeit mittags oder abends essen, spielt keine Rolle. Berufstätige können sich die kalten Mahlzeiten und die Zwischenmahlzeiten zu Hause vorbereiten und mit in den Betrieb nehmen. Die warme Mahlzeit gibt's dann abends. Bei Salaten empfiehlt es sich, die Soße extra abzufüllen und erst kurz vorm Essen unterzumischen. Es ist aber auch durchaus möglich, sich die kalten Mahlzeiten in der Pantry oder im Frühstücksraum frisch zuzubereiten. Gekocht werden muß jedenfalls nichts mehr.

ENERGIE- UND FETTGEHALT

1500 oder 1800 Kalorien? Sie haben die Wahl

Zwei Diäten im Baukastensystem. Frühstücke und Snacks für zwischendurch sind in beiden Fällen gleich. Aber warme und kalte Gerichte schlagen unterschiedlich zu Buche.

So sieht die Aufteilung der Kalorien und des Fettgehaltes pro Tag und Mahlzeit für die 1500-Kalorien-Diät aus:

Mahlzeit	Nährwert in kcal	Fett in g
Frühstück	450 kcal	10 g
Zwischenmahlzeit	100 kcal	2,5 g
warme Mahlzeit	500 kcal	15 g
Zwischenmahlzeit	100 kcal	2,5 g
kalte Mahlzeit	350 kcal	10 g
Gesamt	1500 kcal	40 g

Und das ist die Aufteilung der Kalorien und des Fettgehaltes pro Tag und Mahlzeit für die 1800-Kalorien-Diät:

Mahlzeiten	Nährwert in kcal	Fett in g
Frühstück	450 kcal	10 g
Zwischenmahlzeit	100 kcal	2,5 g
warme Mahlzeit	600 kcal	20 g
Zwischenmahlzeit	100 kcal	2,5 g
kalte Mahlzeit	550 kcal	15 g
Gesamt	1800 kcal	50 g

Zusätzlich zu den beiden Hauptgerichten gibt es täglich ein Frühstück und zwei Zwischenmahlzeiten zum Aussuchen. Das Angebot von Zwischenmahlzeiten und Frühstükken gilt sowohl für die 1500-Kalorien-Diät, als auch für die 1800-Kalorien-Variante. Insgesamt nehmen Sie also täglich fünf Mahlzeiten zu sich.

Auch Tauschgeschäfte sind möglich: Sie machen die 1500-Kalorien-Diät, haben aber unheimlich Appetit auf eine warme Mahlzeit aus dem 1800-Kalorien-Programm? Das ist Genehmigt! Sie müssen dann nur eine Zwischenmahlzeit weglassen. Wenn Sie mit einer kalten Mahlzeit aus der 1800er Diät liebäugeln, fallen jedoch leider beide Zwischenmahlzeiten weg.

Umgekehrt geht's auch: Wer die 1800-Kalorien-Diät macht, aber ein warmes Gericht aus der 1500er essen will, darf sich zusätzlich eine Zwischenmahlzeit zu Gemüte führen. Beim Tausch einer kalten Mahlzeit sogar zwei Zwischenmahlzeiten.

Und was trinkt man bei dieser Diät? Die gute Nachricht vorweg: Ein Gläschen Wein schadet niemandem. Die schlechte: Es muß bei dem einen Glas bleiben, denn abgesehen davon, daß zuviele Promille schädlich sind, enthält Alkohol nebenbei haufenweise Kalorien. Ansonsten ist reichlich trinken angesagt, denn viel Flüssigkeit unterstützt die Diät. Mineral- und Heilwässer sind ideal. Darüber hinaus Kaffee und Tee. Beides ohne Zucker, nach Belieben mit Süßstoff und/oder entrahmter Milch (0,3 % Fett). Außerdem: ungezuckerte, natürliche Säfte, am besten mit Mineralwasser verdünnt. Bleibt noch zu sagen, daß es sich bei den Mengenangaben in den Rezepten immer um verzehrfertige Lebensmittel handelt. Wiegen Sie das Gemüse oder Obst also erst, nachdem Sie es geputzt und geschält haben. Bei Reis und Nudeln bezieht sich die Angabe auf die ungekochte Rohware.

Falls es in den ersten Tagen der Diät reichlich im Darm rumort, muß Sie das nicht beunruhigen. Diese Diät ist vollgepackt mit verdauungsfördernden Ballaststoffen. Viele sind das nicht gewohnt, da muß sich der Körper erst einmal umstellen. Keine Angst, das geht vorüber. Wird die Luft im Bauch allzu drückend, hilft eine Tasse Kümmel- oder Fencheltee.

Noch ein Tip: Stellen Sie sich bloß nicht jeden Tag auf die Waage. Denn die Gewichtsabnahme vollzieht sich keineswegs konstant, sondern meist in Schüben. Es kann sogar vorkommen, daß Sie erst abnehmen und plötzlich wieder ein Kilo drauf haben, obwohl Sie sich ganz genau an die Diät gehalten haben. Bei Frauen ist das kurz vor der Menstruation sogar die Regel. Einmal die Woche wiegen reicht, dann haben sie Grund zur Freude und keinen täglichen Frust. Denn das sollten Sie vorher wissen: Sie müssen bei dieser Diät mehr Geduld aufbringen, dafür hält dann der Erfolg auch länger an.

Frühstücke

Von wegen, nur ein Kaffee im Stehen! Zeit für's Frühstück muß sein, wenn der Tag gesund beginnen soll. Wer mit leerem Magen startet, spart Kalorien am falschen Ende. Das gilt auch für Morgenmuffel.

Honigbrötchen mit Frühstücksei

2 Vollkornbrötchen (à 50 g) halbieren und mit 1 EL Magerquark (30 g) bestreichen. Zwei Brötchenhälften mit je 1 TL Honig (à 10 g), zwei mit je 1 TL Fruchtgelee (à 10 g) bestreichen. Dazu ein weichgekochtes Ei (Gewichtsklasse 3).

Dickmilch und Mangoscheiben

200 g Dickmilch mit 2 TL Honig verrühren. 1 Mango in Spalten schneiden und untermengen. 4 Vollkornzwiebäcke zerbröckeln und darüber streuen.

Apfelspalten in süßem Reis

200 ml fettarme Milch (1,5 % Fett) aufkochen, 50 g Naturreis zugeben. Bei milder Hitze ausquellen lassen. 100 g Apfel raspeln, mit 1 EL Sultaninen (20 g) und 1 EL Honig (20 g) unter den Reis mischen. Mit 1 Prise Salz und Zimt abschmecken.

Corned beef-Käsehappen

2 Vollkornbrötchen (à 50 g) halbieren und mit 2 EL Kräuterfrischkäse (40 g; 30 % Fett) bestreichen. 2 Hälften mit je 1 Scheibe Corned beef (à 25 g) belegen, 2 Hälften mit je 10 g Bündner Fleisch. Dazu 100 g Senfgurke essen.

Exotische Hirsevariation

50 g Hirse am Tag vorher in 200 ml Orangensaft einweichen. Aufkochen und 20 Minuten ausquellen lassen. 40 g getrocknete Aprikosen würfeln. Mit 1 EL gehackten Mandeln (10 g) unter die Hirse heben. Eventuell mit Vanillepulver abschmecken und mit Zitronenmelisseblättchen garnieren.

Käsesnacks mit Radieschen

2 Vollkornbrötchen (à 50 g) halbieren und mit 2 EL Kräuterfrischkäse (40 g; 30 % Fett) bestreichen. Brötchenhälften mit 40 g Harzerkäse und 20 g Camembert (30 % Fett) belegen. Dazu gibt es 80 g Radieschen und 1 Glas Möhrensaft (200 ml).

Schlemmereien aus dem Meer

3 Scheiben Vollkorntoast (à 20 g) mit je 1 TL Crème fraîche (à 5 g; 30 % Fett) bestreichen. 50 g Forellenfilet und 50 g Nordseekrabben auf dem Toast verteilen. Dazu: 200 g Salatgurke in Scheiben hobeln, mit Essig, Jodsalz und 1 EL gehacktem Dill abschmecken. 1 Glas Orangensaft (200 ml) dazu trinken.

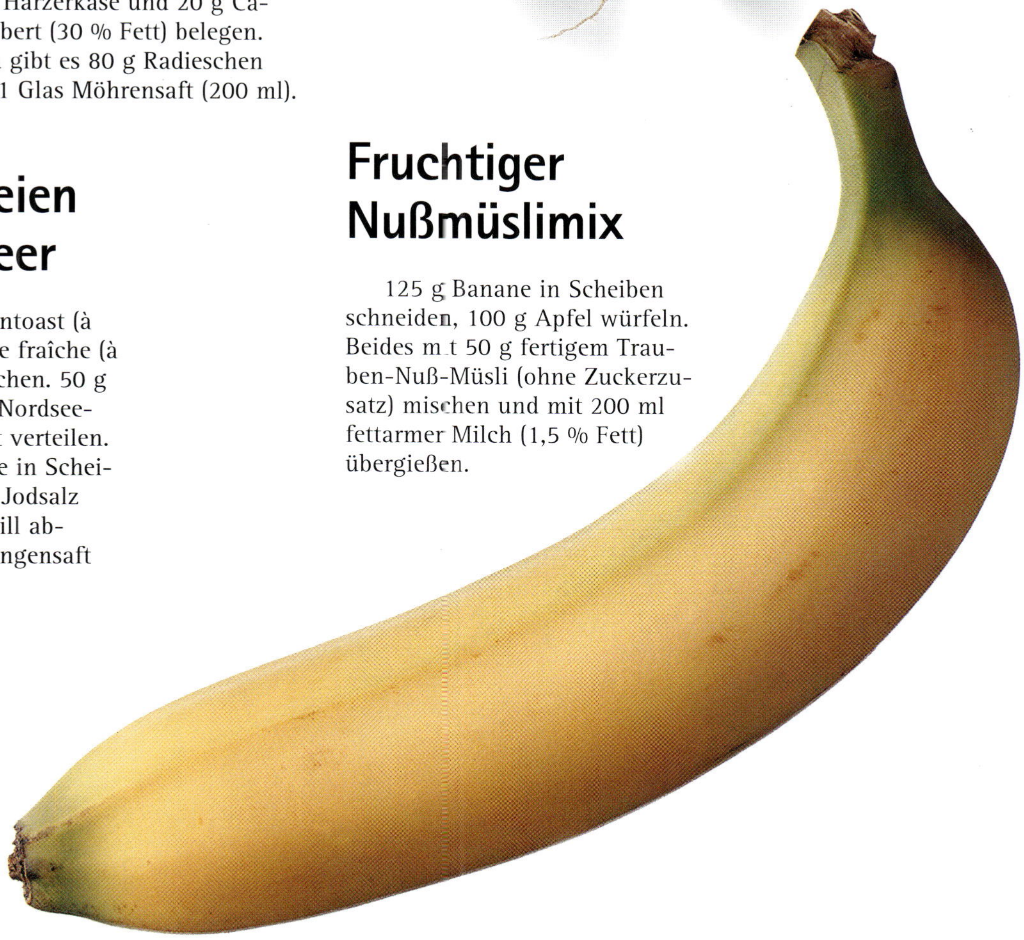

Fruchtiger Nußmüslimix

125 g Banane in Scheiben schneiden, 100 g Apfel würfeln. Beides mit 50 g fertigem Trauben-Nuß-Müsli (ohne Zuckerzusatz) mischen und mit 200 ml fettarmer Milch (1,5 % Fett) übergießen.

Aufgepeppter Vollmilchjoghurt

Je 20 g Rosinen, getrocknete Aprikose, Feige und Pflaume kleinschneiden und 15 Minuten in 100 ml Johannisbeersaft quellen lassen. Dann ein Becher Vollmilchjoghurt (150 g; 3,5 % Fett) und 1 EL Sonnenblumenkerne unterrühren.

Kerniges mit Buttermilch

1 Scheibe Vollkornbrot mit Sonnenblumenkernen (50 g) mit 1 TL Crème fraîche (5 g; 30 % Fett) bestreichen. Mit 1 Scheibe geräucherter Putenbrust (50 g) belegen. 1 weitere Scheibe Vollkornbrot (50 g) mit 2 EL Hüttenkäse (à 40 g) bestreichen. Dazu 1 Glas Buttermilch (200 ml).

Buttermilch

200 ml Buttermilch mit dem frisch gepreßten Saft einer Orange (80 ml) verquirlen.

Zwischen

Doppelt hält besser. Deshalb sorgen zweimal am Tag leckere Snacks dafür, daß der kleine Hunger bei Ihnen keine Chance hat. Natürlich stehen für das Schlemmen „zwischendurch" sowohl Pikantes als auch süße Köstlichkeiten zur Auswahl!

Radieschen

1 Scheibe Vollkornbrot (25 g) mit 1 EL Kräuterfrischkäse (20 g; 30 % Fett) bestreichen. Dazu gibt es 10 Radieschen (80 g).

Weintrauben

150 g Weintrauben

Apfelmus

125 g frisches ungezuckertes Apfelmus

Kiwi-Knäckebrot

2 dünne Scheiben Knäckebrot (à 7 g), 2 Kiwis (à 50 g).

Honigmelone

200 g Honigmelone

Obst

1 Orange (125 g) und 1 Kiwi (50 g) in Stücke schneiden und mit 1 TL Kokosraspel (5 g) vermischen.

Rübchen

2 Möhren (200 g) und 1 kleiner Apfel (100 g), entweder einzeln knabbern oder raspeln und mischen.

Schnittlauchquark

1 Scheibe Vollkornbrot (25 g) mit 2 EL Magerquark (à 30 g) bestreichen. Mit 1 TL Schnittlauch bestreuen.

Gurkensnack

1 Salatgurke (150 g) fein raspeln. Mit einem Becher fettarmem Joghurt (150 g; 1,5 % Fett) verrühren. Mit Jod-, Knoblauchsalz und Pfeffer abschmekken. Dazu eine dünne Scheibe Roggen-Knäckebrot (7 g).

mahlzeiten

Zwieback
2 Vollkornzwiebäcke (à 10 g) mit 1 TL Honig bestreichen.

Banane
1 kleine Banane (125 g)

Saft und Quark
1 Scheibe Vollkornbrot (25 g) mit 1 EL Magerquark bestreichen. Dazu 1 Glas Gemüsesaft (200 ml).

Cereal
3 EL Cornflakes (12 g) mit 1/8 l fettarmer (1,5 % Fett) Milch übergießen.

Himbeerquark
3 EL Magerquark (à 30 g) mit 100 g Himbeeren (frisch oder tiefgekühlt) mischen.

Süßkirschen
150 g frische Süßkirschen

Erdbeerjoghurt
100 g Erdbeeren vierteln und mit einem Becher fettarmem Joghurt (150 g, 1,5 % Fett i.Tr.) verrühren.

Grapefruit
1 kleine Grapefruit (250 g)

Kräuterspeise
3 EL Magerquark (à 30 g) mit 1 TL tiefgefrorener 8-Kräuter-Mischung, Knoblauchsalz und Pfeffer verrühren. 250 g Staudensellerie dazu essen.

Frischkäse mit Tomaten
2 Scheiben Vollkornknäckebrot (à 8 g) mit je 1 TL Kräuterfrischkäse (à 10 g; 30% Fett) bestreichen. 100 g Tomatenscheiben darauflegen.

Birnenjoghurt
1 kleine, vollreife Birne in Stücke schneiden. Mit einem Becher fettarmem Joghurt (75g; 1,5 g% Fett) verrühren. Mit Zimt abschmecken.

Warme Mahlz
1500 Kilok

Von Pasta bis Scampi-Spieß: Die Fit For Fun-Diät-Küche schmeichelt auch Feinschmecker-Zungen, ist in der Zubereitung aber trotzdem nicht aufwendig. Die warmen Gerichte haben je 500 kcal und 15 g Fett.

Spaghetti mit .... Muschelsoße: Ein Hauch „bella Italia“ S.192

Fisch auf Gemüsebett: Schmeckt garantiert nicht nur Seebären .S.201

Rollmops, Pellkartoffeln, Kräuterquark: Ganz fix fertig..............S.199

Forelle blau: Gesunder Festtagsschmaus für Gourmets...............S.200

Provenzialischer Fischtopf: Raffinierte Cuisine á la francaise......S.199

Curry-Fisch: Indiens Gewürzküche läßt grüßen ...S.196

Feiner Fischeintopf: Schmankerl mit Fenchel S.202

Scampi-Spieße auf Paprika-Reis: Schlemmen à la Fit for Fun.........S.198

Zucchini-Hackpfanne mit Nudeln: Unkompliziert und lecker S.201

Grünkern mit Pilzen und Gemüse: Ein wirklich kerniger Genuß S.203

Chinapfanne mit Putenbrust: Exotischer Gaumenkitzel mit Austernpilzen S.202

Filetsteak mit grünen Bohnen und Kartoffeln: Das Allerbeste vom Rind................S.202

eiten für die alorien Diät

Lauch-Creme-Suppe mit Krabben: Köstliches aus Meer und Garten............S.203

Zucchini-Creme mit Grünkern: „Nur“ ein Süppchen? - Von wegen!...............................S.200

Minestrone: Garantiert genauso hinreißend wie bei la Mama S.200

Tomatensuppe mit Graupen und Fleischklößchen: Der beliebte Klassiker mit Einlage........S.203

Leberpfanne mit Pilzen und Paprika: Pikante Leckerei auf Vollkornreis..........S.197

Überbackener Chicorée: Auf deftige Art mit viel Schinken.................S.201

Rosenkohl-Gratin mit Brot-Käsekruste: Crunchig und knackig S.194

Kartoffel-Spinat-Gratin: Poppeye läßt grüßen....S.199

Kartoffel-Sauerkraut-Auflauf: Rustikaler Sattmacher................S.203

Spaghetti mit Muschelsoße

1 kleine Zwiebel (20 g)
1 Knoblauchzehe
1 TL Öl (5 g)
1/2 Tetra Pak stückige Tomaten (250 g)
100 g Miesmuschelfleisch
Jodsalz, Pfeffer
etwas Essig
100 g Vollkornspaghetti

- Zwiebel und Knoblauch fein würfeln.
- Öl in einem Topf erhitzen und die Zwiebel mit Knoblauch darin andünsten.
- Stückige Tomaten zugeben, aufkochen und mit Salz, Pfeffer und etwas Essig abschmecken.
- Muscheln zugeben und kurz darin erhitzen.
- Spaghetti in kochendem Salzwasser garen.
- Nudeln abgießen und mit der Soße anrichten

Tip Zugegeben, die braunen Vollkornspaghetti reißen Nudelfans nicht unbedingt vom Hocker, aber sie sind nun mal bei einer Diät von großem Wert. Im Unterschied zu normalen Nudeln wird bei ihrer Herstellung kein hochausgemahlenes, vergleichsweise nährstoffarmes Weißmehl, sondern die Vollkornvariante verwendet. Und darin steckt noch die volle Power der ganzen Getreidekörner: lebenswichtige Mineralstoffe, Vitamine und reichlich Ballaststoffe, die die Verdauung richtig in Schwung bringen.

501 kcal/ 10,5 g Fett/70 g Kohlenhydrate/25 g Eiweiß

Bedarfsdeckung

Vitamin E 13 mg

102 %

Jod 154 µg

77%

Rosenkohl-Gratin mit Brot-Käsekruste

300 g tiefgekühlter Rosenkohl
Jodsalz
2 Scheiben Vollkornbrot mit Sonnenblumenkernen (à 50 g)
50 g Edamer (30 % Fett)
Pfeffer
Muskatnuß
1 TL Crème fraîche (5 g)

- Rosenkohl unaufgetaut in 100 ml kochendes Salzwasser geben und 12 Minuten bei milder Hitze garen.
- Das Vollkornbrot in kleine Würfel schneiden.
- Edamer reiben und mit den Brotwürfeln mischen.
- Den Rosenkohl abgießen. Muskatnuß darüberreiben und mit Pfeffer würzen.
- In eine kleine Gratin- oder Auflaufform geben.
- Crème fraîche mit einer Messerspitze auf den Kohlköpfchen verteilen.
- Brot-Käse-Mischung darüberstreuen und im vorgeheizten Backofen auf mittlerer Schiene bei 250 Grad ca. 20 Minuten gratinieren.

Tip 300 g tiefgefrorener Rosenkohl sind genau ein Päckchen. Das macht die Sache schön praktisch, weil das Gemüse schon fix und fertig geputzt ist. Sie können natürlich auch frischen Rosenkohl nehmen. Den aber bitte erst nach dem Putzen wiegen und etwas länger (20 Minuten) vorgaren.

504 kcal/15,2 g Fett/51 g Kohlenhydrate/36 g Eiweiß

Bedarfsdeckung

Vitamin C 342 mg

320 %

Kalzium 528 mg

59 %

Curry-Fisch

50 g Naturreis
Jodsalz
100 g Kabeljaufilet
(frisch oder tiefgefroren)
Pfeffer
1 kleine Zwiebel (20 g)
4 getrocknete Aprikosen (20 g)
2 EL tiefgekühlte,
junge Erbsen (20 g)
1 EL Rosinen (20 g)
2 EL Crème fraîche
(30 g; 30 % Fett)
2 EL fettarme Milch
(1,5 % Fett)
1 TL Currypulver

- 200 ml Salzwasser aufkochen, den Naturreis hineingeben und auf niedrigster Stufe 25 Minuten ausquellen lassen.
- Kabeljau unter fließendem, kaltem Wasser abspülen und mit Küchenpapier trockentupfen. Tiefgekühltes Fischfilet ca. 30 Minuten antauen lassen.
- Den Fisch in Würfel schneiden und mit Salz und Pfeffer würzen.
- Zwiebel und Aprikosen würfeln und mit den Erbsen und den Rosinen zum Reis geben.
- Die Fischwürfel vorsichtig unterheben und alles weitere 10 Minuten bei geringer Hitze garen.
- Crème fraîche mit Milch und Curry verrühren und unter den Reis heben.

Tip Wenn der exotische Geschmack dieses Gerichtes voll zur Geltung kommen soll, muß das Currypulver unbedingt frisch sein. Zu lange aufbewahrt, geht das Aroma flöten.

498 kcal/11 g Fett/68 g Kohlenhydrate/25,4 g Eiweiß

Bedarfsdeckung
Jod 129 µg — 64 %
Magnesium 114 mg — 35 %

Leberpfanne mit Pilzen

60 g Naturreis
Jodsalz
100 g Rinderleber
1 kleine Zwiebel (20 g)
100 g Champignons
100 g rote Paprikaschote
1 EL Öl (10 g)
1 EL Sojasoße (15 g)
2 EL fettarme Milch
(30 g; 1,5 % Fett)
Pfeffer

- 250 ml Salzwasser aufkochen, Naturreis hineingeben und 30 Minuten auf niedrigster Stufe ausquellen lassen.
- Leber abspülen, trockentupfen und in Streifen zerteilen.
- Zwiebel in Ringe schneiden, Champignons vierteln, Paprikaschote in Streifen schneiden.
- Öl in einer beschichteten Pfanne erhitzen. Leber mit Zwiebeln, Champignons und Paprika 10 Minuten darin braten.
- Sojasoße und Milch zugeben und mit Pfeffer abschmecken.
- Reis abgießen und dazu essen.

Tip Kaum ein anderes Lebensmittel ist so außerordentlich reich an Vitaminen wie Leber. Leider sammeln sich in diesem Organ auch Schadstoffe aus der Umwelt. Deshalb raten Ernährungsexperten vom allzu häufigen Verzehr ab. Ein- zweimal im Monat ist eine Portion Leber jedoch erwünscht.

505 kcal/14,6 g Fett/57 g Kohlenhydrate/31 g Eiweiß

Bedarfsdeckung
Vitamin E 9068 µg
70 %
Vitamin C 156 mg
146 %

Scampi-Spieße auf Paprika-Reis

60 g Naturreis
Jodsalz
1 Knoblauchzehe
1 TL Butter (5 g)
100 g rote Paprikaschote
15 g Cashewkerne
150 g ausgelöste Riesengarnelen bzw. Scampi (frisch oder tiefgekühlt)

- 250 ml Salzwasser aufkochen, den Naturreis hineingeben und bei niedrigster Stufe 30 Minuten ausquellen lassen.
- Den Knoblauch durch die Presse drücken und mit weicher Butter und etwas Salz mischen.
- Paprikaschote in Stücke schneiden.
- Cashewkerne längs halbieren und 10 Minuten vor Ende der Garzeit zum Reis geben.
- Tiefgekühlte Garnelen antauen lassen, frische kalt abspülen und mit Küchenpapier trockentupfen.
- Garnelen auf zwei Schaschlik-Spieße stecken.
- Knoblauchbutter in einer beschichteten Pfanne erhitzen und die Scampi-Spieße 5 Minuten darin braten.

Tip Der braune Naturreis ist für viele vielleicht etwas gewöhnungsbedürftig. Gerade bei einer Diät kommen Sie jedoch mit diesem rustikalen Reisvertreter besser weg. Die dunkleren Körner haben zwar eine etwas längere Garzeit als ihre schneeweißen Verwandten, beherbergen dafür aber sehr viel mehr Vitamine, Mineralstoffe und verdauungsfördernde Ballaststoffe, weil sie nicht ihrer nährstoffreichen Kornhülle beraubt worden sind. Die Garzeit von Naturreis ist, je nach Produkt, unterschiedlich lang. Es gibt Sorten, die schon in 20 Minuten fertig sind, bei den meisten dauert es allerdings 35 bis 40 Minuten. Achten Sie also auf die Packungsanleitung.

509 kcal/14 g Fett/58 g Kohlenhydrate/34 g Eiweiß

Bedarfsdeckung
Magnesium 233 mg 72 %
Zink 5435 µg 42 %

Kartoffel-Spinat-Gratin

300 g tiefgekühlter Blattspinat
200 g Kartoffeln (mit Schale)
1 kleine Zwiebel (20 g)
1 Knoblauchzehe
Jodsalz, Pfeffer
geriebene Muskatnuß
1 EL Crème fraîche (15 g; 30 % Fett)
4 EL fettarme Milch (60 g; 1,5 % Fett)
60 g Edamer (30 % Fett)
2 EL Semmelbrösel (10 g)

- Blattspinat in einem Sieb auftauen lassen.
- Kartoffeln in kochendem Wasser 20 Minuten garen.
- Kartoffeln abgießen, pellen und in Scheiben schneiden.
- Zwiebel hacken, Knoblauch durch die Knoblauchpresse drücken und mit Kartoffeln und Spinat in eine Gratin- oder Auflaufform schichten.
- Jede Schicht kräftig mit Salz, Pfeffer und Muskat würzen.
- Crème fraîche mit Milch verrühren und darüber verteilen.
- Käse reiben, mit den Semmelbröseln mischen und darüberstreuen.
- Im vorgeheizten Backofen bei 200 Grad 35 Minuten überbacken.

499 kcal/15,8 g Fett/46 g Kohlenhydrate/32 g Eiweiß

Bedarfsdeckung

Vitamin B2 923 µg
46 %

Kalzium 903 mg
100 %

Rollmops mit Pellkartoffeln und Kräuterquark

250 g Kartoffeln (mit Schale)
1/2 Bund Schnittlauch
100 g Magerquark (10 % Fett)
Jodsalz, Pfeffer
100 g Rollmops

- Kartoffeln in kochendem Wasser 20 Minuten garen.
- Schnittlauch in Röllchen schneiden und mit dem Quark verrühren.
- Mit Salz und Pfeffer abschmecken.
- Kartoffeln abgießen, pellen und mit Rollmops und Quark anrichten.

Tip Kräuter regen den Appetit an, fördern die Sekretion in Mund und Magen, stimmulieren Herz und Kreislauf und helfen Salz zu sparen. Außerdem liefern sie wertvolle Mineralstoffe und Vitamine. Wenn Kräuter genannt sind, hier z.B. Schnittlauch, dann ist das nur ein Vorschlag. Sie dürfen nach Belieben auch andere verwenden und zwar so verschwenderisch, wie Sie wollen. Im Winter oder für alle, die keinen Kräutergarten haben, erweisen sich tiefgekühlte Kräutermischungen als praktisch.

493 kcal/15,5 g Fett/ 48 g Kohlenhydrate/ 35 g Eiweiß

Bedarfsdeckung

Vitamin D 20 µg
395 %

Kalium 1496 mg
75 %

Provenzialischer Fischtopf

30 g Naturreis
Jodsalz
1 kleine Zwiebel (20 g)
200 g Zucchini
100 g gelbe Paprikaschote
2 eingelegte Peperoni (à 10 g)
240 g geschälte Tomaten aus der Dose
1 TL Öl (5 g)
Pfeffer
1 TL Balsamessig
200 g Rotbarschfilet (frisch oder tiefgefroren)
1 EL tiefgefrorene Kräuter der Provence

- 200 ml Salzwasser aufkochen, Naturreis hineingeben und 30 Minuten auf niedrigster Stufe ausquellen lassen.
- Zwiebel würfeln. Zucchini in Scheiben, Paprika in Stücke, Peperoni in Ringe schneiden.
- Tomaten aus der Dose in einem Sieb abtropfen lassen.
- Öl in einem Topf erhitzen und die Zwiebelwürfel darin andünsten.
- Zucchini, Paprika, Peperoni und Tomaten zugeben. 5 Minuten dünsten, dabei die Tomaten mit dem Kochlöffel etwas zerdrücken.
- Alles kräftig mit Salz und Pfeffer abschmecken.
- Fischfilet in Würfel schneiden (bei tiefgefrorenem geht das am besten mit einem Sägemesser), zum Gemüse geben und weitere 5 Minuten bei geringer Hitze garen.
- Reis abtropfen lassen und mit den Kräutern zum Fischtopf geben.

Tip Den abgetropften Tomatensaft nicht weggießen. Mit Jodsalz, Pfeffer, gehackten Kräutern (z.B. Schnittlauch, Petersilie, Majoran oder Thymian) und einem Spritzer Worchestersoße können Sie sich daraus einen pikanten Fiteß-Drink für zwischendurch mixen.

501 kcal/15 g Fett/48 g Kohlenhydrate/49 g Eiweiß

Bedarfsdeckung

Vitamin C 340 mg
318 %

Jod 227 µg
113 %

Forelle blau

1 Forelle (375 g)
Jodsalz, 1 Lorbeerblatt
1 Schuß Essig
250 g Kartoffeln
2 EL Crème fraîche (30 g; 30 % Fett)
1 TL geriebener Merrettich aus der Tube
1 EL saure Sahne (15 g; 10 % Fett)
1 EL Orangensaft (10 g)
Pfeffer
30 g Feldsalat

- Forelle vorsichtig unter fließendem, kaltem Wasser waschen. Dabei darauf achten, daß die Schleimschicht, die den Fisch umgibt, nicht abgerubbelt wird, sonst wird die Forelle anschließend nicht blau.
- Salzwasser aufkochen, Lorbeer und Essig zufügen und die Forelle in den Sud legen. Den Topf vom Herd ziehen und die Forelle im nicht mehr kochendem Sud 15 Minuten garziehen lassen.
- Kartoffeln in kochendem Salzwasser 20 Minuten garen.
- Crème fraîche mit dem geriebenem Meerrettich verrühren.
- Saure Sahne mit Orangensaft, Salz und Pfeffer verrühren und über den Feldsalat gießen.
- Kartoffeln abgießen und mit der Meerrettichsahne zur Forelle essen.

501 kcal/15,9 g Fett/40 g Kohlenhydrate/43 g Eiweiß

Bedarfsdeckung

Vitamin D 17 µg

344 %

Kalium 3081 mg

154 %

Zucchini-Creme-Suppe mit Grünkern

40 g Grünkern
Jodsalz
200 g Zucchini
200 g Kartoffeln
1 Zwiebel (50 g)
1 EL Öl
2 TL gekörnte Brühe (à 5 g)
1/8 l fettarme Milch (1,5 % Fett)
Pfeffer

- Grünkern entweder am Tag vorher in heißem Salzwasser einweichen und über Nacht ausquellen lassen oder 20 Minuten in kochendem Salzwasser garen.
- 150 g Zucchini längs halbieren, in dünne Scheibchen schneiden und beiseite stellen.
- Restliche Zucchini und die Kartoffel in Würfel schneiden. Die Zwiebel fein hacken.
- Öl in einem Topf erhitzen und die Zwiebel darin glasig andünsten.
- Kartoffel- und Zucchiniwürfel zugeben und unter ständigem Rühren 2 Minuten mitdünsten.
- Gekörnte Brühe darüberstreuen, 1/8 l Wasser und die Milch zugießen, aufkochen und 10 Minuten garen.
- Anschließend das Gemüse in der Brühe mit dem Schneidstab des Handrührgerätes fein pürieren.
- Grünkern abtropfen lassen, mit den restlichen Zucchinischeibchen zur Suppe geben und weitere 2 Minuten köcheln lassen.
- Die Suppe mit Salz und Pfeffer abschmecken.

Tip Falls Sie keinen Pürierstab haben, können Sie das Gemüse auch mit einem Kartoffelstampfer zermusen und dann durch ein Sieb passieren.

494 kcal/15,2 g Fett/70 g Kohlenhydrate/19 g Eiweiß

Bedarfsdeckung

Eisen 5196 µg

35 %

Vitamin B1 550 µg

32 %

Minestrone

30 g durchwachsener Speck
1 Knoblauchzehe
50 g Frühlingszwiebel
150 g Zucchini
100 g Möhre
100 g Tomate
100 g weiße Bohnen aus der Dose
3 EL tiefgekühlte, junge Erbsen (30 g)
2 TL gekörnte Fleischbrühe
1 EL tiefgekühlte Kräuter der Provence
Jodsalz, Pfeffer
2 EL geriebener Parmesan

- Den durchwachsenen Speck in sehr kleine Würfel schneiden.
- Knoblauch ganz fein würfeln oder durch die Knoblauchpresse drücken.
- Zwiebel in Würfel schneiden.
- Zucchini (ungeschält) und Möhre längs halbieren und in feine Scheiben schneiden.
- Tomate halbieren, den Stielansatz entfernen und die Tomate achteln.
- Den Speck in einem Topf auslassen, Knoblauch, Zwiebel, Zucchini und Möhre zufügen und alles kurz andünsten.
- Bohnen, tiefgekühlte Erbsen, gekörnte Brühe, Kräuter und 400 ml Wasser zufügen und aufkochen.
- Alles 10 Minuten garen, dann mit Salz und Pfeffer abschmecken.
- Kurz vor dem Servieren die Tomaten in die Suppe geben und nur ganz kurz darin erwärmen.
- Die Minestrone nochmals abschmecken und geriebenen Parmesan darüber streuen.

Tip 30 g Erbsen? Keine Angst, Sie müssen jetzt nicht zum Erbsenzähler werden. Die Tiefkühltruhe bietet allen Diätwilligen eine praktische Lösung: TK-Gemüse im Plastikbeutel läßt sich für viele Gelegenheiten sehr gut löffelweise aus der Tüte entnehmen. Der Plastikbeutel ist deshalb von Vorteil, weil restliche Erbsen darin nicht zu Blöcken zusammenfrieren wie es in den Papp-Päckchen leicht passiert. Gibt es TK-Gemüse nur in Päckchen, füllen Sie es am besten gleich in Gefrierbeutel um.

496 kcal/16,6 g Fett/50 g Kohlenhydrate/31 g Eiweiß

Bedarfsdeckung

Vitamin A 2239µg

187 %

Kalium 2496 mg

125 %

Überbackener Chicorée

100 g Tomaten
1 Zwiebel (50 g)
60 g Naturreis
Jodsalz
1 großer Chicoréekolben (250 g)
2 Scheiben gekochter Schinken (à 25 g)
40 g Edamer (30 % Fett)

- Tomaten in Stücke schneiden, Zwiebel würfeln.
- 250 ml Salzwasser aufkochen. Naturreis und Zwiebelwürfel hineingeben und auf niedrigster Stufe 30 Minuten ausquellen lassen.
- Chicorée längs halbieren und 2 Minuten in wenig kochendem Salzwasser vorgaren.
- Chicorée herausnehmen, gut abtropfen lassen und beide Hälften mit 1 Scheibe Schinken umwickeln. Dann in eine Gratinform legen.
- Edamer in Streifen schneiden und auf die Chicorée-Schinken-Wickel legen.
- Im vorgeheizten Backofen auf mittlerer Schiene bei 250 Grad überbacken, bis der Käse schmilzt und leicht bräunt.
- Die Tomatenwürfel unter den Reis heben und zum überbackenen Chicorée essen.

Tip Chicorée schmeckte vor einigen Jahren noch ziemlich bitter. Beim Putzen dieses, damals noch neuartigen, Gemüses mußte der Strunk im Kolben keilförmig herausgeschnitten werden, denn dort steckte der größte Teil der Bitterstoffe. Heutzutage ist das nicht mehr nötig, denn der Bittergeschmack ist längst nicht mehr so ausgeprägt. Den Züchtern ist es gelungen, diese unerwünschte Note wegzuzüchten, ohne daß dabei der typische Chicoréegeschmack verloren ging. Deshalb fällt beim Putzen kaum noch Abfall an.

497 kcal/14,3 g Fett/60 g Kohlenhydrate/33 g Eiweiß

Bedarfsdeckung
Vitamin A 710 µg 59 %
Kalium 1922 mg 96 %

Zucchini-Hack-Pfanne mit Nudeln

80 g Vollkorn-Spiralnudeln
Jodsalz
1 Zwiebel (50 g)
150 g Zucchini
1 TL Olivenöl (5 g)
einige Rosmarinnadeln
75 g Rinderhackfleisch
Pfeffer
1 EL Sojasoße

- Nudeln in kochendem Salzwasser 8-10 Minuten garen. Anschließend abgießen.
- Zwiebel würfeln. Zucchini längs halbieren und in feine Scheibchen schneiden.
- Öl in einer beschichteten Pfanne erhitzen.
- Rosmarin und Hackfleisch zugeben und braun anbraten. Das Hackfleisch mit dem Pfannenwender dabei krümelig zerkleinern.
- Zwiebeln und Zucchini zugeben und 4 Minuten mitbraten.
- Hackpfanne mit Salz, Pfeffer und Sojasoße abschmecken
- Nudeln unterheben, kurz mitbraten und servieren.

Tip Statt Spiralnudeln können sie ebensogut jede andere Vollkorn-Nudelsorte, z.B. auch Röhrennudeln oder Spaghetti nehmen. Nur auf die ganz normalen Eiernudeln müssen Sie während dieser Diät verzichten.

498 kcal/15 g Fett/56 g Kohlenhydrate/28 g Eiweiß

Bedarfsdeckung
Eisen 4620 µg 31 %
Magnesium 147 mg 45 %

Fisch auf Gemüsebett

200 g Kabeljaufilet (frisch oder tiefgefroren)
etwas Zitronensaft oder Essig
Jodsalz, Pfeffer
150 g Kartoffeln
150 g Möhren
100 g Porree
1 EL Butter (10 g)
1 EL tiefgefrorene, gemischte Kräuter
1 EL Leinsamen

- Frisches Kabeljaufilet kalt abspülen und mit Küchenpapier trockentupfen. Tiefgefrorenen Fisch ca. 30 Minuten antauen lassen.
- Fischfilet mit Essig oder Zitronensaft beträufeln, 5 Minuten ziehen lassen, dann mit Salz und Pfeffer würzen.
- Kartoffeln in kochendem Salzwasser 20 Minuten garen.
- Möhren und Porree erst längs halbieren, dann in feine Streifen schneiden.
- In einem Topf mit fest schließendem Deckel die Butter erhitzen. Möhren und Porree zugeben und 3 Minuten darin andünsten.
- 4 EL Wasser, 1/2 Eßlöffel Kräuter und die Leinsamen zugeben und mit Salz und Pfeffer abschmecken.
- Das Kabeljaufilet auf das Gemüse legen, mit den restlichen Kräutern bestreuen und im geschlossenen Topf bei geringer Hitze 10 Minuten im Dampf garen.
- Die Kartoffeln abgießen und mit dem Gemüse und dem Fischfilet anrichten.

Tip Bei diesem Rezept garen Gemüse und Fisch sozusagen im eigenen Saft, vorausgesetzt der Topf hat einen gut schließenden Deckel. Der Vorteil: Wasserlösliche Vitamine und Mineralstoffe werden nicht mit dem Kochwasser weggeschüttet.

493 kcal/16 g Fett/35 g Kohlenhydrate/47 g Eiweiß

Bedarfsdeckung
Vitamin A 2943 µg 245 %
Jod 265 µg 132 %

Chinapfanne mit Putenbrust

60 g Naturreis
Jodsalz
100 g Putenbrust
Pfeffer
100 g Möhren
50 g Frühlingszwiebel
50 g Austernpilze
1 EL Öl (10 g)
50 g Zuckerschoten bzw. Zuckererbsen oder Kaiserschoten
1 TL Speisestärke (3 g)
1 TL Sojasoße (15 g)

- 250 ml Salzwasser aufkochen, den Naturreis hineingeben und ca. 30 Minuten auf niedrigster Stufe ausquellen lassen.
- Putenbrust kalt abspülen, mit Küchenpapier trockentupfen und in Streifen schneiden. Mit Salz und Pfeffer würzen.
- Möhren zuerst längs halbieren und in Streifen schneiden, dann in feine Stifte zerteilen.
- Zwiebel fein würfeln.
- Austernpilze nicht waschen (sie saugen sich sonst voll Wasser und schmecken dann fade), sondern nur mit einem Backpinsel säubern und anschließend in mundgerechte Stücke schneiden.
- Öl in einer beschichteten Pfanne erhitzen und die Putenbruststreifen darin rundherum goldbraun anbraten.
- Austernpilze, Möhren, Zwiebeln und die Zuckerschoten zugeben und 5 Minuten unter ständigem Rühren 5 Minuten braten.
- Alles mit Pfeffer und wenig Salz abschmecken.
- Speisestärke und Sojasoße mit 1 Tasse Wasser in einen Mixbecher geben. Kräftig schütteln und zu dem Pfannengerührten gießen.
- Kurz aufkochen und dann zusammen mit dem gekochten Reis servieren.

Tip Zuckerschoten bilden im Unterschied zu normalen Erbsen keine harte, ungenießbare Pergamentschicht in der Schote aus. Deshalb kann man sie im ganzen essen. Die Erbsen in den fast durchsichtigen, flachen Schoten sind kaum sichtbar. Die köstlichen, leicht süßlichen Schoten sind allerdings ziemlich teuer und nicht immer erhältlich. Falls Sie sie nicht bekommen, können sie auch normale, tiefgekühlte Erbsen nehmen.

508 kcal/13 g Fett/62 g Kohlenhydrate/42 g Eiweiß

Bedarfsdeckung
Vitamin A 1886 µg
157 %
Vitamin E 8331 µg
64 %

Feiner Fischeintopf

150 g Fenchel
150 g Kartoffeln
100 g rote Paprikaschote
50 g Zwiebel
1 TL Olivenöl
3 EL tiefgekühlte, junge Erbsen (30 g)
2 TL gekörnte Gemüsebrühe
1 Lorbeerblatt
200 g Rotbarschfilet (frisch oder tiefgekühlt)
Jodsalz, Pfeffer

- Das Fenchelgrün von der Knolle abzupfen, hacken und für die Garnierung beiseite stellen.
- Fenchelknolle halbieren, dann in feine Streifen schneiden.
- Kartoffeln in Würfel, Paprika in Streifen schneiden. Zwiebel würfeln.
- Öl in einem Topf erhitzen und die Zwiebelwürfel darin glasig dünsten.
- Fenchel, Kartoffeln und Paprika mit den Erbsen, der Gemüsebrühe und dem Lorbeerblatt zufügen.
- 1/2 Liter Wasser dazugießen und alles 8 Minuten köcheln lassen.
- Tiefgekühltes Rotbarschfilet ca. 30 Minuten antauen lassen, dann in Würfel schneiden.
- Fischwürfel in die Suppe geben und 5 Minuten bei milder Hitze darin garziehen lassen.
- Mit Salz und Pfeffer abschmecken und mit dem gehackten Fenchelgrün bestreuen.

Tip Fenchel hat einen angenehm anisähnlichen Geschmack, der dieser Suppe eine südliche Note gibt. Beim Putzen dieses typisch italienischen Gemüses wird der Wurzelansatz der Knollen glatt abgeschnitten, die Stiele eingekürzt und gegebenenfalls angetrocknete Hüllblätter entfernt.

502 kcal/14,2 g Fett/45 g Kohlenhydrate/29 g Eiweiß

Bedarfsdeckung
Vitamin B6 1187µg
54 %
Folsäure 242 µg
53 %

Filetsteak mit grünen Bohnen und Kartoffeln

200 g grüne Bohnen (frisch oder tiefgekühlt)
250 g Kartoffeln
Jodsalz
1 kleine Zwiebel (20 g)
150 g Rinderfiletsteak
Pfeffer
1 EL Öl (10 g)
1 EL gehackte Petersilie (frisch oder tiefgekühlt)

- Bohnen und Kartoffeln getrennt in kochendem Salzwasser garen.
- Zwiebel in Ringe schneiden.
- Das Steak mit Salz und Pfeffer würzen.
- Öl in einer kleinen beschichteten Pfanne erhitzen und das Steak darin 6-8 Minuten braten.
- 2 Minuten vor Ende der Bratzeit die Zwiebelringe zugeben und leicht bräunen.
- Bohnen und Kartoffeln abgießen, mit Petersilie bestreuen und zum Steak essen.

505 kcal/14,3 g Fett/49 g Kohlenhydrate/42 g Eiweiß

Bedarfsdeckung
Vitamin C 76 mg
71 %
Vitamin E 6468 µg
50 %

Tomatensuppe mit Graupen und Fleischklößchen

1 Zwiebel (50 g)
1 Knoblauchzehe
1 EL Öl (10 g)
1 große Dose geschälte Tomaten (mit Saft)
Jodsalz, Pfeffer
1 EL Essig
30 g Gerstengraupen (Vollkorn)
100 g Tatar
2 EL tiefgekühlte, junge Erbsen (20 g)

- Zwiebel fein würfeln, Knoblauch durch die Knoblauchpresse drücken.
- Öl erhitzen und die Zwiebel mit Knoblauch darin andünsten.
- Tomaten mit Saft zufügen und mit dem Schneidstab des Handrührgerätes pürieren.
- Die Suppe kräftig mit Salz, Pfeffer und Essig abschmecken.
- Die Graupen zugeben und 20 Minuten auf niedrigster Stufe in der Suppe garen.
- In der Zwischenzeit das Tatar mit Salz und Pfeffer würzen und kleine Klößchen daraus formen.
- Die Fleischklößchen mit den Erbsen in die Suppe geben und weitere 5 Minuten garen.

Tip Bei Gerstengraupen rümpft manch einer in Erinnerung an schlechte Zeiten die Nase. In wässriger Brühe pur zu Brei verkocht, sind sie wirklich nicht der Hit. Teens und Twens von heute sind die nährstoffreichen Körnchen z.T. sogar überhaupt kein Begriff mehr. Graupen sind im Geschmack ganz normalem Reis sehr ähnlich. Man darf sie allerdings nicht zu lange garen und muß sie auch nicht unbedingt pur essen. Als Einlage in fruchtig-würziger Tomatensuppe schmecken die Körnchen aber wirklich prima.

501 kcal/14,3 g Fett/56 g Kohlenhydrate/35 g Eiweiß

Bedarfsdeckung
Vitamin B6 1309 µg — 60 %
Folsäure 278 µg — 60 %

Grünkern mit Pilzen und Gemüse

100 g Grünkerne (Vollkorn)
1 kleine Zwiebel (20 g)
1 Knoblauchzehe
100 g Porree
200 g Tomate
100 g Austernpilze
1 EL Öl (10 g)
Jodsalz, Pfeffer

- Grünkerne in Wasser einweichen und über Nacht ausquellen lassen oder in kochendem Salzwasser 20 Minuten garen. Anschließend abtropfen lassen.
- Zwiebel und Knoblauch hacken. Porree in Ringe schneiden, Tomate achteln. Pilze in Stücke schneiden.
- Öl in einer beschichteten Pfanne erhitzen, Zwiebel, Knoblauch und Pilze darin anbraten.
- Porree zugeben und 10 Minuten dünsten. Grünkern und Tomate zugeben, kurz erhitzen und mit Salz und Pfeffer abschmecken.

501 kcal/13,8 g Fett/75 g Kohlenhydrate/17 g Eiweiß

Vitamin E 15 mg — 118 %
Vitamin B2 888 µg — 44 %

Kartoffel-Sauerkraut-Auflauf

300 g Kartoffeln
Jodsalz
100 ml fettarme Milch (1,5 % Fett)
Pfeffer
1 kleine Dose Sauerkraut (300 g)
50 g Gouda (40 % Fett)
1 EL geriebener Parmesan (5 g)
1 EL Semmelbrösel (10 g)

- Kartoffeln in Würfel schneiden und in kochendem Salzwasser 10 Minuten vorgaren.
- Die Kartoffeln abgießen zerstampfen.
- Die Milch unter das Püree rühren und mit Salz und Pfeffer abschmecken.
- Das Sauerkraut in eine Auflaufform geben, mit Hilfe von zwei Gabeln auflockern und das Kartoffelpüree darauf verteilen.
- Gouda reiben, mit Parmesan und Semmelbröseln mischen und auf das Kartoffelpüree streuen.
- Den Auflauf im vorgeheizten Backofen auf mittlerer Schiene bei 250 Grad ca. 20 Minuten goldbraun überbacken.

Tip Der Kartoffel-Sauerkraut-Auflauf ist für eine Person ganz schön üppig. Sie müssen ihn sich aber nicht hinunterzwingen, wenn Ihnen die Portion zu groß ist. Sie können sich den Rest auch aufheben und zu einem anderen Zeitpunkt, zum Beispiel am späteren Abend essen. Heiße Sachen aber niemals lange warmhalten, sondern zugedeckt kalt stellen und nur ganz kurz, knapp unter dem Siedepunkt, wieder erhitzen. Übrigens: Wenn es einige Zeit nach dem Essen in Ihrem Bauch rumort, ist das völlig normal. Sauerkraut ist dafür bekannt, daß es die Verdauung auf Hochtouren bringt.

497 kcal/15 g Fett/60 g Kohlenhydrate/27 g Eiweiß

Bedarfsdeckung
Kalzium 818 mg — 91 %
Magnesium 149 mg — 46 %

Lauch-Creme-Suppe mit Krabben

300 g Kartoffeln
100 g Porree
2 TL gekörnte Brühe (à 5 g)
2 EL Crème fraîche (30 g; 30 % Fett)
50 g Nordseekrabbenfleisch
Jodsalz, Pfeffer
1 Scheibe Vollkornbrot (50 g)

- Kartoffeln würfeln, Porree in Ringe schneiden.
- Beides mit gekörnter Brühe und 1/2 l Wasser aufkochen und 15 Minuten garen.
- Kartoffeln und Porree mit dem Schneidstab des Handrührgerätes in der Brühe pürieren.
- Crème fraîche und Krabben einrühren und mit Salz und Pfeffer abschmecken. Die Scheibe Brot dazu essen.

Tip Sie bekommen Besuch und wollen die Diät nicht unterbrechen? Kein Problem! Mit dieser Diät können Sie sogar ein mehrgängiges Menü für 4 Personen auf den Tisch bringen. Das erfordert keine Rechnerei oder Schummelei. Sie kochen pro Person einfach ein Diätrezept wie angegeben, die Zutaten müssen also nicht hochgerechnet werden. Zum Beispiel einen der Salate als kalte Vorspeise, diese feine Lauch-Creme-Suppe mit Krabben als warme Vorspeise, ein Pfannengericht, Auflauf oder Eintopf als Hauptgericht und einen Quark-Obst-Salat als Dessert. Die Mengen der einzelnen Rezepte sind ausreichend, um für alle jeweils einen Gang im Menü abzugeben.

493 kcal/11,8 g Fett/71 g Kohlenhydrate/24 g Eiweiß

Bedarfsdeckung
Vitamin B6 989 µg — 45 %
Jod 84 µg — 42 %

Kalte Mahlz
1500 Kilok

Wenn Zubereitung und Qualität stimmen, kommen kleine Snacks mit wenig Fett ganz groß raus. Wer die kalten Diät-Köstlichkeiten im Büro auftischt, darf mit neidischen Blicken der Kollegen rechnen.

eiten für die alorien Diät

Krabben-Cocktail: Nicht nur für besondere Anlässe.....................S. 213

Bunter Maissalat: Achtung, eine Vitaminbombe! ....S. 208

Gefüllte Paprikaschote: Vegetarischer Leckerbissen ....S. 214

Chicoréesalat: Echt italienisch mit Schinken-Melone ....S. 212

Tomaten-Ei-Brot mit Sardellen: Kleine Fische ganz groß ....S. 214

Geflügelsalat: Mit viel Curry, bitte! ....S. 211

Radieschensalat mit Harzer: Senfdressing für Gourmets .....S. 211

Wachsbohnensalat mit Salami: Pikant und knackig ....S. 214

Rohkostplatte mit Dip: Ein herrlich gesunder Knabberspaß.......S. 215

Früchtequark mit Kokosnuß: Für die Naschkatze in Ihnen ....S. 215

Dicke-Bohnen-Salat mit Käse: Mit Paprika verfeinert ....S. 215

Bananen-Schinken-Sandwich

3 Scheiben Vollkorntoast (à 20 g)
2 TL Crème fraîche
(à 5 g; 30 % Fett))
2 Salatblätter (à 10 g)
2 Scheiben gekochter
Schinken (à 25 g)
85 g Banane
Currypulver

- Das Brot toasten.
- Zwei Scheiben mit je 1 TL Crème fraîche bestreichen und mit je 1 Salatblatt und Schinken belegen.
- Banane in Scheiben schneiden, auf den Schinken legen und mit Curry bestäuben.
- Die beiden belegten Scheiben übereinanderstapeln und mit dem dritten Toast abdecken.

Tip Immer, wenn in den Rezepten Blattsalat vorkommt, haben Sie die freie Auswahl. Kalorienmäßig ist es nämlich unerheblich, ob Sie sich für Kopfsalat, knackigen Eisbergsalat, hübsch plissierten Lollo rossa, Lollo bionda, den herberen Frisée- oder Endiviensalat oder vielleicht auch Eichblatt- oder Römersalat entscheiden. Kaufen Sie erst einmal nur einen kleinen Kopf. Die Blätter wandern dann nicht nur ins Sandwich und ins Baguette, sondern auch in bunte Mischsalate. Treibhaus-Kopfsalat macht übrigens am schnellsten schlapp, Eisbergsalat dagegen hält sich gut mehrere Tage.

354 kcal/10,5 g Fett/32 g Kohlenhydrate/10 g Eiweiß

Bedarfsdeckung
Kalium 572 mg — 29 %
Magnesium 98 mg — 30 %

Gefülltes Pita-Brot

30 g Gouda (40 % Fett)
2 Salatblätter (20 g)
50 g Tomate
1 Frühlingszwiebel (10 g)
1 Knoblauchzehe
2 EL saure Sahne
(30 g; 10 % Fett)
Jodsalz, Pfeffer
1 tiefgekühltes, dänisches Pita-Fladenbrot (80 g)

- Den Käse und die Salatblätter in Streifen schneiden.
- Tomate in Scheiben, Frühlingszwiebel in Ringe zerlegen. Knoblauch sehr fein würfeln.
- Knoblauch mit saurer Sahne, verrühren und mit Salz und Pfeffer abschmecken.
- Pita-Brot toasten, am Rand ca. 10 cm einschneiden und zu einer Tasche aufbiegen.
- Käse, Salat, Tomate und Zwiebel abwechselnd mit der Knoblauchcreme in das Brot füllen.

Tip Falls Sie kein Pita-Brot bekommen, nehmen Sie die gleiche Menge Baguette-Brot.

359 kcal/10,9 g Fett/47 g Kohlenhydrate/16 g Eiweiß

Bedarfsdeckung

Kalium 879 mg 44 %

Kalzium 370 mg 41 %

Bunter Maissalat

40 g Blattsalat
100 g rote Paprikaschote
50 g Tomate
25 g Frühlingszwiebel
120 g Gemüsemais aus der Dose
4 schwarze, entkernte Oliven (10 g)
1 TL Öl (5 g)
1 EL Essig
1 TL scharfer Senf (5 g)
Jodsalz, Pfeffer
1 Scheibe Vollkornbrot mit Sonnenblumenkernen (50 g)

- Salatblätter in kleinere Stücke rupfen.
- Paprikaschote würfeln, Tomate achteln, Frühlingszwiebel in Ringe schneiden.
- Alles in eine Schüssel füllen

und mit den Maiskörnern und den Oliven mischen.
- Öl mit Essig, Senf und 2-3 EL Wasser verrühren und mit Salz und Pfeffer abschmekken. Das Dressing über den Salat gießen und etwas durchziehen lassen. Die Scheibe Vollkornbrot dazuessen.

350 kcal/10,7 g Fett/44 g Kohlenhydrate/11 g Eiweiß

Bedarfsdeckung

Eisen 4348 µg

29 %

Folsäure 167 µg

36 %

Roastbeef-Spargel-Röllchen auf Brot

1/2 Kästchen Kresse
1 Becher Joghurt aus Magermilch (150 g)
Jodsalz, Pfeffer
1 Scheibe Vollkornbrot mit Sonnenblumenkernen (50 g)
125 g Stangenspargel aus der Dose
3 Scheiben Roastbeef (à 25 g)
50 g Tomate

- Die Kresse mit einer Schere abschneiden, mit dem Joghurt verrühren und mit Salz und Pfeffer abschmecken.
- 2 EL davon abnehmen und auf das Vollkornbrot streichen.
- Spargelstangen abtropfen lassen, halbieren und in die Roastbeefscheiben einrollen. Die Röllchen auf dem Brot anrichten.
- Tomate würfeln, unter die restliche Kresse-Joghurt-Mischung heben und dazu essen.

350 kcal/10,3 g Fett/32 g Kohlenhydrate/30 g Eiweiß

Bedarfsdeckung

Folsäure 181 µg

39 %

Magnesium 117 mg

36 %

Schinkenbrot

2 Scheiben Vollkornbrot (à 50 g)
2 TL Crème fraîche
(à 5 g; 30 % Fett)
2 Salatblätter (à 10 g)
2 Scheiben Lachsschinken (à 10 g)
1 Scheibe gekochter
Schinken (25 g)
5 Cornichons (25 g)

- Brot mit Crème fraîche bestreichen und mit Salat und Schinken belegen.
- Dazu Cornichons essen.

Tip Brot wird ziemlich schnell alt, zumal wenn es sich um einzelne Scheiben handelt. Um nicht auf trockenen, gewellten Stücken herumzubeißen, hilft ein Trick: Frieren sie die ganze Packung Brot oder Toast ein. Die Scheiben lassen sich trotz Frost gut einzeln aus der Tüte herausnehmen und im Toaster auftauen. Sie springen dann frisch und ofenwarm heraus.

349 kcal/10,9 g Fett/42 g Kohlenhydrate/19 g Eiweiß

Bedarfsdeckung

Magnesium 84 mg — 26 %

Eisen 3324 µg — 22 %

Pumpernickel mit Tatar

1 kleine Zwiebel (20 g)
120 g Tatar (mageres, geschabtes Rindfleisch)
Jodsalz, Pfeffer
8 Pumpernickelround (à 10 g)
4 TL Crème fraîche
(à 5 g; 30 % Fett)
50 g Gewürzgurke

- Zwiebel in kleine Würfel schneiden.
- Tatar und mit Salz und Pfeffer würzen und die Zwiebelwürfel mit einer Gabel untermischen.
- Alle Pumpernickelscheiben mit Crème fraîche bestreichen. Auf vier davon das Tatar verteilen.
- Gewürzgurke in vier Scheiben schneiden und darauflegen. Mit den restlichen vier Pumpernickelscheiben abdecken.

Tip Tatar ist, ebenso wie Hackfleisch, sehr anfällig für Mikroorganismen und verdirbt daher extrem schnell. Bewahren Sie ihn nie lange auf, sondern essen Sie ihn sofort am Einkaufstag.

354 kcal/9,8 g Fett/36 g Kohlenhydrate/32,8 g Eiweiß

Bedarfsdeckung

Magnesium 54 mg — 17 %

Radieschensalat mit Harzer

10 Radieschen (80 g)
1 Zwiebel (25 g)
60 g Harzer Käse
40 g Blattsalat (z.B. Römersalat, Lollo rosso, Eichblatt- oder Eisbergsalat)
2 EL Senf (20 g)
4 EL Apfelsaft (40 ml)
1 TL Öl (10 g)
Jodsalz, Pfeffer
1 Laugenbrezel (55 g)

- Radieschen in Scheiben, Zwiebel in Ringe schneiden.
- Den Harzer Käse fein würfeln
- Den Salat in mundgerechte Stücke rupfen und mit Radieschen, Zwiebel und Käse mischen.
- Senf, Apfelsaft, Öl, Salz und Pfeffer verquirlen und über den Salat gießen.
- Laugenbrezel dazu essen.

351 kcal /8,9 g Fett/38 g Kohlenhydrate/31 g Eiweiß

Bedarfsdeckung

Kalzium 42,7 mg — 40 %

Kalium 594 mg — 30 %

Geflügelsalat

100 g gekochte Putenbrust in Scheiben
100 g Mandarine
50 g Möhre
5 Walnußkernhälften (10 g)
Becher Joghurt aus Magermilch (150 g)
Jodsalz, Pfeffer
Currypulver
1 Scheibe Vollkorntoast (20 g)

- Putenbrust in Streifen schneiden. Mandarine in Spalten teilen, Möhre raffeln oder mit einem Buntmesser in dünne Scheiben schneiden.
- Walnußkerne nach Belieben grob hacken oder im Ganzen mit den vorbereiteten Zutaten mischen.
- Joghurt mit Salz, Pfeffer und Curry abschmecken und über den Salat gießen. Brot toasten und dazu essen.

Tip Gekochte Putenbrust gibt's an der Aufschnittheke.

349 kcal/8,3 g Fett/30 g Kohlenhydrate/35 g Eiweiß

Bedarfsdeckung

Vitamin A 986 µg — 82 %

Vitamin B6 756 µg — 34 %

Chicoréesalat

125 g Chicorée
50 g Mandarine
1 Becher Joghurt aus Magermilch (150 g)
4 EL Orangensaft
Jodsalz, Pfeffer
10 g gehackte Pistazien
200 g Honigmelone
2 Scheiben Lachsschinken (à 10 g)

- Die Chicoréeblätter voneinander lösen und eventuell etwas kleiner schneiden.
- Die Mandarine in Spalte teilen und dann mit dem Chicorée mischen.
- Joghurt mit Orangensaft verrühren und mit Salz und Pfeffer pikant abschmecken.
- Das Joghurtdressing über den Salat gießen und die gehackten Pistazien darüberstreuen.
- Honigmelone mit Lachsschinken belegen und mit dem Salat anrichten.

Tip „Melone mit Schinken" ist eine beliebte, italienische Vorspeise. Sie können sie - wie auf dem Foto - vorweg vernaschen oder aber auch einmal so probieren: Melone würfeln, den Lachsschinken in Streifen schneiden und beides mit unter den Chicoréesalat mischen. Die Süße der Melone harmoniert außerordentlich gut mit dem leichten Bittergeschmack des Chicorées. - Wie bei vielen anderen Südfrüchten auch, die im Heimatland unreif auf die Reise gehen, ist es ärgerlich, wenn man beim Aufschneiden feststellt, daß das Fruchtfleisch noch hart und ohne Aroma ist. Ob die Melone richtig schön reif ist, können Sie prüfen, indem Sie mit dem Daumen auf den Scheitelpunkt an der Spitze drücken. Gibt er etwas nach, ist die Melone süß und saftig. Honigmelonen erkennt man an ihrer knallgelben Farbe und der baseballähnlichen Form.

354 kcal/9,9 g Fett/48 g Kohlenhydrate/20 g Eiweiß

Bedarfsdeckung

Vitamin C 92 mg 86,2 %

Kalzium 295 mg 33 %

Putenbrust-Käse-Sandwich

50 g Kiwi
50 g Tomate
3 Vollkorntoastscheiben (à 20 g)
2 TL Crème fraîche (à 5 g; 30 % Fett)
2 Salatblätter (à 10 g)
50 g geräucherter Putenbrustaufschnitt
30 g Edamer (30 % Fett)

- Kiwi und Tomate in Scheiben schneiden.
- Die Brotscheiben können Sie, wenn Sie wollen, im Toaster rösten; es muß aber nicht sein.
- 2 Scheiben Toast mit Crème fraîche bestreichen.
- Die beiden Toasts mit je einem Salatblatt belegen.
- Putenbrust, Käse, Tomate und Kiwi gleichmäßig auf dem Brot verteilen.
- Die beiden belegten Toastscheiben übereinander stapeln und mit der restlichen Scheibe Toastbrot abdecken.
- Das Sandwich leicht zusammendrücken.

Tip Kiwis werden im Handel oft unausgereift angeboten. Wenn die kleinen, braun-behaarten Früchte noch steinhart sind, schmecken sie aber nicht. Um sie zu Hause schneller reifen zu lassen, packt man sie am besten bei Zimmertemperatur mit einem Apfel in eine Plastiktüte. Äpfel verströmen ein Gas (Äthylen), das Früchte schneller reifen läßt. Schön süß und vollaromatisch ist eine Kiwi erst, wenn das Fruchtfleisch auf leichten Fingerdruck nachgibt.

343 kcal/10,6 g Fett/21 g Kohlenhydrate/24 g Eiweiß

Bedarfsdeckung

Vitamin C 65 mg 61 %

Vitamin A 409 µg 34 %

Feldsalat mit Forellenfilet

100 g Tomate
100 g Apfel
1 geräuchertes Forellenfilet (120 g)
30 g Feldsalat
2 EL saure Sahne (30 g; 10 % Fett)
3 EL Apfelsaft (30 ml)
Jodsalz, Pfeffer

- Tomate halbieren und in Scheiben schneiden, Apfel achteln und ebenfalls in Scheibchen schneiden.
- Das Forellenfilet mit Feldsalat, Tomate und Apfel auf einem Teller anrichten.
- Saure Sahne mit Apfelsaft verrühren, mit Salz und Pfeffer abschmecken und über den Salat gießen.

Tip Forellenfilets können sie entweder frisch geräuchert beim Fischhändler kaufen, die schmecken natürlich besonders gut, wenn sie noch warm vom Räuchern sind, oder aber abgepackt im Supermarkt. Die in Folie eingeschweißten Filets sind gut und preiswert. Vor dem Essen sollte man sie aber rechtzeitig aus dem Kühlschrank nehmen. Eiskalt schmecken sie nicht so aromatisch. Die Salatsoße können Sie nach Belieben noch mit etwas gehacktem Dill verfeinern.
Übrigens: 30 Gramm Feldsalat, das hört sich nach sehr wenig an. Sie werden aber staunen, wieviel das tatsächlich ist. Die zarten, grünen Blättchen mit dem leichten Nußgeschmack wiegen nämlich kaum etwas. Schon 30 Gramm sind eine gute Portion. Feldsalat ist ein frosthartes Kraut und wird vornehmlich in den Herbst- und Wintermonaten angeboten. Wenn es zur Zeit keinen Feldsalat gibt, können Sie aber auch jeden anderen beliebigen Blattsalat nehmen.

355 kcal/9,1 g Fett/21 g Kohlenhydrate/40 g Eiweiß

Bedarfsdeckung
Vitamin D 9 µg 177 %
Kalium 2272 mg 114 %

Krabbencocktail

4 EL saure Sahne (60 g; 10 % Fett)
2 EL fettarme Milch (30 ml; 1,5 % Fett)
1 EL gehackter Dill
Jodsalz, Pfeffer
125 g Spargel aus der Dose
25 g Cornichons
50 g Nordseekrabbenfleisch
4 Salatblätter (40 g)
50 g Tomate
60 g Baguette-Brot
1 TL Crème fraîche

- Saure Sahne mit Milch und Dill verrühren und mit Salz und Pfeffer nach Belieben abschmecken.
- Spargel in Stücke schneiden. Cornichons würfeln. Beides mit den Krabben unter die Dill-Sahne heben.
- Eine Schüssel mit Salatblättern auslegen. Tomate in Scheiben schneiden.
- Krabbencocktail auf den Salatblättern anrichten und mit Tomate garnieren.
- Baguettebrot mit Crème fraîche bestreichen und dazuessen.

Tip Frische, selbst gepulte Nordseekrabben schmecken natürlich noch besser als das beim Fischhändler angebotene ausgelöste Krabbenfleisch. Denn das Innenleben der kleinen Krustentiere ist, ebenso wie Hackfleisch, schnell verderblich. Deshalb müssen ihm Konservierungsstoffe zugesetzt werden - und die schmecken leider etwas durch. Wer die Möglichkeit hat, frische Kutterkrabben zu ergattern und den Zeitaufwand nicht scheut, der kann die Krabben auch selbst auslösen. Achtung: Die Hülle von Garnelen macht den größten Teil des Gewichts aus. Für 50 g Krabbenfleisch, müssen Sie etwa die dreifache Menge, also 150 g Nordseekrabben, einkaufen.

345 kcal/9,5 g Fett/41 g Kohlenhydrate/17 g Eiweiß

Bedarfsdeckung
Jod 93 µg 46 %
Kalium 1261 mg 63 %

Wachsbohnensalat mit Salami

1 Mini-Salami (25 g)
100 g Wachsbohnen aus dem Glas
200 g Tomaten
30 g Feldsalat
1 Becher Joghurt aus Magermilch (150 g)
2 EL Apfelsaft (20 g)
Jodsalz, Pfeffer
1 Vollkorn-Zwiebelbrötchen (50 g)

- Die Mini-Salami schräg in dünne Scheiben schneiden.
- Die Wachsbohnen abtropfen lassen.
- Tomaten in Scheiben schneiden und mit Bohnen, Salami und Feldsalat mischen.
- Joghurt mit Apfelsaft verrühren und mit Salz und Pfeffer abschmecken.
- Das Joghurt-Dressing über den Salat gießen und kurz ziehen lassen. Das Zwiebelbrötchen dazu essen.

Tip Die Mini-Salami bekommen Sie nicht an der Frischaufschnitt-Theke des Supermarktes. Sie finden sie vielmehr in Alufolie eingeschweißt als Pausen-Snack im Kühlregal. Zugegeben, 25 Gramm Salami erscheinen auf den ersten Blick zwar bitter wenig, doch das täuscht. In dünne Scheiben geschnitten macht das kleine Würstchen nämlich ganz schön viel her.

349 kcal/10,5 g Fett/41 g Kohlenhydrate/20 g Eiweiß

Bedarfsdeckung
Eisen 7007µg — 47 %
Vitamin E 7862 µg — 61 %

Fladenbrot à la Döner Kebab

45 g Schweinebratenaufschnitt
50 g Tomate
1 Knoblauchzehe
2 EL saure Sahne (30 g; 10 % Fett)
Jodsalz, Pfeffer
1 tiefgekühltes, dänisches Pita-Fladenbrot (80 g)
50 g Weißkohlsalat (Fertigprodukt)

- Schweinebratenaufschnitt in Streifen, Tomate in Scheiben schneiden.
- Knoblauch durch die Knoblauchpresse drücken und mit der sauren Sahne verrühren. Mit Salz und Pfeffer abschmecken.
- Pitabrot toasten, am Rand ca. 10 cm einschneiden und das Brot zu einer Tasche aufbiegen.
- Schweinebraten abwechselnd mit Weißkohlsalat, Tomate und Knoblauchsahne in das Brot füllen.

Tip Pita-Brot ist ideal zum Füllen. Falls es in Ihrer Nähe nicht erhältlich ist, können Sie sich mit einem kleinen Baguettebrötchen (80 g) behelfen. Den Weißkohlsalat eventuell extra essen, falls er nicht mit in das Brot hineinpaßt. Für Döner-Fans ist die Knoblauchsoße natürlich selbstverständlich. Wer den Geruch der tollen Knolle aber ganz und gar nicht ausstehen kann, darf getrost auf die Knoblauchzehe verzichten.

356 kcal/9 g Fett/49 g Kohlenhydrate/18 g Eiweiß

Bedarfsdeckung
Vitamin C 43 mg — 40 %
Kalium 898 mg — 45 %

Gefüllte Paprikaschote

200 g rote Paprikaschote
1/2 Kästchen Kresse
1/2 EL Leinsamen (10 g)
2 EL Gemüsemais aus der Dose (40 g)
200 g Hüttenkäse (10 % Fett)
Jodsalz, Pfeffer
1 Scheibe Vollkorntoast (20 g)
1 TL Crème fraîche (5 g; 30 % Fett))

- Paprikaschote halbieren.
- Kresse mit einer Schere abschneiden; mit den Leinsamen und den Maiskörnern unter den Hüttenkäse mischen.
- Mit Salz und Pfeffer abschmecken und in die Paprikahälften füllen.
- Das Brot toasten, mit Crème fraîche bestreichen und dazu essen.

Tip Mais gibt es zwar auch in Mini-Döschen zu kaufen, nur sind die Winzlinge viel teurer als die Normal-Dosen. Mais kommt bei dieser Diät so häufig vor, daß man durchaus eine Standard-Dose kaufen kann, die benötigte Menge entnimmt und das Übrige bis zu einer Woche in einer Gefrierdose im Kühlschrank aufbewahrt.

354 kcal/10,3 g Fett/25 g Kohlenhydrate/51 g Eiweiß

Bedarfsdeckung
Vitamin C 316 mg — 295 %
Vitamin B6 1026 µg — 47 %

Tomaten-Ei-Brot mit Sardellen

1 Ei (Gewichtsklasse 3)
2 Scheiben Vollkornbrot (à 50 g)
1 EL Kräuterfrischkäse (20 g; 30 % Fett)
2 Salatblätter (20 g)
50 g Tomate
4 Sardellen (à 5 g)
Pfeffer, Jodsalz

- Das Ei in kochendem Wasser 10 Minuten garen. Kalt abschrecken, pellen und in Scheiben schneiden.
- Brot dünn mit Kräuterfrischkäse bestreichen und mit je 1 Salatblatt belegen.
- Die Tomate in Scheiben schneiden und mit den Eischeiben im Wechsel dachziegelartig auf die Brote legen.
- Tomaten-Eibrote mit Salz und Pfeffer würzen und je 2 Sardellenfilets darauflegen.

Tip Wenn Sie sich dieses belegte Brot in der Firma zubereiten wollen, können Sie das Ei schon am Vortag kochen.

354 kcal/9,4 g Fett/43 g Kohlenhydrate/20 g Eiweiß

Bedarfsdeckung
Vitamin D 6 µg — 120 %
Eisen 6697 µg — 45 %

Brot mit Forellenfilet

1 Scheibe Vollkornbrot (50 g)
1 Salatblatt (10 g)
1 Forellenfilet (120 g)
2 TL Crème fraîche (30 % Fett)
1 TL geriebener Meerrettich aus der Tube (5 g)

- Vollkornbrot mit Salatblatt und Forellenfilet belegen.
- Crème fraîche mit Meerrettich mischen und auf das Forellenfilet geben.

Tip Geriebenen Meerrettich, Tomatenmark oder Senf gibt es zwar auch im Glas, für eine Diät sind Tuben aber praktischer, da Sie ja nur kleine Mengen benötigen. In Tuben ist der Inhalt besser vor zerstörerischem Sauerstoff und Licht geschützt und deshalb länger haltbar.

356 kcal/9 g Fett/21 g Kohlenhydrate/42 g Eiweiß

Bedarfsdeckung

Vitamin D 9 µg

177 %

Kalium 1014 mg

51 %

Früchtequark mit Kokosnuß

125 g Banane
125 g Orange
1 EL Kokosraspel (10 g)
125 g Speisequark (20 % Fett)
2 EL fettarme Milch
(30 g; 1,5 g Fett)
etwas Vanillepulver

- Die Banane in Scheiben und die Orange in Spalte teilen, dann alles in Stücke schneiden.
- Die Früchte mit den Kokosraspeln mischen.
- Quark mit der Milch glattrühren, mit Vanillepulver abschmecken und unter die Früchte heben.

Tip Vanillepulver bitte nicht mit Vanillinzucker verwechseln, denn der Zucker mit dem Vanillin hat viel zu viele Kalorien für eine Diät. Falls Sie das Pulver nicht bekommen, lieber 1 Tropfen Vanille-Backaroma nehmen. Der Früchtequark schmeckt aber durchaus auch ohne Vanillegeschmack. Das oben erwähnte Vanillepulver wird meistens auf Weihnachtsmärkten verkauft. Es lohnt sich auf jeden Fall ein Döschen davon mitzunehmen, denn es schmeckt sehr viel besser als Vanillinzucker und man muß den Zucker nicht mit in Kauf nehmen.

348 kcal/10,6 g Fett/44 g Kohlenhydrate/19 g Eiweiß

Bedarfsdeckung

Vitamin C 78 mg

73 %

Vitamin B6 531 µg

27 %

Rohkostplatte mit Dip

1 Becher Vollmilchjoghurt
(150 g; 3,5 % Fett)
2 EL Senf (20 g)
1 EL Schnittlauchröllchen
oder gehackter Dill (frisch oder tiefgekühlt)
Jodsalz, Pfeffer
150 g Möhren
150 g Kohlrabi
10 Radieschen (80 g)
1 Vollkornbrötchen (50 g)

- Vollmilchjoghurt mit Senf verrühren und mit Salz und Pfeffer abschmecken.
- Schnittlauch oder Dill hineinrühren.
- Möhre und Kohlrabi in handliche Stücke schneiden und mit den Radieschen und dem Dip anrichten.
- Das Gemüse Stück für Stück in den Joghurt-Dip tauchen und genüßlich roh knabbern. Das Vollkornbrötchen dazu essen.

Tip Knoblauchfans können sich noch eine kleine gepreßte Knobizehe mit in den Dip rühren. Kalorien- und fettmäßig fällt ein kleines Stück der "duften" Knolle kaum ins Gewicht.

353 kcal/9,3 g Fett/56 g Kohlenhydrate/17 g Eiweiß

Bedarfsdeckung

Vitamin B6 613 µg

28 %

Vitamin C 135 mg

126 %

Frühlingsquark mit Vollkornbrötchen

1 Knoblauchzehe
100 g rote Paprikaschote
50 g Frühlingszwiebel
125 g Speisequark (20 % Fett)
4 EL fettarme Milch
(60 ml; 1,5 % Fett)
1 TL Leinsamen (5 g)
Jodsalz, Pfeffer
1 Vollkornbrötchen (50 g)

- Knoblauch hacken, Paprika fein würfeln, Frühlingszwiebel in Ringe schneiden.
- Den Quark mit Milch glattrühren, das Gemüse mit den Leinsamen unterheben und mit Salz und Pfeffer würzen.
- Das Brötchen dazu essen oder damit bestreichen.

Tip Nicht alles, was beim Bäcker mit Körnern geschmückt angeboten wird, ist auch wirklich ein Vollkornbrötchen. Viel wichtiger als ein kerniges Äußeres ist das Innenleben. Ein richtiges Vollkornbrötchen wird mit Vollkornmehl gebacken, es ist deshalb innen auch nicht schneeweiß sondern grau und wiegt mehr als eine einfache Semmel. Jubelt man Ihnen doch ein „Leichtgewicht" unter, dann schmieren Sie es dem Bäcker ruhig mal aufs Brot!

350 kcal/9,8 g Fett/33 g Kohlenhydrate/24 g Eiweiß

Bedarfsdeckung

Vitamin B2 701 µg

35 %

Vitamin B6 756 µg

34 %

Dicke-Bohnen-Salat mit Käse

100 g große dicke Bohnen (Glas)
40 g Blattsalat
100 g rote Paprikaschote
50 g Tomate
10 g Frühlingszwiebel
30 g Gouda (40 % Fett)
50 ml Tomatensaft
1 EL Essig
Jodsalz, Pfeffer

- Die dicken Bohnen abtropfen lassen.
- Blattsalat in kleinere Stücke rupfen. Paprika in Streifen schneiden. Tomate achteln, Frühlingszwiebel in Ringe, Käse in Streifen schneiden.
- Alle vorbereiteten Zutaten miteinander mischen.
- Den Tomatensaft mit Essig, Salz und Pfeffer abschmecken und über den Salat gießen.

Tip Da Sie für dieses Rezept nur 50 ml Tomatensaft benötigen, bleibt noch eine Menge in der Flasche übrig. Von dem vitamin- und mineralstoffreichen Saft können Sie aber auch gern mal zwischendurch ein Gläschen trinken, denn Tomatensaft enthält zwar eine Menge wertvolle Nährstoffe, aber kaum Kalorien.

349 kcal/8,4 g Fett/42 g Kohlenhydrate/24 g Eiweiß

Bedarfsdeckung

Vitamin C 217 mg

202 %

Vitamin A 813 µg

68 %

Warme Mahlz
1800 Kiloka

Beim Anblick dieser Köstlichkeiten darf Ihnen ohne Angst um die schlanke Linie das Wasser im Munde zusammenlaufen. Alle Gerichte aus der Fit For Fun Diät-Küche haben 600 kcal und 20 g Fett.

Kasseler Eintopf mit Graupen: Fast wie bei Muttern.........S. 229

Möhrencremesuppe: Fein püriert mit Pistazien und Orange ....S. 225

Kartoffel-Bohnen-Eintopf mit Speck: Wirklich deftig...S. 228

Schweinefilet-Ragout:, Bekennen Sie sich zur Fleischeslust ....S. 218

Nudeln mit Lachs und Broccoli: Beeindruckt auch Gäste..........S. 230

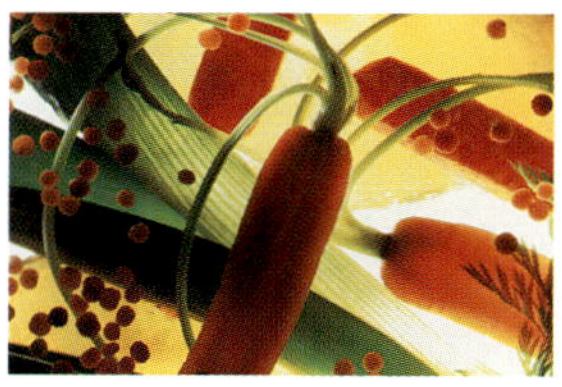

Rote-Linsen-Eintopf: Viel Gesundes aus einem Topf....................S. 228

Ratatouille: Der edle Klassiker ....S. 223

Fenchel mit Käsesoße:, Haben Sie das schon mal probiert?......S. 231

Chili con Carne: Natürlich feurig wie in Mexico ....S. 229

eiten für die lorien Diät

Spaghetti mit Pilzsoße: Schmeckt nicht nur Waidmännern ....S. 231

Spaghetti mit Spinat-Schinken-Soße: Wie beim Italiener.....S. 229

Nudelauflauf mit Schafskäse: Delikates aus dem Süden...S. 220

Gefüllte Paprikaschote: Essen mit Pep.....S. 224

Buchweizen-Pfannkuchen mit Gemüse: Das neue Leibgericht S. 231

Sylter Fischpfanne: Es muß nicht immer Kaviar sein ....S. 226

Schollenfilet mit Tomatensoße: Raffiniert mit Kräuter-Erbsen-Reis ....S. 230

China-Fisch süß-sauer: Maritimes aus dem Reich der Mitte ..S. 227

Krabbenbrot mit Rührei: Grüße von der Waterkant ....S. 228

Paella: Für die Fiesta mit Freunden S. 226

Heringstopf: Schnell zubereitet...........S. 222

Fischauflauf mit Chicorée: Pfiffige Auflaufidee ....S. 230

Schweinefilet-Ragout

60 g Naturreis
Jodsalz
125 g Schweinefilet
Pfeffer
100 g Porree
100 g Champignons
1 EL Öl (10 g)
150 ml fettarme Milch (1,5 % Fett)
1 TL Speisestärke (3 g)
1 TL gekörnte Brühe (5 g)
3 EL tiefgkühlte, junge Erbsen (30 g)

- 250 g Salzwasser aufkochen, den Naturreis hineingeben und auf niedrigster Stufe 30 Minuten ausquellen lassen.
- Schweinefilet mit kaltem Wasser abspülen und mit Küchenpapier trockentupfen.
- Filet in Streifen schneiden und mit Salz und Pfeffer würzen.
- Porree in Ringe, Champignons in Scheiben schneiden.
- Öl in einer beschichteten Pfanne erhitzen und das Schweinefilet rundherum darin anbraten.
- Porree und Champignons zugeben und unter Rühren mitbraten.
- Milch mit Speisestärke und gekörnter Brühe verquirlen und dazugießen.
- Die Erbsen zugeben und 3 Minuten köcheln lassen.
- Das Ragout mit Salz und Pfeffer abschmecken. Den Reis dazu essen.

598 kcal/18,6 g Fett/59 g Kohlenhydrate/45 g Eiweiß

Bedarfsdeckung
Magnesium 134 mg
41 %
Vitamin B2 777 µg
39 %

Nudelauflauf mit Schafskäse

90 g Vollkorn-Röhrennudeln
Jodsalz
100 g gelbe Paprikaschote
200 g Zucchini
1 Zwiebel (50 g)
1 TL Öl (5 g)
Pfeffer
1/2 Tetra Pak stückige Tomaten (250 g)
50 g Schafskäse

- Nudeln in kochendem Salzwasser 8 Minuten garen. Dann abgießen.
- Paprikaschote und Zucchini in Stücke schneiden. Die Zwiebel fein würfeln.
- Öl in einer beschichteten Pfanne erhitzen und die Zwiebel darin glasig dünsten.
- Paprika und Zucchini zugeben und 4 Minuten braten.
- Das Gemüse mit Salz und Pfeffer abschmecken, mit den stückigen Tomaten unter die Nudeln mischen und in eine Auflaufform füllen.
- Schafskäse in kleine Würfel schneiden und darüber verteilen.
- Im vorgeheizten Backofen auf mittlerer Schiene bei 200 Grad 25-30 Minuten backen, bis der Schafskäse leicht bräunt.

Tip Falls die fix und fertig im Tetra Pak abgefüllten stückigen Tomaten in Ihrer Umgebung nicht erhältlich sind, können Sie auch frische Fleischtomaten mit kochendem Wasser überbrühen, häuten, entkernen und kleinschneiden.

598 kcal/19 g Fett/79 g Kohlenhydrate/29 g Eiweiß

Bedarfsdeckung
Vitamin B1 1135 µg 67 %
Vitamin B6 1838 µg 84 %

Heringstopf

4 EL saure Sahne
(60 g; 10 % Fett)
2 EL fettarme Milch
(30 g; 1,5 % Fett)
1 kleine Zwiebel (20 g)
2 Cornichons (à 5 g)
100 g Apfel
80 g Bismarckheringfilet
Jodsalz, Pfeffer
300 g Kartoffeln mit Schale
1 Salatblatt (10 g)
1 Glas Apfelsaft

- Saure Sahne mit der Milch glattrühren.
- Zwiebel, Cornichons und Apfel (mit Schale aber ohne Kerngehäuse) würfeln.
- Bismarckheringfilet in Stücke schneiden.
- Alles unter die saure Sahne heben und mit Salz und Pfeffer abschmecken.
- Kartoffeln in kochendem Wasser 20 Minuten garen. Abgießen und pellen.
- Hering in Sahnesoße auf dem Salatblatt anrichten und mit den Pellkartoffeln servieren. Den Apfelsaft dazu trinken.

Tip Beim Öffnen von Joghurtbechern, saurer Sahne oder Hüttenkäse steht oft eine etwas trübe, wässrige Flüssigkeit auf der Oberfläche - Molke. Sie enthält viele wertvolle Vitamine, Mineralstoffe und Milchsäure, die zum Wegschütten viel zu schade sind. Die Molke also lieber kräftig unterrühren.

599 kcal/20 g Fett/78 g Kohlenhydrate/23 g Eiweiß

Bedarfsdeckung
Kalium 2010 mg
101 %
Jod 64 µg
32 %

Ratatouille

250 g Aubergine
100 g grüne Paprika
125 g Zucchini
50 g Zwiebel
1 Knoblauchzehe
1 EL Olivenöl (10 g)
1 TL tiefgekühlte Kräuter der Provence
1 TL Sonnenblumenkerne (5 g)
1 Tetrapak (250 g) pürierte Tomaten (Parmalat)
Jodsalz, Pfeffer, Paprikapulver
80 g Vollkornnudeln
2 EL geriebener Parmesan (10 g)

- Die Aubergine in dicke Scheiben schneiden und mit Salz besteuen; 20 Minuten ziehen lassen und dann die ausgetretene Flüssigkeit mit Küchenpapier vorsichtig abtupfen; die Scheiben in Stücke zerteilen, Zucchini in Scheiben schneiden, Paprika würfeln.
- Zwiebel und Knoblauch hacken und im heißen Olivenöl glasig andünsten.
- Gewürfeltes Gemüse, Kräuter der Provence, 5 EL Wasser, Sonnenblumenkerne und pürierte Tomaten dazugeben.
- Mit Salz, Pfeffer, Paprikapulver pikant abschmecken.
- Aufkochen, dann bei milder Hitze im geschlossenen Topf 20 Minuten dünsten.
- Nudeln in kochendem Salzwasser 8 Minuten bißfest garen.
- Ratatouille mit Parmesan bestreuen.
- Nudeln abgießen und dazu essen.

Tip Achtung: Die Auberginen müssen zuerst mit Salz bestreut werden, damit die vorhandenen Bitterstoffe herausgelöst werden. Die Flüssigkeit kann man bequem mit Papier abtupfen. Nehmen Sie für das Gericht auf jeden Fall grünen Paprika. Der hat geringfügig weniger Kalorien als gelber und roter. Das liegt daran, daß er noch etwas unreif ist. Denn je reifer ein Gemüse wird, desto mehr Fruchtzucker bildet sich.

599 Kalorien/19,8 g Fett/74 g Kohlenhydrate/25 g Eiweiß

Bedarfsdeckung
Eisen 16 mg — 107 %
Folsäure 451 µg — 98 %

Gefüllte Paprika

60 g Naturreis
Jodsalz
200 g rote Paprikaschote
100 g Rinderhackfleisch
Pfeffer, edelsüßes Paprikapulver
Knoblauchsalz
1 kleine Zwiebel (20 g)
50 g Schafskäse
2 EL Gemüsemais aus der Dose (40 g)

- 250 ml Salzwasser aufkochen, den Naturreis hineingeben und auf niedrigster Stufe ca. 30 Minuten ausquellen lassen.
- Von der Paprikaschote oben am Stielansatz einen Deckel abschneiden.
- Das Hackfleisch mit Salz, Pfeffer, Paprikapulver und Knoblauchsalz pikant würzen.
- Zwiebel hacken und unter das Hackfleisch kneten. Schafskäse in kleine Würfel schneiden und mit dem Mais vorsichtig untermischen, so daß die Schafskäsewürfel dabei nicht zerdrückt werden.
- Hackmasse in die Paprikaschote füllen, den Deckel auflegen und in eine kleine Auflaufform setzen.
- Im vorgeheizten Backofen bei 200 Grad auf mittlerer Schiene 25 Minuten garen. Naturreis dazu essen.

Tip Die kleinen Kerne im Inneren der Paprikaschote müssen nicht unbedingt alle entfernt werden. Wer mag, kann auch einige davon in der Schote belassen, sie geben dem Ganzen einen etwas schärferen Geschmack.

605 kcal/20,6 g Fett/63 g Kohlenhydrate/36 g Eiweiß

Bedarfsdeckung

Vitamin C 306 mg

286 %

Vitamin B 6 1152 µg

52 %

Möhrencreme-suppe mit Orangen und Pistazien

400 g Möhren
100 g Kartoffeln
2 TL gekörnte Brühe (à 5 g)
frisch gepreßter Saft
1 Orange (80 ml)
2 EL Crème fraîche
(30 g; 30 % Fett)
2 EL gehackte Pistazien
(16 g)
Jodsalz, Pfeffer
150 g Orange
1 Scheibe Roggenvollkorn-brot (50 g)

- Möhren und Kartoffeln würfeln und in 250 ml kochendem Wasser weichdünsten.
- Gekörnte Brühe zufügen und mit dem Schneidstab des Handrührgerätes die Möhren und Kartoffeln in der Brühe fein pürieren.
- Orangensaft, Crème fraîche und Pistazien in die Suppe rühren und mit Salz und Pfeffer abschmecken.
- Mit einem scharfen Messer zwischen den Trennhäuten der geschälten Orange Filets herauslösen.
- Die Suppe nochmals kurz aufkochen, die Orangenfilets zugeben und sofort servieren. Die Scheibe Roggenvollkornbrot dazu essen.

Tip In der Kelle (Foto) sieht man, was alles in der Suppe steckt. Für eine Cremesuppe müssen Möhren und Kartoffeln aber püriert werden, das ist feiner.

609 kcal/20,3 g Fett/87 g Kohlenhydrate/18 g Eiweiß

Bedarfsdeckung

Vitamin A 7467 µg

622 %

Eisen 6575 µg

44 %

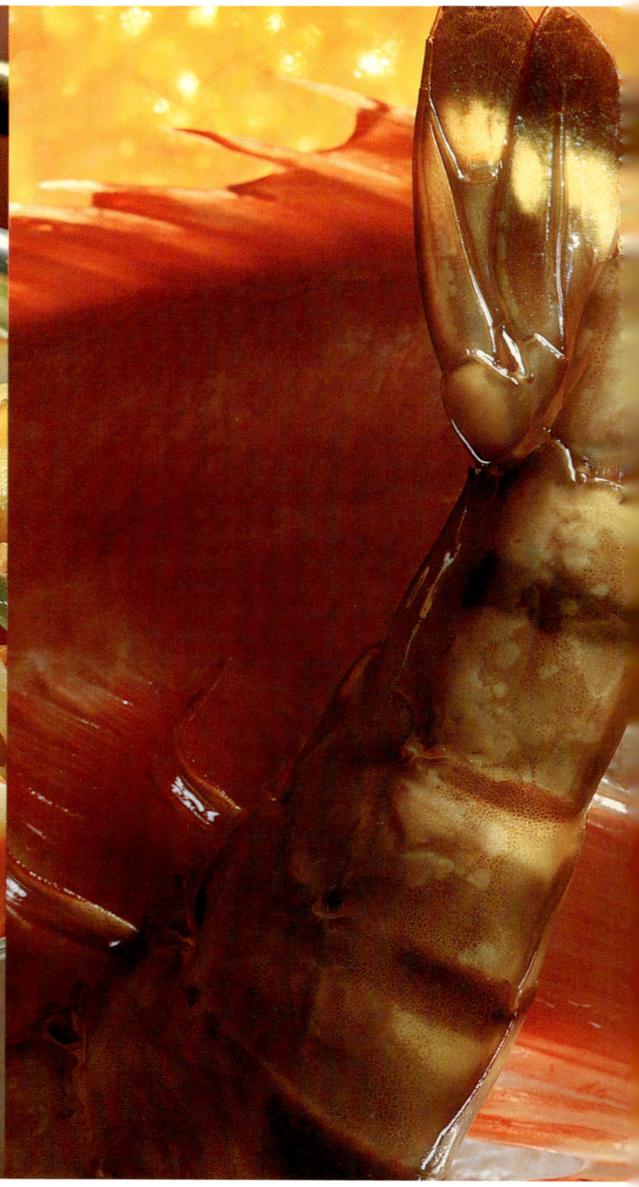

Sylter Fischpfanne

300 g Kartoffeln
Jodsalz
150 g Seelachsfilet (frisch oder tiefgefroren)
Pfeffer
100 g Möhre
100 g Porree
100 g Knollensellerie
1 Zwiebel (50 g)
20 g durchwachsener Speck
1 EL Öl (10 g)

- Kartoffeln würfeln und in kochendem Salzwasser 10 Minuten vorgaren. Abgießen.
- Seelachsfilet mit Salz und Pfeffer würzen und in Würfel schneiden.
- Möhre, Porree und Sellerie in feine Streifen zerteilen. Zwiebel hacken. Speck in sehr kleine Würfel schneiden.
- Öl in einer großen beschichteten Pfanne erhitzen und den Speck darin anbraten.
- Kartoffeln zugeben und kurz mitbraten, dann das vorbereitete Gemüse und den Fisch zugeben. Alles 10-15 Minuten unter Rühren weiterbraten. Mit Salz und Pfeffer abschmecken.

Tip Kabeljau-, Rotbarsch- und Seelachsfilet lassen sich im Vergleich zu Frischfisch viel preiswerter in den Tiefkühltruhen der Supermärkte angeln. Die in handlichen Blöcken zu je 100 Gramm gefrosteten Filets lassen sich bequem einzeln aus den 400-Gramm-Packungen entnehmen, der Rest kann problemlos wieder eingefroren werden. Das Stück ist ruck, zuck aufgetaut und ideal für Rezepte, in denen der Fisch ohnehin gewürfelt wird. In Gerichten mit einem ganzen Filet macht Frischfisch allerdings eine bessere Figur. Was die inneren Werte angeht, haben die TK-Portionen eiskalt genausoviel zu bieten wie frische. Und: Wer Fisch vor allem wegen der Gräten nicht liebt, ist mit den Quadratischen meist besser dran.

596 kcal/20 g Fett/62 g Kohlenhydrate/41 g Eiweiß

Bedarfsdeckung
Vitamin A 1891 µg
158 %
Jod 419 µg
209 %

Paella

300 g Miesmuscheln
Jodsalz
1 Lorbeerblatt
1 kleine Zwiebel (20 g)
2 TL Sonnenblumenöl (à 5 g)
75 g Naturreis
1 Döschen Safran
1 TL gekörnte Brühe
100 g Rotbarschfilet (frisch oder tiefgekühlt)
Pfeffer
100 g rote Paprikaschote
50 g ausgelöste Tiefseegarnelen
2 EL tiefgefrorene, junge Erbsen (20 g)

- Muscheln gründlich unter fließendem, kaltem Wasser säubern. Achtung: die Bärte, die sich auf Druck nicht wieder schließen, sind möglicherweise verdorben und dürfen nicht verwendet werden.
- Muscheln mit dem Lorbeer-

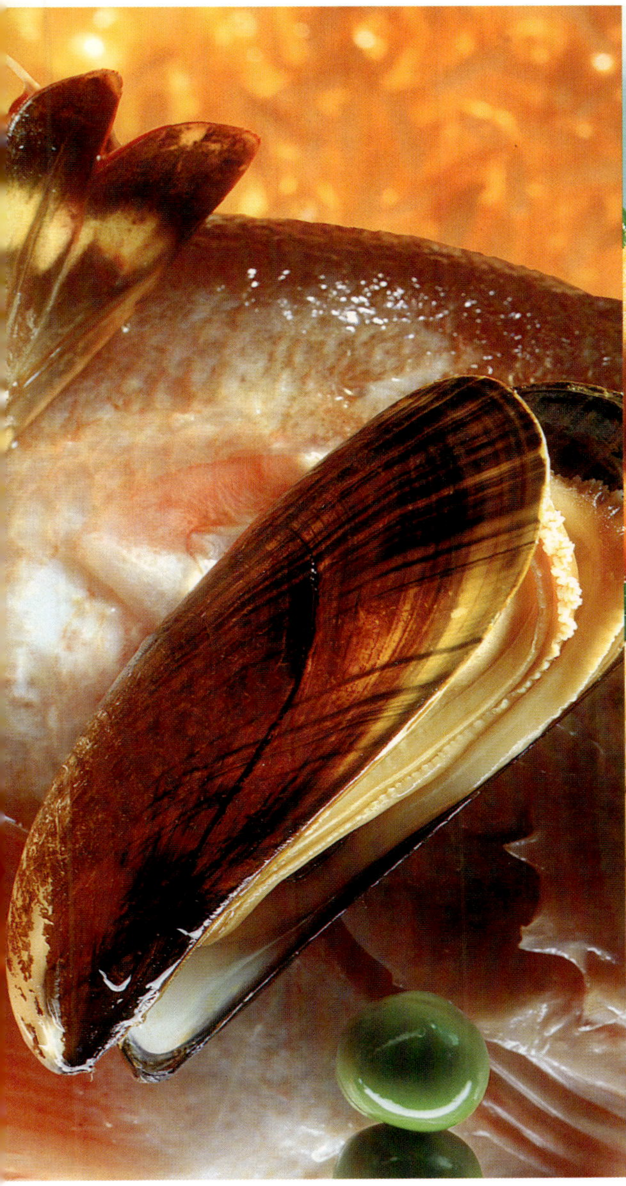

blatt in 250 ml kochendem Salzwasser so lange garen, bis sich alle Schalen geöffnet haben.

- Abgießen.
- Zwiebel in Würfel schneiden.
- Öl in einer Pfanne mit hohem Rand oder einem Topf erhitzen und die Zwiebel darin glasig dünsten.
- Den Reis dazugeben und ebenfalls kurz andünsten.
- Safran und gekörnte Brühe über den Reis streuen und 250 ml Wasser angießen.
- Aufkochen und zugedeckt 15 Minuten bei geringer Hitze quellen lassen.
- Rotbarschfilet würfeln und mit Salz und Pfeffer würzen.
- Paprika in Stücke schneiden und mit dem Fisch, den Garnelen, Muscheln und Erbsen unter den Reis heben.
- Alles zusammen weitere 10 Minuten bei geringer Hitze garen.

Tip Das Säubern und Kochen der Muscheln hält etwas auf. Schneller geht's, wenn Sie stattdessen 50 g ausgelöstes Miesmuschelfleisch (gegart und mariniert) nehmen. Das gibt's fertig im Glas oder lose beim Fischhändler.

605 kcal/17,6 g Fett/66 g Kohlenhydrate/40 g Eiweiß

Bedarfsdeckung

Vitamin C 166 mg 156 %

Jod 236 µg 118 %

China-Fisch süß-sauer

100 g Möhren
50 g Frühlingszwiebel
100 g Sojabohnenkeime
150 g Rotbarschfilet (frisch oder tiefgefroren)
100 ml Orangensaft
1 TL Tomatenmark aus der Tube (5 g)
Ingwerpulver
1 TL Speisestärke (3 g)
1 EL Sojasoße (15 g)
Pfeffer
50 g Naturreis
Jodsalz
1 EL Öl (10 g)

- Möhren in Streifen, Zwiebel in Ringe schneiden.
- Sojabohnenkeime abspülen. Rotbarschfilet würfeln.
- Orangensaft mit Tomatenmark, Ingwer, Speisestärke, Sojasoße und Pfeffer verquirlen und den Fisch darin 15 Minuten marinieren.
- 250 ml Salzwasser aufkochen, Reis hineingeben und 30 Minuten darin ausquellen lassen.
- In einer beschichteten Pfanne Öl erhitzen. Fisch aus der Marinade nehmen und mit dem Gemüse darin 10 Minuten unter ständigem Rühren braten. Marinade zugießen und aufkochen. Reis dazu essen.

603 kcal/18, 4 g Fett/61 g Kohlenhydrate/40 g Eiweiß

Bedarfsdeckung

Vitamin B6 1141 µg 52 %

Jod 163 µg 82 %

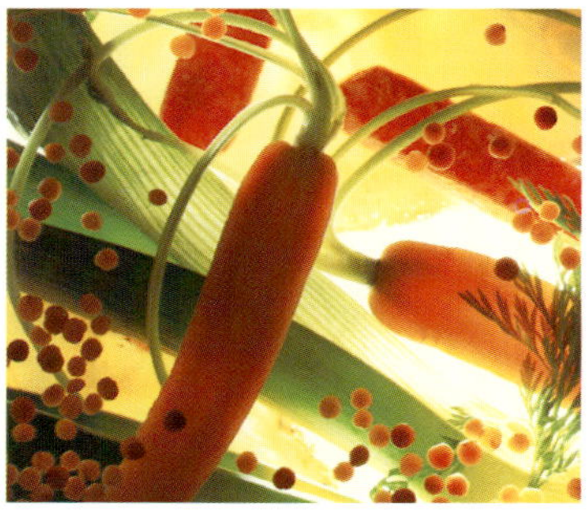

Rote-Linsen-Suppe

100 g Möhren
100 g Porree
100 g Knollensellerie
1 EL Butter (10 g)
2 TL gekörnte Fleischbrühe (à 5 g)
100 g rote Linsen
1 Mini-Pfeffersalami (25 g)
Jodsalz, Pfeffer
eventuell etwas Kümmel

- Möhren längs halbieren und in Scheibchen schneiden. Porree in Ringe zerteilen, Knollensellerie klein würfeln.
- Butter in einem Topf erhitzen und das zerkleinerte Gemüse darin andünsten.
- Gekörnte Brühe und rote Linsen zugeben und mit 1/2 Liter Wasser auffüllen. 15 Minuten köcheln lassen.
- Salami schräg in dünne Scheiben schneiden, zur Suppe geben und kurz darin erhitzen.
- Mit Salz, Pfeffer und nach Belieben mit Kümmel abschmecken.

Tip Im Gegensatz zu den bekannten braunen Tellerlinsen, sind die kleinen roten Linsen sehr viel schneller gar und viel feiner im Geschmack. Es gibt sie häufig schon in gut sortierten Supermärkten, ansonsten in Asienläden oder im Reformhaus. Etwas Kümmel macht die sehr ballaststoffreichen roten Linsen leichter verdaulich.

595 kcal/20,4 g Fett/63 g Kohlenhydrate/36 g Eiweiß

Bedarfsdeckung
Eisen 9546 µg — 64 %
Zink 4965 µg — 38 %

Kartoffel-Bohnen-Eintopf mit Speck

300 g Kartoffeln
1 Zwiebel (50 g)
50 g durchwachsener Speck
300 g tiefgekühlte, grüne Bohnen
1 TL getrocknetes Bohnenkraut
4 TL gekörnte Brühe
1 Bund Petersilie (20 g)
100 g Tomaten
Jodsalz, Pfeffer

- Kartoffeln in Stücke schneiden. Zwiebel hacken.
- Speck fein würfeln und in einem Topf knusprig braten.
- Zwiebel und Kartoffeln zugeben und beides unter Rühren mit anrösten.
- Die Bohnen mit dem Bohnenkraut und der gekörnten Brühe zufügen und 300 ml Wasser angießen.
- Köcheln lassen.
- Petersilie hacken, Tomaten vierteln und kurz vor dem Servieren zum Eintopf geben. Mit Salz und Pfeffer abschmecken.

Tip Bei diesem Eintopf haben Sie ganz schön viel zu löffeln, denn wer mit Fett, aber nicht mit Kalorien geizt, kann tatsächlich viel mehr essen als er vielleicht (durch fettreiches Essen) gewohnt ist. Man beachte: 1 Teelöffel Öl fällt mit 5 Gramm Fett reichlich ins Gewicht, 100 g grüne Bohnen dagegen warten mit nur 0,2 Gramm Fett auf. Die können Sie also Pfundweise essen, ohne dicker zu werden. Wem vier Teller Suppe allerdings zu langweilig sind und wer die Diät mit einem Partner macht, kann anstatt eines verdoppelten Rezeptes auch zwei verschiedene Gerichte zubereiten. Dann ißt jeder von jedem die Hälfte, die Kalorienmenge stimmt trotzdem, und es wird auf diese Weise abwechslungsreicher. Da die Rezepte alle im Handumdrehen nachzukochen sind, ist das kein allzugroßer Aufwand. Nebenbei gesagt, macht es ohnehin mehr Spaß, wenn jemand mitmacht.

597 kcal/21,2 g Fett/73 g Kohlenhydrate/29 g Eiweiß

Bedarfsdeckung
Vitamin C 171 mg — 160 %
Eisen 8756 µg — 58 %

Krabbenbrot mit Rührei

2 Eier (Gewichtsklasse 3)
2 EL fettarme Milch (30 g; 1,5 % Fett)
3 EL Gemüsemais aus der Dose (60 g)
Jodsalz, Pfeffer
1 TL Öl (5 g)
2 Scheiben Vollkornbrot (à 50 g)
100 g Nordseekrabbenfleisch
1 EL feingeschnittener Dill

- Eier mit Milch und Mais, verquirlen und mit Salz und Pfeffer würzen.
- Öl in einer beschichteten Pfanne erhitzen, die Eimasse zugeben und unter Rühren stocken lassen.
- Das Rührei auf einer Scheibe Vollkornbrot anrichten, auf der anderen Scheibe die Krabben. Mit Dill bestreuen.

Tip Ei ist nicht gleich Ei. Je nach Größe kann der Kalorien- und Fettgehalt beträchtlich schwanken. Ein Ei der Gewichtsklasse 5 wiegt 50 bis 55 Gramm, ein Ei der Gewichtsklasse 1 dagegen mindestens 70 Gramm. Ob Sie Eier aus Käfighaltung oder Eier von glücklichen Freiland-Hühnern verwenden, bleibt Ihrem Gewissen überlassen. Was die Nährwerte angeht, bestehen keine Unterschiede. Auch ein weißes Ei ist übrigens genauso wertvoll wie ein braunes. Die Diskussion um das Cholesterin in Eiern, sollte Sie nicht daran hindern, sich das Frühstücks- oder Rührei zu gönnen. Nur wer einen krankhaft erhöhten Cholesterinspiegel hat, sollte seinen Appetit auf Eier zügeln. Ganz neu auf dem Markt sind „cholesterinneutrale" Eier. Spezielles (natürliches) Futter bewirkt, daß die Hennen Eier mit einem hohen omega-3-Fettsäure-Gehalt legen - und die bewirken, daß der Cholesterin-Spiegel beim Genuß dieser Eier nicht ansteigt.

596 kcal/20,6 g Fett/50 g Kohlenhydrate/35 g Eiweiß

Bedarfsdeckung
Vitamin D 4,5 µg — 90%
Jod 154 µg — 77%

Chili con carne

1 Zwiebel (50 g)
1 Knoblauchzehe
100 g grüne Paprikaschote
200 g Tomaten
1 TL Öl
100 g gemischtes Hackfleisch
Jodsalz, Pfeffer
Chilipulver
3 EL Gemüsemais aus der Dose (60 g)
200 g Kidney-Bohnen aus der Dose
4 EL Tomatenmark aus der Tube (à 20 g)
2 TL gekörnte Brühe (10 g)

- Die Zwiebel fein würfeln, Knoblauch durch die Knoblauchpresse drücken. Paprikaschote in Stücke schneiden und die Tomaten achteln.
- Das Öl in einem Topf erhitzen und das Hackfleisch darin anbraten. Mit einem Pfannenwender das Fleisch dabei krümelig zerkleinern.
- Zwiebeln und Paprika zugeben und unter Rühren 3-4 Minuten mitbraten.
- Gemüse und Fleisch kräftig mit Salz, Pfeffer und Chilipulver würzen.
- Tomaten, Gemüsemais und die Kidney-Bohnen mit ihrer Einlegeflüssigkeit dazugeben, aufkochen und weitere 2 Minuten garen.
- Tomatenmark und gekörnte Brühe einrühren.
- Abschmecken und das Chili eventuell noch einmal mit Pfeffer und Chilipulver schön scharf nachwürzen.

Tip Dieses Chili ist das beste Beispiel dafür, wie die Zusammensetzung der Gerichte in der „schlanken Küche" sein sollte: viel vitamin- und mineralstoffreiches Gemüse, wenig Fleisch, zur Sättigung viel ballaststoffreiche Kohlenhydratträger wie Hülsenfrüchte, Kartoffeln, Vollkornbrot, - nudeln oder -reis.

597 kcal/21,2 g Fett/73 g Kohlenhydrate/29 g Eiweiß

Bedarfsdeckung
Vitamin C 171 mg
160 %
Eisen 8756 µg
58 %

Kasseler-Eintopf

60 g Gerstengraupen (Vollkorn)
2 TL gekörnte Brühe
100 g Möhren
100 g Sellerie
100 g Porree
150 g Kasseler (ohne Knochen)
Jodsalz, Pfeffer

- 1/2 Liter Wasser aufkochen. Graupen und gekörnte Brühe zugeben und 20 Minuten garen.
- Möhren, Sellerie und Porree in Stücke schneiden.
- Kasseler würfeln und mit dem Gemüse 10 Minuten vor Ende der Garzeit zu den Graupen geben.
- Mit Salz und Pfeffer abschmecken.

Tip Mit Jodsalz bekommen Sie täglich eine Prise des lebensnotwendigen Jods. Bekommt die Schilddrüse nicht genug davon, vergrößert sie sich, und in schlimmen Fällen entsteht ein Kropf. Eine Unterfunktion der Schilddrüse macht träge, der Stoffwechsel verlangsamt sich, und man nimmt zu, obwohl man gar nicht mehr ißt. Jeder zehnte hat bereits Probleme mit der Schilddrüse, denn Deutschland ist Jodmangelgebiet, weil unsere Acker- und Weideböden nicht genug davon für pflanzliche und tierische Nahrungsmittel hergeben. Seefische sind zwar super Jodquellen, aber davon wird, vor allem im Inland, einfach nicht genug gegessen. Die einfachste Methode einem Mangel vorzubeugen, ist die Verwendung von jodiertem Speisesalz (Jodsalz) im Haushalt. Das gibt es heutzutage in jedem Supermarkt, es ist nur unwesentlich teurer und im Geschmack nicht anders als herkömmliches Salz.

600 kcal/21,2 g Fett/49 g Kohlenhydrate/50 g Eiweiß

Bedarfsdeckung
Vitamin A 2226 µg
186 %
Vitamin B1 1257 µg
74 %

Spaghetti mit Spinat-Schinken-Soße

300 g Blattspinat (frisch oder tiefgefroren)
100 g Vollkornspaghetti
Jodsalz
1 kleine Zwiebel (20 g)
1 Knoblauchzehe
50 g gekochter Schinken
1 TL Öl (5 g)
1 EL Crème fraîche (15 g; 30 % Fett)
1 EL fettarme Milch (15 g; 1,5 % Fett)
Pfeffer

- Tiefgekühlten Spinat in einem Sieb auftauen lassen.
- Nudeln in kochendem Salzwasser 8-10 Minuten garen.
- Zwiebel und Knoblauch fein würfeln. Den Schinken in Streifen schneiden.
- Öl in einem Topf erhitzen und den Schinken mit Zwiebeln und Knoblauch darin anbraten.
- Spinat zugeben und mitdünsten.
- Crème fraîche und Milch unterrühren und mit Salz und Pfeffer abschmecken.
- Nudeln abgießen und mit der Soße mischen.

602 kcal/19,8 g Fett/64 g Kohlenhydrate/34 g Eiweiß

Bedarfsdeckung
Vitamin A 2207 µg
184 %
Vitamin C 153 mg
143 %

Schollenfilet in Tomatensoße mit Kräuter-Erbsen-Reis

60 g Naturreis
Jodsalz
50 g tiefgekühlte, junge Erbsen
1 EL Sonnenblumenkerne (10 g)
1 EL tiefgekühlte, gemischte Kräuter
1 Zwiebel (50 g)
1 EL Öl (10 g)
1/2 Tetra Pak stückige Tomaten (250 g)
Pfeffer
1 EL Essig
2 Schollenfilets (à 70 g)

- 250 ml Salzwasser aufkochen, den Naturreis hineingeben und auf niedrigster Stufe 30 Minuten ausquellen lassen.
- 5 Minuten vor Ende der Garzeit die tiefgekühlten Erbsen, Sonnenblumenkerne und Kräuter unter den Reis mischen.
- Zwiebel in Würfel schneiden.
- Öl in einem Topf erhitzen und die Zwiebelwürfel darin andünsten.
- Stückige Tomaten zugeben und mit Salz, Pfeffer und Essig abschmecken.
- Schollenfilets unter kaltem Wasser abspülen, mit Küchenpapier trockentupfen und mit Salz und Pfeffer würzen.
- Die Filets aufrollen und die Enden mit Holzspießchen feststecken.
- Die Tomatensoße aufkochen und die Röllchen 5 Minuten darin garziehen lassen.
- Den Kräuter-Erbsen-Reis dazu essen.

Tip Tomaten gibt's fix und fertig gehäutet, entkernt und zerkleinert als Fertigprodukt im Tetra Pak. Sie können stattdessen aber auch frische Fleischtomaten nehmen. Die sollten Sie aber vor dem Zerkleinern kreuzweise einritzen, mit kochendem Wasser überbrühen und dann die Haut abziehen.

596 kcal/18,5 g Fett/72 g Kohlenhydrate/39 g Eiweiß

Bedarfsdeckung

Jod 294 µg — 147 %

Vitamin B6 1758 µg — 80 %

Fischauflauf mit Chicorée

250 g Kartoffeln (mit Schale)
200 g Seelachsfilet (frisch oder tiefgefroren)
Jodsalz, Pfeffer
125 g Chicorée
2 EL scharfer Senf (à 20 g)
1 EL Crème fraîche (10 g; 30 % Fett)
40 g Gouda (40 % Fett)

- Kartoffeln 20 Minuten in kochendem Wasser garen.
- Kartoffeln abgießen, kalt abschrecken, pellen und in Scheiben schneiden.
- Seelachsfilet in Würfel schneiden und mit Salz und Pfeffer würzen.
- Chicorée in Streifen schneiden und mit den Kartoffelscheiben in eine Auflaufform schichten.
- Senf mit Crème fraîche und 2 EL Wasser verrühren und über die Kartoffeln und den Chicorée gießen.
- Den Käse reiben und darüberstreuen.
- Den Auflauf im vorgeheizten Backofen auf mittlerer Schiene bei 200 Grad 35 Minuten backen, bis der Käse goldbraun schmilzt.

Tip Um es Ihnen nicht unnötig kompliziert zu machen, sind Zutaten wie Senf und Crème fraîche praktischerweise in Eßlöffeln angegeben. Aber Vorsicht! Es sind gestrichene, also nur flach gefüllte Löffel gemeint. Während bei Gemüse zehn Gramm mehr oder weniger kaum eine Rolle spielen, ist bei ausgesprochen fettreichen Lebensmitteln wie Senf, saurer Sahne, Crème fraîche, Butter oder Öl das Limit schnell überschritten. Ein gehäufter, statt eines gestrichenen Eßlöffels kann bei Butter schon beinahe 50 Prozent mehr als die erlaubte Menge bedeuten.

601 kcal/18,2 g Fett/48 g Kohlenhydrate/53 g Eiweiß

Bedarfsdeckung

Eisen 5556 µg — 37 %

Kalzium 499 mg — 55 %

Nudeln mit Seelachs und Broccoli

80 g Vollkorn-Röhrennudeln
Jodsalz
150 g Seelachsfilet, Pfeffer
1 Zwiebel (50 g)
100 g Broccoli
1 EL Öl (10 g)
1 TL gekörnte Gemüsebrühe (5 g)
1 EL Crème fraîche (30 % Fett))

- Nudeln in kochendem Salzwasser garen. Abgießen.
- Fischfilet würfeln, salzen und pfeffern.
- Zwiebel hacken, Broccoli in kleine Röschen teilen.
- Öl erhitzen und die Zwiebel darin andünsten.
- Broccoli, 125 ml Wasser und gekörnte Brühe zufügen. Alles 5 Minuten dünsten.
- Fisch zufügen und weitere 5 Minuten dünsten.
- Crème fraîche und Nudeln unterheben.

596 kcal/20 g Fett/54,2 g Kohlenhydrate/56 g Eiweiß

Bedarfsdeckung

Vitamin E 7,6 mg — 59 %

Vitamin C 115 mg — 108 %

Spaghetti mit Pilzsoße

100 g Vollkornspaghetti
Jodsalz
200 g Champignons
1 Zwiebel (50 g)
1 EL Olivenöl (10 g)
150 ml fettarme Milch (1,5 % Fett)
1 TL gekörnte Gemüsebrühe (5 g)
1 EL tiefgefrorene, gemischte Kräuter
2 TL Speisestärke (6 g)
Pfeffer
1 EL geriebener Parmesan (5 g)

- Spaghetti in kochendem Salzwasser 8-10 Minuten garen.
- Champignons in Scheiben schneiden. Zwiebel fein würfeln.
- Öl in einem Topf erhitzen und die Zwiebel mit den Champignons darin anbraten.
- Milch, gekörnte Brühe und Kräuter zugeben.
- Speisestärke mit etwas Wasser anrühren und in die kochende Pilzsoße geben. 1-2 Minuten köcheln lassen.
- Die Soße mit Salz und Pfeffer abschmecken.
- Spaghetti abgießen, mit der Soße mischen und mit Parmesan bestreuen.

Tip Frische Champignons kommen heutzutage alle aus Zuchtbetrieben. Dort wachsen sie in großen Mengen auf einem speziellen Nährsubstrat. Die Pilze sind in der Regel kaum verschmutzt. Meistens genügt es völlig, wenn man die Hüte vor der Zubereitung vorsichtig mit Küchenpapier abreibt oder mit einem Backpinsel säubert. Sind die Pilze schmierig-feucht und bräunlich verfärbt, sind sie alt.

604 kcal/18,4 g Fett/78 g Kohlenhydrate/26 g Eiweiß

Bedarfsdeckung
Vitamin B2 1172 µg – 59 %
Zink 5508 µg – 42 %

Fenchel mit Käsesoße

80 g Naturreis
Jodsalz
200 g Fenchel
1 EL Zitronensaft (10 g)
1 Zwiebel (50 g)
1 Knoblauchzehe
1 TL Öl (5 g)
1 TL gekörnte Brühe (5 g)
1 TL Speisestärke (3 g)
1 Ecke Schmelzkäse (62,5 g; 30 % Fett)
1 TL Sonnenblumenkerne (5 g)

- 350 ml Salzwasser aufkochen, den Naturreis hineingeben und auf niedrigster Stufe 30 Minuten ausquellen lassen.
- Das Fenchelgrün von der Knolle abzupfen, hacken und für die Garnierung beiseite stellen.
- Die Fenchelknolle halbieren und mit dem Zitronensaft in wenig, leicht gesalzenes Wasser geben. Aufkochen und 15 Minuten garen.
- Zwiebel fein würfeln, Knoblauch durch die Knoblauchpresse drücken.
- Öl in einem Topf erhitzen und die Zwiebel mit Knoblauch darin andünsten.
- Speisestärke und gekörnte Brühe darüberstäuben. Gut umrühren und mit 150 ml Wasser ablöschen. 1 Minute köcheln lassen.
- Den Käse in etwas kleinere Stücke schneiden und unter Rühren in der Soße schmelzen lassen.
- Sonnenblumenkerne unter den gekochten Reis mischen.
- Fenchel mit dem Reis anrichten und mit der Soße übergießen. Mit gehacktem Fenchelgrün bestreuen.

Tip Knoblauch hat nachweislich sehr positive Wirkungen auf die Gesundheit. Wer ihn aber nicht mag, läßt ihn einfach weg.

604 kcal/19,8 g Fett/72 g Kohlenhydrate/21 g Eiweiß

Bedarfsdeckung
Vitamin E 14 mg – 108 %
Vitamin A 1356 µg – 113 %

Buchweizen-Pfannkuchen mit Gemüse

60 g Buchweizenmehl (Vollkorn)
150 ml fettarme Milch (1,5 % Fett)
1 Ei (Gewichtsklasse 3)
Jodsalz, Pfeffer
1 Paket (300 g) tiefgekühltes Sommer- oder Farmergemüse
geriebene Muskatnuß
2 TL Crème fraîche (à 5 g; 30 % Fett)
1 EL tiefgekühlte, gehackte Petersilie
1 EL Butter (10 g)

- Buchweizenmehl mit Milch, Ei, Salz und Pfeffer verquirlen und 15 Minuten ausquellen lassen.
- Tiefkühlgemüse in wenig kochendem Salzwasser 10 Minuten dünsten. Abtropfen lassen und mit Salz, Pfeffer und geriebener Muskatnuß abschmecken.
- Crème fraîche und Petersilie unter das Gemüse rühren.
- Butter in einer großen, beschichteten Pfanne erhitzen und bei mittlerer Hitze aus dem Buchweizenteig einen Pfannkuchen backen.
- Das Gemüse auf einer Hälfte verteilen und den Pfannkuchen zusammenklappen.

Tip Auf das richtige Kochgeschirr kommt es an: Wer eine Diät machen will, sollte sich - falls noch nicht vorhanden - auf jeden Fall eine große und eine kleine beschichtete Pfanne zulegen. Denn vernünftiges Braten in Minimengen Fett funktioniert in einer Edelstahl-, Gußeisen- oder Emaillepfanne leider nun mal nicht. Keine Angst, diese Investition reißt kein Riesenloch ins Portemonnaie. Beschichtete Pfannen sind heutzutage längst nicht mehr so teuer und kratzempfindlich wie zu Zeiten ihrer Erfindung. Eine große beschichtete Pfanne gibt's schon für rund 20 Mark.

591 kcal/21,2 g Fett/55 g Kohlenhydrate/22 g Eiweiß

Bedarfsdeckung
Vitamin B2 1032 µg – 52 %
Vitamin B6 836 µg – 38 %

Kalte Mahlz
1800 Kilok

Lecker, fettarm und gesund - diese Zwischenmalzeiten lassen garantiert keinen Diät-Frust aufkommen. Wichtig: Berufstätige können sich die Snacks am Arbeitsplatz problemlos zubereiten.

Hot dog mit Kiwi: Fast Food muß keine Sünde sein .... S. 240

Pikante Spieße mit gefülltem Pita-Fladenbrot: Ein wahrer Augenschmaus .... S. 240

Baguettebrot mit Tomaten und Mozzarella: A la Italiana ...... S. 238

Hering in Gelee mit Rote-Bete-Salat: Labskaus Light .... S. 240

Brötchen mit Schillerlocke und Muscheln: Für Seebären ..... S. 237

Baguettebrötchen mit Camembert und Preiselbeeren: Feinschmekker-Brotzeit .... S. 235

Bunte Brothappen: Davon will jeder etwas abhaben .... S. 236

Sprottenbrötchen mit Gurkensalat: Kleine Fische mit großem Geschmack .... S. 234

Käsebrötchen: Zeitloser Pausen-Snack für ganz Eilige .... S. 238

Bananen-Käsebrot: Der Klassiker wird aufgepeppt .... S. 238

eiten für die alorien Diät

Grünkernsalat: Ein klares Ja zum „Körnerfutter“..................S. 238

Bismarck-Hering-Brötchen: Ideal für Unterwegs..........S. 239

Bunter Wurstsalat: Schön herzhaft...S. 240

Tomaten-Bohnen-Salat mit Schafskäse: Ein Hauch Griechenland ....S. 241

Mexikanischer Salat: Serviert in feuriger Paprikaschote.....S. 238

Lachsbrötchen mit Ananassalat: Feiner Gourmetsnack ....S. 239

Chefsalat: Der beliebte Evergreen...........S. 239

Radicchiosalat mit Trauben und Käse: Die etwas andere Rohkostvariation ....S. 241

Obstsalat mit Quark: Süßes muß keine Sünde sein............ ...S. 241

Sauerkrautsalat mit Schinkenbrötchen: Der ganz große Vitaminstoß ....S. 239

Fenchel-Orangen-Salat mit Walnüssen: Grünzeug mit viel Finesse S.239

Sprottenbrötchen mit Gurkensalat

1 Baguettebrötchen (125 g)
2 TL Crème fraîche
(à 5 g; 30 % Fett)
2 Salatblätter (à 10 g)
60 g geräucherte
Kieler Sprotten
200 g Salatgurke
1 EL gehackter Dill
1 EL Essig
Jodsalz, Pfeffer

- Das Baguettebrötchen halbieren und die untere Hälfte mit Crème fraîche bestreichen.
- Das Brötchen mit den Salatblättern belegen.
- Die Sprotten gleichmäßig darauf verteilen.
- Gurke in dünne Scheiben schneiden und mit Dill mischen.
- Mit Essig, Salz und Pfeffer würzen.
- Ein paar von den Gurkenscheiben auf die Sprotten legen und mit der oberen Brötchenhälfte abdecken.
- Den restlichen Gurkensalat dazu essen.

Tip Kieler Sprotten sind sehr kleine Heringsfische. Die Gräten sind so weich und fein, daß sie kaum spürbar sind und getrost verspeist werden können.

547 kcal/15,1 g Fett/75 g Kohlenhydrate/ 23 g Eiweiß

Bedarfsdeckung

Vitamin D 16 µg
314 %

Zink 2680 µg
21 %

Baguettebrötchen mit Camembert und Preiselbeeren

1 Baguettebrötchen (125 g)
2 TL Crème fraîche
(à 5 g; 30 % Fett)
1 Salatblatt (10 g)
50 g Camembert
(30 % Fett)
25 g Wildpreiselbeeren
aus dem Glas

- Baguettebrötchen halbieren. Die untere Hälfte mit Crème fraîche bestreichen und mit dem Salatblatt belegen.
- Camembert in Scheiben schneiden, auf das Salatblatt legen und die Preiselbeeren darüber verteilen.
- Mit der oberen Brötchenhälfte abdecken.

Tip Crème fraîche ist eine Super-Alternative zu Butter oder Margarine als Unterlage für den Brötchenbelag. Denn im Gegensatz zu den gewohnten Streichfetten, die zu fast 100 Prozent aus Fett bestehen, ist Crème fraîche mit ihren 30 Prozent vergleichsweise bescheiden. Selbst bei so einer winzigen Menge von einem Teelöffel macht das eine ganze Menge aus. Mit Crème fraîche bestrichen schmeckt das Brötchen nicht trocken und Sie sparen 70 Prozent Fett.

552 kcal/14,2 g Fett/81 g Kohlenhydrate/22 g Eiweiß

Bedarfsdeckung
Kalzium 335 mg
37 %

Bunte Brothappen

3 Scheiben Vollkornbrot à 50 g
1 EL Kräuterfrischkäse (20 g; 30 % Fett)
1 Scheibe gekochter Schinken (30 g)
1 Scheibe Gouda (30 g; 40 % Fett)
50 g Kiwi
4 grüne Oliven mit Paprika gefüllt (20 g)

- 2 Scheiben Brot mit je 1/2 EL Frischkäse bestreichen. Dann alle 3 Brotscheiben in je 4 Quadrate schneiden.
- Schinken- und Käsescheibe ebenfalls vierteln, die Kiwi in 8 Scheiben schneiden.
- Alles zu 4 Türmchen aufstapeln.
- Oliven auf Zahnstocher spießen und in die Türmchen stecken.

Tip Der angegebene Fettgehalt beim Käse bezieht sich in unseren Rezepten immer auf seine Trockenmasse (i. Tr.), so wie es normalerweise auf der Packung steht. Aber Achtung! Auf vielen „light" oder „leicht"-Käsesorten wird der „Fettgehalt absolut" angegeben, was sich auf das derzeitige Gesamtgewicht inklusive Wasser bezieht. Über den Daumen gerechnet wäre der Fettgehalt solch eines kalorienreduzierten Käses etwa doppelt so hoch, wenn er bezogen auf die Trockenmasse angegeben würde.

547 kcal/16,7 g Fett/68 g Kohlenhydrate/28 g Eiweiß

Bedarfsdeckung
Kalzium 349 mg 39 %
Zink 4043 µg 31 %

Brötchen mit Schillerlocke und Muscheln

1 Zwiebel (50 g)
50 g gegartes, ausgelöstes Miesmuschelfleisch
4 EL Tomatenketchup (60 g)
2 Roggenbrötchen (à 50 g)
3 Salatblätter
50 g Schillerlocke
150 g Mixed pickles aus dem Glas

- Die Zwiebel in feine Ringe schneiden.
- Das Miesmuschelfleisch mit dem Ketchup vermischen.
- Die Brötchen halbieren. Drei Hälften mit Salatblättern und Zwiebelringen belegen.
- Auf zwei davon die Muscheln mit dem Ketchup verteilen.
- Die dritte Brötchenhälfte mit Schillerlocke belegen und mit der vierten Hälfte zusammenklappen.
- Die Mixed pickles gut abtropfen lassen und zu den Brötchen essen.

Tip Miesmuschelfleisch gibt es in Gläsern sauer eingelegt im Supermarkt oder beim Fischhändler an der Salat- und Marinadentheke. Konservenbüchsen mit Muscheln in Tomaten- oder Currysoße sind für die Diät nicht geeignet, da die Soßen meist viel zu fett- und kalorienreich sind.

552 kcal/14 g Fett/73 g Kohlenhydrate/27 g Eiweiß

Bedarfsdeckung
Kalium 1305 mg
65 %
Eisen 5880 µg
39 %

Baguette mit Tomaten und Mozzarella

1 Baguette-Brötchen (125 g)
1 EL Kräuterfrischkäse
(20 g; 30 % Fett)
65 g Tomate
60 g Mozzarella
10 g grüne Oliven mit Paprika gefüllt
einige Basilikumblätter
Jodsalz, Pfeffer
1 TL Balsamessig

- Das Brötchen halbieren und die untere Hälfte mit Kräuterfrischkäse bestreichen.
- Tomate, Mozzarella und Oliven in Scheiben schneiden und dachziegelartig mit den Basilikumblättern auf der Brötchenhälfte anrichten.
- Mit Salz und Pfeffer würzen und mit etwas Balsamessig beträufeln. Obere Brothälfte darauf legen.

Tip Mozzarella ist ein italienischer Frischkäse. Es gibt ihn in 125-Gramm-Kugeln in Tüten eingeschweißt zu kaufen. Sie können Mozzarella aber auch in beliebiger Menge an der Käsetheke kaufen. Achten Sie darauf, daß das Stück mit etwas von der Lake bedeckt wird, in der der Käse in der Auslage schwimmt, sonst trocknet die Oberfläche an, wird gelblich und der Geschmack leidet.

547 kcal/16 g Fett/71 g Kohlenhydrate/24 g Eiweiß

Bedarfsdeckung
Kalium 9967 mg — 48 %
Kalzium 290 mg — 32 %

Käsebrötchen

2 Roggenbrötchen (à 50 g)
1 TL Crème fraîche
(5 g; 30 % Fett)
1 Scheibe Gouda
(30 g; 40 % Fett)
1 Salatblatt (10 g)
1 EL Kräuterfrischkäse (20 g; 30 % Fett)
30 g Schmelzkäse (30 % Fett)
1 Fruchtjoghurt aus Magermilch (150 g)

- Die Roggenbrötchen halbieren. Eine Hälfte mit Crème fraîche bestreichen und mit dem Salatblatt belegen.
- Die Scheibe Gouda darauf legen und mit der oberen Brötchenhälfte abdecken.
- Eine weitere Brötchenhälfte mit Kräuterfrischkäse, die restliche Hälfte mit Schmelzkäse bestreichen. Joghurt dazu essen.

552 Kalorien/15,2 g Fett/72 g Kohlenhydrate/28 g Eiweiß

Bedarfsdeckung
Kalzium 645 mg — 72 %
Magnesium 131 mg — 40 %

Bananen-Käse-Brot

2 Scheiben Vollkornbrot (à 50 g)
2 TL Crème fraîche
(à 5 g; 30 % Fett)
180 g Banane
60 g Edamer (40 % Fett)
edelsüßes Paprikapulver oder Curry

- Die Brotscheiben mit je 1 TL Crème fraîche bestreichen.
- Die Banane in dünne Scheiben schneiden und dachziegelartig auf den Broten anrichten.
- Edamer in Streifen schneiden und über Kreuz auf die Bananenscheiben legen.
- Die Brote nach Belieben mit Paprika- oder Currypulver bestreuen.

Tip Obwohl die krummen, gelben Früchte sehr süß sind und einen hohen Fruchtzuckergehalt haben, sind Bananen gut für eine Diät geeignet. Das liegt an ihrem stattlichen Kaliumgehalt. Der Mineralstoff Kalium wirkt entwässernd und unterstützt auf diese Weise den Diäterfolg. Die Behauptung, Bananen wirken „stopfend" ist falsch, im Gegenteil! Bananen sind leicht verdaulich.

553 kcal/14,4 g Fett/80 g Kohlenhydrate/25 g Eiweiß

Bedarfsdeckung
Kalzium 530 mg — 59 %
Magnesium 183 mg — 56 %

Grünkernsalat

80 g Grünkern (Vollkorn)
150 g Tomate
150 g gelbe Paprikaschote
2 eingelegte Peperoni (à 10 g)
25 g Frühlingszwiebel
1 EL gehackte Petersilie
4 EL Apfelsaft (40 g)
2 EL Balsamessig
1 EL Olivenöl (10 g)
Jodsalz, Pfeffer
2 Scheiben Toastbrot (à 20 g)

- Grünkern am Tag vorher mit kochendem Wasser übergiessen und über Nacht ausquellen lassen oder 25 Minuten in kochendem Salzwasser garen.
- Tomate und Paprikaschote würfeln, Peperoni und Frühlingszwiebel in Ringe schneiden.
- Grünkern abtropfen lassen und mit dem vorbereiteten Gemüse und der Petersilie mischen.
- Apfelsaft mit Essig und Öl verrühren, mit Salz und Pfeffer abschmecken und über den Salat gießen.
- Brot toasten und dazu essen.

Tip Zugegeben, Gerichte mit Körnern sind nicht jedermanns Sache. Aber: Versuch macht klug. Mal abgesehen von den vielen wertvollen Inhaltsstoffen, verbinden sich Grünkerne wunderbar mit den anderen Aromen im Salat.

547 kcal/14,3 g Fett/84 g Kohlenhydrate/16 g Eiweiß

Bedarfsdeckung
Vitamin E 13 mg — 99 %
Vitamin C 352 mg — 329 %

Mexikanischer Salat

200 g Kidney-Bohnen aus der Dose
100 g rote Paprika
50 g Frühlingszwiebeln
60 g Gemüsemais aus der Dose
1 EL Balsamessig
1 EL Öl (10 g)
Jodsalz
scharfe Würzpaste nach Geschmack (z.B. Sambal Oelek, Harissa, Piri-Piri o.ä.)
1 1/2 Scheiben Roggenvollkornbrot (75 g)

- Die Kidney-Bohnen mit ihrer Einlegeflüssigkeit in eine Schüssel füllen.
- Die Paprikaschote würfeln, die Frühlingszwiebeln in feine Ringe schneiden.
- Maiskörner abtropfen lassen und mit Paprika und Zwiebeln unter die Kidney-Bohnen mischen.
- Den Salat mit Essig, Öl, Salz und scharfer Würzpaste abschmecken. Das Brot dazu essen.

Tip Die rot-braun-farbenen Kidney-Bohnen werden in Afrika und Amerika angebaut. Sie sind sehr kohlenhydrat- und ballaststoffreich und schmecken leicht süßlich, ähnlich wie Eßkastanien bzw. Maronen.

546 kcal/13,5 g Fett/81 g Kohlenhydrate/22 g Eiweiß

Bedarfsdeckung
Vitamin C 170 mg — 159 %
Magnesium 349 mg — 107 %

Chefsalat

1 Ei (Gewichtsklasse 3)
40 g beliebiger Blattsalat
50 g Champignons
50 g Tomate
30 g gekochter Schinken
30 g Edamer (30 % Fett)
60 g Gemüsemais aus der Dose
1 Knoblauchzehe
1 Becher Joghurt aus Magermilch (150 g)
1 EL Tomatenmark (15 g)
1 EL Essig
Jodsalz, Pfeffer
60 g Baguettebrot

- Das Ei 10 Minuten in kochendem Wasser garen. Kalt abschrecken, pellen und halbieren.
- Salat eventuell in etwas kleinere Stücke rupfen und auf einem Teller ausbreiten.
- Champignons mit Küchenpapier abreiben und in Scheiben schneiden. Die Tomate achteln.
- Schinken und Edamer in Streifen schneiden.
- Alles mit dem Mais auf dem Salat anrichten.
- Knoblauch durch die Knoblauchpresse drücken, mit Joghurt, Tomatenmark und Essig verrühren und mit Salz und Pfeffer abschmecken.
- Dressing über den Salat gießen. Das Baguettebrot dazu essen.

Tip Die Salatsoße schmeckt fast wie American-Dressing.

547 kcal/15,7 g Fett/52 g Kohlenhydrate/38 g Eiweiß

Bedarfsdeckung
Vitamin D 3 µg — 62 %
Vitamin B2 1152 µg — 58 %

Lachsbrötchen mit Ananas-Salat

4 TL Crème fraîche (à 5 g; 30 % Fett)
1 TL geriebener Meerrettich aus der Tube (5 g)
2 Roggenbrötchen (à 50 g)
80 g Eisbergsalat
50 g Räucherlachsscheiben
140 g Ananas aus der Dose
Saft 1/2 Zitrone
2 EL saure Sahne (30 g; 10 % Fett)
Jodsalz, Pfeffer
Zitronenmelisseblättchen

- Crème fraîche mit Meerrettich verrühren.
- Brötchen halbieren, die unteren Hälften mit Meerrettich-Creme-fraîche bestreichen.
- Jede Brötchenhälfte mit zwei Salatblättern belegen.
- Lachs darauf verteilen und die oberen Hälften auflegen.
- Ananas und restlichen Salat in Stücke schneiden und mischen.
- Von der Zitrone ein hauchdünnes Stück Schale abschneiden und in Streifen schneiden.
- Zitronensaft mit -schale, saurer Sahne, Salz und Pfeffer verrühren. Über den Salat gießen.
- Mit Zitronenmelisse garnieren.

548 kcal/13,2 g Fett/88 g Kohlenhydrate/24 g Eiweiß

Bedarfsdeckung
Vitamin A 654 µg — 55 %
Magnesium 150 mg — 46 %

Bismarckhering-Brötchen

1 Baguette-Brötchen (125 g)
1 TL Crème fraîche (5 g)
1 kleine Zwiebel (20 g)
1 Salatblatt
80 g Bismarckheringfilet
100 g Gewürzgurke

- Baguettebrötchen der Länge nach einschneiden und die Hälften auseinanderbiegen.
- Die Zwiebel in Ringe schneiden.
- Die untere Brötchenhälfte mit Crème fraîche bestreichen und mit Salatblatt, Zwiebel und Heringfilet belegen.
- Das Brötchen zusammenklappen und die Gewürzgurke dazu essen.

Tip Falls Sie während der Diät mal ein Volksfest besuchen und der Magen bei all den Leckereien, die dort angeboten werden, knurrt, ist dies die ideale Mahlzeit, die Sie sich vom Stand holen können. Ohne schlechtes Gewissen. Nur ohne Butter oder Mayonaise sollte es schon sein.

552 kcal/15,2 g Fett/73 g Kohlenhydrate/25 g Eiweiß

Bedarfsdeckung
Vitamin D 16 µg — 317 %

Sauerkrautsalat mit Schinkenbrötchen

1 Roggenbrötchen (50 g)
1 TL Crème fraîche (5 g; 30 % Fett)
1 Salatblatt (10 g)
50 g gekochter Schinken
140 g Ananas aus der Dose
40 g Edamer (30 % Fett)
150 g Sauerkraut
1 Becher Joghurt aus Magermilch (150 g)
Jodsalz, Pfeffer

- Das Brötchen halbieren und mit Crème fraîche bestreichen.
- Die untere Hälfte mit dem Salatblatt und dem Schinken belegen und mit der oberen Hälfte abdecken.
- Ananas in Stücke, Käse in Streifen schneiden.
- Sauerkraut mit einer Gabel auflockern und mit Ananas und Käse mischen.
- Joghurt mit Salz und Pfeffer verquirlen, unter den Sauerkrautsalat heben und zum Brötchen essen.

Tip Etwas milder wird der Salat, wenn Sie statt Sauerkraut Champagnerkraut verwenden. Sauerkraut mit Ananas als Fertigprodukt ist nicht geeignet.

556 kcal/14,9 g Fett/68 g Kohlenhydrate/36 g Eiweiß

Bedarfsdeckung
Vitamin C 62 mg — 58 %
Kalzium 650 mg — 72 %

Fenchel-Orangen-Salat mit Walnüssen

200 g Fenchel
200 g Orange
10 Walnußkernhälften (20 g)
1 Becher Joghurt aus Magermilch (150 g)
Saft 1/2 Orange (40 ml)
Jodsalz, Pfeffer
1 tiefgekühltes, dänisches Pita-Fladenbrot (80 g)

- Fenchelgrün von der Knolle abzupfen, hacken und beiseite stellen.
- Fenchelknolle halbieren und in feine Streifen schneiden, Orange in Stücke schneiden, Walnußkerne grob hacken. Alles mischen.
- Joghurt mit Orangensaft, Salz und Pfeffer verrühren, über den Salat gießen und mit Fenchelgrün bestreuen.
- Pita-Brot toasten, vierteln und dazu essen.

557 kcal/14,7 g Fett/81 g Kohlenhydrate/22,7 g Eiweiß

Bedarfsdeckung
Vitamin A 1209 µg — 101 %
Vitamin B1 819 µg — 48 %

Pikante Spieße mit gefülltem Pita-Brot

1 Mini-Pfeffer-Salami (25 g)
125 g Banane
50 g grüne Weintrauben
4 entkernte, schwarze Oliven (10 g)
50 g Tomate
Jodsalz, Pfeffer
1 tiefgekühltes, dänisches Pita-Fladenbrot (80 g), ersatzweise 1 kleines Baguettebrötchen (80 g)
2 EL Kräuter-Frischkäse (40 g; 30 % Fett)

- Die Mini-Salami schräg in dünne Scheiben schneiden. Banane ebenfalls in Scheiben schneiden.
- Die Weintrauben und die Oliven abwechselnd mit Bananen- und Salamischeiben auf drei Schaschlik-Spieße stecken.
- Tomate in Scheiben schneiden und mit Salz und Pfeffer würzen.
- Das tiefgefrorene Pita-Brot im Toaster goldbraun rösten, am Rand etwa 10 cm einschneiden und zu einer Tasche aufbiegen.
- Den Frischkäse in das Brot hineinstreichen und Tomatenscheiben dazustecken. Zu den Spießen essen.

Tip Es ist natürlich nicht unbedingt notwendig, die Weintrauben mit Banane, Oliven und Salami auf Schaschlikspieße zustecken - es sieht nur viel appetitlicher aus. Die Spieße bieten sich auch gut als Party-Mitbringsel an, dann haben Sie nicht die Qual der Wahl. Oder auch wenn Sie Gäste zum Abendessen haben. Die Mini-Pfeffer-Salami gibt es in Folie eingeschweißt als Pausensnack.

549 kcal/15,5 g Fett/82 g Kohlenhydrate/19 g Eiweiß

Bedarfsdeckung
Vitamin B6 806µg
37 %
Magnesium 111 mg
34 %

Hering in Gelee mit Rote-Bete-Salat

100 g Apfel
100 g eingelegte Rote Bete aus dem Glas
100 g Senfgurke
1 Becher Joghurt aus Magermilch (150 g)
Jodsalz, Pfeffer
100 g Hering in Gelee
2 Scheiben Roggenvollkornbrot (à 50 g)

- Apfel, Rote Bete und Senfgurke kleinschneiden und mit Joghurt mischen.
- Mit Salz und Pfeffer würzen.
- Hering in Gelee und Brot dazu essen.

548 kcal/14,7 g Fett/73 g Kohlenhydrate/28 g Eiweiß

Bedarfsdeckung
Vitamin D 27 µg
540 %
Magnesium 151 mg
46 %

Hot dog mit Kiwi

1 Vollkornbaguette-Brötchen (125 g)
50 g Gewürzgurke
1 kleines Wiener Würstchen (50 g)
1 EL Senf (15 g)
1 EL Tomatenketchup (15 g)
1 EL getrocknete Röstzwiebeln
50 g Kiwi
1 EL Rosinen (20 g)

- Das Brötchen der Länge nach einschneiden und die Hälften auseinanderbiegen.
- Gewürzgurke in Scheiben schneiden und auf die untere Brothälfte legen.
- Das Würstchen darauflegen. Senf und Tomatenketchup auf das Würstchen streichen und mit Röstzwiebeln bestreuen. Das Brötchen zusammenklappen.
- Kiwi würfeln, mit den Rosinen mischen und als Dessert essen.

Tip Das Hot dog zählt zwar zu den kalten Mahlzeiten, wenn es Ihnen besser schmeckt, können Sie das Wiener Würstchen natürlich auch erst in heißem Wasser erhitzen.

547 kcal/15,1 g Fett/79 g Kohlenhydrate/21 g Eiweiß

Bedarfsdeckung
Kalium 798 mg
40 %
Magnesium 156 mg
48 %

Bunter Wurstsalat

40 g Grünkern (Vollkorn)
50 g Bierschinken
1 Zwiebel (50 g)
100 g grüne Paprikaschote
4 entkernte, schwarze Oliven (10 g)
2 EL Tomatenmark aus der Tube (30 g)
1 TL Öl (5 g)
2 EL Balsamessig
Jodsalz, Pfeffer
1 tiefgefrorenes, dänisches Pita-Fladenbrot (80 g)

- Grünkern am Tag vorher mit heißem Wasser übergießen und über Nacht ausquellen lassen oder 25 Minuten in kochendem Salzwasser garen.
- Bierschinken in Streifen

schneiden, Zwiebel und Paprika würfeln. Alles mischen.
- Grünkern abtropfen lassen und mit den Oliven unter den Salat heben.
- Tomatenmark mit Öl, Essig, 3 EL Wasser, Salz und Pfeffer verrühren und über den Salat gießen.
- Pita-Brot toasten, vierteln und dazuessen.

Tip Für Salate immer kaltgepreßte Öle verwenden, sie sind reich an lebenswichtigen, mehrfach ungesättigten Fettsäuren.

552 kcal/15 g Fett/83 g Kohlenhydrate/22 g Eiweiß

Bedarfsdeckung

Kalium 913 mg 46 %

Eisen 4715 µg 31 %

Tomaten-Bohnen-Salat mit Schafskäse

25 g Frühlingszwiebel
2 eingelegte Peperoni (à 10 g)
200 g Tomate
150 g weiße Bohnen aus dem Glas
40 g Schafskäse
50 ml Tomatensaft
1 EL Balsamessig
1 TL Öl (5 g)
Jodsalz, Pfeffer
1 Scheibe Vollkorntoast (20 g)

- Die Frühlingszwiebel und die Peperoni in Ringe schneiden.
- Die Tomate würfeln und mit den abgetropften Bohnen, Zwiebel und Peperoni mischen.
- Den Schafskäse zerbröckeln und über den Salat streuen.
- Tomatensaft mit Essig und Öl verrühren und mit Salz und Pfeffer abschmecken.
- Das Dressing über den Salat gießen und etwas durchziehen lassen.
- Das Brot toasten und dazu essen.

550 kcal/15, 2 g Fett/66 g Kohlenhydrate/33 g Eiweiß

Bedarfsdeckung

Eisen 7509 µg 50 %

Folsäure 211 µg 46 %

Obstsalat mit Quark

100 g Himbeeren (frisch oder tiefgekühlt)
200 g blaue Weintrauben
40 g getrocknete Aprikosen
6 Walnußkernhälften (12 g)
125 g Speisequark (20 % Fett)
3 EL fettarme Milch (45 ml; 1,5 % Fett)
etwas Vanillepulver oder 1 Tropfen Vanille-Back-Aroma

- Tiefgefrorene Himbeeren auftauen lassen.
- Weintrauben halbieren und entkernen. Aprikosen vierteln.
- Quark mit der Milch glattrühren und mit Vanillepulver oder Backaroma abschmecken.
- Himbeeren, Weintrauben, Aprikosen und Walnüsse unterheben.

Tip Achten Sie bei den Aprikosen darauf, daß sie ungeschwefelt sind. Schwefel als Konservierungsstoff wird nicht immer gut vertragen. Ungeschwefelte Aprikosen sind außerdem saftiger. Wer gerne Nüsse zwischendurch knabbert sei gewarnt: 100 Gramm Walnüsse enthalten satte 63 Gramm Fett.

550 kcal/15 g Fett/77 g Kohlenhydrate/23 g Eiweiß

Bedarfsdeckung

Vitamin B2 644 µg 32 %

Vitamin B6 605 µg 28 %

Radicchiosalat mit Trauben und Käse

1 Kopf Radicchio (125 g)
200 g blaue Weintrauben
50 g Mandarine
50 g Edamer (30 % Fett)
1 EL Mandelblättchen (6 g)
50 ml Traubensaft
1 TL Balsamessig
1 EL saure Sahne (15 g; 10 % Fett)
Jodsalz, Pfeffer
1 Laugenbrezel

- Radicchio in kleinere Stücke zerzupfen. Weintrauben halbieren und gegebenenfalls entkernen. Mandarine in Spalte teilen, Käse in Streifen schneiden.
- Alles miteinander mischen und die Mandelblättchen darüberstreuen.
- Traubensaft mit Balsamessig und saurer Sahne verquirlen, mit Salz und Pfeffer abschmecken und über den Salat gießen. Laugenbrezel dazu essen.

Tip Balsamessig bzw. Aceto balsamico ist ein köstlicher, dunkelbrauner Essig. Er kommt ursprünglich aus Italien und schmeckt viel milder als Tafelessig, deshalb verträgt er sich sehr gut mit den süßen Früchten und dem leicht bitteren Radicchio. Balsamessig gibt es in der Preislage zwischen 5 und 150 Mark. Für Aceto balsamico der sehr lange in Eichenfässern gereift ist, zahlen Gourmets wie beim Wein Liebhaberpreise. Ein preiswerter tut's aber auch.

547 kcal/14,8 g Fett/78 g Kohlenhydrate/21 g Eiweiß

Bedarfsdeckung

Vitamin C 59 mg 55 %

Kalzium 555 mg 62 %

50 Fragen zur Die große Diät FOR FUN

Wenn die Rezepte sorgfältig gelesen, das richtige Kochgeschirr benutzt und alle Tips beherzigt worden sind, dürfte rein theoretisch alles klar sein. In der Praxis tauchen trotzdem immer mal wieder Fragen auf. Die folgenden Seiten helfen:

Was wiegt wieviel? Keine Schätzwerte bitte! Diäthalten bedeutet Kochen nach Maß. Deshalb ist es wichtig, daß Sie alle Zutaten erst in die Waagschale und dann in den Topf werfen. Die in den Rezepten angegebenen Mengen sind handelsüblich. Sie können also alles im Supermarkt oder bei Ihrem Gemüsehändler kriegen, ohne es gleich kiloweise kaufen zu müssen. Unserer Übersicht entnehmen Sie, wonach Sie im Laden zu greifen haben. Die Mengenangaben in Eß- oder Teelöffel bei Paket- oder Tütenware beziehen sich auf gestrichene, also flach gefüllte Löffel.

Gemüse

1 kleine Aubergine	250 g
1 mittelgroßer Champignon	10 g
1 mittelgroße Staude Bleichsellerie	500 g
1 mittelgroßer Kolben Chicorée	125 g
1 Cornichon	10 g
1 EL tiefgekühlte Erbsen	10 g
1 mittelgroßer Kopf Eisbergsalat	375 g
1 kleine Fenchelknolle	150 g
1 kleine Frühlingszwiebel	10 g
1 mittelgroße Frühlingszwiebel	25 g
1 Gewürzgurke	50 g
1 kleine Salatgurke	375 g
1 mittelgroße Salatgurke	600 g
1 Kopfsalat	250 g
1 Salatblatt	10 g
1 mittelgroße Kartoffel	100 g
1 EL gehackte Kräuter	5 g
1 EL Maiskörner aus der Dose	20 g
1 TL geriebener Merrettich	5 g
1 kleine Möhre	50 g
1 mittelgroße Möhre	100 g
1 Olive mit Paprika gefüllt	5 g
1 entkernte, schwarze Olive	2,5 g
1 kleine Paprikaschote	100 g
1 mittelgroße Paprikaschote	200 g
1 kleine Stange Porree	100 g
1 mittelgroße Stange Porree	200 g
1 kleiner Kopf Radicchio	125 g
10 Radieschen	80 g
1 kleine Zwiebel	20 g
1 mittelgroße Zwiebel	50 g

Obst

1 kleiner Apfel	100 g
1 mittelgroßer Apfel	125 g
1 kleine Apfelsine	150 g
1 mittelgroße Apfelsine	200 g
1 getrocknete Aprikosenhälfte	5 g
1 kleine Banane	125 g
1 große Banane	200 g
1 kleine Birne	125 g
1 Clementine	50 g
1 kleine Grapefruit	250 g
1 kleine Honigmelone	500 g
1 Kiwi	50 g
1 getrocknete Pflaume	8 g
1 EL Rosinen	20 g

Fette, Öle

1 EL Butter	10 g
1 EL Öl	10 g
1 TL Öl	5 g

Milch, Milchprodukte

1 EL Crème fraîche	15 g
1 TL Crème fraîche	5 g
1 Glas Milch	200 ml
1 EL Milch	15 g
1 EL Quark	30 g
1 EL saure Sahne	15 g

Käse

1 EL Kräuterfrischkäse	20 g
1 EL geriebener Parmesan	5 g
1 Ecke Schmelzkäse	62,5 g
1 Scheibe Schnittkäse	30 g

Fisch

1 Bismarckheringfilet	80 g
1 mittelgroße Forelle	375 g
1 Rollmops	100 g
1 Sardelle	5 g
1 Schollenfilet	70 g
1 Sprotte	15 g

Wurst

1 Scheibe Bierschinken	25 g
1 Scheibe Corned beef	25 g
1 Scheibe gekochter Schinken	25 g
1 Scheibe Lachsschinken	10 g
1 Mini-Salami	25 g
1 kleines Wiener Würstchen	50 g
1 Scheibe Kasseler Aufschnitt	15 g

Brot

1 Baguettebrötchen	125 g
1 Laugenbrezel	55 g
1 Scheibe tiefgefrorenes Pita-Brot	80 g
1 Pumpernickelround	10 g
1 Vollkornbrötchen	50 g
1 Scheibe Vollkornbrot	50 g
1 Scheibe Vollkornknäckebrot	8 g
1 Scheibe Vollkorntoast	20 g

Sonstiges

1 EL Cornflakes	4 g
1 TL gekörnte Brühe	5 g
1 TL Fruchtgelee	5 g
1 EL Graupen	10 g
1 EL Honig	20 g
1 TL Honig	10 g
1 EL Kokosraspel	10 g
1 EL Mandelblättchen	6 g
1 EL gehackte Pistazien	8 g
1 EL Reis (ungekocht)	10 g
1 EL Senf	15 g
1 TL Speisestärke	3 g
1 EL Tomatenmark/-ketchup	15 g
1 Walnußkernhälfte	2 g

Seien Sie beim Portionieren kleinlich! Die Küchenwaage ist in jeder Diät das wichtigste Kochutensil. Um winzige Mengen im Griff zu haben, kommt man ohne sie nicht aus. Am praktischsten sind Digitalwaagen, die auch ein oder zwei Gramm genau zeigen. Preiswerter, aber schlechter ablesbar: Diätwaagen mit Zeiger. Flüssigkeit läßt sich gut in Meßbechern dosieren, am besten mit den altmodischen trichterförmigen, deren ml-Skala bereits bei 10 ml beginnt.

Wie kann ich vermeiden, daß ich nach der Diät gleich wieder zunehme?

Übergewicht entsteht nicht über Nacht. Umgekehrt wird niemand von heute auf morgen schlank. Hingegen schwindet jedes Pfund, das Sie langsam abnehmen, auf Dauer. Offensichtlich kommt der Körper mit einer sanften Abnahmerate besser klar als mit rasch runtergehungerten Pfunden, weil der Stoffwechsel dann nicht auf Sparflamme schaltet, sondern wie gewohnt auf mit normaler Geschwindigkeit läuft. Nutzen Sie den Lernprozeß, den Ihr Körper und damit auch Sie erleben. Für einen Dauererfolg müssen Sie also einfach richtig essen lernen - schon während des Abnehmens.

Ist Milch zum Kaffee oder Tee erlaubt?

Ja, ein Schuß Vollmilch oder fettarme Milch (1,5 % Fett) ist in Sachen Kalorien irrelevant, verbessert aber für manche nicht nur den Geschmack, sondern auch die Verträglichkeit dieser Muntermacher.

Wieviel Kalorien muß ich sparen, um ein Kilo abzunehmen?

Ein Kilo Fettgewebe entspricht etwa 7000 Kilokalorien. Davon könnten Sie bei leichter Arbeit rund drei Tage lang zehren, selbst wenn Sie gar nichts essen. In den ersten Tagen purzeln die Pfunde zwar rasch, aber was Sie verlieren, ist hauptsächlich Wasser. Diätversprechen wie „viele Pfunde in wenigen Tagen" sind deshalb unseriös und haben mit echten Fettverlusten nicht viel zu tun.

Machen Schlankmacher wirklich schlank?

Der Traum, Fettpölsterchen ohne eigenes Zutun zu verlieren, bleibt auch weiterhin einer. Weder Enzympräparate noch andere Pillen können den Speck von den Hüften schmelzen. Die besten Schlankmacher sind - neben einem abgespeckten Speiseplan - die eigenen Muskeln, wenn sie mit Ausdauer bewegt werden.

Taugen Diät-Pralinen oder Diät-Schokolade für die schlanke Linie ?

Diese Produkte sind in erster Linie für Diabetiker entwickelt worden und mit Zuckeraustauschstoffen gesüßt. Schon ein Blick auf ihren Kalorien- und Fettgehalt zeigt, daß sie nicht für Schlankheitskuren gemacht sind. Übrigens ist auch Diabetikern das richtige Augenmaß bei solchen Genüssen anzuraten.

Was ist dran am Wohlfühl-Gewicht?

Eine gute Definition könnte lauten: „Ein Gewicht, mit dem man sich persönlich fit und wohl fühlt, bei dem gesundheitlich alles o.k. ist und man sich selbst im Spiegel leiden mag." Einem solchen Gewicht entspricht bei den meisten Menschen ein Bereich von rund ± zehn Prozent des individuellen Normalgewichts. Die Akzeptanz dieses Begriffs hilft, sich von der Diktatur des Idealgewichts zu befreien und individuelle Gegebenheiten zu berücksichtigen. Sie darf aber keineswegs ein Freibrief für ungebremste Eßlust sein.

Zwei bis drei Liter täglich trinken - wie schafft man das?

Ganz einfach: Stellen Sie sich morgens zwei Flaschen Mineralwasser an den Arbeitsplatz und trinken Sie sie bis zum Feierabend leer. Wenn Sie zum Frühstück noch zwei Tassen Kaffee oder Tee und abends zwei Tassen Kräutertee schlürfen, haben Sie Ihr Soll geschafft. Zur Abwechslung können Sie dem Mineralwasser einen Schuß Zitronensaft oder Fruchtsafteiswürfel zugeben. Selbst wer seine beiden Mineralwasserflaschen nicht ganz schafft, darf sich trösten: Der Wassergehalt der tagsüber verzehrtem Mahlzeiten oder der Weintrauben zwischendurch zählt mit.

Wie steht es mit dem Alkohol bei einer Diät?

Im Alkohol stecken relativ viele Kilokalorien: sieben (30 Kilojoule) pro Gramm. Zwar ließe sich der Genuß von einem Glas Wein oder Bier mühelos in den Diätplan einbauen. Nur meistens bleibt's nicht bei einem. Alkohol ist aber nicht nur deswegen ein Diätkiller, sondern auch, weil er Appetit auf Essen macht. Totale Abstinenz ist allerdings nicht nötig. Das bißchen Alkohol in einer Schorle (trockener Weißwein mit viel Mineralwasser) z.B. erfrischt, hebt die Laune und belastet kaum mit Kalorien.

Ist die Kalorienzufuhr mit Lightprodukten zu drosseln?

Es kommt vor allem darauf an, wie sehr das Lightprodukt im Vergleich zu einem herkömmlichen Lebensmittel tatsächlich kalorienreduziert ist. Produkte mit vermindertem Fettgehalt können tatsächlich eine gute Hilfe sein. Es gibt jedoch genug von Natur aus „leichte" Lebensmittel wie Gemüse und Obst. Fruchtsaft mit viel Mineralwasser verdünnt erfrischt und löscht mit wenig Kalorien den großen Durst. Und ein Käse mit 20 Prozent Fett in der Trockenmasse enthält nur rund zehn Gramm Fett absolut pro 100 Gramm, ist also von Hause aus „light". - Ein weiteres Problem der „Light"-Produkte: Die bedenkenlos verzehrte zweite Portion macht den Traum vom Kaloriensparen leicht zunichte.

Bringt es was, wenn ich zwischendurch mal einen Fasten- oder Safttag einlege?

Wenn Sie mitunter einen „Schalttag" einlegen, an dem Sie nur Obst, Säfte oder Schlankheitsdrinks (ensprechend § 14a der Diätverordnung) zu sich nehmen, können Sie damit geringfügige Überschreitungen der Kalorienbilanz ausgleichen. Wer allerdings sechs Tage lang reinhaut und dann einen Tag Null-Diät einschiebt, löst kein Gewichtsproblem. Denn dabei kommt es nicht nur auf die wöchentliche Kalorienbilanz, sondern auf eine möglichst stetig ausgewogene Ernährung an.

Ich muß oft beruflich auswärts essen. Mache ich damit mein Ernährungsprogramm kaputt?

Halten Sie sich ans Salat- oder das italienische Vorspeisenbuffet und an leichte Gerichte der japanischen bzw. euro-asiatischen Küche. Auch Gourmet- und gehobene Hotelrestaurants bieten heute deutlich abgespeckte Business-Menüs an. Wer sich auch beim Alkohol bremst, muß keine Rückschläge befürchten.

Was kann ich tun, wenn mich zwischendurch der Heißhunger auf Schokolade überfällt?

Machen Sie sich wegen ein, zwei Stückchen kein schlechtes Gewissen; die schaden gar nichts. Viel schlimmer ist, wenn Sie sich die Schokolade ganz verbieten und irgendwann aus Heißhunger eine ganze Tafel auf einmal verschlingen.

Während meiner Diät werde ich zu einem großen Essen eingeladen. Muß ich absagen?

Nein, auf jeden Fall mitmachen! Und verderben Sie sich und den anderen nicht die Stimmung, indem Sie auf strengen Verzicht machen. Teilen Sie sich bei einem mehrgängigen Menü lieber die Gänge mit jemandem oder probieren Sie jeweils nur ein bißchen. Halbvolle Weingläser schützen vorm Nachschenken. Und falls die Hälfte immer noch zuviel war, legen Sie einen Obsttag ein.

Sollte man während einer Diät täglich ein Vitaminpräparat einnehmen?

Bei niedrig kalorischen Diäten unter 1200 Kilokalorien ja. Bei sehr wenig Kalorien (600-800 kcal/Tag) garantieren nur entsprechend § 14a der Diätverordnung gefertigte Schlankheitsprodukte durch entsprechende Zusätze eine sichere Vitaminversorgung. Bei Diäten mit mindestens 1500 Kilokalorien - wie der von Fit For Fun - wird die Nährstoffsicherheit zunehmend besser. Allerdings ist es dabei ratsam, für den Gesundheits- und Zellschutz täglich eine Vitamin C, E,/Beta-Carotin/Selen-Kombination einzunehmen.

Fisch mag ich nicht. Kann ich ihn in meinem Diätplan ersetzen?

Schwer - und als Jodlieferant nur durch jodhaltiges Speisesalz und Brot. Noch am nächsten kommt ihm Geflügel mit seinem leicht verdaulichen Eiweiß. Das Brustfleisch von Hähnchen und Puten etwa ist sehr fettarm, liefert viel Eiweiß, einige B-Vitamine sowie Mineralstoffe.

In den Rezepten ist mir zu wenig Fleisch. Kann ich es mit anderen Zutaten tauschen?

Die große Gemüseration sollte auf keinen Fall drastisch reduziert werden, denn gerade sie sorgt während der Diät für ausreichende Sättigung und eine gute Versorgung mit Vitaminen und Ballaststoffen. Als Eiweißspender sind Fisch und Fleisch zwar auszutauschen, nicht jedoch in Sachen Spurenelemente. Da steht Fleisch für Eisen und Fisch für Jod. Im Rahmen einer ausgewogenen Ernährung empfiehlt es sich, wöchentlich etwa drei- bis viermal Fleisch und ein- bis zweimal Fisch zu genießen. Ein Tip: Sie können die Fleischportion optisch strecken, indem Sie sie schnetzeln und damit ein schmackhaftes Pfannengericht zaubern. Andere sind vielleicht für einen Wechsel zu haben: an einem Tag ein größeres Steak (150-180 Gramm) und dafür am nächsten Tag ein rein vegetarisches Gericht.

Ich vertrage keine Milch. Wie kann ich damit fertig werden?

Wer auf den Genuß von Trinkmilch mit Blähungen und sogar Durchfall reagiert, leidet womöglich unter einer Milchzuckerunverträglichkeit. Joghurt, Quark und Käse schaden meistens trotzdem nicht, weil ein Großteil dieses Zuckers durch Milchsäurebakterien abgebaut wird. Nur bei diagnostizierten Fällen von Kuhmilcheiweißallergie muß Verzicht geübt werden. Ersetzt werden kann das Milcheiweiß durch Geflügel, Eier und Fisch. Schon schwieriger wird's bei Kalzium: Da helfen bestimmte Gemüse, Sesam, Kalziumreiches Mineralwasser (auf's Etikett achten) und Tabletten (Fragen Sie bitte Ihren Arzt).

Ich bin Vegetarier. Kann ich statt Fleisch und Fisch mehr Gemüse und Hülsenfrüchte essen?

Jede Einschränkung im Nahrungsspektrum birgt die Gefahr einer einseitigen Ernährung. Strengen Vegetariern drohen deshalb Probleme. Wer Eiweiß ißt, gerät nicht unbedingt ins Defizit, sofern z. B. Getreide und Hülsenfrüchte richtig miteinander kombiniert werden. Ovo-Lakto-Vegetarier, die auch Milch, Milchprodukte und Eier schätzen, sind im allgemeinen keine Nährstoffmangelkandidaten. Milch- und Eiprotein ergänzen sich sehr gut mit pflanzlichem Eiweiß, wovon Hülsenfrüchte am meisten liefern.

Ist die Beschränkung auf Rohkost gesund?

Nein. Bestimmte Lebensmittel wie Kartoffeln sind roh entweder gar nicht genießbar oder - wie Hülsenfrüchte und Getreide - gegart einfach besser bekömmlich und vom Nährstoffgehalt her zudem besser ausnutzbar. Zu einer ausgewogenen Ernährung gehört grundsätzlich sowohl rohe wie erhitzte, sowohl pflanzliche wie tierische Nahrung. Roh verzehrt werden sollten allerdings häufiger und in größeren Mengen Obst, Salat und Gemüse - der Vitamine und Aromastoffe wegen.

Ich habe 20 Kilo Übergewicht. Wie lange muß ich Diät halten, um das loszuwerden?

Zunächst sollten Sie Ihren Arzt fragen, wie schnell Sie aus dessen Sicht abnehmen müssen. Ansonsten sollte man sich realistische Abspeckziele setzen und sein Vorhaben auf zwei, drei Etappen aufteilen. Es wäre schon ein schöner Erfolg, wenn Sie die ersten zehn Kilo in etwa zehn bis zwölf Wochen verlören. Gönnen Sie Ihrem Körper dann gut einen Monat Pause und versuchen Sie dabei, Ihr Gewicht zu halten. Haben Sie das geschafft, können Sie sich die nächsten zehn Pfund vornehmen - und danach wieder eine Pause einlegen. Denn prinzipiell gilt: Jedes langsam verlorene ist ein auf Dauer verlorenes Pfund. Es gibt erfolgreiche Abnahmeprogramme, die über einen insgesamt langen Zeitraum sogar nur von einem Kilo Gewichtsverlust durch Fettabbau pro Monat ausgehen. Allerdings ist bei erheblichem Übergewicht eine solch langsame Abnahmerate etwas frustrierend.

Schadet eine Schlankheitsdiät während einer Schwangerschaft?

Wenn eine Frau es schon versäumt hat, zuvor etwas für ihre Linie zu tun - was ratsam gewesen wäre - , sollte sie während der Schwangerschaft nicht mehr daran herumkurieren. Allerdings empfiehlt es sich gerade dann, auf ausgewogene Ernährung zu achten, mit Fett sparsam umzugehen und vitamin- und mineralstoffreiche Lebensmittel zu genießen, um den Mehrbedarf zu decken. „Essen für zwei" gilt tatsächlich - jedoch nicht hinsichtlich der Kalorien, sondern der Qualität und der Nährstoffdichte. Gegen Ende der Schwangerschaft treten physiologische Gewichtszunahmen von acht bis zwölf Kilo auf. Manchmal ist eine übermäßige Zunahme auf Wasseransammlungen zurückzuführen. Dann muß der Arzt um Rat gefragt werden. Nach der Geburt begünstigt Stillen den Fettabbau.

Mein Kind ist zu dick. Sollte es die Diät mitmachen?

Insbesondere bei Kindern ist zunächst nach den Ursachen des Übergewichts zu forschen - Bewegungsmangel, viele Süßigkeiten zwischendurch, unregelmäßige Mahlzeiten, übermäßiger Fast-Food-Konsum und so fort. Ist der Grund gefunden, hilft dem Kind am besten die konsequente Änderung seiner Lebens- und Nahrungsgewohnheiten - und nicht irgendeine strenge Diät. Der kindliche Organismus benötigt während des

Wachstums vermehrt Aufbaustoffe (Proteine, Wasser, Kalzium) und kann noch am ehesten bei Fett und Zucker (Vorsicht auch bei großen Mengen zuckerreicher Limonade!) auf sparsame Ration gesetzt werden. Das beste „Diätprogramm" für Kinder aber ist, ihren Spaß an abwechslungsreicher Ernährung und körperlicher Aktivität zu wecken.

Warum nehmen Männer eigentlich besser ab als Frauen?

Männer haben im allgemeinen mehr Muskelmasse als Frauen, und aktive Muskelzellen verbrennen mehr Kalorien. Dadurch ist bei Männern auch der Grundumsatz erhöht. Das Verhältnis von aktiver (Muskulatur) zu passiver Körpersubstanz (Fettgewebe) bestimmt mit, ob man sich beim Abnehmen leichter oder schwerer tut.

Warum hat sich mein Gewicht einige Tage nach Diätbeginn kaum verändert?

Weil dann der Körper erst richtig mit der Fettverbrennung beginnt. Während der ersten Diättage wird hauptsächlich Wasser ausgeschwemmt und es bauen sich Kohlenhydrate und Eiweiß ab. Dann erst sind die Fette dran. Und in denen stecken mehr als doppelt so viel Kalorien wie in den beiden anderen Energiequellen. Nach wieder einigen Tagen geht es aber - ganz allmählich - weiter mit dem Gewichtsverlust, und den können Sie endlich von Ihrem Fettkonto abbuchen. Halten Sie also durch!

Schlagen eiweißreiche Diäten tatsächlich auf's Gemüt?

Ja. Nach neueren Erkenntnissen hat Serotonin eine Schlüsselfunktion im Gehirn: Es beeinflußt die Stimmungsbalance positiv. Serotonin wird nur gebildet, wenn genügend Kohlenhydrate neben einem eher knappen Eiweißangebot in der Nahrung vorhanden sind. Vielleicht machen Nudeln deshalb glücklich.

Gibt es Nahrungsmittel, die verläßlich schlank machen?

Leider nein, zumindest nicht in dem Sinne, daß sich die gegessenen Kalorien auf wundersame Weise in Luft auflösen oder daß dieses Lebensmittel bei der Verdauung gar mehr Kalorien verbraucht, als in ihm stecken. Auch angeblich „zehrende" Enzyme aus Ananas oder Papaya können unerwünschte Fettpölsterchen nicht angreifen. Es gibt aber durchaus Lebensmittel, die wenig Kalorien, aber viel Volumen, Vitamine und Mineralstoffe in sich haben: An Gemüse, Obst und Vollkornprodukten kann sich deshalb jeder ohne Risiken für die schlanke Linie sattessen.

Gibt es auch natürliche Sättigungshilfen?

Ja. Schon ein Glas Wasser, schluckweise vor der Mahlzeit getrunken, wirkt Wunder. Auch Ballaststoffe, insbesondere Pektin, quellen im Magen und sorgen für ein natürliches Völlegefühl. Sehr simpel und empfehlenswert: Gut kauen und langsam essen. Das Gehirn braucht übrigens nach Beginn der Nahrungsaufnahme rund 20 Minuten, bis es die ersten Sättigungssignale aus dem Stoffwechsel erhält.

Ich bin ein typischer Streßesser. Was kann ich dagegen tun?

Sie sollten in Situationen wie Streß, Kummer, Langeweile und Einsamkeit statt zu essen lieber Musik hören, lesen, spazierengehen, laufen, Rad fahren, telefonieren oder Ihren Streß mit Yoga, autogenem Training oder einer anderen Entspannungsübung abbauen.

Ist ein Ernährungstagebuch wirklich nötig?

Zugegeben, es macht etwas Mühe, regelmäßig genau zu notieren, was Sie essen und trinken. Aber es lohnt sich. Es geht dabei weniger darum, die aufgenommenen Kalorien und Nährstoffe zu registrieren. Vielmehr machen Sie sich durch diese Arbeit Ihr eigenes Ernährungsverhalten bewußt - und mancher ändert es schon dadurch.

Ich habe mit dem Rauchen aufgehört und nehme jetzt deutlich zu. Was ist da zu machen?

Mit einer Gewichtszunahme ist tatsächlich zu rechnen. Die Nachteile des Rauchens wiegen aber wesentlich schwerer als ein paar Pfunde zuviel. Überdies sind Raucher oft „künstlich" schlank. Sie haben einen etwas höheren Energieumsatz, und nicht selten ist auch ihr Appetit gedämpft. Das normalisiert sich gewöhnlich beim Übergang ins nikotinfreie Leben - zuweilen mit der Folge plötzlicher Gewichtszunahme.Mancher Ex-Raucher steckt sich statt einer Zigarette etwas Eßbares in den Mund. Wer mit dem Rauchen aufhört, sollte also besonders auf die Kalorienzufuhr achten. Statistisch gesehen nehmen Ex-Raucher in den ersten zwölf Monaten nach dem letzten Glimmstengel etwa vier Kilo zu. Ungefähr die Hälfte davon schwindet allerdings im Laufe der Zeit von allein. Ein Tip:Tanken Sie viel Sauerstoff , z. B. durch sportliche Aktivitäten. Schließlich haben sie ja wieder mehr Luft zum Laufen, was wiederum ebenfalls der Gewichtsreduktion dient.

Meine Freundin ist ständig auf Diät, aber nicht schlanker, als ich sie vor Jahren kennengelernt habe. Wieso?

Nach Schätzungen von Experten hat über die Hälfte der deutschen Frauen mindestens eine Diät hinter sich. Jede siebte Frau hungert sogar dauernd bzw. macht eine Diät nach der anderen, um auf ihr modisches Idealgewicht zu kommen. Die meisten allerdings ohne Erfolg. Denn mit Ruck-Zuck-Diäten nimmt man (frau) zwar schnell ab, aber die Pfunde sind genauso schnell wieder drauf, wenn die Ernährung nicht auf ein ausgewogenes Programm umgestellt wird.

Ich muß ständig Diät halten, um nicht dick zu werden. Habe ich eine Chance, irgendwann das zu essen, worauf ich Lust habe?

Ja, Sie müssen aus der Diätspirale herauskommen - und vorübergehend eine leichte Gewichtszunahme akzeptieren. Wenn Sie allmählich etwas mehr essen (vor allem viel Gemüse, Obst und Kohlenhydrate), kommt Ihr Stoffwechsel, der durch das ständige Diäthalten auf Sparflamme reduziert ist, wieder in Schwung. Ganz wichtig: Mit der Nahrungsmenge auch die körperliche Aktivität steigern! Durch richtige Abstimmung von Essen und Trimmen stellt sich ein neues Energie- bzw. Stoffwechselgleichgewicht ein - auf höherem, „schlankerem" Niveau.

Kann man Fett „wegschwitzen" oder „wegbaden"?

Ob Sie Tiefenwärme, Aromatherapie oder die Wickelmethode anwenden - Ihr Fett werden Sie nur dann wirklich los, wenn Sie gleichzeitig Ihre Ernährung umstellen und sich mehr bewegen. Für „Schlankheitsbäder" gilt das erst recht. Und selbst das Fettabsaugen garantiert ohne eine Änderung des Eß- und Bewegungsverhaltens keinen Langzeiterfolg.

Wie hält man während einer Diät die Verdauung in Schwung?

Wer mit einem Mal weniger ißt, riskiert eine Stuhlverstopfung, insbesondere wenn der Ballaststoffanteil der Diät gering ist. Dreierlei hält den Darm in Schwung: Ballaststoffe, reichlich Trinkflüssigkeit und viel Bewegung. Hilfreich sein kann Weizenkleie zum Müsli, Obstsalat, Joghurt oder zur Quarkspeise. Und immer viel trinken! Die Ballaststoffe müssen quellen und so ihre Wirkung entfalten können.

Was tun, wenn man seine Diät geschmissen hat?

Zum Problem wird das eigentlich nur bei strengen Diäten, bei denen der Erfolg allein daran bemessen wird, ob man gesündigt hat oder nicht. Sanfte Ernährungsumstellungsprogramme erlauben durchaus Abweichungen vom selbstgesteckten Ziel - und im Fall der Fälle einen persönlichen „Fehler"-Ausgleich durch mehr Bewegung, durch Obsttage oder bewußtes Weniger-Essen am nächsten Tag. So kommt es auch nicht zur Schuldgefühlen wegen der eigenen „Charakterschwäche", nicht zu Versagerstimmungen, die bis zu Selbsthaß und Depressionen führen können. Machen Sie einfach weiter, als wäre nichts passiert. Sie sollen ja nicht zum Sklaven Ihrer Diät werden, sondern in dem Bewußtsein leben, daß Ihre neue Ernährungsweise Ihnen etwas Gutes tut.

Wie kann es angehen, daß ich nach zwei Wochen Diät plötzlich wieder ein, zwei Kilo mehr wiege, obwohl ich mich genau nach Plan verhalten habe?

Meist handelt es sich um Veränderungen im Wasserhaushalt. Vielleicht haben Sie am Vorabend etwas mehr Salz verwendet; das bindet Wasser im Körper. Oder aber Sie haben sich morgens gewogen, bevor Sie auf der Toilette waren. Bei Frauen kommt es während der Menstruation mitunter zu einer vermehrten Wasserspeicherung im Gewebe. Übrigens sind ein bis zwei Kilo Gewichtsschwankungen im Laufe einer Woche durchaus normal. Sie sollten sich also nicht täglich wiegen, sondern Ihr Gewicht über einen längeren Zeitraum - etwa eine Woche - prüfen.

Warum schlägt manche Diät einfach nicht an?

Dafür kann es mehrere Gründe geben. Die wichtigsten sind:

- Eine falsche Diät, die wegen zu starker Kalorieneinschränkung und einseitiger Lebensmittelauswahl schlichtweg nicht durchzuhalten ist.
- Das falsche Ziel. Wer möglichst schnell abnehmen will und auf Crash-Diäten hereinfällt, die unrealistische Gewichtsverluste versprechen, erlebt meist, daß die rasch runtergehungerten Pfunde schnell wieder drauf sind.
- Die falsche Motivation. Das A & O für den Dauererfolg ist die ehrliche Beantwortung der Frage, warum und für wen Sie abnehmen wollen. Denn wollen müssen Sie es vor allem für sich selbst. Natürlich kann dabei die Unterstützung durch Partner, Familie, Freunde oder Kollegen hilfreich sein. Aber in jedem Fall zählt Ihr persönliches Wohlfühlgewicht und nicht das modisches Ideal!

Ich habe einen schweren Knochenbau. Muß man das bei einer Gewichtsreduktion nicht berücksichtigen?

Nein! Menschen mit leichtem Knochenbau wiegen auch nur zwei, drei Kilogramm weniger. Ein schwerer kann also keine Ausrede sein für ein angeblich unverschuldetes Übergewicht.

Kann man seinen Pfunden einfach davonlaufen?

Die Trainingszeit, die für den Abbau von Übergewicht erforderlich ist, kann ein Normalbürger kaum aufbringen. Aber jede sportliche Bewegung aktiviert den Stoffwechsel und verbrennt zusätzlich Kalorien. Mit leichten Aktivitäten, etwa Trimmtrab oder Radeln, sind etwa 5 kcal pro Minute abzuarbeiten und mit größeren Anstrengungen - etwa forciertes Laufen oder Tennisspielen - etwa 10 kcal pro Minute. Übertreiben Sie es jedoch nicht, denn das beste Motto für die Aktivierung der Fettverbrennung durch Bewegung heißt: „Lieber langsam, aber länger." Gehen Sie also besser mal zu Fuß ins Büro, nach dem Essen spazieren oder radeln Sie abends rund um den Stadtpark. Aber vor allem: Tun Sie möglichst jeden Tag etwas, auf daß Ihr durch Diäten erlahmter Stoffwechsel wieder auf Touren kommt. Übrigens: Die „Nachverbrennung", d. h. die Stoffwechselsteigerung durch Sport, fördert mehr als nur den unmittelbaren Kalorienverbrauch. Sie steigert auch das Wohlbefinden und das Selbstbewußtsein, und das wiederum motiviert die Treue zum Schlankheitsplan.

Wie kann man Fett am besten sparen?

Indem Sie Fettbomben wie Nüsse, Mascarpone, Landjäger, Kartoffelchips und Trüffelpralinen aus Ihrer Standarddiät verbannen. Erklären Sie Streichfett zum Tabu, wenn Sie sich schon Wurst, Käse oder Quark auf Ihr Brot legen. Schieben Sie Pommes und Kroketten in den Backofen statt in die Friteuse. Dicken Sie Soßen mit pürierten Kartoffeln oder Püreeflocken statt mit Sahne. Verwenden Sie beschichtete, ohne Fett funktionierende Pfannen. Garen Sie Ihr Fleisch im Tontopf, im Wok oder auf dem Grill im Backofen. Und studieren Sie sehr aufmerksam die große Fit For Fun-Fett-Tabelle.

Spielen bei Übergewicht Hormone eine Rolle?

Besonders Frauen sind hormonellen Schwankungen ausgesetzt (Pubertät, Menstruation, Schwangerschaft und Menopause), aus denen eine Gewichtszunahme resultieren kann. Östrogene bewirken u.U. eine zusätzliche Wasseransammlung im Gewebe, zumal vor der Menstruation, und begünstigen außerdem die Vermehrung und Ausdehnung der Fettzellen. Bei manchen Frauen wächst zudem in den Tagen vor der Regel der Appetit und ein Verlangen nach Süßem. Treten bei einer Hormonbehandlung Gewichtsprobleme auf, sollten Sie in jedem Fall mit Ihrem Arzt darüber sprechen. Bei Mann und Frau läuft infolge einer mangelhaften Produktion des Schilddrüsenhormons der ganze Stoffwechsel auf Sparflamme, was trotz relativ knapper Kalorienzufuhr leicht Übergewicht verursacht. Umgekehrt werden bei einer Überproduktion von Schilddrüsenhormonen Kalorien doppelt schnell verheizt. Die Folge ist Untergewicht. Ein solch hyperaktiver Stoffwechsel schafft innere Unruhe, Herzklopfen und Schweißausbrüche. Auch das Hormon Insulin, das die Blutzuckeraufnahme in die Zellen fördert, ist als Dickmacher erkannt. Zucker stimuliert die Insulinausschüttung besonders stark und läßt den Zuckerspiegel dadurch rasch abfallen. Die Konsequenz ist erneuter Heißhunger. Man kann sich also mit Süßigkeiten regelrecht hungrig essen. Nach dem Verzehr komplexer Kohlenhydrate aus ballaststoffhaltigen Lebensmitteln erhöht sich der Spiegel dagegen nur langsam, bleibt länger konstant und provoziert keine überschiessende Insulinausschüttung.

Machen bestimmte Medikamente dick?

Thyreostatika (Schilddrüsenmedikamente), Antidiabetika, Antidepressiva und Hormonpräparate können über eine Beeinflussung des Stoffwechsels tatsächlich Gewichtszunahmen verursachen. Sie werden auch nach Behandlung mit Cortison, einem Hormon der Nebennierenrinde, beobachtet. Normalerweise werden solche Medikamente nur vom Arzt verschrieben. Aber lesen Sie in jedem Fall den Beipackzettel sorgfältig und stellen Sie ggf. Ihre Ernährung um.

Gibt es tatsächlich die berühmten guten Futterverwerter?

Ob jemand einen Bauch kriegt oder nicht, hängt auch von seinen Erbanlagen ab. So ist z.B. die durch Nahrungsaufnahme hervorgerufene Wärmebildung, die Thermogenese, individuell unterschiedlich. Manche können weniger Energie in Wärme umwandeln - und speichern den Überschuß als Fett. Das sind die guten Futterverwerter: Sie nutzen ihre Kalorien ökonomisch und horten sorgsam, was sie nicht brauchen. In knappen Zeiten ist solch ein Stoffwechsel von Vorteil, in Zeiten des Überflußes macht er dick. Durch zusätzliche körperliche Aktivität wird aber auch der gute Futterverwerter seine im Fett gebunkerte überschüssige Energie wieder los und kann so den „Nachteil" ausgleichen.

Wird Übergewicht anerzogen?

Viele Kinder übernehmen die Eßgewohnheiten ihrer Eltern; auch das Bewegungsverhalten färbt ab. Erziehung formt eben nicht nur den Verstand. Eltern müssen wissen, daß aus übergewichtigen Kindern leicht übergewichtige Erwachsene werden, und sollten ihnen deshalb ein vorbeugendes „Ernährungstraining" angedeihen lassen.

Wie schädlich ist Übergewicht?

Bei der Gewichtsbeurteilung gilt zwar nicht mehr unbedingt das strenge Idealgewicht. Und nicht jedes Pfund über der Broca-Norm muß schon gesundheitsschädlich sein. Tatsache aber ist, daß bei einem Übergewicht von zehn Prozent und mehr ernährungsabhängige Krankheiten wie Bluthochdruck, Diabetes und Fettstoffwechselstörungen (z. B. erhöhte Blutcholesterinwerte) häufiger auftreten. Falls solche Gesundheitsstörungen schon eingetreten sind, sollten Sie in jedem Fall abnehmen. Mit zunehmendem Übergewicht gibt es zudem vermehrt Probleme mit den Gelenken und bei eventuell notwendigen Operationen. Und nicht zuletzt leidet die Fitneß, wenn wir zuviele Pfunde mit uns herumschleppen. Übergewicht von 20 Prozent und mehr - gemessen am Broca-Normalmaß - oder ein Body Mass Index von über 30, ist auf jeden Fall ein Grund abzuspecken, denn dann ist das Schwergewicht auf jeden Fall ein echtes Gesundheitsrisiko.

Ich nehme immer zuerst dort ab, wo ich es gar nicht möchte. Wie kann ich gezielt an Problemstellen wie Po, Hüften und Oberschenkel Gewicht reduzieren?

Allzu strenge Diäten gehen leicht an unsere Eiweißreserven, so daß Sie dort abnehmen, wo gar kein überflüssiger Speck sitzt. Fett gezielt an bestimmten Körperregionen zu verbrennen, klappt weder durch Sport noch mit Diät. Sie können lediglich durch vermehrte Ausdaueraktivitäten den Körper dazu bringen. Durch kräftigende Gymnastikübungen lassen sich allerdings mehr Muskeln, sprich, festere Formen an den sogenannten Problemstellen erzielen. Eine gute Figur können Sie nur mit der richtigen Kombination aus Sport (Körperformung) sowie Ernährung (optimale Nährstoffversorgung und Vermeidung übermäßiger Fettspeicherung) machen.

Wenn ich Diät halte, lasse ich einfach Kartoffeln und Brot weg.

Megaout: Gerade diese Kohlenhydratspender sind Fitmacher, die mit wenig Fettkalorien satt machen. Viel besser: Soße und fettreiche Wurst sparen.

Ich habe morgens einfach keinen Hunger und lasse das Frühstück ausfallen.

Das Frühstück gilt als Sprungbrett in den Tag. Die Leistungskurve am Vormittag erhält ihre Startenergie bzw. ihren Aufschwung durch ein erstes und zweites Frühstück. Je nach Appetit kann das eine oder andere größer oder kleiner ausfallen. Nur ganz weglassen sollten Sie keine der beiden. Wer das macht, muß mit mangelnder Konzentrationsfähigkeit und vermehrter Streßanfälligkeit am Vormittag rechnen. Der Heißhunger beim Mittagessen wird umso größer. Überhaupt ist das Ausfallenlassen von einzelnen Mahlzeiten die schlechteste Strategie, um schlank zu werden und zu bleiben. Meist ist der Nachholeffekt bei der nächsten Mahlzeit größer als der Spareffekt.

Mir sind die großen Portionen bei den neuen fettarmen aber kohlenhydratreichen Diäten einfach zu groß. Kann ich nicht einfach etwas weniger essen?

Die Nahrungsmengen wurden ausgewählt, um auch mit weniger Kalorien gut satt zu werden, leistungsfähig zu bleiben und vor allem alle für die Gesundheit und Fitneß wichtigen Vitamine und Mineralstoffe zu bekommen. Genießen Sie alles bewußt und langsam. Kauen Sie vor allem gut. Dann sind die relativ ballaststoffreichen Speisen auch gut bekömmlich. Wenn Ihnen einzelne Portionen wirklich zu groß vorkommen, können Sie auch eine zusätzliche Zwischenmahlzeit daraus machen. Aber einfach etwas weglassen, kann die Nährstoffsicherheit bei der Ernährung gefährden. Außerdem sollen Sie ja auch noch genug Energie für sportliche Aktivitäten haben.

Können Diäten auch Komplikationen machen?

Wer zu Gicht neigt, darf keine strengen Fastenkuren oder übertriebene Eiweißdiäten machen, weil dann vermehrt Harnsäure anfällt. Grundsätzlich sollten Sie bei allen Stoffwechsel-, Herz-Kreislauf- und Nierenerkrankungen den Arzt fragen, ob besondere Vorsicht bei einer Diät angebracht ist. Auch Menschen mit zu niedrigem Blutdruck und Migräne müssen bei strengen Diäten aufpassen. Bei vielen Stoffwechselerkrankungen, die mit Übergewicht einhergehen, verbessert sich allerdings der Gesundheitszustand merklich, wenn sie auf vernünftige Weise in einer angemessenen Zeit abnehmen. Eine maßvolle Ernährungsumstellung anstelle rigider und einseitiger Diäten ist aber in jedem Fall eine gute Empfehlung.

Anh

ang

Fettabelle

Um fetten Sachen aus dem Weg gehen zu können, muß man natürlich erst einmal wissen, worin sie überhaupt stecken.

Das herauszufinden ist gar nicht so einfach. Für Männer sind täglich 40 bis 50, für Frauen 30 bis 40 Gramm Fett genug, wenn es ans Abspecken geht. Später dürfen Männer bis auf 80, Frauen bis auf 60 Gramm Fett aufstocken. Durchschnittlich allerdings verdrücken Frauen satte 90 Gramm pro Tag und Männer sogar knapp 120.

Fettsparen läßt sich auf verschiedene Art. Am einfachsten ist es, das sichtbare Fett zu rationieren. Gut die Hälfte der täglichen Fettmenge stammt jedoch aus den Lebensmitteln selbst; auch aus solchen, bei denen Sie es gar nicht vermuten.

Deshalb listet die Fit For Fun-Fettabelle mehr als 300 Lebensmittel und Speisen auf und sagt, in welchen wieviel Fett steckt und - was besonders hilfreich im Alltag ist - wieviel Prozent der Gesamtkalorienmenge sich in dem Fett verbirgt.

Warum denn die Mühe mit zwei Fettwerten?
Die Angabe der absoluten Fettmenge in Gramm pro 100 Gramm eßbaren Anteil eines Lebensmittels ermöglicht die Einhaltung der oben genannten Tagesgrenzwerte für Fett. Hingegen orientiert die Angabe des Fettgehalts in Prozent der Gesamtkalorien diejenigen, die noch in Kalorien denken, hinsichtlich des empfohlenen Richtwerts von 25 bis 30 Prozent Fettkalorien insgesamt pro Tag.

Eine leichte Rechenübung, die schlank macht:
Dabei ist allerdings zu berücksichtigen, daß viele Lebensmittel mit niedrigen und hohen Fettanteilen kombiniert werden. Trotzdem: Wer nur Produkte mit 40 Prozent und mehr Fettkalorien futtert, schafft die fitneß- und figurfreundliche 30 Prozent-Grenze nie.

Einzubeziehen in die Beurteilung ist außerdem die schiere Verzehrmenge. Auch wenn die absoluten und prozentualen Fettwerte bei Wurst- und Käseaufschnitt häufig hoch sind, kann kontrolliert gegessen werden, da bekannt ist, daß davon eine Scheibe 15 bis 20 Gramm wiegt. Beim Käse gilt: Je niedriger der Fettgehalt in der Trockenmassenangabe, desto niedriger der absolute und prozentuale Fettwert.

Last but not least muß die Ehre bestimmter Lebensmittel, bei denen die Kalorien fast zu 100 Prozent aus Fett stammen, gerettet werden: Pflanzenöle etwa steuern für die Gesunderhaltung unerläßliche ein- und mehrfach ungesättigte Fettsäuren sowie Vitamin E bei. Auch für „Fettfische" wie Makrele, Hering und Lachs gilt die Warnung „Achtung: Fett!" nicht uneingeschränkt. Sie enthalten Omega-3-Fettsäuren, die das Blut fließfähig machen und die Blutgefäße gesund erhalten. Fett ist eben nicht gleich Fett!

Getreide und Getreideerzeugnisse

	Kcal	Fett in g	Fettkal. in %
Haferflocken	375	7,0	17,36
Cornflakes	357	0,6	1,56
Müslimischung mit Nüssen	398	11,7	27,34
Naturreis, gekocht	129	0,8	5,77
Roggenmehl, Type 1150	321	1,3	3,77
Weizen, Vollkorn	316	2,0	5,89
Weizenkleie	193	4,7	22,65
Brötchen (Weißmehl)	254	1,9	6,96
Sesambrötchen	284	3,4	11,13
Roggenbrötchen	252	1,0	3,69
Vollkornbrötchen	228	1,6	6,53
Croissant	410	25,8	58,52
Knäckebrot, Roggen	317	1,4	4,11
Roggenvollkornbrot	205	1,2	5,44
Toastbrot (Weißbrot)	265	4,4	15,44
Vollkorntoastbrot	238	2,8	10,94
Weizenmischbrot	239	1,1	4,28
Butterkeks	435	11,0	23,52
Kekse, gemischt	460	16,0	32,35
Mürbeteiggebäck	498	25,0	46,69
Printen	455	19,2	39,24
Vollkornkeks	433	21,4	45,96
Salzstangen	350	0,5	1,33
Apfelkuchen aus Hefeteig	140	3,3	21,92
Bienenstich	339	18,7	51,30
Erdbeer-Sahnetorte	203	10,2	46,73
Käsekuchen	293	16,5	52,37
Marmorkuchen	406	21,1	48,33
Nußecken	490	28,2	53,52
Sachertorte	345	11,6	31,27
Schwarzwälder Kirschtorte	263	13,7	48,44
Eierteigwaren, gekocht	145	1,1	7,06
Vollkornnudeln, gekocht	137	1,5	10,18

Gemüse, Kräuter, Hülsenfrüchte

	Kcal	Fett in g	Fettkal. in %
Aubergine	17	0,2	10,94
Blumenkohl	22	0,3	12,68
Bohnen, grün	34	0,2	5,47
Broccoli	26	0,2	7,15
Chicoree	16	0,2	11,63
Eichblattsalat	11	0,2	16,91
Endiviensalat	10	0,2	18,60
Erbsen, grün	84	0,5	5,54
Erbsen, Konserve	75	0,4	4,96
Feldsalat	15	0,4	24,80
Grünkohl	36	0,9	23,25
Gurke	12	0,1	7,75

Gemüse, Kräuter, Hülsenfrüchte

	Kcal	Fett in g	Fettkal. in %
Kohlrabi	24	0,1	3,88
Kürbis	24	0,1	3,88
Möhre	30	0,5	15,50
Paprika, rot	32	0,4	11,63
Radicchio	13	0,2	14,31
Radieschen	14	0,1	6,64
Rosenkohl	35	0,3	7,97
Rotkohl	21	0,2	8,86
Sauerkraut, Konserve	13	0,2	14,31
Spargel	17	0,4	21,88
Spinat	15	0,3	18,60
Tomate	19	0,2	9,79
Weißkohl	25	0,2	7,44
Zucchini	18	0,4	20,67
Zuckermais, Konserve	89	1,2	12,54
Petersilie	25	0,4	14,88
Schnittlauch	27	0,7	24,11
Zitronenmelisse	45	0,6	12,40
Bohnen, weiß, getrocknet	300	1,6	4,96
Linsen, Konserve	100	0,4	3,72
Tofu	73	4,2	53,51
Sojasprossen	58	1,2	19,24
Austernpilze	11	0,4	33,82
Champignons	15	0,3	18,60
Pfifferlinge	11	0,5	42,27
Kartoffel, geschält u. gekocht	75	0,3	3,72
Ofenkartoffel mit Butter	117	8,4	66,77
Bratkartoffeln	161	8,0	46,21
Kartoffelklöße	101	1,1	10,13
Kartoffelkroketten, Tiefkühlprodukt	268	18,0	62,46
Kartoffelpuffer, Tiefkühlprodukt	292	19,2	61,15
Pommes frites aus der Friteuse	272	13,2	45,13
Pommes frites, im Backofen zubereitet	257	9,7	35,10
Kartoffelchips	549	40,1	67,93

Obst und Obstsäfte

	Kcal	Fett in g	Fettkal. in %
Ananas, roh	56	0,2	3,32
Apfel mit Schale	55	0,4	6,76
Apfelsaft	47	0	0
Avocado	228	23,5	95,86
Banane	92	0,2	2,02
Brombeere, Tiefkühlware	64	1,0	14,53
Erdbeere	33	0,4	11,27
Grapefruit	40	0,1	2,33
Grapefruitsaft	48	0,1	1,94
Himbeere	36	0,3	7,75

Obst und Obstsäfte

	Kcal	Fett in g	Fettkal. in %
Kirsche, sauer	55	0,5	8,45
Kiwi	53	0,6	10,53
Mango	58	0,5	8,02
Nektarine	40	0,1	2,33
Olive, grün, mariniert	142	13,9	91,04
Orange	43	0,2	4,33
Orangensaft	45	0,2	4,13
Papaya	12	0,1	7,75
Pfirsich	42	0,1	2,21
Pflaume	50	0,2	3,72
Preiselbeer-Konserve mit Zucker	183	0,3	1,52
Rosinen	280	0,6	1,99
Wassermelone	37	0,2	5,03
Honigmelone	54	0,1	1,72
Weintraube, weiß	70	0,3	3,99

Nüsse, Samen, Aufstriche, Süßes

	Kcal	Fett in g	Fettkal. in %
Erdnuß, geröstet u. gesalzen	602	53	81,88
Haselnuß ohne Schale	680	62	84,79
Leinsamen	396	30,9	72,57
Mandeln ohne Schale	233	20,2	80,63
Pistazien, geröstet u. gesalzen	595	49,5	77,37
Sesamsamen	590	58	91,42
Sonnenblumenkerne	605	49	75,32
Walnuß ohne Schale	680	62, 5	85,48
Erdnußbutter	623	53,5	79.86
Honig	302	0	0
Konfitüre, einfach	250	0	0
Nuß-Nougat-Creme	540	31	53,39
Marzipan	497	24,9	46,59
Milchschokolade	550	31,5	53,26
Milchschokolade mit Nuß	560	36	59,79
Müsli-Riegel	413	19,1	43,01
Pralinen	418	5,3	11,79
Weiße Schokolade	529	30,9	54,32
Zartbitterschokolade	505	34	62,61
Zucker, Trauben-, Fruchtzucker	400	11	0

Alkoholfreies und Alkoholisches

	Kcal	Fett in g	Fettkal. in %
Apfelsaftschorle	25	0	0
Colagetränk	46	0	0
Gemüsesaft	17	0,1	5,47
Mineralwasser	0	0	0
Multi-Vitamin-Nektar	47	0,1	1,98

Alkoholfreies und Alkoholisches

	Kcal	Fett in g	Fettkal. in %
Tomatensaft	17	0,1	5,47
Zitronenlimonade	33	0	0
Bohnenkaffee mit Milch und Zucker	36	0,4	10,33
Tee, schwarz, ohne Zucker	0	0	0
Bier (Pils)	42	0	0
Diätbier	27	0	0
Malzbier	52	0	0
Weizenbier	43	0	0
Apfelwein	46	0	0
Champagner	72	0	0

Milch, Milchprodukte und Käse

	Kcal	Fett in g	Fettkal. in %
Kuhmilch (Vollmilch), 3,5 % Fett	67	3,5	48,58
Kuhmilch, 1,5 % Fett	49	1,6	30,37
Buttermilch	39	0,5	11,92
Schokomilch	94	2,4	23,74
Kaffeesahne, 10 % Fett	118	10,0	78,81
Kondensmilch, 4 % Fett	114	4,0	32,63
Creme fraiche	292	30,0	95,55
Dickmilch, vollfett	64	3,3	47,95
Fruchtjoghurt, vollfett	103	2,6	23,48
Fruchtjoghurt (Magermilch)	69	0,1	1,35
Kefir, mit Sahne	125	10,0	74.40
Saure Sahne, 10 % Fett	121	10,0	76,86
Sauerrahm (Schmand), 24 % Fett	243	24,0	91,85
Schlagsahne, 30 % Fett	317	31,7	93
Eiscreme	205	10,0	45,37
Joghurteis	142	3,0	19,65
Milchspeiseeis	153	4,2	25,53
Vanilleeis	131	6,2	44,02
Doppelrahmfrischkäse, 60% F. i. Tr.	353	31,5	82,99
Früchtequark, mager	100	0,2	1,86
Hüttenkäse, 10 % F. i. Tr.	90	2,9	29,97
Magerquark	76	0,2	2,45
Sahnequark, 40 % F. i. Tr.	165	11,4	64,25
Schichtkäse, 10 % F. i. Tr.	82	2,0	22,68
Blauschimmelkäse, 50 % F. i. Tr.	360	29,5	76,21
Brie, 45 % F. i. Tr.	281	21,8	72,15
Butterkäse, 30 % F. i. Tr.	246	15,4	58,22
Camembert, 45 % F. i. Tr.	299	22,3	69,36
Edamer, 40 % F. i. Tr.	331	23,4	65,75
Emmentaler, 45 % F. i. Tr.	403	29,7	68,54
Gouda, 45 % F. i. Tr.	329	25,5	72,08
Harzerkäse	129	0,7	5,05
Kochkäse, 20 % F. i. Tr.	125	5,9	43,90

Milch, Milchprodukte und Käse

	Kcal	Fett in g	Fettkal. in %
Mozzarella	255	19,8	72,21
Parmesan	396	25,8	60,59
Raclette Käse, 48 % F. i. Tr.	346	28,0	75,26
Roquefort, 52 % F. i. Tr.	378	30,6	75,29
Schafskäse, 40 % F. i. Tr.	219	16,0	67,95
Schmelzkäse, 30 % F. i. Tr.	220	13,6	57,49
Tilsiter, 45 % F. i. Tr.	328	25,4	72,02
Ziegenkäse, Weichkäse	280	21,8	72,41

Eier und Eierspeisen

	Kcal	Fett in g	Fettkal. in %
Frühstücks-Ei, gekocht	148	10,3	64,72
Omelett	191	16,4	79,85
Rührei	174	13,8	73,76
Spiegelei	223	18,4	76,74

Fleisch, Geflügel, Fleischgerichte

	Kcal	Fett in g	Fettkal. in %
Kalbfleisch, mager	101	0,8	7,37
Lammfleisch, Keule	240	18,7	72,46
Rehrücken	132	3,6	25,36
Rinderfilet	121	4,0	30,74
Rinderhack	166	9,0	50,42
Rindfleisch (Tatar)	111	2,6	21,78
Schweinehack	180	11,0	56,83
Schweinekotelett	174	9,7	51,84
Schweineschnitzel, mager	106	1,9	16,67
Schweinefilet	108	2,0	17,22
Vorderbein (Eisbein)	179	10,8	56,11
Wildschwein	118	4,0	31,53
Ente, Fleisch mit Haut	430	42,5	91,92
Gans, Fleisch mit Haut	392	33,6	79,71
Brathähnchen	230	17,5	70,76
Huhn (Brustfleisch)	109	1,0	8,53
Pute (Brustfleisch)	115	1,0	8,09
Wachtel	120	2,3	17,83
Bratwurst	334	28,0	77,96
Brühwürstchen	253	18,8	69,11
Currywurst	304	23,5	71,89
Fleischkäse, gebraten	417	40,1	89,43
Frankfurter Würstchen	280	24,4	81,04
Frikadelle	185	17,9	89,98
Nürnberger Würstchen	287	23,0	74,53
Rindergulasch mit Soße	120	5,3	41,08
Rinderroulade mit Soße	175	11,5	61,11
Rindersteak mit Kräuterbutter	340	26,5	72,49

Fleisch, Geflügel, Fleischgerichte

	Kcal	Fett in g	Fettkal. in %
Schweinekotelett, paniert	253	14,0	51,46
Weißwurst, Münchener	297	27,0	84,55
Bierschinken	180	12,0	62,00
Blutwurst	424	38,5	84,45
Cervelatwurst	485	43,2	82,84
Corned beef	155	6,0	36,00
Fleischwurst	316	27,0	79,46
Geflügelwurst	265	18,3	64,22
Kasseler Aufschnitt	273	17,6	59,96
Lachsschinken	321	19,6	56,79
Leberwurst, fein	370	34,0	85,46
Mettwurst, streichfähig	395	36,7	86,41
Mortadella	366	32,8	83,34
Salami	425	36,0	78,78
Schweinespeck, geräuchert, durchwachsen	402	36,0	83,28
Schweineschinken, geräuchert	290	16,0	51,31
Schweineschinken, gekocht	215	11,0	47,58
Teewurst, Rügenwalder Art	368	32,5	82,13
Sülzen und Aspik	231	17,1	68,84

Fisch und Co.

	Kcal	Fett in g	Fettkal. in %
Aal, geräuchert	350	28,5	75,73
Forelle	112	2,7	22,42
Hering	249	17,8	66,48
Kabeljau	82	0,4	4,54
Lachs	217	13,6	58,29
Rotbarsch	114	3,6	29,37
Schellfisch	80	0,1	1,16
Scholle	83	0,8	8,96
Seelachs	88	0,8	8,45
Seezunge	90	1,4	14,47
Steinbeißer	96	2,8	27,13
Steinbutt	90	1,7	17,57
Thunfisch	242	15,5	59,57
Zander	90	0,7	7,23
Hummer, ausgelöst	88	1,9	20,08
Krabbe	105	1,5	13,29
Languste	91	1,1	11,24
Miesmuschel, ausgelöst	56	1,3	21,59
Tintenfisch	79	0,9	10,59
Tiefseegarnelen i. d. Dose	94	1,2	11,87
Fischstäbchen, fritiert	210	9,5	42,07
Heringsfilet i. Tomatensoße	206	15,0	67,72
Heringsfilet i. saurer Sahne	105	5,0	44,29
Heringsstipp	285	27,0	88,11
Makrele, geräuchert	238	15,5	60,57

Fisch und Co.

	Kcal	Fett in g	Fettkal. in %
Ölsardine, Konserve	238	14,0	54,71
Scholle, paniert	287	19,5	63,19
Thunfisch, Konserve in Öl	303	20,9	64,15
Tintenfisch, paniert	314	26,4	78,19

Pflanzliche Öle, Speisefette, Soßen

	Kcal	Fett in g	Fettkal. in %
Distelöl	925	99,5	100
Maiskeimöl	930	99,9	99,50
Olivenöl	926	99,6	100
Sonnenblumenöl	928	99,8	100
Weizenkeimöl	925	99,5	100
Butter	773	83,2	100
Butter, halbfett	385	40,5	97,83
Gänseschmalz	947	99,5	97,71
Kokosfett	924	99,0	99,64
Margarine	746	80,0	99,73
Halbfettmargarine	381	40,0	97,64
Mayonnaise	774	80,0	96,12
Salatmayonnaise (50 % Fett)	512	51,0	92,64
Schweineschmalz	948	99,7	97,81
Curryketchup	185	0,2	1,01
Pesto	595	56,5	88,31
Thousand Islands Soße	296	26,0	81,69
Sauce Bearnaise	460	42,1	85,12
Schaschlicksoße	67	2,2	30,54
Senf	105	6,0	53,14
Sojasoße	70	0,6	7,97
Tomatenketchup	109	0,3	2,56
Zigeunersoße	65	1,0	14,31

Fertiggerichte

	Kcal	Fett in g	Fettkal. in %
Kartoffelsalat	120	5,0	38,75
Nudelsalat	145	4,3	27,58
Reissalat	128	5,1	37,05
Wurst-Käse-Salat	330	26,4	74,40
Erbseneintopf mit Wurst	106	5,8	50,89
Gulaschsuppe	64	3,1	45,05
Linseneintopf mit Wurst	113	1,1	9,05
Ravioli mit Tomatensoße	88	2,7	28,53
Spaghetti Bolognese	225	8,5	35,13
Hamburger, einfach	260	10,7	38,27
Cheeseburger	272	12,0	41,03
Nasi Goreng	237	10,0	39,24

Die Marktübersicht

Seit findige Geschäftsleute herausgefunden haben, daß die Etiketten „Schlank" und „Light" die Kassen klingeln lassen, prangen die vermeintlichen Zauberworte nicht nur dort, wo sie draufgehören.

Diäthilfen gibt es wahrlich viele - einige, die lediglich das Portemonnaie dünner machen und andere, die zumindest das schlanke Leben etwas erleichtern. Zu letzteren zählen im Fettgehalt reduzierte Lebensmittel bzw. „abgespeckte" Light-Produkte sowie standartisierte Diätpulver, die als Mahlzeitersatz dienen sollen.
Ein Freibrief für haltlose Völlerei nach dem Motto „Iß das Doppelte" sind diese Produkte allerdings ganz und gar nicht. Wer sein Ernährungsverhalten nicht ändert, wird auch mit Diäthilfen nur vorübergehende Erfolge erzielen - und doppel so frustriert wie vor der Abspeckkur sein, wenn die Pfunde dann wieder drauf sind. Die Pulver sind deshalb allenfalls als Diäteinstieg geeignet, da der anfängliche schnelle Gewichtsverlust Übergewichtige motiviert und Mangelerscheinungen, im Gegensatz zu Crashdiäten, ausgeschlossen sind. Auch als Ausgleich für eine üppige Schlemmerei oder eine fettreiche Kantinenmahlzeit ist die Pulvernahrung durchaus akzeptabel. Als Dauerernährung taugt sie dagegen nicht.
Viele Figurbewußte versuchen, süße Kalorienbomben mit Zuckerersatz zu entschärfen. Doch Vorsicht: Sogenannte Zuckeraustauschstoffe tragen nur unwesentlich zur Kalorieneinsparung bei. Allein die verschiedenen Süßstoffe sind wirklich kohlenhydrat- und praktisch kalorienfrei. Trotzdem sollte dieser Zuckerersatz nicht zu sorglosem Nachsüßen verführen. Besser ist es, seinen Geschmackssinn in Richtung „weniger ist mehr" zu trainieren.
Noch ein warnender Hinweis zur breiten Palette der Diätpillen und -mittelchen - vom Abführmittel bis zum Appetitzügler: Finger weg von diesen Produkten! Wer sich mit Schlankmachern aus dem Chemielabor selbst betrügt, setzt im Extremfall sogar seine Gesundheit aufs Spiel. Ob gefährlich oder harmlos, ob wirksam oder nicht, an die Wurzel allen Übels kommen diese vermeintlichen Diäthelfer nicht heran. Denn ohne Umstellung der Ernährungs- und Bewegungsgewohnheiten geht eben nun einmal gar nichts.

Brotaufstrich/Käse

	relevante Bestandteile	kcal pro 100 g
Babybel leicht Käse (200 g, 5 x 20 g) Belco Käsevertriebs-GmbH, Unterhaching/München	12,5 % Fett	188 kJ/45 kcal
Bauernkäse leicht (an der Käsetheke) Kraft GmbH & Co KG, Bremen	14% Fett	1030 kJ/ 250 kcal
Bayernland kerniger Frischkäse (200 g) Bayernland eG, Nürnberg	4,5 % Fett	426 kJ/101 kcal
becel Diät „Milde Reife" Käse (150 g) Union Deutsche Lebensmittelwerke, Hamburg	aus fettarmer Milch und Pflanzenöl, (mehrfach ungesättigte Fettsäuren)	1512 kJ/365 kcal
becel Diät „Feine Kräuter" Brotaufstrich Union Deutsche Lebensmittelwerke, Hamburg	mit Pflanzenöl (mehrfach ungesättigte Fettsäuren)	1013 kJ/245 kcal
becel Diät „Fein & Cremig" Frischkäse (200 g) Union Deutsche Lebensmittelwerke, Hamburg	mit Pflanzenfett (mehrfach ungesättigte Fettsäuren) und entrahmter Milch	981 kJ/237 kcal
becel Diät „Schmelzzart" Brotaufstrich (200 g) Union Deutsche Lebensmittelwerke, Hamburg	mit Pflanzenöl (mehrfach ungesättigte Fettsäuren) und Vitamin E	840 kJ/200 kcal
becel Diät „Holländisches Appetitstück" (200 g) Union Deutsche Lebensmittelwerke, Hamburg;	linolsäurereiches Planzenöl teilentrahmte Milch und Käsereikulturen natriumarm, (mehrfach ungesättigte Fettsäuren)	1535 kJ/370 kcal
Champignon Camembert leicht (150g) Käserei Champignon Hofmeister GmbH & Co KG	16% Fett	960 kJ/ 230 kcal
Bresso leicht Frischkäsezubereitung (150 g) Bresso GmbH, Kempten;	8,2 % Fett Dreiviertelfettstufe	544 kJ/129 kcal

Brotaufstrich/Käse

	relevante Bestandteile	kcal pro 100 g
Der fitness Philadelphia (200 g: Pur, Kräuter) Kraft GmbH, Bremen	40 % fettreduziert (16, 5 % Fett)	790 kJ/190 kcal
du darfst Camembert (125 g) Union Deutsche Lebensmittelwerke, Hamburg	15 % Fett	1000 kJ/240 kcal
du darfst Frischkäse mit Buttermilch (200 g: Pur, Kräuter) Union Deutsche Lebensmittelwerke, Hamburg	8 % Fett	551 kJ/132 kcal
du darfst Knoblauch-Weichkäse (125 g) Union Deutsche Lebensmittelwerke, Hamburg	15 % Fett	1000 kJ/240 kcal
du darfst Naturkäse-Scheiben (125 bis150 g: Gouda,Edamer, Rottaler, Tilsiter, Aufschnitt) Union Deutsche Lebensmittelwerke, Hamburg	17 bis 18 % Fett	1105 bis 1227 kJ/ 265 bis 294 kcal
du darfst Schmelzkäse (200 g: Knoblauch, Salami/Kräuter, „Schmelzli") Union Deutsche Lebensmittelwerke, Hamburg	10 % Fett;	744 bis 761 kJ/ 178 bis 182 kcal
du darfst Schmelzkäse-Ecken (8 x 25 g: Natur, Kräuter, Salami) Union Deutsche Lebensmittelwerke, Hamburg	9 % Fett;	741 bis 758 kJ/ 177 bis 181 kcal
du darfst Schmelzkäse-Scheiben „Toasties" (200 g: Allgäuer, Holländer, Toast) Union Deutsche Lebensmittelwerke, Hamburg	12 % Fett;	903 bis 920 kJ/ 216 bis 220 kcal
Exquisa Frischkäsezubereitung mit Joghurt (200 g: Natur, Kräuter, Meerrettich) Karwendel-Werke, Buchloe	50 % fettreduziert	-
Géramont Cremig leicht Camembert (200 g) Bongrain GmbH, Wiesbaden	12 % Fett	835 kJ/200 kcal
„Jocca" Frischkäse (200 g/400 g); Kraft GmbH, Lindenberg	Halbfettstufe, 5 % Fett	423 kJ/101 kcal
Kraft leicht Käse-Aufschnitt (150 g) Kraft GmbH, Bremen	17 % Fett, Dreiviertelfettstufe	1205 kJ/288 kcal

Brotaufstrich/Käse

	relevante Bestandteile	kcal pro 100 g
Lindenberger leicht Naturkäse-Scheiben (150 g) Kraft GmbH & Co KG, Bremen	17,5 % Fett	1195 kJ/ 285 kcal
Lindenberger leicht Käse (an der Käsetheke) Kraft GmbH & Co KG, Bremen	17,5 % Fett	1195 kJ/ 285 kcal
Velveta Scheibletten Toast leicht (150 g) Kraft GmbH & Co KG, Bremen	11% Fett	870 kJ/ 210 kcal
Velveta Schmelzkäse leicht Ecken (Pur, Kräuter, Salami) Kraft GmbH & Co KG, Bremen	8,2 bis 11 % Fett	700 bis 800 kJ/ 165 bis 185 kcal
du darfst Feinkostsalate (200 g: Budapester Salat, Eiersalat, Fleischsalat, Geflügelsalat,Roter Heringssalat, Thunfischsalat, Waldorfsalat) Union Deutsche Lebensmittelwerke, Hamburg	40% fettreduziert	491 bis 489 kJ/ 118 bis 205 kcal
du darfst Kartoffelsalat (250 g) Union Deutsche Lebensmittelwerke, Hamburg	40% fettreduziert enthält Salatcreme statt Mayonnaise	399 kJ/ 95 kcal

Streichfette, Öle

	relevante Bestandteile	kcal pro 100 g
becel Diät „Pflanzenfett zum Braten" Union Deutsche Lebensmittelwerke, Hamburg	mit Pflanzenfett (mehrfach ungesättigte Fettsäuren) und Vitamin E	3700 kJ/900 kcal
becel Diät Pflanzenöl (0,5 l) Union Deutsche Lebensmittelwerke, Hamburg	mit Vitamin E	3367 kJ/819 kcal
becel Diät „Dotterfrei" Ei-Ersatz Union Deutsche Lebensmittelwerke, Hamburg	streng cholesterinarm mit Sonnenblumenöl und Lecithin	304 kJ/73 kcal
becel Diät „Pflanzencreme" (0,5 l) Union Deutsche Lebensmittelwerke, Hamburg	ohne Cholesterin, Lactose und Milcheiweiß, mit Vitamin E	2701 kJ/657 kcal
becel Diät Salatcreme (250 g) Union Deutsche Lebensmittelwerke, Hamburg	weniger als 2 mg Cholesterin, 40 % Fett, mit Milcheiweiß statt Eigelb	1682 kJ/407 kcal
becel Diät Margarine (250 g) Union Deutsche Lebensmittelwerke, Hamburg	streng natriumarm mit mehrfach ungesättigten Fettsäuren und Vitamin E	2960 kJ/720 kcal
becel Diät „leicht" Halbfettmargarine (250 g) Union Deutsche Lebensmittelwerke, Hamburg	ohne Cholesterin, Lactose und Milcheiweiß	1480 kJ/360 kcal
Belvita Leicht-Remoulade (500 g) Kraft GmbH & Co KG, Bremen	20 % Fett	920 kJ/ 220 kcal
Belvita Salatcreme (500 g) Kraft GmbH & Co KG, Bremen	20 % Fett	1005 kJ/ 240 kcal
Deli Reform Diätmargarine (250 g, 500 g) Walter Rau Lebensmittelwerke GmbH & Co KG, Hilter	frei von Milcheiweiß, Lactose, Kochsalz und Cholesterin	2960 kJ/ 720 kcal
du darfst Halbfettbutter (250 g) Union Deutsche Lebensmittelwerke, Hamburg	40 % Fett	1550 kJ/375 kcal
du darfst Halbfettmargarine (250 g/500 g) Union Deutsche Lebensmittelwerke, Hamburg	40 % Fett	1535 kJ/373 kcal
du darfst Margarineerzeugnis (250 g) Union Deutsche Lebensmittelwerke, Hamburg	24 % Fett	963 kJ/235 kcal
Eden Die leichte Pflanzenmargarine (250 g) Eden Warenvertriebs-GmbH, Bad Soden	50 % fettreduziert	-
Halbarine Diät- Halbfettmargarine (10g, 20 g) Walter Rau Lebensmittelwerke GmbH & Co KG, Hilter	frei von Milcheiweiß, Lactose, Kochsalz und Cholesterin	1480 kJ/ 360 kcal
Homa leicht Diät-Halbfettmargarine Fritz Homann Lebensmittelwerke, Hissen	50% fettreduziert	-

Streichfette, Öle

	relevante Bestandteile	kcal pro 100 g
Lätta Halbfettbutter (250 g) Union Deutsche Lebensmittelwerke, Hamburg	40 % Fett	1609 kJ/391 kcal
Lätta Halbfettmargarine (250 g/500 g) Union Deutsche Lebensmittelwerke, Hamburg	40 % Fett	1529 kJ/371 kcal
Meggle Halbfettbutter (250 g Meggle GmbH, Wasserburg	Halbfettstufe	1562 kJ/379 kcal
Miracel Whip Balance Mayonnaise (0,5 l) Kraft GmbH & Co KG, Bremen	20 % Fett	965 kJ/235 kcal
Müller „Irishmore Light" Pflanzenfett Molkerei Alois Müller GmbH & Co., Aretsried	40 % Fett	1635 kJ/389 kcal
Rau Diätmargarine (10 g, 20 g, 250 g) Walter Rau Lebensmittelwerke GmbH & Co KG, Hilter	80 % Fett, reich an Vitamin E, ohne Kochsalz, Milcheiweiß und Lactose, frei von tierischem Cholesterin	3040 kJ/ 720 kcal
Rau Diät Pflanzenfett (200 g) Walter Rau Lebensmittelwerke GmbH & Co KG, Hilter	mit Distelöl, reich an Vitamin E, frei von tierischem Cholseterin	3800 kJ/ 900 kcal
Rau Diät Speiseöl (0,5 l) Walter Rau Lebensmittelwerke GmbH & Co KG, Hilter	reich an Vitamin E, frei von tzierischem Cholesterin	3530 kJ/835 kcal
Vitaquell „Soja Cremig neutral" Fauser Vitaquell, Hamburg	Crème fraîche-Ersatz rein pflanzlich, cholesterinfrei, ohne Milcheiweiß und Milchzucker	224 kJ/53 kcal
Vitaquell leicht Pflanzenmargarine (250 g) Fauser Vitaquell, Hamburg		1480 kJ/360 kcal
Yo-Fresh mit Joghurt Halbfettmargarine (500 g) Union Deutsche Lebensmittelwerke, Hamburg	40 % Fett	1541 kJ/374 kcal

Wurst/Aufschnitt

	relevante Bestandteile	kcal pro 100 g
becel Diät Wurst (100 g: Geflügel-Jagdwurst, Geflügel-Schinkenwurst) Union Deutsche Lebensmittelwerke, Hamburg	mit Pflanzenfett und magerem Fleisch Vitamin E; 770	bis 790 kJ/ 185 bis 190 kcal
becel Diät Wiener Würstchen (200 g) Union Deutsche Lebensmittelwerke, Hamburg	24 % Fett, mit Pflanzenöl, Vitamin E	1126 kJ/272 kcal
becel Diät Wurst (125 g: Kalbsleberwurst, Landleberwurst, Teewurst) Union Deutsche Lebensmittelwerke, Hamburg	21 bis 25 % Fett, Vitamin E	1050 bis 1215 kJ/ 255 bis 295 kcal
Diäko Sandwichcreme (Dorschleber, Lachs, Leber, Schinken) Diäko GmbH, Hamburg	mit Milcheiweiß, kalorienarm	171 bis 324 kJ/ 40 bis 76 kcal
du darfst Aufschnitt (100 g: Aufschnitt, Cervelatwurst, gemischter Brühwurst-Aufschnitt, Gemüsewurst, Gemüse-Putenwurst, Salami, Schinkenwurst-Aufschnitt) Union Deutsche Lebensmittelwerke, Hamburg	mit magerem Fleisch, 40 % fettreduziert	615 bis 1280 kJ/ /147 bis 310 kcal
du darfst Wurst (125 g/200 g: Bauernmettwurst, Fleischwurst, Kalbsleberwurst, Landleberwurst, Pfälzer Leberwurst, Teewurst) Union Deutsche Lebensmittelwerke, Hamburg	mit magerem Fleisch 40 % fettreduziert	810 bis 1255 kJ/ 95 bis 305 kcal
du darfst Würstchen (200 g/250 g: Fränkische Rostbratwürstchen, Wiener Würstchen) Union Deutsche Lebensmittelwerke, Hamburg	mit magerem Fleisch 40 % fettreduziert	810 bis 940 kJ/ 195 bis 250 kcal

Wurst/Aufschnitt

	relevante Bestandteile	kcal pro 100 g
Gutfried diverser Aufschnitt (100 g: Truthahn-Schinkenwurst, Geflügelmortadella, Geflügelmosaikpastete, Corned Turkey) Gut Friedrichsruh Gebr. Nölke, Versmold	7 % bis 17 % Fett	605 bis 884 kJ/ 145 bis 213 kcal
Gutfried Geflügel-Fleischwurst (400 g) Gut Friedrichsruh Gebr. Nölke, Versmold	22 % Fett	1035 kJ/250 kcal
Gutfried Truthahn-Lachsschinken (75 g) Gut Friedrichsruh Gebr. Nölke, Versmold	2 % Fett	567 kJ/134 kcal
Gutfried Truthahn-Salami (100 g) Gut Friedrichsruh Gebr. Nölke, Versmold	27 % Fett	1460 kJ/350 kcal
Nuxo Diätwurst (Jagdwurst, Kalbsleberwurst, Kalbslyoner, Mortadella, Wiener Würstchen) Fauser Vitaquell, Hamburg	mit magerem Fleisch und Distelöl	830 bis 975 kJ/ 200 bis 235 kcal

Soßen/Bindemittel

	relevante Bestandteile	kcal
Eden Diät-Tomatenketchup (300 ml) Eden-Waren GmbH, Bad Soden	40 % weniger Kalorien, mit Süßstoff	255kJ/ 60 kcal pro 100 ml
Thomy Remoulade „extra leicht" (250 ml) Nestlé Erzeugnisse GmbH, Frankfurt/Main	10 % Fettgehalt	735 kJ/ 176 kcal
Nestargel Pflanzliches Bindemittel (125 g) Nestlé Alete GmbH, München	BE-frei, cholesterinfrei, glutenfrei, purinarm	130kJ/ 30 kcal pro 100 g
Biobin Pflanzliches Bindemittel (100 g) (Reformhaus) Tartex GmbH, München	BE-frei, cholesterinfrei, glutenfrei, purinarm	130 kJ/ 30 kcal pro 100 g

Joghurt/Quark

	relevante Bestandteile	kcal pro 100 g
Bauer Fruchtjoghurt extra-leicht mild 250 g: Erdbeere, Feige-Dattel, Heidelbeere, Zitrone, Kirsche, Vanille; J. Bauer KG, Wasserburg/Inn	Zuckeraustauschstoff Fructose, 0,1 % Fett; künstliche Süßstoffe Aspartam und Acesulfam	179 kJ/43 kcal
Bauer Diät-Fruchtjoghurt mild (150 g/ 250 g: Holunder/Birne, Brombeer/ Himbeer, Schlehe/Kirsche, Dörrpflaume/ Apfel/Zimt, Erdbeere/ Johannisbeere Orange/Sanddorn, Heidelbeere, Feige/Dattel) J. Bauer KG, Wasserburg/Inn	Zuckeraustauschstoff Fructose, künstliche Süßstoffe Aspartam und Acesulfam	322 kJ/ 77 kcal
Danone Extra Leicht Joghurt (500 g: Erdbeere/Kirsche, Pfirsich/Ananas) Gervais Danone AG, München	aus entrahmter Milch, mit Süßstoffen Aspartam und Acesulfam K, Zuckeraustauschstoff Fructose	185 kJ/44 kcal
Ehrmann Diät Joghurt mild (150 g: Apfel-Birne, Erdbeere-Johannisbeere, Kirsche, Nektarine-Wilderdbeere, Pfirsich-Maracuja, Waldbeeren) Ehrmann AG, Oberschönegg	Zuckeraustauschstoff, Fructose, 3,5 % Fett künstlicher Süßstoff Aspartam	283 kJ/67 kcal
Ehrmann Diät Quark mit Früchten (125 g/500 g: Erdbeere-Johannisbeere, Kirsche, Pfirsich-Maracuja, Walderdbeere) Ehrmann AG, Oberschönegg	Halbfettstufe 4,2 % Fett Zuckeraustauschstoff Fructose, künstlicher Süßstoff Aspartam	416 kJ/99 kcal
Exquisa Frucht-Quark 0,2 % (500 g: Apfel, Banane, Erdbeere, Kirsche, Pfirsich-Maracuja, Vanille) Karwendel-Werke, Buchloe	0,2 % Fett	-
Exquisa Quarkzubereitung 0,2 % (500 g) Karwendel-Werke, Buchloe	Magerstufe 0,2 % Fett	-
Gervais Kräuterquark Leicht (150 g) Gervais Danone AG, München	Viertelfettstufe	325 kJ/75 kcal
Lünebest fettarme Dikmelk Spezial (250 g: Kirsche, Nuß-Nougat, Pfirsich-Maracuja) Nestlé AG, Frankfurt	1,5 % Fett	-
Lünebest Magermilchjoghurt (150 g) Nestlé AG, Frankfurt	0,3 % Fett, reich an rechtsdrehenden Milchsäuren	189 kJ/44 kcal

Joghurt/Quark

	relevante Bestandteile	kcal pro 100 g
Milram Frühlings Quark „leicht" (200 g) Nordmilch eG, Zeven	Viertelfettstufe, 40 % kalorienvermindert	342 kJ/81 kcal
Milram Lecker & Locker „leicht" Quark (125 g: Erdbeere, Himbeere, Pfirsich-Maracuja) Nordmilch eG, Zeven	0,2 % Fett, mit Süßstoff	301 kJ/72 kcal
Milram Frucht Quark „leicht" (150 g: Aprikose-Maracuja, Erdbeere, Waldfrucht) Nordmilch eG, Zeven	Viertelfettstufe	355 kJ/85 kcal
Milram Frucht Buttermilch „light" (500 g: Erdbeere, Orange-Maracuja) Nordmilch eG, Zeven	ca. 0,3 % Fett, 40 % kalorienvermindert, mit Süßstoff Aspartam	139 kJ/33 kcal
Milram Buttermilch Dessert „fit" (175 g: Apfel/Birne, Dörrobst/Pflaume) Nordmilch eG, Zeven	ohne Zucker	305 kJ/73 kcal
Milram Diät Joghurt mild (150 g: Apfel/Birne, Orange/Ananas) Nordmilch eG, Zeven	künstlicher Süßstoff	305 kJ/73 kcal
Müller Kalinka fettarmer Kefir (500 g) Molkerei Alois Müller GmbH & Co, Aretsried	1,5 % Fett	206 kJ/49 kcal
Müller Joghurt „extra leicht" (200 g: Ananas/Pfirsich, Banane, Erdbeere, Heidelbeere, Kirsche, Kiwi-Apfel, Mandarine/Orange, Pfirsich/Maracuja, Vanille, Waldbeere) Molkerei Alois Müller GmbH & Co., Aretsried	maximal 0,1 % Fett	201 bis 210 kJ/ 47 bis 49 kcal
Müller Leichtkost-Milchreis (200 g: Pur, Apfel-Zimt, Erdbeere, Himbeere, Kirsche, Schoko, Schoko-Birne, Schoko-Kirsche) Molkerei Alois Müller GmbH & Co., Aretsried	unter 1 % Fett, Zuckeraustauschstoff Fructose, künstliche Süßstoffe Aspartam und Acesulfam	280 bis 308 kJ/ 66 bis 73 kcal
natreen Dicke Milch auf Frucht (150 g: Erdbeere, Kirsche, Kiwi-Stachelbeere) Pohl & Co./Drugofa GmbH, Köln	40 % kalorienreduziert Zuckeraustauschstoff Fructose	201 kJ/48 kcal
natreen fettarmes Joghurterzeugnis (150 g: Erdbeere, Kirsche, Waldbeere, Heidelbeere, Pfirsich-Maracuja) Pohl & Co./Drugofa GmbH, Köln	40 % kalorienreduziert Zuckeraustauschstoff Fructose	224 kJ/53 kcal
natreen fettarmes Joghurterzeugnis (150 g: Dörrobst Apfel-Pflaume, Dörrobst Feige-Dattel) Pohl & Co./Drugofa GmbH, Köln	40 % kalorienreduziert	223 kJ/53 kcal
natreen Fettarmer Joghurt (150 g: Erdbeere, Heidelbeere, Kirsche, Pfirsich-Maracuja) Pohl & Co./Drugofa GmbH, Köln	40 % kalorienreduziert, Zuckeraustauschstoff Fructose	218 kJ/52 kcal
natreen Frucht-Buttermilch (250 g: Erdbeere, Zitrone, Pfirsich-Maracuja) Pohl & Co./Drugofa GmbH, Köln	40 % kalorienreduziert, mit Zuckeraustauschstoff Fructose	160 kJ/38 kcal
natreen Frucht-Quark (150 g: Erdbeere, Kirsche, Kiwi-Stachelbeere, Pfirsich-Maracuja) Pohl & Co./Drugofa GmbH, Köln	40 % kalorienreduziert, mit Zuckeraustauschstoff Fructose	248 kJ/59 kcal
natreen Milchreis (175 g: Pflaume-Zimt, Apfel-Zimt, Himbeere, Kirsche) Pohl & Co./Drugofa GmbH, Köln	40 % kalorienreduziert, mit Zuckeraustauschstoff Fructose	300 kJ/71 kcal
natreen Pudding mit Frucht (175 g: Vanille-Rote Grütze, Vanille-Kirsche, Schoko-Kirsche) Pohl & Co./Drugofa GmbH, Köln	40 % kalorienreduziert, mit Zuckeraustauschstoff Fructose	250 kJ/60 kcal
natreen Quark-Traum (200 g: Erdbeere-Johannisbeere, Weichselkirsche, Pfirsich Melba, Blutorange-Ananas) Pohl & Co./Drugofa GmbH, Köln	40 % kalorienreduziert, mit Zuckeraustauschstoff Fructose	262 kJ/62 kcal
natreen Vollkorn-Müsli Joghurt (200 g: Apfel-Birne, Aprikose-Sanddorn) Pohl & Co./Drugofa GmbH, Köln	40 % kalorienreduziert	205 kJ/49 kcal
Nestlé „Der Fruchtige" fettarmer Joghurt (2 x 125 g: Kirsche, Erdbeere, Pfirsich-Maracuja, Mango-Aprikose) Nestlé AG, Frankfurt	1,5 % Fett	400 kJ/95 kcal

Joghurt/Quark

	relevante Bestandteile	kcal pro 100 g
Obstgarten „Leicht und Leicht" Fruchtquark (125 g: Erdbeere, Kirsche, Waldfrucht, Heidelbeere, Ananas, Apfel-Birne, Stachelbeere) Gervais Danone AG, Münchenstoff	mit Zuckeraustauschstoff Fructose, künstlicher Süßstoff Cyclamat	311 kJ/73 kcal
Onken Bioghurt Becher fettarm (500 g) Onken, Moers/Niederrhein	1,5 % Fett	188 kJ/54 kcal
Onken Diät-Pudding (150 g: Schokolade, Vanille) Onken, Moers/Niederrhein	Zuckeraustauschstoff Fructose, künstlicher Süßstoff Cyclamat, 2,8 % Fett	323 bzw. 344 kJ/ 77 bzw. 82 kcal
Strothmann Bioghurt 0,1 % natur Joghurt (500 g) Molkerei H. Strothmann GmbH, Gütersloh	0,1 % Fett	188 kJ/44 kcal
Strothmann Dreikorn-Diät-Bioghurt (250 g: Erdbeere, Kirsche, Müsli, Trockenobst) Molkerei H. Strothmann GmbH, Gütersloh	40 % kalorienreduziert, Zuckeraustauschstoff Fructose	364 kJ/86 kcal
Strothmann Diät-Trink-Molke (0,5 l: Orange-Mandarine, Multifrucht rot) Molkerei H. Strothmann GmbH, Gütersloh	mit Diät-Fruchtnektar	95 kJ/22 kcal
Qremor 0,2 % Creme-Quark (500 g) Kraft GmbH, Bremen	0,16 % Fett	273 kJ/64 kcal
Zott Sahne-Joghurt mild (150 g: Erdbeere, Heidelbeere, Ananas, Pfirsich-Maracuja) Zott KG, Mertingen	Zuckeraustauschstoff Fructose, künstlicher Süßstoff Cyclamat	491 kJ/118 kcal
Zott Starfrucht light Joghurt (200 g: Erdbeere, Pfirsich, Kirsche, Ananas) Zott KG, Mertingen	künstliche Süßstoffe Aspartam und Acesulfam, 1,2 % Fett	225 kJ/53 kcal

Kaffeeweißer/Sahne

	relevante Bestandteile	kcal pro 100 ml
bescel Diät „Für den Kaffee" Kaffeeweißer (200 ml) Union Deutsche Lebensmittelwerke, Hamburg	streng cholesterinarm	607 kJ/ 145 kcal
Glücksklee Leicht 100g Nestlé Erzeugnisse GmbH, Frankfurt/M	Kondensmilch mit 4 % Fettgehalt	465 kJ/110 kcal pro
Die Leichte 4 von Bärenmarke (verschiedene Größen) Nestlé Erzeugnisse GmbH, Frankfurt/M	teilentrahmte Kondensmilch mit 4 % Fettgehalt	465 kJ/ 110 kcal
Glücksklee Magermilchpulver (250 g) Nestlé Erzeugnisse GmbH, Frankfurt/M	1 % Fett	1517 kJ/ 357 kcal pro 100 g
natreen-Sahnepulver RUF/ Drugofa GmbH, Köln	40 % kalorienreduziert	1492 kJ/ 351 kcal
natreen Sprühsahne Kurhessische Molkereizentrale eG, Kassel, Drugofa GmbH, Köln	40 % kalorienreduziert, 15 % Fett künstliche Süßstoffe Cyclamat und Saccharin	758 kJ/ 183 kcal
Glücksklee Diätsahne Nestlé Erzeugnisse GmbH, Frankfurt/M	fett- und kalorienreduziert	950 kJ/225 kcal pro 100 g

Konfitüre/ Marmelade

	relevante Bestandteile	kcal pro 100 g
du darfst Konfitüre Extra (450 g: Aprikose, Kirsche, Himbeere, Erdbeere, Waldfrucht, Tropische Früchte) Union Deutsche Lebensmittelwerke, Hamburg	45 bis 50 % Fruchtgehalt, 40 % kalorienreduziert	544 bis 561 kJ/ 130 bis 132 kcal
Lorenz + Lihn Diät Konfitüre Extra (430 g: Erdbeere, Aprikose, Sauerkirsche, Hagebutte, Heidelbeere, Orange, Brombeere, Schwarze Johannisbeere) Lorenz + Lihn GmbH, Mönchengladbach	Zuckeraustauschstoff Fructose	689 bis 725 kJ/ 162 bis 170 kcal
Lorenz + Lihn Diät Gelee Extra (430 g: Quitten, Himbeere/Brombeere, Apfel, Pflaumenmus) Lorenz + Lihn GmbH, Mönchengladbach	Zuckeraustauschstoff Fructose	675 bis 841 kJ/ 159 bis 198 kcal

Konfitüre/ Marmelade

	relevante Bestandteile	kcal pro 100 g
Lorenz + Lihn „Leicht 40 %" Diät Konfitüre Extra (200 g Erdbeere, Sauerkirsche, Aprikose, Schwarze Johannisbeere, Pfirsich-Mango-Maracuja-Ananas, Himbeere-Brombeere-Heidebeere) Lorenz + Lihn GmbH, Mönchengladbach	40 % kalorienreduziert, Zuckeraustauschstoff Fructose	542 bis 572 kJ/ 127 bis 135 kcal
Lorenz + Lihn Diät-Sirup (250 g) Lorenz + Lihn GmbH, Mönchengladbach	Zuckeraustauschstoff Fructose	1394 kJ/328 kcal
natreen Konfitüre Extra (225 g: Erdbeere, Aprikose, Sauerkirsche, Brombeere, Kiwi-Stachelbeere, Pfirsich-Maracuja, Multifrucht, Orange, Schwarze Johannisbeere, Waldfrüchte, Himbeere, Pflaumenmus) Odenwald/Drugofa GmbH, Köln	50 % kalorienreduziert, mit Zuckeraustauschstoff Fructose	450 bis 488 kJ/ 106 bis 115 kcal
Schwartau Diät Konfitüre (225 g: Erdbeere, Kirsche, Aprikose, Schwarze Johannisbeere) Schwartauer Werke GmbH & Co., Bad Schwartau	mit Zuckeraustauschstoff Fructose	765 kJ/180 kcal
Schwartau Diät Pflaumenmus (225 g) Schwartauer Werke GmbH & Co., Bad Schwartau	mit Zuckeraustauschstoff Fructose	935 kJ/220 kcal
Zentis Diät Konfitüre Extra Light im Becher (225 g: Erdbeere, Sauerkirsche, Schwarze Johannisbeere, Waldfrucht, Aprikose, Pflaume) Franz Zentis Konfitüren- und Süßwarenfabrik, Aachen	minus 40 % Kalorien, Zuckeraustauschstoff Sorbit, 4 % Kohlenhydrate	601 kJ/144 kcal
Zentis Diät Konfitüre Extra Light im Glas (430 g: Erdbeere, Sauerkirsche, Schwarze Johannisbeere, Waldfrucht, Aprikose, Pflaume) Franz Zentis Konfitüren- und Süßwarenfabrik, Aachen	minus 50 % Kalorien, Zuckeraustauschstoff Fructose, 27 % Kohlenhydrate	470 kJ/110 kcal

Fertiggerichte

	relevante Bestandteile	kcal pro 100 g
Diäko Suppen (Champignoncreme, Spargelcreme,Lauchcreme, Gemüse, Tomatencreme, Kräutercreme) Diäko GmbH, Hamburg	mit Milcheiweiß, kalorienarm	455 bis 546 kJ/ 107 bis 129 kcal
Diäko Do it yourself-SchlemmerDiät (diverse Fleischgerichte, Suppen, Nachspeisen usw.) Diäko GmbH, Hamburg	kalorienarme Hausmannskost	
du darfst Fertigmenüs (350 g: , Alaska-Seelachsfilet, Chop Suey, Coq au vin, Huhn süß-sauer, Kabeljaufilet, Nasi Goreng, Ratatouille); Union Deutsche Lebensmittelwerke, Hamburg	7 bis 10 % Fett	1452 bis 1474 kJ/ 344 bis 350 kcal
du darfst Fertigmenüs (400 g: Curryhuhn, Kasseler, Rindergoulasch, Rinderroulade, Rindfleischbällchen, Sauerbraten, Schweinebraten, Schweinegeschnetzeltes) Union Deutsche Lebensmittelwerke, Hamburg	10 bis 17 % Fett	1464 bis1615 kJ/ 348 bis 385 kcal
Hipp Diät Fertiggerichte „Deutsche Spezialiäten" (300 g: Huhn in Reis und Erbsen, Kasseler mit Sauerkraut und Kartoffeln, Rindfleisch „Jägerart" mit Eierspätzle, Rindsroulade mit Eierspätzle, Sauerbraten mit Eierspätzle) Hipp KG, Pfaffenhofen	wertschonend zubereitet	1065 bis 1175 kJ/ 256 bis 283 kcal
Hipp Diät-Fertiggerichte „Internationale Spezialitäten" (300 g: Rindfleisch „Burgunder Art mit Gemüse und Kartoffelpüree, Cevapcici mit Djuvec-Reis, Pasta asciutta, Serbisches Reisfleisch, Züricher Geschnetzeltes mit Spätzle); Hipp KG, Pfaffenhofen	wertschonend zubereitet	1085 bis 1200 kJ/ 256 bis 283 kcal
Hipp Leicht-Menüs (300 g: Schweinebraten mit Semmelknödel, Hackbraten in Rahmgemüse und Kartoffeln, Rahmgulasch mit Eierspätzle, Spaghetti Bolognese, Hühnerfrikassee mit Reis und Pilzen, Rindfleischbällchen in Bohnen und Kartoffeln) Hipp KG, Pfaffenhofen		1065 bis 1380 kJ/ 251 bis 325 kcal

Alkoholfreie Getränke

	relevante Bestandteile	kcal pro 100 ml
albi „Unser Bester Frühstücksdrink" Fruchtsaft (1 l) albi GmbH + Co., Bühlenhausen	60 % Fruchtsaft, künstliche Süßstoffe Cyclamat und Saccharin, mit 45 mg Vitamin C, 7,5 mg Vitamin E und 3,6 mg Provitamin A	146 kJ/35 kcal
albi Grapefruit-Zitrone Fruchtsaftgetränk kalorienarm (1 l) albi GmbH + Co., Bühlenhausen	mindestens 15 % Fruchtsaft, künstliche Süßstoffe Cyclamat und Saccharin	82 kJ/19 kcal
albi Diät-Nektar (1 Liter: „Tropic" Diät-5-Frucht-Nektar, Multivitamin-10-Frucht-Nektar, Orange, Sauerkirsche) albi GmbH + Co., Bühlenhausen	20 % bis 50 % Fruchtsaftgehalt, künstliche Süßstoffe Cyclamat und Saccharin, 30 mg Vitamin C	75 bis 106 kJ/ 18 bis 25 kcal
Assugrin Exquisit Diät-Nektar (1 Liter: Orange, Sauerkirsche, Apfel, Schwarze Johannisbeere, Grapefruit) albi GmbH + Co., Bühlenhausen	20 % bis 50 % Fruchtgehalt, künstliche Süßstoffe Cyclamat und Saccharin, 30 mg Vitamin C	64 bis 84 kJ/ 15 bis 20 kcal
beckers bester „kalorienarm" Fruchtsaft (1 l: Diät-Orangen-Maracuja-Fruchtsaftgetränk, Diät-Orangen-Nektar, Multivitamin-Diät-Mehrfrucht-Nektar, Diät-Grapefruit-Nektar, Anapam-Diät-Ananas-Pampelmusen-Nektar) beckers bester GmbH, Nörten-Hardenberg	ohne Zuckerzusatz, Fruchtgehalt mindestens 35 bis 55%	49 bis 84 kJ/ 11,5 bis 20 kcal
bizzl kalorienarm (1l: Orange, Lemon, Grapefruit, Orange-Maracuja) Bad Vilbeler Urquelle Mineralbrunnen AG, Aachen	ohne Zuckerzusatz	-
Granus light Diät-Fruchtsaftgetränk (0,7 l/teilweise 0,33 l: Orange, Grapefruit, Zitrone, klare Zitrone) Aachener Thermalwasser Kaiserbrunnen AG, Aachen	mindestens 10 % Fruchtsaft, Zuckeraustauschstoff Fructose künstliche Süßstoffe Cyclamat und Saccharin	35,7 kJ/8,4 kcal
Isabell Diät-Nektar (1 l: Grapefruit, Apfelsine, Multivitamin-12-Frucht, Ananas, Apfel) Emig AG, Rellingen	mindestens 50 % Fruchtgehalt, 50 % kalorienreduziert, künstliche Süßstoffe Cyclamat und Saccharin	90 bis 104 kJ/ 21 bis 24,5 kcal
Isabell Diät-Sauerkirsch-Fruchtsaftgetränk (1 l); Emig AG, Rellingen	mindestens 20 % Fruchtsaftgehalt, 60 % kalorienreduziert, Zuckeraustauschstoff Fructose, künstliche Süßstoffe Cyclamat und Saccharin	80 kJ/19 kcal
Isabell Diät-Apfel-Bananen-Nektar (1 l) Emig AG, Rellingen	mindestens 50 % Fruchtgehalt, 40 % kalorienreduziert, künstliche Süßstoffe Cyclamat und Saccharin	120 kJ/28 kcal
Laurentius light Multivitamin Gold Fruchtsaft (0,7 l) Brunnen Union, Bad Niedernau	künstliche Süßstoffe Cyclamat, Aspartam, Acesulfam K und Saccharin	40 kJ/9,5 kcal
Limit Fruchtdrink leicht (0,7 l: Grapefruit, Lemon, Orange) Franken- Mineral- und Heilbrunnen-Betriebe Hufnagel GmbH & Co. KG, Neustadt/Aisch	kalorienreduziert, Zuckeraustauschstoff Fructose, künstliche Süßstoffe Aspartam und Acesulfam	34, 3 bis 36, 1 kcal/ 8,1 bis 8,5 kcal
Mabella Fruchtparade kalorienreduziert Diät-Nektar (0,7 l: Orange, Multi 10, 4-Frucht Apfel-, Johannisbeer-Sauerkirsch-Zitrone Exotica Orange-Maracuja-Kiwi) Franken-Mineral- und Heilbrunnen-Betriebe Hufnagel GmbH & Co. KG, Neustadt/Aisch	mindestens 50 % Saftgehalt, kalorienreduziert, Zuckeraustauschstoff Fructose, künstliche Süßstoffe Cyclamat und Saccharin	96 bis 110 kJ/ 21 bis 24,5 kcal
natreen Nektar (1 l: Aprikose-Orange, Multivitamin-Mehrfrucht, Kirsche, Apfel) Krings AG/Drugofa GmbH, Köln	50 % kalorienreduziert, mit Zuckeraustauschstoff Fructose und Sorbit	92 bis 106 kJ/ 22 bis 25 kcal

Alkoholfreie Getränke

	relevante Bestandteile	kcal pro 100 ml
natreen Nektar (1 l: Orange, Grapefruit, Schwarze Johannisbeere, Maracuja, Mandarine) Krings AG/Drugofa GmbH, Köln	50 % kalorienreduziert, mit Zuckeraustauschstoff Fructose	85 bis 108 kJ/ 20 bis 25 kcal
Presta light Fruchtsaftgetränk (1 l) Apollinaris-Brunnen, Bad Neuenahr-Ahrweiler	Zuckeraustauschstoff Fructose, künstliche Süßstoffe Cyclamat und Saccharin, Vitaminzusätze	41,5 kJ/9,9 kcal
Pur & Pur Mineralwasser-Fruchtgetränk (0,7 l: Apfel naturtrüb, Cassis, Pink Grape) Franken Brunnen GmbH & Co. KG, Neustadt/Aisch	mindestens 20 % Fruchtsaftgehalt, Zuckeraustauschstoff Fructose	76,4 bis 80,6 kJ/ 18,2 bis 19, 2 kcal
Rabenhorst „11 plus 11" Multivitamin-Diät-Mehrfrucht-Nektar (0,75 l) Rabenhorst, Unkel		100 kJ/24 kcal
Rabenhorst Diät-Nektar (0,75 Liter: Grapefruit, Orange, Tundrafrucht, Kirsch, Schwarze Johannisbeere) Rabenhorst, Unkel		50 bis 105 kJ/ 12 bis 25 kcal

Limonaden

	relevante Bestandteile	kcal pro 100 ml
Apollinaris Lemon Mineralwasser mit Zitrone (0,7 l) Apollinaris & Schweppes GmbH, Hamburg	ohne Zuckerzusatz	0 kJ/0 kcal
Bismarck Lemon Mineralwasser mit Zitrone (0,7 l) Fürst Bismarck Quelle, Aumühle/Sachsenwald	ohne Zuckerzusatz	0 kJ/0 kcal
Coca Cola light (1 l, 0,5 l) Coca Cola GmbH, Essen	mit künstlichen Süßstoffen Cyclamat, Aspartam und Acesulfam	0,8 kJ/0,19 kcal
Diäko Mineraldrink (300 g: Orange, Ananas) Diäko GmbH, Hamburg		1590 kJ/370 kcal
deit kalorienarm Limonade (0,7 l: Citro, Orange, Zitrone Erzeugnisse Müller GmbH & Co. KG, Gröbenzell	künstliche Süßstoffe Cyclamat, Aspartam und Acesulfam, Vitaminzusätze	9 bis 12 kJ/ 2 bis 2,7 kcal
Gerri light Limonade (0,7 Liter: Orange, Zitrone trüb, Zitrone klar, Grapefruit) Gerolsteiner Brunnen GmbH & Co., Gerolstein	ohne Zuckerzusatz, mit künstlichen Süßstoffen Aspartam und Acesulfam, 20 mg Vitamin C zugesetzt	ca. 20 kJ/5 kcal
Ileburger Schloßbrunnen kalorienarme Brause (1l Himbeerbrause, Waldmeistergeschmack) Franken-Brunnen-Betriebe Neustadt/Aisch, Zweigbetrieb Eilenburg/Sachs	künstliche Süßstoffe Cyclamat, Aspartam, Acesulfam und Saccharin	61 bzw. 62 kJ/ 14 bzw. 15 kcal
Laurentius light Limonade (0,7 l: Grapefruit, Zitrone, klare Zitrone, Orange, Cola-Mix) Brunnen Union, Bad Niedernau	künstliche Süßstoffe Cyclamat, Aspartam, Acesulfam K und Saccharin	2,4 bis 16 kJ/ 0,5 bis 3,8 kcal
„Iso light" Isotonisches Mineralgetränk Grapefruit-Zitrone (0,7 l) Brunnen Union, Bad Niedernau	Zuckeraustauschstoff Fructose, künstlicher Süßstoff Cyclamat	74 kJ/18 kcal
Limit Zitro klar leicht Zitronenlimonade (0,7 l) Franken-Mineral- und Heilbrunnen-Betriebe Hufnagel GmbH & Co. KG, Neustadt/Aisch	kalorienreduziert, Zuckeraustauschstoff Fructose künstliche Süßstoffe Aspartam und Acesulfam	20,7 kJ/4,8 kcal
natreen Limonade (1 l/0,33 l: Orange, Zitrone) Sinalco/Drugofa GmbH, Köln	80 % kalorienreduziert Zuckeraustauschstoff Fructose	23 bis 26 kJ/ 5 bis 6 kcal
Pepsi light (1 l/0,33 l) Pepsi-Cola GmbH, Neu-Isenburg	künstlicher Süßstoff Aspartam	1,55 kJ/0,37 kcal
Schweppes light Bitter Lemon (0,75 l) Apollinaris & Schweppes GmbH, Hamburg	Zuckeraustauschstoff Fructose, künstliche Süßstoffe Cyclamat und Saccharin	36,3 kJ/8,7 kcal

Limonaden

	relevante Bestandteile	kcal pro 100 ml
Schweppes light Tonic Water (0,75 l) Apollinaris & Schweppes GmbH, Hamburg	Zuckeraustauschstoff Fructose, künstliche Süßstoffe Cyclamat und Saccharin	8,3 kJ/2 kcal
Sprite light (1 l/0,33 l) Coca-Cola GmbH, Essen	künstliche Süßstoffe Aspartam, Cyclamat und Saccharin	5 kJ/1,2 kcal

Biere

	relevante Bestandteile	kcal pro 100 ml
DAB Diät-Pils (0,33 l) Dortmunder Actien-Brauerei AG, Dortmund	4,8 % vol. Alkohol, kohlenhydratarm	139 kJ/33 kcal
Henninger Diät-Pils (0,33 l/0,5 l) Henninger-Bräu AG, Frankfurt	20 % kalorienvermindert, 4,9 % vol. Alkohol	1380 kJ/330 kcal
Holsten light Premium (0,5 l/0,33 l) Holsten-Brauerei AG, Hamburg	2,5 % vol. Alkohol	109 kJ/26 kcal
Jever Fun (0,5 l/0,33 l) Jever-Brauerei, Jever		76 kJ/18 kcal
Jever Light (0,5 l) Jever-Brauerei, Jever	40 % kalorienreduziert, 2,7 % vol. Alkohol	104 kJ/25 kcal
Krombacher Fairlight (0,33 l/0,5 l) Krombacher Brauerei GmbH & Co. KG, Kreuztal-Krombach	4,8 % vol. Alkohol	122 kJ/29 kcal
Meyerhof Fein & Leicht Bier (0,33 l/0,5 l) Riegeler Brauerei, Riegel	2,9 % vol. Alkohol	113 kJ/27 kcal
Radler light Alkoholfrei Bier-Limonaden-Mischgetränk (0,7 l) Brunnen Union, Bad Niedernau	künstliche Süßstoffe Cyclamat, Aspartam, Acesulfam K und Saccharin	35,7 kJ/8,5 kcal
Spaten light (0,5 l/0,33 l) Spaten-Franziskaner Bräu KG, München	40 % kalorienreduziert, 2,7 % vol. Alkohol	117,2 kJ/28 kcal
Stade's Leicht-Bier (0,33 l/0,5 l) Dortmunder Actien-Brauerei AG, Dortmund	40 % kalorienreduziert, 2,6 % vol. Alkohol	109 kJ/26 kcal

Süßstoffe

	relevante Bestandteile	kcal pro 100 g/ml
Assugrin NutraSweet Dosierpackung (120 oder 700 Tabletten) Doerenkamp GmbH, Köln	Aspartam, kohlenhydratfrei, enthält Phenylalanin	pro Tablette 0,8 kJ/0,19 kcal
Assugrin Flüssigsüße (125 ml) Doerenkamp GmbH, Köln	Aspartam, kohlenhydratfrei, enthält Phenylalanin	kalorienfrei
Assugrin Feinsüß (300 oder 1000 Süßwürfel) Doerenkamp GmbH, Köln	Aspartam, kohlenhydratfrei, enthält Phenylalanin	kalorienfrei
Canderel Streusüße (40 g) Monsanto GmbH, Neu-Isenburg	künstlicher Süßstoff Aspartam	pro Teelöffel 2 kcal
Huxolin Diät-Süßstoffmischung (650 Stck.) Huxol KG Laurens Spethmann, Seevetal	künstliche Süßstoffe Cyclamat und Saccharin	kalorienfrei
Huxolin Streusüße (500 g) Huxol KG Laurens Spethmann, Seevetal	künstliche Süßstoffe Cyclamat und Saccharin	1680 kJ/400 kcal
ilgon flüssig Süßstoff (250 ml Togal Werk, München	künstliche Süßstoffe Natriumcyclamat und Saccharin	kalorienfrei
Lorenz + Lihn Diät-Süße (150 Tabl./650 Tabl.) Lorenz + Lihn GmbH, Mönchengladbach	künstliche Süßstoffe Cyclamat und Saccharin	98 kJ/23 kcal
Lorenz + Lihn Diät-Süße flüssig (200 ml) Lorenz + Lihn GmbH, Mönchengladbach	künstlicher Süßstoff	kalorienfrei
Lorenz + Lihn Fruchtzucker (500 g/1000 g, auch als Gelier-Fruchtzucker) Lorenz + Lihn GmbH, Mönchengladbach	Zuckeraustauschstoff Fructose	1700 kJ/400 kcal

Süßstoffe

	relevante Bestandteile	kcal pro 100 g/ml
natreen „Gelier-Leicht" Gelierzucker (25 g) RUF/Drugofa GmbH, Köln	40 % kalorienreduziert, mit Zuckeraustauschstoff Fructose	843 kJ/210 kcal
natreen Fruchtzucker-Streusüße (500 g) Drugofa GmbH, Köln	mit Zuckeraustauschstoff Fructose	1683 kJ/396 kcal
natreen Süße (flüssig/Tabletten) Drugofa GmbH, Köln	künstliche Süßstoffe Cyclamat und Saccharin	kalorienfrei
Schneekoppe Süßkraft flüssig (125 ml/250 ml/1 l) Schneekoppe GmbH, Mönchengladbach	Zuckeraustauschstoff Fructose, künstliche Süßstoffe Cyclamat und Saccharin	4 kJ/1 kcal
Schneekoppe Süßkraft in Tabletten (Packung à 120 Stck./600 Stck./2000 Stck.) Schneekoppe GmbH, Mönchengladbach	künstliche Süßstoffe Cyclamat und Saccharin, Lactose	98 kJ/23 kcal

Bonbons

	relevante Bestandteile	kcal pro 100 g
Atemgold Plus ohne Zucker Atembonbons (60 g/28 g-Stange) Ragolds Süßwaren GmbH + Co., Karlsruhe	Zuckeraustauschstoff Isomalt, künstlicher Süßstoff Acesulfam, 40 % kalorienreduziert, 180 mg Vitamin C	972 kJ/233 kcal
Driver's Fresh Pastillen ohne Zucker (Eukalyptus/Menthol, Extra Frische Mint) Leaf GmbH, Hagen	mit Zuckeraustauschstoff Sorbit, künstlicher Süßstoff Aspartam, kann bei übermäßigem Verzehr abführend wirken	917 bzw. 978 kJ/ 219 bzw. 234 kcal
Em-eukal Hustenbonbons (Zitrone, Wildkirsche/Zitrone) Dr. C. Soldan GmbH, Nürnberg	ohne Zuckerzusatz	-
Fresh Mint Frischebonbons ohne Zucker (40 g) Leaf GmbH, Hagen	mit Zuckeraustauschstoff Isomalt, künstlicher Süßstoff Acesulfam K, kann bei übermäßigem Verzehr abführend wirken	985,3 kJ/235,3 kcal
Hustelinchen Halsbonbons ohne Zucker (40 g: Lakritz, 18 Alpenkräuter) Leaf GmbH, Hagen	mit Zuckeraustauschstoff Isomalt, künstlicher Süßstoff Acesulfam K, kann bei übermäßigem Verzehr abführend wirken	962 bzw. 991 kJ/ 230 bzw. 237 kcal
Konsul zuckerfrei Vitaminbonbons Diedenhofen Gesundheitspflege, St. Augustin/Bonn	ohne Zuckerzusatz	-
Rachengold ohne Zucker Halsbonbons (60 g) Ragolds Süßwaren GmbH – Co., Karlsruhe,	Zuckeraustauschstoff Isomalt, künstlicher Süßstoff Acesulfam 40 % kalorienreduziert, 180 mg Vitamin C	972 kJ/233 kcal
Sallos Salmiak Lakritz-Bonbons extra stark ohne Zucker(40 g) Leaf GmbH, Hagen	mit Zuckeraustauschstoff Isomalt, kann bei übermäßigem Verzehr abführend wirken	960 kJ/230 kcal
Schneekoppe Diät Schoko Wafflets (125 g) Schneekoppe GmbH, Mönchengladbach	Zuckeraustauschstoff Fructose	2287 kJ/540 kcal
Sportlife Kaugummi ohne Zucker (8 Kaugummi-Streifen: Spearmint, Spicemint, Peppermint) Leaf GmbH, Hagen	Zuckeraustauschstoffe Lactit, Xylit und Maltit, künstlicher Süßstoff Aspartam, kann bei übermäßigem Verzehr abführend wirken	690 kJ/170 kcal
Veelmann Diät-Kekse (75 bis 150 g) Orangen-Taler, Queengebäck, Mandeln in Schoko, Mandelsplitter Edelbitter, Haselnuß-Pralinen) Huxol KG Laurens Spethmann, Seevetal	Zuckeraustauschstoff Fructose	2132 bis 2490 kJ/ 509 bis 600 kcal

Bonbons

	relevante Bestandteile	kcal pro 100 g
Velamints ohne Zucker (20 g-Stange) Ragolds Süßwaren GmbH, Karlsruhe	Zuckeraustauschstoff Sorbit, 40 % kalorienreduziert	995 kJ/239 kcal
vivil Multivitamin-Bonbons (Citrus, Waldfrucht) Vivil A. Müller GmbH, Offenburg	ohne Zuckerzusatz, mit Vitaminen	-
XyliFresh 100 Sugar-Free Zahnpflegekaugummi (12 Stck.: Peppermint, Freshmint) Leaf GmbH, Hagen	Zuckeraustauschstoffe Xylit und Aspartam	-

Kekse

	relevante Bestandteile	kcal pro 100 g
Drei Pauly Diät Zwieback (100g) Drei Pauly Reform + Diät GmbH, Ebsdorfer Grund	ohne Ei- und Milchprodukte Zuckeraustauschstoff Fructose	1772 kJ/419 kcal
Drei Pauly Diät Kekse (Vollkorn Mürbekeks, Butterkeks, Vollkorn Haselnußkeks, Schoko Gebäck, „Zarte Waffelblätter", Gefüllter Keks, Vollkorn Mini Pauly's Torteletts) Drei Pauly Reform + Diät GmbH, Ebsdorfer Grund	ohne Eiprodukte, teilweise ohne Milchprodukte Zuckeraustauschstoff Fructose	1782 bis 2255 kJ/ 424 bis 540 kcal
Drei Pauly Diät „Heiter Stunden" Keks (125 g) Drei Pauly Reform + Diät GmbH, Ebsdorfer Grund	0,2 % Eiprodukte, Zuckeraustauschstoff Fructose und Sorbit	2094 kJ/ 525 kcal
Drei Pauly Diät Waffeln (100 g: Zitronencreme, Kacao-Vanillecreme) Drei Pauly Reform + Diät GmbH, Ebsdorfer Grund	0,2 % Eiprodukte, Zuckeraustauschstoff Fructose	2195 kJ/ 525 kcal
Drei Pauly Diät Riegel (20 g: Vanille, Haselnuß, Erdbeer) Drei Pauly Reform + Diät GmbH, Ebsdorfer Grund	0,1 % Eiprodukte, Zuckeraustauschstoff Fructose	2315 bis 2335 kJ/ 555 bis 560 kcal
Drei Pauly Diät Aprikosen Keks (150 g) Drei Pauly Reform + Diät GmbH, Ebsdorfer Grund	ohne Ei- und Milchprodukte, Zuckeraustauschstoff Fructose und Isomalt	1746 kJ/ 417 kcal
Schneekoppe Diät Schoko Wafflets (125 g) Schneekoppe GmbH, Mönchengladbach	Zuckeraustauschstoff Fructose	2287 kJ/ 540 kcal
Veelmann Diät-Kekse (75 bis 150 g: Orangen-Taler, Queengebäck, Mandeln in Schoko, Mandelsplitter Edelbitter, Haselnuß Pralinen) Huxol KG Laurens Spethmann, Seevetal	Zuckeraustauschstoff Fructose	2132 bis 2490 kJ/ 509 bis 600 kcal
Veelmann Diät-Schokolade (100 g: Vollmilch, Vollmilch.Nuß Zartbitter, Joghurt-Dessert, Pfefferminzcreme) Huxol KG Laurens Spethmann, Seevetal	Zuckeraustauschstoff Fructose	2147 bis 2435 kJ/ 514 bis 585 kcal

Pudding

	relevante Bestandteile	kcal pro 100 g/ml
Dany Sahne Diät Dessert (200 g: Schoko, Vanille) Gervais Danone AG, München	Zuckeraustauschstoff Fructose, künstliche Süßstoffe Cyclamat und Saccharin	296 kJ/ 71 kcal
natreen Creme-Dessert-Pulver (ca. 70 g: Schokolade, Vanille, Zitrone) RUF / Drugofa GmbH, Köln	40 % kalorienreduziert mit Zuckeraustauschstoff Sorbit	1814 bis 2046 kJ/ 435 bis 492 kcal
natreen Creme-Dessert-Pulver „Mousse Tropic" (70 g) RUF /Drugofa GmbH, Köln	40 % kalorienreduziert	2321 kJ/ 555 kcal
natreen Creme-Dessert-Pulver „Mousse au Chocolat" (ca. 70 g) RUF / Drugofa GmbH, Köln	40 % kalorienreduziert	2070 kJ/ 495 kcal
natreen Einfacheiscreme (300 ml: Schoko, Vanille, Erdbeer) Schöller / Drugofa GmbH, Köln	40 % kalorienreduziert mit Zuckeraustauschstoffen Fructose und Sorbit	400 bis 415 kJ/ 96 bis 99 kcal

Pudding

	relevante Bestandteile	kcal pro 100g/ml
natreen Götterspeise-Pulver Himbeer (ca. 130 g) RUF / Drugofa GmbH, Köln	50 % kalorienreduziert mit Zuckeraustauschstoff Fructose	1486 kJ/ 349 kcal
natreen Götterspeise Himbeer (verzehrfertig) RUF / Drugofa GmbH, Köln	50 % kalorienreduziert mit Zuckeraustauschstoff Fructose	107 kJ/ 25 kcal
natreen Pudding mit Frucht (175 g: Vanille- Rote Grütze, Vanille - Kirsche, Schoko - Kirsche) Pohl & Co. / Drugofa GmbH, Köln	40 % kalorienreduziert mit Zuckeraustauschstoff Fructose	250 kJ / 60 kcal
natreen Pudding-Pulver Schokolade (ca. 140 g) RUF /Drugofa GmbH, Köln	40 % kalorienreduziert, mit Zuckeraustauschstoff Fructose	1521 kJ/ 358 kcal
natreen Pudding-Pulver Vanille (130 g) RUF / Drugofa GmbH, Köln	40 % kalorienreduziert	1484 kJ/ 349 kcal
natreen Rote Grütze (500 g) Odenwald / Drugofa GmbH, Köln	50 % kalorienreduziert	195 kJ/ 46 kcal
natreen Vanillesaucen-Pulver (ca. 130 g) RUF / Drugofa GmbH, Köln	40 % kalorienreduziert	1477 kJ/ 348 kcal
natreen Vanillesauce (verzehrfertig) RUF / Drugofa GmbH, Köln	40 % kalorienreduziert	227 kJ/ 54 kcal
Onken Diät-Pudding kJ/(150 g: Schokolade, Vanille) Onken/Moers/Niederrhein	Zuckeraustauschstoff Fructose, künstlicher Süßstoff Cyclamat, 2,8 % Fett	323 bzw. 344 kJ/ 77 bzw. 82 kcal

Diätprogramme

	relevante Bestandteile	kcal pro 100 g/ml
bioNorm-Diäten (Eiweiß-Lecithin-Granulat, Diät-Drink Schokolade, Vanille, Geschmack, Erdbeer-Joghurt- Diät-Suppe Rindfleisch-Geschmack, Tomatensuppe, Kartoffelsuppe) Merck Produkte-Vertriebsgesellschaft & Co., Darmstadt	Formula-Diät (Pulver) zur Zubereitung mit Wasser, ballaststoffreich	3400 bis 3660 kJ/ 810 bis 870 kcal pro Tag
Day Fit Diät (Erdbeer Shake, Schokoladen/ Kakao Shake, Vanille Shake, Bananen Shake, Gemüse Suppe, Hühner Suppe, Zwiebel Suppe) Team Activ Vertriebsgesellschaft für Lebensmittel mbH, 85580 Poing	Formula-Diät, (nur im Direktversand mit Beratung)	ca. 3360 kJ/800 kcal pro Tag
DEM Diät Vitalia Hansepharm, Roth	Drinks, Suppen, Schokoriegel, Pudding, etc	unter 1000 kcal pro Tag
Diäko Diätprogramme (diverse, z. B. JahreszeitenDiät „Italienische Art", Fleischlose SchlemmerDiät, 3-Tage-Blitz-Diät) Diäko GmbH, Postfach 61 01 06, 22421 Hamburg	Fertigmenüs, weitgehender Verzicht auf Zucker, Weißmehl und sichtbare Fette	80 bis 997 kcal pro Tag
Dr. Kousa Schlankmahlzeiten (Vollweizen-Gel) Milupa AG, Friedrichsdor	Joghurt/Früchte, Joghurt/Südfrüchte, Vollweizen-Gel Formula-Diät zur Zubereitung mit Wasser	4675 kJ/1105 kcal pro Tag
Dr. Ritter Diätprogramme (7-Tage-Körner-Kur, Joghurt-Weizendiät, Wildfrucht/Orange Vollkorn-Weizendiät, Apfel-Reis-Diät) Dr. Ritter GmbH, München	diätetische Lebensmittel zum Anrühren mit Wasser	unter 1000 kcal pro Tag
Figura Fit Trenndiät (3 Tagesrationen à 4 Beutel: Good Morning Drink Guarana, Fitness Lunch Strawberry Shake, Happy Day Drink Vanilla, Good Night Cream Potato) Figura Fit GmbH, Asbach	Pulver-Drinks zur Zubereitung mit Zuckeraustauschstoff Fructose, künstliche Süßstoffe Cyclamat und Saccharin	3017 kJ/713 kcal pro Tag
Modifast „Ulmer Trunk III" Diätprogramm (Tagesdosis 6 Portionen à 40 g: Vanille, Kaffee, Schoko, Citron, Oxtail) Wander GmbH, Osthofen (nur in Apotheken)	modifizierte Fastendiät in Pulverform zur Zubereitung mit Wasser, reich an essentiellen und nicht-essentiellen Aminosäuren und an Vitaminen, mit Glucose, Saccharose, Maltose, Lactose und Maltodextrin, künstlicher Süßstoff Saccharin	-

Diätprogramme

	relevante Bestandteile	kcal
Multaben Diät-Creme mit Eiweiß (350 g = 2 Tagesrationen) Aktivkost GmbH, Hamburg	Pulver zur Zubereitung mit Wasser,, Zuckeraustauschstoff Fructose künstliche Süßstoffe Cyclama tund Saccharin, Vitaminzusätzel	2940 kJ/700 kcal pro Tag
Positrim Drink Mix (14 Beutel à 42,5 g: Kakao, Vanille, Erdbeer) Amway GmbH, Puchheim	diätetisches Lebensmittel zur Zubereitung mit Vollmilch, Zuckeraustauschstoff Fructose	4095 kJ/975 kcal pro Tag
SlimFast Diät-Drinks SlimFast Nutritional, Slough, England	diätetisches Lebensmittel zur Zubereitung mit Milch	unter 1000 kcal pro Tag
SlimFast Quick-Diät nach Dr. Pfaff Tagesdosis 4 Mahlzeiten,		
Gemüsebrühe	mit Dotterex	1794 kJ/422 kcal pro 100 g
Frühstücksdrink		1475 kJ/ 348 kcal pro 100 g
Kakao-Guarana-Vanille-Drink		253 kJ/ 60 kcal pro 100 g
Erbsensuppe Body-Shop Adrenalin, Kiefersfelden (Diätprogramm pro Tag 770 kcal, nur Direktversand)		1540 kJ/ 362 kcal pro 100 g

Appetitzügler

	relevante Bestandteile
Adimapain Dragees (60 Dragees)	pro Dragee: Papain 60 000 USP-U, Kurkumawurzel 15 mg, Maiglöckchen Extrakt 10 mg, Faulbaumrinde 28 mg, Jura Birkenblätter 20 mg, Faulbaumrinde 28 mg, Birkenblätter 20 mg, Vitamin B1 1 mg, Nicotinsäureamid 7 mg, Kaliumcitrat 1,5 mg, Kaliumnatriumtartrat 2,5 mg, Apocynumwurzelstock 3 mg mit dem eiweißspaltenden Enzym Papain
Aranikelp (200 Tabletten)	pro Tablette: Fucus (Blasentang) 180 mg
Bekunis leicht (175 g Granulat) Roha Arzneimittel GmbH, Bremen	3,5 g (Einzeldosis) enthalten 1,86 g Indischen Flohsamen
Biofax Kapseln (60 Kapseln) Wölfer	Birkenblätterextrakt 30 mg, Hauhechelextrakt, Gartenbohnenhülsenextrakt je 20 mg pflanzliches harntreibendes Mittel
Bio-Gelee „Pektigold" (10 Beutel)	pro Beutel: Eiweiß Almazell Apfelpektin, Ballaststoffe,0,1 g, Fett 0,75 g, Kohlenhydrate 7,08 g
bioNorm Sättigungs-Trunk Orangen-Geschmack (18 Beutel à 7 g); Merck Produkte-Vertriebsgesellschaft & Co., Darmstadt	mit pflanzlichen Ballaststoffen, pro 100 g: Sojakleie, Guarkernmehl, Citronensäure, 3,5 g Magnesiumcarbonat, Süßstoffe Cyclamat und Saccharin, Aroma, Farbstoff Carotin, 0,227 g Eisenlactat, Vitamine; 29 kJ/7 kcal pro Beutel
bioNorm Sättigungs-Kapseln (28 Kapseln) Merck Produkte-Vertriebsgesellschaft & Co., Darmstadt	Sojakleie, Guarkernmehl, Gelatine, pflanzliches Fett; 540 kJ/128 kcal
Citrusfaser Tabletten (80 Tabletten) Bischoff	Citrusfasern, Zucker, Speisegelatine, Verdickungsmittel, Aromastoffe
Crocivowen-Dragees (100 Dragees) Vogel und Weber	pro Dragee: Frauenmantelkraut, Faulbaumrinde, Alantwurzelstock je 12,5 mg, Attichwurzel 6,25 mg, Ephedrakraut, Blasentang je 25,0 mg, Sennesblätter 18,75 mg

Appetitzügler

	relevante Bestandteile
Decorpa Granulat (300 Beutel à 7 g) Norgine GmbH, Marburg-Wehrda	pro Beutel: 5,6 g Sterculia (Karaya)
Fruchtfaser Tabletten (125 Tabletten) Kneipp, Würzburg	Fruchtfasern aus Citrusfrüchten 77 %, D-Fructose, Gelatine, Trennmittel E 471
Golden Line Kaudrops (120 Kaudrops) Naturana	Milchzucker, Ananas-, Magermilchpulver, Zuckeraustauschstoff Sorbit, Mono- und Triglyceride von Speisefettsäuren, Papayapulver, Mangopulver, Magnesiumstearat, Ananasaroma
Gracia Novo Schlankheitstropfen (50 ml) Gracia GmbH, Zeitz	pro 100 ml: Tang D1, Gold D8, Phosphor-säure D3, Maiglöckchen D2, Bauchspeicheldrüse D8, Gewürznelken D6 6 ml, Ephedrin D2 20 ml, Faulbaum D2, Birkenblätter D1, Meerzwiebel D4, Apocynum D4, Bärlappsporen D4, Schöllkrautwurzelstock D2, Weißdorn D1, Cimicifuga D2, Schwefel D6, Euphorbia D4 2 ml, enthält 49 % vol. Alkohol
Helianthus tuberosus (30 oder 100 ml Tropfen) Plantina GmbH, Heidelberg	Helianthus tuberosus gegen Übergewicht, Verstopfung und Blähungen (in Apotheken)
KiloNit 2000 Tropfen (100 ml) Biokirch	in 100 ml Auszüge aus: Blasentang 1000 mg, Birkenblätter 500 mg, Hagebuttenfrüchte 330 mg, enthält 20 % vol. Alkohol
Mirasin 18 Spezial (36 Kautäfelchen) Heinrich Mack Pharma, Illertissen	38 % Weizenkleie, 27 % Molke-Konzentrat, 5 % Zuckeraustauschstoff Sorbit, Weizenmehl, 5 % Ananaskonzentrat, Weizenkeime, 3,7 % Aprikosenkonzentrat, pflanzliche Fette und Öle, Säuerungsmittel, Zitronensäure, 0,77 % Topinamburkonzentrat, Fruchtaroma; schwach appetitzügelnd
NatuVit Extra (100 Ballaststoff-Kerne) Vitapharma	82 % Pflanzenfasern aus Getreide und Zitrusfrüchten
Recatol N (20 Kapseln) Woelm Pharma GmbH & Co., Eschwege	49,6 mg Norpseudoephedrin-Hydrochlorid, Vitamin B1, B2 und C
ReduQuick Tropfen (50 ml) Pharma Buß	pro 100 ml: Spongia D1 0,2 g, Kaliumjodid D1, Tang D1, Arnica D1, Cactus je 0,002 g, enthält 45 % vol. Alkohol
Sanurtin Dragees (100 Dragees) Mulli, Heidelberg	in 1 Dragee Extrakte: Blasentang 65 mg, Faulbaumrinde 140 mg, Cascararinde 50 mg, Birkenblätter 35 mg, Ingwerwurzel 5 mg, Wegwarte 3 mg, Brunnenkresse, Wacholderbeeren, Petersilienfrüchte je 2 mg
Spirulina Tabletten (120 Tabletten) Dronania	pro Tablette: Algenpulver 250 mg (100 g Algenpulver enthalten durchschnittlich: Eiweiß 65 g, Kohlenhydrate 14 g, Fett 6 g, Mineralstoffe 7,5 g)
Top-Slender-Kapseln (120 Kapseln) BioPan GmbH	pro Kapsel: Glucomannan 100 mg, Mate-Extrakt (mit 5 % Koffein) 50 mg, Pfl. Papain 50 mg,Chrom-GTF 20 µg, Kieselerde 60 mg, Sojaöl 17 mg
Trivita Portionsbeutel zum Trinken (18 Beutel) Merck Produkte-Vertriebsgesellschaft & Co., Darmstadt	pro Portion: Ballaststoffe 3,5 g, verdauliche Kohlenhydrate 0,3 g, Eiweiß 0,95 g, Eisen 3 mg, Magnesium 60 mg, 40 kJ/9 kcal
Uricedin 2000 (300 g Granulat) Pharma Stroschein GmbH, Hamburg; (in Apotheken)	pro 100 g: Citronensäure 34,4 g, wasserfreies Natriumsulfat 29,5 g; Natriumhydrogencarbonat 29,5 g
Vencipon (60 Dragees) Artesan Pharma GmbH, Lüchow; (in Apotheken)	pro Dragee: Ephedrin-Hydrochlorid 12,21 mg; Phenolphthalein 30 mg
XA Slimline Kautabletten (60 Tabletten) Woelm Pharma GmbH & Co., Eschwege	Pro Kautablette: Alginsäure 200 mg; Carmellose-NA (DP 500) 100 mg
Zonk Dosengetränk (250 ml) Wander GmbH, Osthofen	pro Dose ca: Kohlenhydrate 30 g; davon Zuckeraustauschstoff Fructose 25,0 g; Ballaststoffe 5,0 g; 504 kJ/ 120 kcal

Schlankheitsmittel

	relevante Bestandteile
Antiadipositum X-112 S Hänseler GmbH, Konstanz (30 ml Lösung/60 Dragees, rezeptpflichtig)	pro Dragee: D-Norpseudoephedrin-Hydrochlorid 15 mg, Hilfsstoffe: Magnesiumstearat, Lactose, Aerosil 200 Avicel Ph. 102, Natrium-Carboxymethylstärke, Eudragil L. Talkum, Reisstärke, E 171, Gummi arabicum, Saccharose, E 124
Amorphan Depot (30 Kapseln, rezeptpflichtig) Heumann Pharma GmbH, Nürnberg	pro Kapsel: D-Norpseudoephadrin-Hydrochlorid Matrixpellets 250 mg (entspricht D-Norpseudoephedrin-Hydrochlorid 30 mg), Hilfsstoffe: Montanglycolwachs, Gelatine, mikrokristalline Cellulose, Aluminiumhydroxid, Farbstoffe E 104, E 127, E 171
Decorpa Granulat (300 Beutel à 7 g) Norgine GmbH, Marburg	Pro Beutel: 5,6 g Sterculia (Karays), Hilfsstoffe: Guar-Gummi, Mocrogol 2000, Talkum, künstlicher Süßstoff Aspartam, Vanillin, Schokoladenaroma, Farbstoffe E 110, E 124, E 151
Eventin (20 oder 60 Dragees, rezeptpflichtig) Knoll Deutschland	pro Dragee: Levopropylhexedrin-Hydrochlorid 25 mg, Hilfsstoffe: Gummi arabicum, Calciumarachinat, Calciumcarbonat, Carmellose-Natrium, Copolyvidon, E 172, hochdisperses Siliciumdioxid, Maisstärke, Montanglycolwachs, Polyvidon (Konstante K = 25), Saccharose, Talkum, E 171
Exponcit N (30 oder 60 Dragees, rezeptpflichtig) Salutas-Fahrberg-Lis	pro Dragee: D-Norpseudoephedrin-Hydrochlorid 15 mg, Hilfsstoffe: Gelatine, Glycerol Gummi arabicum, Magnesiumstetat, Maisstärke, Paraffin, Saccharose, Talkum
Fenproporex (50 Tabletten, rezeptpflichtig) Chephasaar Chem.-pharm. Fabrik GmbH, St. Ingberkum,	pro Tablette: Fenproporex-Hydrochlorid 12 (entspricht 10 mg Fenproporex), Hilfsstoffe: Copolyvidon, Macrogol, Talkum, Magnesiumstearat, E 122, Lactose
Isomeride (60 Kapseln, rezeptpflichtig) Itherapia Pharmavertrieb GmbH, München	pro Kapsel: Dexfenfluramin-Hydrochlorid 15 mg, Hilfsstoffe: Lactose, Magnesiumstearat, Talkum, E 171
Mirapront N (20 oder 30 Kapseln, rezeptpflichtig) Heinrich Mack Pharma, Illertissen	pro Kapsel: D-Norpseudoephedrinol, divi-Polystynylbenzolsulfonat 74,4 - 115 mg (entspricht 20 mg D-Norpseudoephedrin), Hilfsstoffe: Lactose, Macrogol, Magnesiumstearat, E 171, E 172, Gelatine
Ponderax/-retard (30 oder 120 Dragees/30 oder 120 Retardkapseln, rezeptpflichtig) Itherapia Pharmavertrieb GmbH, München	pro Dragee: Fenfluramin-Hydrochlorid 20 mg, pro Retardkapsel: Fenfluramin-Hydrochlorid 60 mg, Hilfsstoffe: Lactose, Magnesiumstearat, Polyvidon, Talkum, E 171, Polysorbat 80, Indigocarminlack, E 127, Calciumsulfat, Schellack

Schlankheitsmittel

	relevante Bestandteile
Regenon/-retard (30 oder 60 Kapseln/30 oder 60 Retardkapseln, rezeptpflichtig) Temmler Pharma	pro Kapsel: Amfepramon-Hydrochlorid 60 mg, Hilfsstoffe: Aluminiumstearat, Glutaminsäure, Glycorol, Paraffin, Phosphorsäure, Aromastoffe, E 172, pro Retardkapsel: Amfepramon-Hydrochlorid 60 mg, Hilfsstoffe: Polyvidon, Ethylcellulose, Talkum, E 127, E 132, E 171, E 172
Rondimen (30 Dragees, rezeptpflichtig) Asta Medica, Frankfurt	pro Dragee: N-(3-Chlorpropyl)-alpha-methyl-phenethyamin-Hydrochlorid (Mefe-norex-Hydrochlorid) 46,9 mg (entspricht 40 mg Mefenorex), Hilfsstoffe: Magnesiumstearat, Talkum, Polyvidon, mittleres MG 29 000, Maisstärke, Lactose, Wasser, Hoechst-Wachs E Pharma, Polysorbat 20, Carmellose-Natrium, Macrogol 35 000, Calciumcarbonat, E 132, E 171
Tenuate Retard (30 oder 50 Retardtabletten) Marion Merrell Dow GmbH Rüsselsheim, rezeptpflichtig	pro Retardtablette: Amfepramon-Hydrochlorid 75 mg, Hilfsstoffe: Lactose, Polyacrylsäure, Zinkstearat, Weinsäure, Polyvidon
Vita-Schlanktropfen Schuck (15 ml Tropfen, rezeptpflichtig) Schuck GmbH, Schwaig	pro 100 ml: D-Norpseudoephedrin-Hydrochlorid 4 g

Tees

	relevante Bestandteile
Antiviscosin Schlankheitstee (125 g) Hameln	Sennesblätter, Faulbaumrinde je 28,0 g, Anis 10,0 g, Fenchel, Schafgarbenkraut, Queckenwurzelstock je 9,0 g, Blasentang 7,0 g
Apotheker M. Pahlow´s Adipositas-Tee (70 g) Naturwaren	Himbeerblätter 27,0 g, Birkenblätter 16,0 g, Maisgriffel 14,0 g, Gartenbohnenhülsen, Schlehenblüten je 13,0 g, Artischockenkraut 10,0 g, Kornblumenblüten 4,0 g, Hauhechelwurzel 3,0 g
Apotheker M. Pahlow´s Fastentee (70 g) Naturwaren	Weißdornblätter mit Blüten 21,0 g, Brennesselblätter, Schachtelhalmkraut je 18,5 g, Brombeerblätter 16,0 g, Mariendistelsamen 13,0 g, Goldrutenkraut 11,0 g, Kornblumenblüten 2,0 g
Famitra Kräuterkur 26 heuma-Gicht-Adipositas-Tee (80 g) Famitra	Birkenblätter, Löwenzahnwurzel, Fenchel je 6,89 g, Rosmarinblätter, Bruchkraut, Gänsefingerkrauttrockenextrakt je 2,3 g, Blasentang 14,94 g, Johanniskraut 7,13 g, Rautenkraut 9,19 g, Liebstöckelwurzel 0,92 g, Tormentillwurzelstock 3,45 g, Lindenblüten, Melissenblätter, Dillfrüchte, Schachtelhalmkraut, Erdrauchkraut, Ruprechtskraut Ysopkraut je 4,6 g, Bendiktenkraut-trockenextrakt, Faulbaumrinden-trockenextrakt, Johanniskrauttrockenextrakt, Schafgarbenkrauttrockenextrakt je 1,15 g
FIDES-Tee Nr. 12/Entfettungstee (100 g), Fides	Stockrosenblüten, Sennesschoten, Blasen-tang, Lavendelblüten je 5,0 g, Sennesblätter, Bärentraubenblüten je 20,0 g, Süßholzwurzel 10,0 g, Queckenwurzelstock 30,0 g

Tees

	relevante Bestandteile
ülden-Flor Schlank Tee (80 g) üldenmoor Hagedorn GmbH, Holzminden	pro 80 g: Holunderblüten, Faulbaumrinde Weißdorn, Brunnenkressenkraut je 6,4 g, Ringelblumenblüten, Bitterklee je 3,2g, Rosenblütenblätter 9,6 g, Birkenblätter 16,0 g, Sennesblätter 14,4 g, Petersiliensamen 8,0 g
evert-Schlankheits-Entfettungs-Tee (70 g) evert-Arzneimittel GmbH & Co. KG, obernheim/Nahe	Faulbaumrinde 23,0 g, Ringelblumenblüten 2,0 g, Pfefferminzblätter, Fenchel, Blasentang, Attichwurzel, Süßholzwurzel je 5,0 g, Sennesblätter, Bohnenhülsen, Löwenzahnwurzel je 11,0 g, Johanniskraut 8,0 g, Hagebuttensamen 9,0 g
neipp Schlankheits-Interstützungs-Tee (75 g) neipp, Würzburg	Sennesblätter 46,2 g, Pfefferminzblätter 21,5 g, Hibiscusblüten 12,3 g, Schwarzer Tee, Goldrutenkraut je 7,7 g, Liebstöckelwurzel 4,6 g

Energienahrung

	relevante Bestandteile	J/kcal pro 100 g
ioNorm Ballaststoff-Fruchtschnitte Merck Produkte Vertriebsgesellschaft & Co., Darmstadt	mit Glucose-Sirup und Maltodextrin	350 kJ/85 kcal pro Schnitte
Diäko Milcheiweiß-Riegel (Joghurt-Müsli, Eiweiß-Marzipan, Eiweiß-Karamel, Eiweiß-Cocos, Eiweiß-Pralinen, Eiweiß-Zimt-Cracker Aprikosen-Snacks, Zitronen-Snacks, Guarana-Schoko-Power-Snacks) Diäko GmbH, Hamburg	mit Milcheiweiß, kalorienarm	361 bis 767 kJ/ 85 bis 181 kcal
Diäko Mineraldrink (300 g: Orange, Ananas) Diäko GmbH, Hamburg		1590 kJ/370 kcal
Poitrim Energieriegel (25 g pro Riegel: Kakao/Mandeln/Rosien, Erdnußbuttergeschmack) Amway GmbH, Puchheim	mit 9 Vitaminen, Provitamin A, Mineralstoffen und Eiweiß	Pro Riegel 848 bzw. 811 kJ/202 bzw. 217 kcal

Obst, Gemüse

	relevante Bestandteile	J/kcal pro 100 g
Libby's „natursüß" Obstkonserven (230 bis 560 g: Williams-Christbirnen, Fruchtcocktail, Pfirsichhälften, Mandarin-Orangen, Ananasscheiben, Ananas-Dessert-Würfel); Deutsche Libby GmbH, Frankfurt	ohne Zuckerzusatz	172 bis 211 kJ
Lorenz + Lihn Diätobst (370 g: Aprikosen, Sauerkirschen, Williams-Christ-Birnen, Pfirsiche, Preiselbeeren Heidelbeeren) Lorenz + Lihn GmbH, Mönchengladbach	Zuckeraustauschstoff Fructose	291 bis 372 kJ/ 68 bis 88 kcal
natreen Obstkonserven (370 ml: Mandarin-Orangen, Süßkirschen, Ananas-Scheiben, Rhabarber, Brombeeren Fruchtcocktail, Tropisches Fruchtcocktail) Odenwald / Drugofa GmbH, Köln	50 % kalorienreduziert	47 bis 377 kJ/ 11 bis 90 kcal
natreen Obstkonserven (370 ml/ 720 ml: Stachelbeeren, Pfirsiche 1/2, Pflaumen 1/2, Schattenmorellen, Williams-Christ-Birnen 1/2, Aprikosen 1/2, Mirabellen mit Stein) Odenwald / Drugofa GmbH, Köln	50 % kalorienreduziert	102 bis 170 kJ/ 24 bis 40 kcal
natreen Obstkonserven (370 ml: Apfelmus, Apfelkompott-Stücke, Apfel-Plus-Aprikose, Apfel-Plus-Pfirsich-Maracuja); Odenwald / Drugofa GmbH, Köln	40 % kalorienreduziert	204 kJ/ 48 kcal
natreen Wildpreiselbeeren (370 ml) Odenwald / Drugofa GmbH; Köln	50 % kalorienreduziert, Zuckeraustauschstoff Fructose	377kJ/ 90 kcal
natreen Sauerkonserven (370 ml: Apfel-Rotkohl, Cornichons, Gewürzgurken, Karottensalat, Kürbis, Rote Bete, Salat Gärtnerin, Selleriesalat, Tomatenpaprika) Odenwald / Drugofa GmbH, Köln	50 % kalorienreduziert	42 bis 113 kJ

99 Diät-Tips von A bis Z

Wer kennt das nicht: Allzuoft ist der Geist willig aber das Fleisch schwach; gerade wenn es um vernünftige Ernährung und Bewegung geht.

A

Abends nur noch Abendbrot. Getreideprodukte wie Brot (am besten natürlich aus Vollkorn), aber auch Nudeln oder Reis sind wegen ihres hohen Kohlenhydratgehalts leicht verdaulich. Gleichzeitig fördern sie die körpereigene Serotoninbildung im Gehirn und somit den Schlaf. Wer sich dagegen zu abendlichen Knabberorgien mit fetthaltigen Leckereien verführen läßt, tut nicht nur seinem Kalorienkonto nichts gutes. Er muß außerdem mit einer unruhigen Nacht rechnen, denn die stark fetthaltigen Snacks liegen schwer im Magen.

Achten Sie bei Käse auf „Fett i. d. Tr.". Nachrechnen lohnt sich: 60 Prozent Fett „in der Trockenmasse" bedeutet rund 30 Gramm Fett pro 100 Gramm Käse. Bei der Variante 30 Prozent Fett i. Tr. sind es dann nur noch 15 Gramm. Bei Übrigens: 100 Gramm Magermilchjoghurt sparen Sie im Vergleich zur Vollmilchvariante gut drei Gramm Fett.

Alarm bei 30 BMI (Body Mass Index).. Heutzutage rechnen Gesundheitsexperten und Ernährungswissenschaftler mit einem neuen, größenunabhängigen Gewichtsmaßstab, das - im Gegensatz zum Broca-Normalgewicht - auch für sehr große und kleine Menschen gilt: dem sogenannten Body Mass-Index (BMI). Er ist allerdings nicht ganz einfach zu berechnen. Die Formel lautet:

$$\text{BMI} = \frac{\text{Körpergewicht in Kilogramm}}{\text{Körperlänge in Metern zum Quadrat}}$$

Ein BMI von 20 bis 25 ist ganz ok, bei 26 bis 29 haben Sie leichtes Übergewicht, und ab 30 ist aus Gesundheitsgründen Abspecken dringend angesagt. Sie brauchen sich allerdings nicht immer wieder mit BMI-Rechenoperationen zu martern - gucken Sie einfach auf die Tabelle auf Seite 38/39!

Alkohol einschränken! Alkohol hat erheblich mehr Kalorien als dieselbe Menge Kohlenhydrate (sieben gegen vier kcal). Der Körper baut es ähnlich wie Fett ab - und stellt statt dessen den Fettabbau zurück. Überdies macht Alkohol oft Appetit. Der berühmte Schnaps nach fettem Essen ist keineswegs ein Fettkiller - im Gegenteil: Er hilft, indem er die fettspaltenden Verdauungsenzyme bei ihrer Arbeit unterstützt, noch bei der Fettverdauung. So kann der Körper das Nahrungsfett erst richtig nutzen, entweder Energie daraus gewinnen - oder als Energiespeicher Fettdepots anlegen. Alkohol gegen Fett zu schlucken ist also geradezu widersinnig.

Aperitifs trinken. Gemeint sind allerdings keine alkoholischen, sondern solche mit Tomatensaft oder Gemüsecocktails. Die sind mineralstoffreich und wirken fast wie eine kleine Vorspeise - ähnlich wie Pektinpräparate.

Quellmittel Apfelpektin vor der Mahlzeit schlucken. Wer etwa eine halbe Stunde vor dem Essen Pektinpräparate mit viel Flüssigkeit, z. B. Mineralwasser, zu sich nimmt, füllt mit diesen natürlichen Quellmitteln den Magen - und besiegt damit den Bärenhunger.

Atmen Sie tief durch. Verspüren Sie zwischendurch ein kleines Tief, verschafft Tiefdurchatmen neue Energie ohne Kaloriennachschub.

Auf Bratfisch verzichten. Fisch möglichst nur gedünstet, poschiert oder gegrillt verzehren. So bleibt er fettarm und doch schmackhaft.

Augen essen mit. Richten Sie Ihre Speisen auf einem großen Teller an und dekorieren Sie das Gericht großzügig mit viel Salat oder Gemüse. Das sieht zum einen nach viel aus - befriedigt also das Auge - und zum anderen ist es eine leckere, aber kalorienarme Beilage.

Ganz wichtig: Aus den Augen mit den guten Sachen! Allein der Anblick von Speisen verführt zum Essen. Ein Beispiel: Man sitzt gemeinsam gemütlich bei Tisch und ist eigentlich satt und mit der Mahlzeit fertig. Wenn aber die Reste nicht abgeräumt sind, passiert nach einer Weile folgendes: So mancher greift noch mal ein bißchen zu. Nach dem Motto „Aus den Augen, aus dem Sinn" machen Sie deshalb am besten nach jedem Essen sofort reinen Tisch. Verbannen Sie auch die Schokolade aus der Schreibtischschublade und stellen Sie keine Nüsse neben den Fernsehsessel.

B

Backe, backe Kuchen. Eine mit frischen Früchten belegte Torte ist kein Verstoß gegen die guten Schlankheitssitten, sondern ein leichter vitaminhaltiger Kohlenhydratsnack; vorausgesetzt natürlich, es bleibt bei einem Stück und Sie verputzen nicht gleich die gesamte Kuchenplatte.

Ballaststoffe nicht vergessen. Sie fördern das gute, langsame Kauen und damit ein figurfreundliches Eßtempo. Außerdem verweilen Ballaststoffe länger im Magen und lassen den Blutzuckerspiegel nur langsam ansteigen. Beides sättigt schneller und besser.

Beilagen sind die Hauptsache. Den meisten Platz auf Ihrem Teller sollten Gemüse, Kartoffeln, Nudeln oder Reis einnehmen. Fleisch und Soße gestehen Sie nur noch eine kleine Ecke zu. So versorgen Sie Ihren Körper mit vielen Ballast- und essentiellen Nährstoffen und sparen eine ganze Menge Fett.

Beim Essen nicht trinken. Denn das hat figurunfreundliche Folgen: Nach jedem Schlückchen folgt unweigerlich ein Bißchen. Deshalb greifen Sie besser vor oder nach dem Essen und in den Pausen zum Glase.

Bewegen Sie sich regelmäßig. Damit das ein für allemal klar ist: Ohne ordentlich viel Bewegung macht Sie die beste Ernährungsumstellung nicht besonders schlank - jedenfalls nicht auf Dauer. Beides zusammen dagegen läßt spezielle Schlankheitsdiäten sogar überflüssig werden. Also Schluß mit Diätstreß und -frust! Täglich 30 bis 40 Minuten Bewegung - flottes Gehen, Radfahren, Joggen oder Schwimmen -trainiert Herz und Kreislauf und aktiviert ganz nebenbei unser fettverbrennendes System.

Bis zum Imbiß zehn Minuten warten. Nicht immer ist es wirklich Hunger, was uns zum Essen reizt. Tun Sie deshalb irgend etwas, das Sie ablenkt, wenn sich der Appetit meldet. Sie werden sich wundern, denn gar nicht selten vergeht dieser Eßreiz, so schnell er kommt. Erst wenn der kleine Hunger längere Zeit anhält, signalisiert unser Körper ein wirkliches Nahrungsdefizit.

Bleiben Sie cool. Zu warme und trockene Raumtemperatur macht uns träge und kann zudem die Abwehrkräfte des Körpers schwächen. In kühleren Räumen bleibt man aktiver und bewegt sich mehr. Machen Sie deshalb aus den eigenen vier Wänden und auch Ihrem Büro keinen Brutofen. Übrigens: Bei einem Grad niedrigerer Raumtemperatur verbraucht man täglich rund 50 Kalorien mehr.

Blitz-Diäten meiden. Bei Cras-Diäten purzeln die Pfunde? - Von wegen! Sie haben sich zu früh gefreut. Denn die schnelle Gewichtabnahme resultiert hauptsächlich aus Wasserverlust. Ihr Fett bleibt Ihnen aber erhalten, und wenn Sie Ihre Ernährung wieder auf „normal" schalten, haben Sie die ungeliebten Pfunde ganz fix wieder auf den Rippen.

Bratkartoffel sind out. Pommes frites enthalten zwischen sechs und 15 Prozent Fett, Bratkartoffeln schlagen mit bis zu 20 und die von vielen so heißgeleibten Kartoffelchips sogar mit satten 40 Prozent Fett zu Bauche. Daraus zieht der gesundheitsbewußte Koch Konsequenzen: Kartoffeln sollten Sie nur gekocht, als Pellkartoffeln oder in der Schale als Folienkartoffeln genießen. Und wenn schon gebraten, dann in einer gut beschichteten Pfanne mit minimalem Fetteinsatz. Nur so sind sie praktisch fettfrei.

Brot dick schneiden und dünn belegen. Dieses Motto wahrer Fitneß-Esser ersetzt den alten Schlemmer-Slogan „In der allergrößten Not schmeckt die Wurst auch ohne Brot!". Busineß-Lunch alternativ: Die italienische Küche serviert als Vorspeise Gemüse-Antipasti, zum Hauptgang gegrillten Fisch mit Salat, die asiatische Sushi oder Gerichte aus dem Wok. All das ist fettarm und vitaminfrisch. Aber auch deutsche Spitzenrestaurants bieten leichte Drei-Gänge-Menüs, die ein Arbeitsessen nicht zum Kalorienalptraum werden lassen.

Butter streichfähig halten. Nehmen Sie Butter rechtzeitig vor der Mahlzeit aus dem Kühlschrank oder bewahren Sie sie noch besser an einem kühlen Ort in Küche oder Keller: Von harter Butter braucht man mehr aufs Brot.

D

Dem Gehirn zuliebe langsam essen. Das Hunger-Sättigungszentrum im Gehirn benötigt nach Beginn der Nahrungsaufnahme rund 15 bis 20 Minuten, ehe es die ersten Sättigungssignale aus dem Stoffwechsel registriert. Erst dann signalisiert es „Stop mit dem Löffel".

Denken Sie sich schlank. Legen Sie in Gedanken Ihre dicke Hülle ab und fühlen Sie Ihren schlanken Kern. Stellen Sie sich vor, zu wieviel mehr Sie dieser schlanke Körper befähigt. Ein mentales Programm zum Schlankwerden und Schlankbleiben heißt „Easy Weight" (siehe Literaturhinweise).

Die beste Diät ist die, die Sie schaffen können. Denn je einseitiger und exotischer die Diät, desto größer die Abbruchrate und desto geringer der Lernerfolg für ein notwendig verändertes Ernährungsverhalten im Alltag.

E

Einkauf per Fahrrad. Wenn Sie es schon nicht zu Fuß erledigen können, dann sollten Sie wenigstens die täglichen Kleinigkeiten wie Brot, Gemüse und Salat, Obst und Milchprodukte mit dem Rad nach Hause schaffen. Nicht zuletzt verbrennen Kalorien wesentlich umweltfreundlicher als Autotankfüllungen, oder?

Eiweiß statt Eigelb. Nehmen Sie nur das Eiklar, wenn ein Ei ins Essen soll. Eiklar ist reines Protein, während der Eidotter von Fett und Cholesterin nur so strotzt.

Es lebe der Stoffwechsel. Es gibt zwar keine schlankmachenden Lebensmittel, von denen der Stoffwechsel mehr Energie verbraucht, als in ihnen steckt. Allerdings spornen bestimmte Bestandteile von ihnen den Stoffwechsel an, nämlich Wasser, Proteine, Ballaststoffe, einfach und mehrfach ungesättige Fettsäuren, Vitamine und Mineralstoffe einschließlich der Spurenelemente.

Essen und Trimmen - beides muß stimmen! Dieser klassische Slogan gilt nach wie vor. Beim Abnehmen und Schlankbleiben sind bewußte Ernährung und körperliche Aktivität gleichermaßen nötig. Der Sport hilft Ihnen, den Body zu stylen und verstärkt so Ihren Diäterfolg; bewußt Essen hält Sie dabei in Form .

F

Feiern Sie jeden Teilerfolg. Belohnen Sie sich, wenn die Pfunde mal wieder deutlich abgeschmolzen sind. Kaufen Sie sich eine neue CD oder ein neues Kleidungsstück . Und lassen Sie sich von anderen kräftig dafür loben, was Sie schon geschafft haben.

Fertig-Müslis müssen nicht sein. Verzichten Sie auf Cornflakes und Zutaten wie Nüsse, Schokostückchen. Mischen Sie besser Vollkornflocken pur, aus Hafer oder Weizen, mit Trockenfrüchten und geben Sie viel frisches Obst dazu. Mit Joghurt anrühren. Der Fruchtzucker im Obst ist ausreichend.

Fett zählen können Sie auch. Das A & O jeder erfolgreichen Gewichtsreduktion ist eine vernünftige Beschränkung der täglichen Fettaufnahme: 30 bis 50 Gramm während des Abnehmens, 50 bis 80 Gramm zum Schlankbleiben. Mit

Hilfe der Fit For Fun-Fett-Tabelle schaffen Sie das leicht.

Für süße Zähne besser frisches Obst. Trotz ihrer Süße - durch ihren natürlichen Frucht- und Traubenzuckergehalt - sind reife Früchte von Natur aus leicht. Schließlich bestehen sie zu über 90 Prozent aus Wasser, löschen also gleichzeitig den Durst - und liefern eine Extraportion Vitamine und Mineralstoffe.

Essen Sie nur, was Sie mögen. Versuchen Sie keine Ersatzbefriedigung: Sie werden bloß frustiert und essen weiter, in der Hoffnung, daß es Ihnen vielleicht doch noch schmeckt. Trainieren Sie Ihre Höflichkeit und lehnen Sie möglichst charmant ab, wenn Ihnen jemand was anbietet, das Sie nicht begeistert.

Füttern Sie Ihre Muskeln, nicht Ihren Bauch. Kohlenhydrate sind Muskelbenzin und Nervennahrung. Im Büro und beim Sport heizen Brot oder Müsli, Obst oder Gemüse, ergänzt mit fettarmen Eiweißspendern, den richtigen Zellen richtig ein.

G

Genießen Sie bewußt. Kosten Sie jeden Bissen aus wie ein Feinschmecker. So haben Sie nicht nur mehr davon, sondern drosseln auch Ihr Eßtempo. Hastige Esser brauchen auch mehr Nahrung, bis sie satt sind.

Gute Futterverwerter müssen mobiler sein. Menschen, die mit den zugeführten Kalorien sehr ökonomisch umgehen, also jede nicht gleich verbrauchte speichern, sollten diese genetische Disposition durch Sport ausgleichen, also durch mehr Bewegung für zusätzlichen Kalorienverbrauch sorgen.

H

Halten Sie sich an's Intervall-Prinzip. Kein Mensch kann sich ständig kasteien. Gerade wenn der Abspeckprozeß langfristig angelegt ist, muß man zwischendurch auch mal sündigen dürfen. Schließlich soll die Lebensfreude dabei nicht auf der Strecke bleiben. Also: Nach drei bis vier Diättagen folgt ein Schlemmertag! Dann kommt es vermutlich auch nicht zu der Anpassung des Stoffwechsels an das verknappte Kalorienangebot wie bei konstantem Hungern.

Hände weg von Finger-Food! Fangen Sie erst gar nicht damit an, aus der Tüte Chips, Erdnüsse, Salzstangen, Schokonüsse und Ähnliches zu knabbern. Das sind Kalorienfallen mit dem verhängnisvollen Ich-kann-gar-nicht-Aufhören-Effekt! Gewöhnen Sie sich deshalb einfach an, ausschließlich mit Besteck zu essen. Ausnahmen bestätigen die Regel: Gegen Möhren, Äpfel oder Bananen aus der Hand ist natürlich nichts einzuwenden.

Holen Sie den Urwald zur Hilfe. Probieren Sie statt Kaffee mal Mate-Tee. Denn dieser Kräuter-Mix aus dem Regenwald Südamerikas soll Wirkstoffe enthalten, die das Hungergefühl verringern.

I

Idealgewichte sind nicht ideal. Lange galt das sogenannte Idealgewicht als das einzig Wahre: bei Frauen strikt 15 Prozent weniger als das Normalgewicht nach Broca (Körpergröße in Zentimetern minus 100 in Kilo) und bei Männern 10 Prozent weniger. Die Qual fürs Ideal ist jedoch überhaupt nicht nötig: Viel mehr zählt für Sie Ihr persönliches Wohlfühlgewicht. Es meint den Bereich von +/- zehn Prozent des Broca-Normalgewichts, ist also von größerer Toleranz. Man fühlt sich damit fit und wohl - und mag sich auch im Spiegel leiden.

J

Jod bringt Sie in Schwung. Für die Produktion der Hormone, mit denen die Schilddrüse die Stoffwechselaktivität steuert, braucht sie Jod. Essen Sie deshalb jede Woche ein-, zweimal jodreichen Seefisch und bevorzugen Sie mit Jodsalz hergestelltes Brot sowie jodhaltiges Speisesalz.

K

Kaffee à la vienne. Trinken Sie Ihren Schwarzen wie in einem Wiener Kaffeehaus - stets mit einem Glas Wasser. Denn Kaffee regt die Wasserausscheidung über die Nieren an. Kaffee-Freaks laufen deshalb Gefahr, daß sie unter Flüssigkeitsmangel leiden. Der Schluck Wasser dazwischen erhöht außerdem den Kaffeegenuß.

Kakao statt Schokolade. Der flüssige Genuß enthält weniger Fett und dafür mehr Calcium. Ein kleiner Trick, der Kalorien sparen hilft: Wahre Genießer löffeln Ihren Kakao, damit sie mehr davon haben.

Käsebrot schlägt Hähnchenbrust. Das ist ein simpler Grundsatz für das Abendbrot. Die oft gepriesene Hähnchenbrust mit Zitrone zählt hingegen zu jenen pseudowissenschaftlichen Diätgeheimnissen, von denen nur deren Erfinder prächtig leben.

Käse und Wurst braucht keine Butter. Wer sich gern Butter auf's Brot streicht, sollte sie dann auch pur kosten, allenfalls Marmelade oder Honig darüber ist erlaubt. Aber unter Wurst oder Käse ist jedes Streichfett zuviel des Guten.

Kauen, kauen und nochmals kauen. So wird die Nahrung im Mund optimal zur Verdauung vorbereitet, gut durchspeichelt und besser verträglich. Und der Hauptgewinn: Sie brauchen länger zum Essen - und werden schneller satt.

Keine Fritten aus der Friteuse. Auch Pommes frites aus dem Backofen sind lecker und viel weniger fettig als die üblichen Kartoffelstäbchen aus der Imbißbude.

Keine Mahlzeit ausfallen lassen. Die fünf, sechs planmäßigen Mahlzeiten sollten unbedingt eingehalten werden - sonst ist der Hunger bei der folgenden umso größer. Außerdem sinkt die Leistungskurve, wenn der Nahrungsnachschub allzu lange ausbleibt.

Kleine Bissen wirken besser. Und spülen Sie nicht alles mit Getränken hinunter. Sie essen dann mehr als Sie brauchen, weil das Essen so nicht befriedigt. Lieber vor oder nach dem Essen und in Eßpausen trinken.

Kochen Sie chinesisch. Im Wok, dem Universalgerät asiatischer Küche, gart alles knackig frisch ohne viel Fett.

Kontrolle muß sein. Achten Sie darauf, wenn Sie bei einer Einladung ordentlich zugelangt haben - was Sie durchaus mal dürfen-, müssen Sie aufpassen, daß der Lustgewinn nicht zum Gewichtsgewinn wird. Schaffen Sie schon am nächsten Tag einen Ausgleich durch mehr Bewegung und knappere Mahlzeiten.

Kotelett schon, doch kein paniertes. Panade an Schnitzel, Kotelett oder Bratfisch saugt Fett auf wie Löschpapier. Der Schlankheitsbewußte zieht Gegrilltes oder Gebratenes à la nature vor.

L

Langsam und länger statt kurz und intensiv! Das ist Ihr Motto für die Aktivierung der Fettverbrennung durch sportliches Training. Denn wenn wir an Tempo zulegen, schaltet der Muskel auf Kohlenhydratverbrennung um. Bei längerdauernden Aktivitäten mit niedriger Intensität (Radeln, Trimm-Trab, Skilanglauf, Wandern) hingegen bevorzugt der Körper Fett als Energiequelle. Und das soll er ja auch.

Lenken Sie sich nicht ab. Sehen Sie während des Essens nicht fern oder in die Zeitung. Wer sich ablenkt, schlingt mehr in sich hinein, und merkt gar nicht, wenn er schon satt ist.

M

Machen Sie sich selber Mut. Unterstreichen Sie Ihr Selbstbewußtsein durch die Wahl Ihrer Kleidung und durch Freizeitaktivitäten, die Ihnen wirklich Spaß machen. Und zeigen Sie vor allem auch anderen, wie gut Sie drauf sind. Das schafft Sympathie und motiviert Sie selber ungemein.

Mahlzeit ist Pausenzeit. Eile mit Weile! Legen Sie nach jedem zweiten oder dritten Bissen das Besteck beiseite und halten Sie kurz einmal inne. Das macht nicht nur ruhiger und entspannter. Sie vermitteln sich selbst dadurch außerdem das Gefühl einer ausgedehnten Mahlzeit.

Mal Schnittchen mit Gemüse oder Obst. Vollkornbrot mit Quark bestrichen und mit Bananen- oder Apfelscheiben, Schnittlauch, Radieschen oder Paprikastreifen belegt schmeckt wirklich prima, spart Fett und liefert jede Menge Kohlenhydrate.

Milch ist mehr als ein Getränk. Der hohe Nährwert, der Gehalt an Eiweiß, Kohlenhydraten, leicht verdaulichem Milchfett, Vitaminen und Mineralstoffen, macht die Milch fast zu einer kompletten kleinen Mahlzeit. Deshalb sollten Erwachsene auch nicht viel mehr als einen Viertelliter Milch täglich trinken. Das reicht nämlich völlig. Dann aber darf es durchaus Vollmilch sein.

Mineralwasser literweise. Mit einem Liter Wasser haben Sie schon etwa die Hälfte Ihres Tagesbedarfs an Trinkflüssigkeit zum Null-Kalorien-Tarif gedeckt. Stellen Sie die Flasche am besten gut sichtbar in Ihre Nähe, z. B. auf den Schreibtisch, damit Sie das Trinken nicht vergessen. Sportler sollten wissen: Pro Stunde Sport entsteht ein zusätzlicher Flüssigkeitsbedarf von etwa einem Liter.

Mißtrauen Sie den Wundermitteln. Fett schmilzt nicht von Zauberhand. Versprechen wie sieben Kilo weniger in sieben Tagen durch Pflanzenenzyme oder den Fleischfaktor Carnitin sind schlicht unseriös. Nur Ihre Muskeln verbrennen Ihren Hüft- und Bauchspeck. Und die sollten Sie stählen und einfach das Fett auf Ihrem Teller reduzieren.

Multivitamine schlucken. Damit Sie nicht zum Mangelkandidaten werden, sollten Sie während einer Schlankheitskur unter 1500 kcal, die länger als eine Woche dauert, täglich Multivitamin-Mineralstoff-Kapseln zu sich nehmen. Ein Nährstoffmangel würde träge machen und sogar die Gewichtsabnahme verlangsamen.

N

Nehmen Sie die Treppe. Vergessen Sie den Lift und das konsequent. Treppensteigen ist eine besonders wirkungsvolle Bewegungsmöglichkeit. Ist der innere „Schweinehund" erst überwunden, gewöhnen Sie sich schnell daran.

Nicht aus Langeweile essen. Viele schieben sich aus Frust, Kummer, Langeweile und Einsamkeit irgend etwas in den Mund - meistens etwas Kalorienhaltiges. Musikhören oder mit einem Freund telefonieren wäre viel besser.

Nicht mit leerem Magen einkaufen. Wer hungrig ist, kauft oft mehr ein als nötig. Disziplinieren Sie sich mit einer Einkaufsliste und halten Sie sich strikt daran. Bei Gemüse und Obst dürfen Sie sich allerdings verführen lassen.

Nieder mit dem „Alles oder nichts"-Prinzip. Strenge Eßverbote sind meist nicht einzuhalten. Und wer gesündigt hat, bekommt leicht ein schlechtes Gewissen, was sogar zu Eßstörungen führen kann. Essen dürfen wir alles, aber von allem nur das persönlich richtige Maß.

Niemals Fruchtsaft pur. Säfte stets mit Mineralwasser verdünnen. Dann ist ihr Durstlöschereffekt auch viel größer. Eine Apfelsaft-Schorle ist dann richtig, wenn der Saft im Verhältnis 1 : 3 bis 1 : 4 mit Mineralwasser gemischt ist.

Nutzen Sie den Frühling. Der Stoffwechsel nimmt einen Aufschwung, und das vermehrte Licht steigert das Aktivitätsniveau. Durch die vermehrte Bewegung wird mehr Energie verbraucht. Im Frühjahr haben Sie mit Ihrer Diät weit mehr Erfolg als zu anderen Jahreszeiten.

O

Obstsaft ist gut, Obst pur ist besser. Ein Glas Orangensaft ist schnell getrunken. Die ganze Frucht hingegen beschäftigt Sie viel länger - mit Schälen, Kauen und Genießen!

Q

Quark mit Sprudelwasser. Mit Mineralwasser cremig gerührter Magerquark ist locker und leicht, schmeckt so gut wie Sahnequark und spart trotzdem Fett.

S

Sahne ade. Dicken Sie Ihre Soße mit einer pürierten gekochten Kartoffel statt mit Sahne an. Das schmeckt lecker und spart so manche Fettkalorie.

Saufen ist gesund. Während des Abnehmens benötigt der Körper täglich rund drei Liter Flüssigkeit, um die sauren Produkte des Fettabbaus über die Nieren auszuscheiden. Sehr gute Nullkalorien-Durstlöscher sind beispielsweise Mineralwasser (Reichern Sie es ruhig mit einem erfrischenden Spritzer Zitrone an) sowie Früchte-, Kräuter- oder Schwarzer Tee, ohne Zucker selbstverständlich.

Schalttage müssen sein. Nehmen Sie ein- oder zweimal im Monat eine Aus-Zeit zu Gunsten Ihrer schlanken Linie: Trinken Sie einen ganzen Tag lang nur Obst- bzw. Gemüsesaft oder nehmen Sie nur frische Früchte zu sich. Damit gleichen Sie kleinere Gewichtszunahmen im Laufe der Zeit unverzüglich und vor allem problemlos wieder aus. Außerdem fördern Safttage wegen des hohen Kaliumgehaltes von Obst und Gemüse die Entwässerung Ihres Körpers. Auch wer gar nicht abnehmen muß oder will, profitiert von dieser Eigenschaft: Denn wer einmal an einem Wochenende zwei, drei flüssige Schalttage ganz ohne Kochsalz einhält, wird überrascht sein, wie schnell sich sein Geschmackssinn verfeinert.

Schreiben Sie sich schlank. Notieren Sie sich alles, aber auch wirklich alles, was Sie am Tag gegessen und getrunken haben in einem Notizheft. Solch ein Ernährungstagebuch ist die billigste aller Diäten. Der Grund ist offensichtlich: Nur so lernen Sie den verborgenen Fresser in sich kennen und beginnen dadurch ganz automatisch, bewußter zu essen. Sie werden erstaunt sein, wie viele „Kleinigkeiten" Sie im Laufe des Tages gedankenlos in sich hineinfuttern!

Schweinefleisch ist besser als sein Ruf. Viele machen um das Fleisch des Borstentieres einen großen Bogen - zu Unrecht. Denn es weist von allen Fleischarten den höchsten Vitamin-B 1-Gehalt auf. Übrigens ist es heutzutage deutlich fettärmer, als noch vor Jahren in Nährwerttabellen angegeben. Ein Beispiel: 100 Gramm Filet oder Schnitzel (natur) haben noch gerade zwei und das Kotelett fünf bis zehn Gramm Fett - sind also wirklich mager. Trotzdem ist das kein Freibrief für zügellose Fleischeslust. Eine Schnitzel sollte nämlich nie so groß sein, daß es die vorteilhafteren Kohlenhydrate an den Tellerrand drängt.

Sechsmal wenig ist besser als dreimal viel. Wer täglich zwei, drei große Portionen verdrückt, trainiert den Körper auf Fettspeicherung. Schließlich muß er Energiereserven bis zur nächsten Mahlzeit anlegen. Wer dagegen regelmäßig über den Tag verteilt ein wenig snackt, setzt die Energie leichter bis zu seiner nächsten Mahlzeit um. Außerdem bleiben dann Ihr Blutzucker und Ihre Leistung konstant, und Sie sind zudem vor fatalen Heißhungerattacken so gut wie sicher.

Seien Sie ehrlich zu sich selbst. Bevor Sie eine Diät beginnen, sollten Sie sich ernsthaft fragen: Warum will ich eigentlich abnehmen? Für wen? Wozu? Fördert es mein Selbstbewußtsein undmein Wohlbefinden? Oder reizt mich nur das modisch-ästhetische Schlankheits-ideal? Fühle ich mich gar „von außen" unter Druck gesetzt? Könnte ich bei Umsetzung der Diät Probleme mit meinem Partner, in der Familie, am Arbeitsplatz bekommen? - Beginnen Sie auf keinen Fall eine Diät, bevor Sie sich über die Antworten auf diese Fragen nicht völlig im klaren sind.

Seien Sie kein Sklave Ihrer Waage. Geringfügige Gewichtsschwankungen (ein bis 1,5 kg) im Laufe einer Woche sind völlig normal und hängen vor allem mit Veränderungen im Wasserhaushalt zusammen. Also geraten Sie bitte nicht in täglichen Wiege-Streß: Zur langfristigen Gewichtskontrolle genügt ein wöchentlicher Blick auf den Zeiger der Badezimmerwaage.

Sie brauchen kein Asket zu sein. Weder Ihrer Psyche noch Ihrem Körper tut strenge Askese gut. Abnehmen erfordert zwar Disziplin, aber keinesfalls unablässigen Verzicht. Besser als jede Mangelkost - im physischen und psychischen Sinne - ist es, sich viel Zeit zum Abspecken zu nehmen. Schließlich ist auch Ihr Übergewicht nicht über Nacht entstanden! Starren Sie also nicht täglich verzweifelt auf die Waage und gönnen Sie sich, wenn Sie sonst nach Plan essen, ruhig mal Hummer und ein Glas Champagner.

Sitzenbleiben darf man nicht. Nutzen Sie im Büro jede Möglichkeit zur Bewegung. Stehen Sie beispielsweise auf beim Telefonieren. Marschieren Sie selbst zum Fotokopierer oder zur Abteilung in der Etage über Ihnen. Denn bei überwiegend sitzender Tätigkeit braucht man erst recht Bewegung, schon zum Ausgleich.

Spätabends was Leichtes. Das abendliche Knabberbedürfnis nach Chips und Salzstangen ist mit Paprika-, Möhren- und Kohlrabistückchen schadlos zu befriedigen. Wer es lieber süß hat: Bananen oder Weintrauben sind zwar nicht ganz so knackig, tun's aber auch. Sie werden staunen, wie schnell Sie sich mit dieser gesunden Knabberei anfreunden!

Spaziergang nach dem Abendessen. Wechseln Sie nie direkt vom Eßtisch zum Fernsehsessel. Bewegung an frischer Luft tut gut, und man schläft anschließend besser.

Sportler brauchen Energie. Sie müssen Ihren Appetit nach dem Sport nicht fürchten. Es besteht jetzt ein natürlicher Nachholbedarf an Flüssigkeit (Mineralwasser, Säfte, Obst) und Kohlenhydraten (Müsli, Brot, Nudeln), die nach dem Sport keinesfalls in Fett umgewandelt, sondern in den Muskelzellen als Energiereserve (Glykogen) eingelagert werden. Fettreiche Stärkung hingegen verzögert die Regeneration und macht statt fit eher fett.

T

Thunfisch gehört ins Wasser. Thunfisch schmeckt vorzüglich, ist fettarm und zudem Eiweiß pur; die ideale Ergänzung also zum Toast oder zu Baguette sowie zum Salat oder als Pizzabelag - für Körperbewußte aber nur, wenn er in Wasser konserviert statt in Öl eingelegt ist.

Trainieren Sie Ihre Muskeln. Mehr Muskeln bedeutet mehr aktive Körpermasse, und das wirkt sich sehr günstig auf Ihren Grundumsatz aus. Selbst in Ruhe verbrauchen aktive Menschen mehr Energie. Fettgewebe ist dagegen stoffwechselträge, verbrennt also weniger Kalorien.

Trauen Sie dem Blick in den Spiegel. Bloße Kalorienzählerei und Pfunde-Notierungen sind Unsinn. Die 50-Kilo-Grenze ist zwar magisches Ziel für manche Frauen, sagt aber wenig aus über gute Figur und Fitneß. Eher zeigt Ihnen Ihr Spiegel, ob die Proportionen stimmen. Denn dabei kommt es insbesondere auf das richtige Verhältnis von aktiver (Muskulatur) zu passiver (Fettgewebe) Körpersubstanz an. Gewicht wird bei Diäten vielfach an Stellen verloren, wo frau es gern behalten hätte. Sport rückt da das Verhältnis viel eher zu recht.

Trocken Brot macht Wangen rot. Und nicht nur das: Brot ohne Belag sättigt mit wenig (Fett-) Kalorien und ist stets geeignet für den kleinen Heißhunger zwischendurch.

U

Über Sie den „Voller Teller"-Trick. Essen Sie beim Kaffeeklatsch das Stück Kuchen langsam, dann sieht sich Ihre Gastgeberin nicht so oft genötigt, Ihren leeren Teller wieder vollzupacken. Auch kleinere, seltenere Schlucke aus dem Weinglas schützen vor dem Nachschenken.

V

Verbünden Sie sich mit Gleichgesinnten. Wer sich allein nicht stark genug fühlt, sein Schlankheitsprogramm durchzuhalten, sollte sich einer Ernährungsgruppe anschließen, wie sie etwa Volkshochschulen, Sportvereine oder Krankenkassen anbieten. Unter fachlicher Anleitung und im Kreise von Mittätern lernt sich das neue Eßverhalten leichter. Und in Sachen Bewegung hilft vielen ein Sportverein oder ein Fitneß-Studio. Wofür man bezahlt, das nutzt man erfahrungsgemäß auch.

Verwenden Sie Zucker als Gewürz. Purer Zucker ist zwar kein ausgesprochener Dickmacher, und Süßstoff als zucker- und kalorienfreie Alternative schadet in vernünftiger Dosierung ebenfalls nicht. Zucker hat die Nährstoffdichte null, ist also ein sogenannter leerer Kalorienträger. Und Süßstoff ist sicher für Diabetiker sehr sinnvoll, nicht aber für Übergewichtige, deren Hauptproblem zuviel Fett im Essen ist. Gleichwohl sollten Sie Ihre Geschmacksschwelle für Süß heruntertrainieren und Zucker nur wie ein Gewürz benutzen. Schließlich geht süß und fett in so mancher Leckerei zusammen.

Viel Wasser zum Wein. Trinken Sie vor und zwischen den Gängen reichlich Wasser oder Mineralbrunnen. Das neutralisiert den Geschmack und läßt Sie seltener zum Bier- oder Weinglas greifen.

Viel weniger ist sehr viel mehr. Jedes Pfund, das Sie langsam abnehmen, ist ein auf Dauer verlorenes Pfund. Ein schnell abgenommenes haben Sie dagegen auch genauso rasch wieder auf den Rippen. Ein bis zwei Pfund pro Woche sind deshalb wirklich genug, wenn Sie ernsthaft Wert auf einen dauerhaften Erfolg legen.

Vorsicht mit Brot und Butter im Restaurant. Auch wenn die Versuchung noch so groß ist: Greifen Sie, während Sie auf Ihr Menü warten, nicht in den Brotkorb, auch wenn das Brot noch so lecker aussieht. Gegen einen leichten und raffinierten Gruß aus der Küche zur Überbrückung der Wartezeit ist dagegen kaum was zu sagen - erst recht nicht gegen frische Gemüsestifte und etwas Kräuterquarkdip.

W

Was light ist, macht nicht immer leichter. Es gibt durchaus eine ganze Reihe seriöse Produkte, die alle Bestimmungen für kalorienreduzierte Lebensmittel erfüllen. Vermindert ist bei ihnen meist der Fett-, Alkohol- und/oder der Zuckergehalt zugunsten von mehr Wasser und manchmal auch mehr Konservierungsstoffen. Aber seien Sie beim Einkauf wachsam: Es wird auf dem Markt jede Menge Schindluder mit dem Begriff „light" getrieben, denn der Begriff ist, dank zahlloser kalorienbewußter Verbraucher, quasi zur Garantie für ein gutes Geschäft geworden. Dabei sind Gemüse, Salate und Obst von Natur aus leicht, weil kalorienarm und dennoch reich an Vitaminen und Mineralstoffen. Was Light-Produkten häufig genug abgeht.

Werden Sie ein Fettexperte. Der Hauptfeind für Ihre Figur heißt Fett und abermals Fett. Wählen Sie deshalb Ihre Lebensmittel mit Hilfe der großen Fit For Fun-Fett-Tabelle im Anhang aus. So machen Sie um geheime Fett-Fallen problemlos einen Bogen.

Die Wurst hat tüchtig abgespeckt. Wenigstens gegenüber früher. „Ganz ohne" ist der herzhafte Brotbelag aber beileibe nicht: Neueren Untersuchungen zufolge weist Mettwurst hierzulande mit 35 Prozent so ziemlich den höchsten Fettgehalt auf. Leberwurst wird im Bereich von 30 Prozent gehandelt. Relativ fettarm sind dagegen Bierschinken mit 20, gekochter Schinken und Geflügelwurst mit fünf bis zehn und Deutsches Corned beef mit fünf Prozent Prozent Fett. Überlegen Sie also zweimal, was Sie sich aufs Brot schmieren lassen.

Z

Ziehen Sie die Salatbremse. Ein Salat oder eine leichte Gemüsesuppe vor dem Hauptgang wirkt Wunder. Beides ist vitamin- und mineralstoffreich, muß gut gekaut bzw. langsam gelöffelt werden und dämpft den ersten Hunger mit wenig Fettkalorien.

„Zwischendurch" ist tabu. Zwar empfehlen Ernährungswissenschaftler heute fünf insgesamt kleinere Mahlzeiten statt zwei bis drei üppige. Damit ist aber ein annähernd fester Eßrhythmus gemeint und kein ständiges Naschen und Knabbern.

Zum Schluß die alten Griechen. Vom ursprünglichen Wortsinn her ist eine Diät überhaupt nichts Besonderes - weder ein Rezept noch ein Programm. Der griechische Begriff Diaita meint nichts anderes als "gesunde Lebensweise" und bezieht bewußte Ernährung und körperliche Aktivität mit ein, Bewegung, die Spaß macht. Und das ist genau das, was dieses Buch Sie lehren soll.

Fachwörter-Lexikon

Zwar haben wir uns bemüht, unnötiges Fachchinesisch zu vermeiden, aber ganz ohne geht es in den ernährungswissenschaftlichen Passagen nun einmal nicht. Mit diesem Lexikon behalten Sie den Durchblick:

A

Adipositas: Gesundheitsgefährdendes Übergewicht, Fettleibigkeit

Aminosäure: Eiweißbausteine, die teils selber im Körper gebildet, teils mit der Nahrung aufgenommen werden müssen

Arbeits- oder Leistungsumsatz: Energieumsatz des Körpers, der über den Grundumsatz hinausgeht

Appetenz: Begriff aus der Verhaltensforschung. Jede Form des auf die Erreichung eines Zieles gerichteten Verhaltens, das mit der Suche nach Reizsituationen verbunden ist

Arteriosklerose: Arterienverkalkung

Aspartam: Synthetischer, fast energiefreier Süßstoff

B

Ballaststoffe: Auch Nicht-Stärke-Polysaccaride genannt, sind für unser Verdauungssystem unverdauliche bzw. nicht verwertbare Kohlenhydrate aus Faserbestandteilen in pflanzlichen Lebensmitteln. Sie spielen eine wichtige Rolle für den Zucker- bzw. Fettstoffwechsel und die Darmtätigkeit

BE: Broteinheit; Rechenwert für die Bemessung von Kohlenhydratanteilen in Nahrungsmitteln für die Diabetiker-Diät

Beta-Oxidation: Energiegewinnung durch Verbrennung von Fettsäuren in den Muskelzellen

Biosynthese: Der Aufbau chemischer Verbindungen in den Zellen des lebenden Organismus'

Body Mass Index (BMI): Gewichtsindex zur Bewertung des Körpergewichtes nach der Formel „Körpergewicht in kg durch Körpergröße in qm"

Broca, Paul: Französischer Chirurg und Anthropologe (1824-1880), der der Berechnung des Körpersollgewichtes in kg nach der Formel „Körperlänge in Zentimetern minus 100 gleich Normalgewicht" ihren Namen gab

Bulimia nervosa: Krankhafte Freß- und Brechattacken. Auf Phasen rigorosen Hungerns folgen Heißhungeranfälle, auf die der Körper mit psychisch bedingtem Erbrechen reagiert

BW: Biologische Wertigkeit; Menge Körpereiweiß in Gramm, die durch 100 Gramm eines Nahrungsproteins ersetzt wird. Bezugswert - BW 100 - ist Vollei-Protein

C

Carnitin: Eine aus Eiweißbausteinen bestehende Verbindung, auch "Bio Carrier", genannt. Es regelt den Transport von Fettsäuren in die Zellen und wird fälschlicherweise oftmals als Vitamin bezeichnet

Cellulitis: Auch Orangenhaut genannte, dellenförmige Verformung an Oberschenkeln, Po und Bauch, die bei schlechter Durchblutung des Fettgewebes häufiger bei Frauen als bei Männern auftritt

Cholesterin: Wichtigster Fettbegleitstoff in tierischen Lebensmitteln, der auch im menschlichen Körper selbst gebildet wird und wichtige Funktionen im Stoffwechsel (Ausgangssubstanz für Hormon-, Gallensäuren- und Vitamin-D-Bildung) hat. Sehr hohe Blutcholesterinwerte erhöhen das Risiko für Arteriosklerose und Herzinfarkt.

Cyclamat: Synthetischer, energiefreier Süßstoff

D

Dexfenfluramin: Neuartiger Medikamentenwirkstoff, der eine vermehrte Serotonin-Ausschüttung und dadurch eine Steigerung des Sättigungsgefühls bewirkt

Diabetes mellitus: Zuckerausscheidung im Harn, die durch eine Störung der Nierenfunktion hervorgerufen wird. Zuckerkrankheit, bei der die körpereigene Produktion des stoffwechselregelnden Hormons Insulin gestört ist.

Diät: Griech.: Diaita = gesunde Lebensweise

Diuretika: Arzneimittel, die die Harnausscheidung fördern, also entwässernd wirken

E

Emulgator: Mittel, das die Verteilung zweier nicht miteinander mischbarer Flüssigkeiten , z.B. Öl in Wasser, erleichtert

Enzym: Eiweißverbindung, die im Stoffwechsel chemische Reaktionen bewirkt, z.B. die Verdauung von Nahrung oder die Energiegewinnung aus Nährstoffen

Ephedrin: Ein den Appetit reduzierendes Mittel, das vorrangig bei Kreislaufschwäche eingesetzt wird, weil es - ähnlich wie das Hormon Adrenalin - stimulierend wirkt

G

Gastrin: Ein aus Aminosäuren bestehendes Peptid (Spaltprodukte des Eiweißabbaus), das die Magendrüsen zur Sekretion des Magensaftes anregt

Glukose: Kleinster Baustein der Kohlenhydrate; sogenannter Blutzucker

Glukostatische Theorie: Erklärungsmodell, demzufolge Schwankungen im Blutzuckerspiegel die Hunger-Sättigungs-Regulation beeinflussen. Die regelmäßige Aufnahme komplexer Kohlenhydrate dient der Konstanthaltung

Gluten: Ein in allen Getreidesamen enthaltener zäher Eiweißstoff, der auch „Kleber" genannt wird

Glykogen: Tierische Stärke; Speicherform der Kohlenhydrate in Muskeln und Leber

Grundumsatz: Energieverbrauch zur Aufrechterhaltung der elementaren Lebensfunktionen wie Atmung, Körpertemperatur, Herz-Kreislauf-Tätigkeit etc.

H

Hormon: Körpereigener, von den Drüsen mit innerer Sekretion gebildeter und ins Blut abgegebener Wirkstoff, der die Vorgänge des Stoffwechsels, Wachstums und der Fortpflanzung steuert

Hypothalamus: Der unterhalb des Thalamus liegende Abschnitt des Zwischenhirns, ein wichtiges Regulationsorgan für vegetative Funktionen wie Nahrungsaufnahme, Flüssigkeits- und Mineralhaushalt und Fortpflanzung

I

Immunsystem: Körpereigenes Schutzsystem gegen Krankheitserreger

Insulin: Hormon der Bauchspeicheldrüse; fördert die Zuckeraufnahme der Zellen

J

Joule/Kilojoule: Internationale Maßeinheit für Wärme, Energie, Arbeit

K

Kalorie/Kilokalorie: „Alte", aber immer noch übliche Maßeinheit für den „Brennwert" von Nährstoffen. 1 kcal entspricht 4,186 kJ (Kilojoule), Kalorie im umgangssprachlichen Gebrauch für Kilokalorie

Kalorienreduziert: Gesetzlich festgelegte Bezeichnung für Lebensmittel, deren Kalorienanteil gegenüber dem Ausgangszustand um mindestens 40 Prozent reduziert ist

Kalorienarm: Gesetzlich für den Schutz des Verbrauchers festgelegte Bezeichnung für Lebensmittel, die verzehrfertig nicht mehr als 50 kcal pro 100 Gramm enthalten. Für Getränke, Suppen, Brühen liegt der Wert bei 20 Kilokalorien pro 100 Milliliter.

Kohlenhydrate: Aus Kohlenstoff, Sauerstoff und Wasserstoff zusammengesetzte organische Verbindung, zu der z.B. alle Zucker-, Stärke- und Zellulosearten gehören

L

Laxanzien: Abführmittel

Laktose: Milchzucker

Limbisches System: Eine aus Strukturen des Großhirns, Mittelhirns und Zwischen--hirns gebildete Einheit, die die Kerngebiete des Hirnstammes wie ein „Saum" (lat. Limbus) umgibt. Dort werden Beziehungen zwischen Bewußtseinsvorgängen, Emotionen und Motivationen einerseits und der Tätigkeit der inneren Organe andererseits hergestellt

Lipolyse: Fettfreisetzung aus Fettgewebe im Rahmen des Stoffwechsels

Liposculpturing: Technik der plastischen Chirurgie, bei der Fett aus dem Unterhautgewebe abgesaugt oder gezielt eingespritzt wird

M

Magersucht: lat. Anorexia nervosa; krankhafte Folge von unzureichender Ernährung mit starkem Untergewicht, die sowohl organische und psychische Ursachen haben kann. Im Gegensatz zur Bulimia nervosa wird bei Magersucht die Nahrungsaufnahme verweigert. Die Grenze zwischen beiden Krankheiten gilt jedoch als fließend, denn 60 Prozent der Magersüchtigen werden bulimisch.

Metabolisches Syndrom: Zusammenwirken von Übergewicht, Zuckerkrankheit, Bluthochdruck und überhöhtem Blutfettspiegel als Hauptursache für Arteriosklerose

Metabolismus: Stoffwechsel

Mineralstoff: Oberbegriff für Mengen- und Spurenelemente

Minimalbelastung: Notwendige Grundmenge körperlicher Betätigung, die zur Aufrechterhaltung eines gesunden Stoffwechsels bzw. Energiehaushaltes unabdingbar ist

Mitochondrien: Faden- oder kugelförmiges Gebilde in menschlichen, tierischen und pflanzlichen Zellen, das auch als „Kraftwerk der Zelle" bezeichnet wird, weil dort z.B. die Energiegewinnung durch Verbrennung von Fettsäuren stattfindet

N

Nahrungsinduzierte Thermogenese: Energieaufwand, der für die Nahrungsaufnahme und Verarbeitung nötig ist

O

Orale Kontrazeptiva: Anti-Baby-Pille

P

Peristaltik: Muskelbewegung des Darms oder der Speiseröhre

Protein: Eiweißmolekül; Bausubstanz für Zellen, für Energiegewinnung wichtig

S

Saccharin: Synthetischer, energiefreier Süßstoff

Saccharide: Siehe Kohlenhydrate

Serotonin: Neurotransmitter (Nervenbotenstoff), der stimmungshebend sowie schmerzlindernd wirkt und im Stoffwechsel aus der Aminosäure Trytophan gebildet wird. Serotonin-Mangel weckt Heißhunger auf Kohlenhydrate.

Set-Point-Theorie ("Fettpunkt"): Vorstellung einer individuellen konstanten Anzahl körpereigener Speicherzellen, die Fett in variablen Mengen einlagern können. Harmonieren diese Disposition und die Nahrungsaufnahme miteinander, regelt der Set-Point als ausgewogener Idealzustand Appetit, Nahrungsaufnahme und Stoffwechsel

Stoffwechselaktivatoren: Vitamine, Enzyme, Hormone, Mineralstoffe, die Stoffwechselvorgänge wie den Nahrungsumsatz und die Energiegewinnung aus Nährstoffen ermöglichen

Skinfold caliper: (Kneiftest) Überprüfung der Dicke des Unterhautfettgewebes durch Zusammendrücken einer Hautfalte am Bauch oder Oberarm zwischen Achselhöhle und Ellenbogen

Süßhunger: Heißhunger auf kohlenhydratreiche Nahrung

Synthese: Lat. Verknüpfung; Aufbau einer chemischen Verbindung aus einfachen Stoffen

T

Testosteron: Wichtigstes männliches Sexualhormon

Thalamus: Auch Sehhügel; Hauptbestandteil des Zwischenhirns; einströmende Erregungen werden zur Hirnrinde weitergeleitet

Thermostatische Theorie: Erklärungsmodell, nach dem alle höheren Tiere und der Mensch Nahrung zu sich nehmen, um die für sie nötige Körpertemperatur zu erreichen und die Nahrungsaufnahme einstellen, wenn Überhitzung droht

Thyroxin: Schilddrüsenhormon, bewirkt Steigerung des Energie-Grundumsatzes

V

Vitamine: Lebensnotwendige Mikronährstoffe mit großer biologischer Aktivität als Co-Enzyme oder Schutzfaktoren. Sie werden vom Organismus nicht selbst gebildet und müssen daher mit der Nahrung aufgenommen werden

X

Xylit: Zuckeraustauschstoff in der Diabetiker-Diät

Z

Zellulose: Polymeres Kohlenhydrat; Hauptbestandteil der pflanzlichen Zellwände. Es ist ein Ballaststoff, der für die geregelte Darmtätigkeit notwendig ist.

Register

L

M

N

O

P

Q

R

S

T

U

V

W

X

Z

Bildachweis

Kapitelaufmacherfotos / Fit-For-Fun-Übungen: Jo van den Berg - Hamburg
Fit-For-Fun-Rezeptfotos: Nachwuchsstudio Jo van den Berg: Carsten Minkwitz
Food Styling: Patrice Brault - Hamburg
Fotoassistenz: André Raczinski, Alfred Brandl
Models: Yara / Agentur Body & Soul - Hamburg
Robert / Agentur Promod - Hamburg
Sportbekleidung/-geräte: sport kaap - Hamburg

Adelman, Bob Innenumschlag vorne, Innenumschlag hinten, 24/25, 96
Archive Photos 119, 135
Bavaria 38 (TCL), 105 (TCL), 135 (TCL) (2)
Bildarchiv Engelmeier 30/31, 51, 52, 69, 70, 123 (2), 134
Bildarchiv Preußischer Kulturbesitz 32/33, 37, 72
Brigitte 149
Calvin Klein 26/27, 71
dpa 40, 87, 105 (4), 114 (EPA)
Eisenhut & Mayer 8 / 9, 7 6 / 7 7, 157, 160, 167, 169, 172 (2), 173, 174, 176, 181, 186 (2), 187 (2), 188 (6), 189 (3), 191, 217, 232
Eurovideo 84
Geo Syndication 28/29 (Holger Everling), 83 (Jörg Kuhn)
Hauser, Markus 148, 150, 162, 166, 180
Image Bank 104 (Daniel Arsenault)
inter-Topics Titel (Wayne Maser), 64 (Botaish Group)
Kage, Manfred 16/17, 53, 133
Klama, E.O. 122/123 (3)
Klein, William 14/15
Leidig, Thomas 5
Minkwitz, Carsten 190 (10), 191 (4), 192-241
Pirelli 98
Pudenz, Ansgar 132, 135, 146, 151, 154, 156, 158, 159, 161, 177, 205
Schmidt, Christian 146, 148 (3), 173, 216, 232, 233
Steinbach, Dieter 18/19
Stock Food Eising Titel (Eistüte), 35 (2), 44/45, 56/57, 65, 85, 87 (2), 91, 108/109, 126/127, 138/139, 146 (2), 152, 153, 155, 163, 164, 165, 168, 170, 171, 175, 178, 186 (4), 187 (2), 188 (5), 189 (7), 190, 191 (4), 204 (3), 205 (2), 216 (2), 217 (2), 232, 233 (2)
Tony Stone 22/23 (Bruce Herman), 50 (John Running), 53 (Shaun Egan), 68 (Stephanie Rushton), 100 (Claudia Kunin), 101 (Nick Dolding), 102 (Zigy Kaluzny), 103 (Stefan May), 132 (Bruce Ayres), 134 (Mark Green), 134 (Laurence Dutton), 134 (Charles Thatcher), 144 (Stefan May), 179 (Paul Dance), 184 (Frank Herholdt)
Transglobe 34 (Gordon Moore)
van den Berg, Jo 10/11, 12/13, 43, 46/47, 48/49, 55, 58/59, 60/61, 75, 78/79, 80/81, 89, 92/93, 94/95, 107, 110/111, 112/113, 116-121, 125, 128/129, 130/131, 137, 140/141, 147 (3), 149 (3), 190, 199, 204 (3), 205 (2), 208, 209, 216, 217, 227, 228, 232, Rückumschlag
Veyseett, Frederique 62
Voller Ernst 20/21 (Stumpe), 36 (Drysdale), 39, 67 (Drysdale)

Literatur

Aktuelle Ernährungsmedizin: 10. Jahrestagung der Deutschen Gesellschaft für Adipositasforschung 19 (1994) 5, 272-284.
AMC-Symposium Wissenschaft und Ernährungspraxis: Das Metabolische Syndrom, Bingen 1994.
Atkins, R.: Dr. Atkins New Diet Revolution, New York 1992.
Besser-Siegmund, C.: Easy Weight, Düsseldorf 1992.
Biesalski, H.-K. et al.: Ernährungsmedizin, Stuttgart 1995.
Brigitte Dossier: Wollen wir alle viel zu dünn sein? 11/1990.
Carlsson, Sonja; Wirths, Gerbert: Schlank nach Wunsch, München 1993
Deutsche Gesellschaft für Ernährung: Die Nationale Verzehrstudie - Ergebnisse der Basisauswertung, Bonn 1991
Deutsche Gesellschaft für Ernährung (Hrsg.): Ernährungsberichte 1988 und 1992, Frankfurt.
Deutsche Gesellschaft für Ernährung (Hrsg.): Empfehlungen für die Nährstoffzufuhr, Frankfurt 1991.
Deutsche Gesellschaft für Ernährung (Hrsg.): Die Nährstoff-Bausteine für Ihre Gesundheit, Frankfurt 1994.
Deutsche Gesellschaft für Ernährung (Hrsg.): Der Mensch ist, was er isst! Frankfurt 1994.
DGE-aktuell: Warum der eine dik wird und der andere nicht 20/93 - Doppeltes Risiko durch blauen Dunst 3/94 - Gibt es „gute" und „böse" Kalorien? 11/94.
DGE-info Oktober 1993: Nahrungsmittel, die schlank machen oder die negativen Kalorien.
DGE-info Dezember 1993: Fett oder Kohlenhydrate - Welche Nährstoffe fördern die Entstehung von Übergewicht? Frankfurt 1993, 84-86.
DGE-info Juni 1994: Jahrespressekonferenz der DGE - Kohlenhydrate: Vom Dickmacher zum Schlankmacher, Frankfurt 1994, 34-37.
Deutsches Institut für Ernährungsforschung Potsdam-Rehbrücke Presseinformation: Führen Light-Produkte wirklich zur Gewichtsabnahme?
„Kohlenhydrate machen nicht dick" - stimmt das?
Gute Futterverwerter haben es schwer, ihr Gewicht zu halten.
Diamond, Harvey u. Marilyn: Fit für's Leben - Fit for Life, Ritterhude b. Bremen 1986
Dexfenfluramine and Energy Metabolism I u II Frenz, U. et al. Abstract, 5th ECO, Ulm 1993.
Ditschuneit, H. et al.: Welche Reduktionsdiät? Deutsches Ärzteblatt 90 (1993) 27, C-1274-1279.
Faltermaier, Toni: Gesundheitsbewußtsein und Gesundheitshandeln - Über den Umgang mit Gesundheit im Alltag, Weinheim 1994
Geiß, K.-R.; Hamm, M.: Handbuch Sportlerernährung, Reinbek 1992
Geiß, K.-R. et al.: 9,79 ... natürlich möglich?!, Mörfelden 1994.
GI-Telegramm 5/91: Die Deutschen dick gerechnet.
Gerlinghoff, Monika; Backmund, Herbert; Mai, Norbert: Magersucht - Auseinandersetzung mit einer Krankheit, Weinheim 1988
Gerlinghoff, Monika; Backmund, Herbert: Therapie der Magersucht und Bulimie - Anleitung zum eigenverantwortlichen Handeln, Weinheim 1995
Großklaus, R.: Die Bedeutung des braunen Fettgewebes im Zusammenhang mit der Energiebilanz und Adipositas. Aktuelle Ernährungsmedizin 13 (1988) 98-108.
Grunert, Suzanne C.: Essen und Emotionen - Die Selbstregulierung von Emotionen durch das Eßverhalten, Weinheim 1993
Hamm, M.: Schluß mit dem Diät-Streß! München 1992.
Hamm, M.; Malz, C.: Schach dem Schmerz! München 1993.
Haseltine, Helga; Klosterfelde-Wentzel, Marlies: Die neue Brigitte-Diät, München 1992
Heintze, Thomas M. Dr. Med.: Alles über die Haysche Trennkost, Niedernhausen/Ts. 1994
Iglo-Forum Studie 1991: Genußvoll essen, bewußt ernähren - Gemeinsamkeiten und Unterschiede am neuen deutschen Tisch, Hamburg 1991.
Köster, H.; Pudel, V.: Der Pudel Plan zum Wunschgewicht, Niedernhausen 1991.
Laffert, v.S.: Der Kampf gegen das Fett. Fit for fun 3/1995, 186-192.
Lange-Ernst, M.-E.: Stop dem Schlankheitswahn, München 1993.
Montignac, M.: Ich esse um abzunehmen. Die Methode Montignacs, Offenburg 1994.
Oberbeil, K.: Der Diät-Test, Münster 1991.
ÖKO-TEST: Ratgeber Diät, Reinbek 1989.

Rezepte